법화경 강설 下

선화 상인

불광출판사

일러두기

- 이 책은 선화 상인(宣化上人)이 귀의한 제자 다섯 명(처음에는 두 명)을 대상으로 미국의 샌프란시스코에 있는 불교강당에서 진행한 『법화경』 강의를 편역한 것이다.
  (강의 중간에 일반인도 종종 법회에 참석한 것으로 보인다.)

- 1968년 10월 16일 「관세음보살보문품」을 시작하였고 같은 해 11월 9일 마쳤다.
  전체 『법화경』 강의가 다시 시작된 것으로 「관세음보살보문품」 강의가 끝난 다음날(11월 10일)이다.
  이후 정확히 2년 만인 1970년 11월 10일 모든 강의가 끝났다.
  (이 책은 강의 순서가 아닌 『법화경』의 목차에 따랐다.)

- 선화 상인(宣化上人)의 법화경 강의는 『묘법연화경천석妙法蓮華經淺釋』(이하 「천석」)이라는 제목으로 엮여 출판되었으며(총 10권), 몇 차례에 걸쳐 수정·증보되었는데 이 책의 저본은 2008년 판이다.

- 『법화경』 원문은 「천석」에 나온 것을 따랐으나 우리나라에서 사용하지 않는 한자 등은 교체하였으며 명백한 오탈자라고 생각되는 부분은 다른 판본과 대조하며 바로 잡았다.

선화 상인

법화경 강설

下

목
차

상권(上卷)

서문 _ 4

현담(懸談) _ 16

권 제일 一

1 서품(序品) _ 90

2 방편품(方便品) _ 230

권 제이 二

3 비유품(譬喩品) _ 314

4 신해품(信解品) _ 494

권 제삼 三

5 약초유품(藥草喩品) _ 562

6 수기품(授記品) _ 584

7 화성유품(化城喩品) _ 604

하권(下卷)

권 제사 四

8 오백제자수기품(五百弟子受記品) _ 10

9 수학무학인기품(授學無學人記品) _ 38

10 법사품(法師品) _ 54

11 견보탑품(見寶塔品) _ 98

12 제바달다품(提婆達多品) _ 130

13 권지품(勸持品) _ 158

권 제오 五

14 안락행품(安樂行品) _ 172

15 종지용출품(從地踊出品) _ 222

16 여래수량품(如來壽量品) _ 254

17 분별공덕품(分別功德品) _ 284

권 제육 六

18 수희공덕품(隨喜功德品) _ 312
19 법사공덕품(法師功德品) _ 334
20 상불경보살품(常不輕菩薩品) _ 364
21 여래신력품(如來神力品) _ 382
22 촉루품(囑累品) _ 396
23 약왕보살본사품(藥王菩薩本事品) _ 406

권 제칠 七

24 묘음보살품(妙音菩薩品) _ 436
25 관세음보살보문품(觀世音菩薩普門品) _ 456
26 다라니품(陀羅尼品) _ 582
27 묘장엄왕본사품(妙莊嚴王本事品) _ 600
28 보현보살권발품(普賢菩薩勸發品) _ 618

번역을 마치고 : 성불로 가는 길 _ 639

개경게(開經偈)

무상의 매우 깊고 미묘한 법이여
백천만겁에도 만나기 어렵습니다.
저는 지금 듣고 보아 받들어 지니면서
여래의 진실한 뜻 이해하기를 원하옵니다.

無上甚深微妙法
百千萬劫難遭遇
我今聞見得受持
願解如來眞實義

본문 해설

八

오백제자수기품

(五百弟子授記品)

오백 명의 제자에게 수기를 주다

이제 제8품 「오백제자수기품」을 설명할 차례다. 본래 1,250명의 제자들에게 수기를 주실 것인데, 지금은 단지 오백 명의 제자만 수기를 주신다. 이 오백 명 속에는 이미 1,250명의 제자가 포함되어 있다. 이 품은 석가모니 부처님께서 1,250명의 제자에게 부처가 될 것이라는 수기를 주시는 품이다. 『법화경』은 방편을 열어 진실을 드러내는 법이기 때문에 일체중생은 모두 부처가 될 수 있다. 앞에서도 이야기하였듯이 "만약 어떤 사람이 산란한 마음으로 탑이나 절에 들어가 나무불이라고 한 번이라도 부르면 모두 불도를 이룬다."고 하였다. 성불은 하지만 단지 시간의 문제이다. 장래 모두 이어서 부처가 될 것이다. 지금은 아직 성문이나 보살의 과위 상에 있다.

가. 부루나 비구의 수기(受記)

1) 부루나 비구의 수기 청함

그때 부루나미다라니자는 부처님으로부터 지혜와 방편으로 중생의 근기에 따라 설하시는 법문을 듣고, 또한 대제자들에게 무상정등정각의 수기 주시는 것을 들었다. 다시 숙세 인연의 일을 듣고, 그리고 모든 부처님의 대자재와 신통의 힘에 관한 법문을 듣고는 이전에 듣지 못하던 것을 들어 마음이 청정하고 뛸 듯이 기뻐하였다.

그리하여 즉시 자리에서 일어나 부처님 앞으로 가서 오체투지로 발에 절을 하고 한쪽에 머물러 부처님의 얼굴을 우러러보면서 눈을 잠시도 떼지 못하였으며, 이렇게 생각하였다. '세존께서는 매우 기이하고 특별하며 희유하신 분이다. 세간의 일체중생의 갖가지 종성에 수순하며 권교방편의 지견으로 법을 설하여 중생의 모든 탐착을 뽑아 제거하시니, 저희들은 부처님의 공덕에 대해 알지 못하여 말할 수 없으나, 오직 부처님, 세존께서는 저희들의 깊은 마음속 모든 생각과 이전에 발한 본원을 아신다.'

爾時富樓那彌多羅尼子, 從佛聞是智慧方便, 隨宜說法, 又聞授諸大弟子阿耨多羅三藐三菩提記。復聞宿世因緣之事, 復聞諸佛有大自在神通之力, 得未曾有, 心淨踊躍。卽從座起, 到於佛前, 頭面禮足, 卻住一面, 瞻仰尊顔, 目不暫捨。而作是念, 世尊甚奇特, 所爲希有。隨順世間若干種性, 以方便知見而爲說法, 拔出衆生處處貪著。我等於佛功德, 言不能宣, 唯佛世尊能知我等深心本願。

2) 부루나 비구의 공덕

가) 석가세존 시기의 공덕

그때 부처님께서 모든 비구들에게 말씀하셨다. "그대들은 부루나미다라니자 비구를 보는가? 나는 그를 설법하는 사람 가운데 가장 제일이라고 항상 말하였으며, 또한 그의 갖가지 공덕을 항상 칭찬하였다. 그는 정진하며 부지런히 불법을 닦고, 불법을 보호하고 나의 법을 도와 선양하였으며, 사부대중을 위하여 불교를 가르쳐 이익과 즐거움을 얻게 하였으며, 부처의 지견을 구족하여 부처님의 정법을 잘 해석해서 모든 범행을 닦는 사람들에게 큰 이익을 주었다. 여래를 제외하고는 그의 변재를 능가할 수 있는 자는 없다. 그대들은 부루나 비구가 단지 나의 법만을 도와 선양한다고만 말하지 말라."

爾時佛告諸比丘, 汝等見是富樓那彌多羅尼子不。我常稱其於說法人中, 最爲第一。亦常歎其種種功德, 精勤護持, 助宣我法, 能於四衆示教利喜, 具足解釋佛之正法, 而大饒益同梵行者。自捨如來無能盡其言論之辯。

나) 과거세의 공덕

"그는 과거 구십억의 수많은 부처님 계신 곳에서 부처님의 정법을 보호하여 선양하였으며, 그 당시 법을 설하는 사람 가운데서도 제일이었다. 그리고 제불이 설하신 반야의 법에 대하여 밝게 깨달아 통달하였으며, 네 가지의 무애한 지혜[四無碍智]를 얻었다. 그가 항상 깊이 사유하여 설한 법은 청정한 법으로서 조금의 의혹도 안 생기도록 하였다. 그는 보살의 신통력을 구족하여 그의 수명이 다하도록 항상 청정한 범행을 닦았다. 그 당시 부처님 시대의 세상 사람은 모두 그를 진실로 성문이라고 하였으나, 부루나 비구는 이러한 방편으로 무량한 백천만억의 중생을 이롭게 하였으며, 또한 무량한 아승기의 사람을 교화하여 무상정등정각의 마음을 발하게 하였다. 그는 불국토를 청정하게 하기 위한 까닭으로 항상 크게 불사를 지어 중생을 교화하였다."

汝等勿謂富樓那但能護持助宣我法, 亦於過去九十億諸佛所, 護持助宣佛之正法, 於彼說法人中, 亦最第一。又於諸佛所說空法, 明了通達, 得四無礙智•。常能審諦淸淨說法, 無有疑惑, 具足菩薩神通之力。隨其壽命，常修梵行。彼佛世人，咸皆謂之實是聲聞，而富樓那以斯方便，饒益無量百千衆生，又化無量阿僧祇人，令立阿耨多羅三藐三菩提。爲淨佛土故，常作佛事，敎化衆生。

득사무애지(得四無礙智)• 네 가지 무애지혜란 또한 네 가지 무애변재[四無碍辯]라고 한다. 사무애변은 다음과 같다.

① 사무애변(辭無碍辯) : 말하는 언사가 무궁무진하여 장애가 없는 변재를 말한다.

② 의무애변(義無碍辯) : 하나의 뜻으로부터 무량한 뜻을 설하며, 무량한 뜻은 하나의 뜻으로 귀납된다. 즉 하나가 무량이며, 무량이 하나다. 융통원만하여 장애가 없다. 이러한 장애가 없는 법문을 의무애변이라고 한다.

③ 법무애변(法無碍辯) : 하나의 법이 백법(百法)과 통하며, 백법이 하나의 법으로 돌아간다. 따라서 이러한 법도 장애가 없으며, 이러한 변재도 장애가 없다.

④ 요설무애변(樂說無碍辯) : 앞의 세 가지 무애변이 있더라도, 만약 그가 법 설하기를 원하지 않으면 방법이 없다. 변재가 있어도 설하기를 원하지 않고, 뜻이 아무리 풍부해도 설하기를 원하지 않고, 법이 있어도 설하기를 원하지 않으면, 네 가지 무애변을 말할 수 없다.

그가 언제 어디서나 설법하기를 좋아하는 것이 요설무애변이다. 심지어 돼지에게 와서 법을 설한다. "너는 다시는 돼지가 되지 말거라.

돼지는 가장 괴롭다. 단지 먹는 것만 알고 배가 부르면 자는데, 이게 무슨 의의가 있나?" 이렇게 돼지에게 법을 설한다. 개를 보면 말한다. "너는 그렇게 간탐(慳貪)하지 말라. 너는 너무 아끼고 탐하여 개가 되었어! 너의 탐심은 너무 무거워서, 너는 단지 하나의 동판을 가지고 와서 그것을 물로 만드네. 너는 한 번 놓으면 아, 나의 이 돈은 어디로 가는가? 생각지도 않게 너는 그것을 모아 물로 만드네. 네가 이렇게 간탐하기 때문에 개로 변한 거야!"

일체중생을 보면 그들에게 법을 설한다. 히피를 보면 법을 설하고, 히피가 아닌 사람을 만나도 곧 법을 설한다. 언제 어디서나 어떤 사람을 보고도 법을 설하는 것을 요설무애변이라고 한다. 따라서 너희는 기억해야 한다. 너희가 사무애변, 의무애변, 법무애변을 가지고 있든지 없든지를 막론하고, 언제나 요설무애변을 가져야 한다. 너희가 만약 요설무애변을 가지면, 언사도 무애하고, 의리(義理)도 무애하고, 법도 무애할 것이다. 너희가 만약 요설무애변이 없으면, 세 가지 무애변을 가지고 있어도 아무런 소용이 없을 것이다.

부루나 존자는 이 네 가지의 무애변재를 가졌다. 그리하여 일체중생으로 하여금 보리심을 발하게 하고, 무상의 도를 구하게 하여 제도할 수 있었다. 우리는 이 네 가지 무애변재를 배워야 하며, 이러한 설법을 배워야 한다. 그러나 너희는 단지 법을 설하는 것만 좋아하여 중생을 따라 달아나지 않아야 할 것이다. 너희가 원래 돼지를 제도하려고 했는데 생각지도 않게 자기도 돼지우리로 달려가는 경우다. 돼지를 돌이키지 못하고 돼지에게 돌이킴을 당하는 것이다. 마치 출가인이 재가인을 제도하려고 갔다가 제도하지도 못하고 도리어 재가인에게 오염되는 것이다. 예를 들면

재가인이 마약을 흡입하는데 출가인이 그를 따라 마약을 하게 되는 경우다. 개를 제도하려다가 개를 가장 애석해하여 개가 되어버리는 것이다.

예전에 내가 중국 동북지방에 살 때 기억나는 사람이 있다. 그는 연극을 하는 사람으로서 개를 가장 좋아하였는데 그 개는 죽어 환생하여 그 사람의 부인이 되었다. 그녀는 하루 종일 그와 싸웠다. 마치 그 개가 그렇게 "왕, 왕, 왕…." 하고 짖듯이 집에서 남편을 못살게 굴었다. 그래서 그는 나에게 그런 사정을 이야기하면서 그의 부인이 하루 종일 귀찮게 한다고 말하였다. 그는 수행을 하고 싶어 했지만, 그녀가 수행을 못하게 하였다.

그래서 내가 그에게 말하였다. "당신은 선정력이 없군요. 그대가 만약 선정력이 있게 되면, 그녀는 곧 당신을 떠나게 될 것입니다. 그녀가 당신을 못살게 굴어도 소리를 내지 말고, 어떻게 해도 관여하지 마세요. 인연이 다하면 흩어지며, 곧 (그 업연을) 마치게 됩니다."

그가 말했다. "정말입니까?"

"시험 삼아 그렇게 해보세요!" 내가 말하였다. 그가 집에서 3년간 인욕행을 하자, 그의 부인도 3년을 그렇게 소란을 피웠다. 그리고 결국 그의 부인은 떠났으며, 다시 그를 무는 개는 없게 되었다.

다) 삼세(과거, 현재, 미래)의 공덕

"모든 비구들이여, 부루나 비구는 또한 과거 일곱 분의 부처님 회상에서도 설법하는 사람 가운데 제일이었으며, 지금 나의 회상에서 설법하는 사람 가운데 제일이며, 현겁과 미래의 모든 부처님 회상에서 설법하는 사람 가운데서 또한 제일이 되어 모두 불법을 보호하면서 부처님을 도와 불법을 선양할 것이다.

그리고 미래세의 무량하고 무변한 제불의 법을 보호하고 선양할 것이며, 무량한 중생을 교화하여 이롭게 할 것이며, 그들로 하여금 무상정등정각의 마음을 발하게 할 것이다. 그는 불국토를 청정하게 하기 위한 까닭으로 항상 부지런히 정진하고 중생을 교화할 것이다."

諸比丘, 富樓那亦於七佛說法人中, 而得第一。今於我所說法人中, 亦爲第一。於賢劫中, 當來諸佛說法人中, 亦復第一, 而皆護持助宣佛法。亦於未來護持助宣無量無邊諸佛之法, 教化饒益無量衆生, 令立阿耨多羅三藐三菩提。爲淨佛土故, 常勤精進, 教化衆生。

3) 수기를 주다

"점차적으로 보살도를 구족해서 무량한 아승기의 겁을 지난 후에 이 사바세계에서 무상정등정각을 증득할 것이며, 명호를 법명여래, 응공, 정변지, 명행족, 선서, 세간해, 무상사, 조어장부, 천인사, 불세존이라고 할 것이다."

漸漸具足菩薩之道, 過無量阿僧祇劫, 當於此土, 得阿耨多羅三藐三菩提, 號曰法明如來 · 應供 · 正遍知 · 明行足 · 善逝 · 世間解 · 無上士 · 調御丈夫 · 天人師 · 佛 · 世尊。

◉ 부루나 존자는 무량겁 이전에는 별로 말을 잘하지 못하는 사람이었다. 어떤 사람이 법문을 설할 때면 그는 매번 가서 법을 들었다. 법문을 잘하든 못하든 반드시 가서 들었다. 그뿐만 아니라 밥도 먹지 않고, 물도 마시지 않고 달려가서 들었으며, 심지어 잠도 자지 않고 들었다. 법

으로 밥을 삼고, 법으로 물을 삼고, 법으로 잠을 삼았다. 그는 또 처음에는 서서 경을 들었다. 남들은 앉아서 듣는데 그는 서서 들은 것이다. 이후 그는 서서 듣는 것도 공경심을 나타내기에 부족하다고 느끼고 꿇어앉아 들었다. 공경스럽게 꿇어앉아 들은 것이다.

그는 법문을 많이 듣다 보니 발원을 하게 되었다. "저는 장래 반드시 출가하여 스님이 되어 수행을 하려고 합니다. 저는 경을 강의하는 것이 반드시 누구보다도 잘할 수 있기를 원합니다. 부처님께서 나오실 때마다 저는 그 부처님의 좌하에서 경을 강의하고 법을 설하며, 최고가 되기를 발원합니다."

그는 세세생생 이러한 원을 발하였다. 그리하여 보리의 종자를 심고, 걸림 없는 변재의 종자를 심은 것이다. 과연 그의 원대로 이루어져 그는 부처님 전에 태어나 지혜가 무량하고 변재가 무애하니, 큰 지혜를 열고 큰 변재를 얻게 되었다. 그래서 그가 설법제일이 된 것이다. 너희가 제일이 되려면 진실한 공부가 있어야 한다. 너희가 만약 진실한 공부가 없으면 얻을 수 없는 것이다.

보라. 제일은 쟁취하는 것이 아니라 공부를 닦으면 따라 오는 것이다. 따라서 우리는 기억해야 한다. 남들이 좀 잘하는 것을 보고 질투심을 내서는 안 될 것이다. '나의 최고 명성을 그는 얻지 못하게 할 거야!' 그러면 안 된다. 너희가 남들과 제일을 다투는 것은 진정한 제일이 아니다. 진정으로 남들이 너희를 제일로 여겨야 비로소 제일이지, 너희가 그것을 빼앗는 것이 아니다. 제일을 빼앗는 것은 마치 강도로 변하는 것과 같다. 불교에서는 제일을 빼앗으면 안 되며, 다투어도 안 되고, 남을 질투해도 안 되며, 남을 장애해도 안 된다.

남이 재주가 있는 것을 질투해서는 안 될 것이다. 그럼 어떻게 해야 하는가? 마땅히 찬탄해야 한다. 남들의 수행이 있을수록 더욱 기뻐해야 한다. 어떤 사람이든지를 막론하고 그가 총명하고 지혜가 있을수록 더욱 그에게 배워야 하며, 질투심을 내지 말아야 한다. 너희가 만약 질투심을 내면 너희는 큰 성취를 할 수 없다. 무엇 때문인가? 너희의 마음 도량이 너무 작기 때문이다.

부루나 존자는 설법제일과 괴로운 공부를 바꿔온 것이다. 그는 법을 들을 때 밥도 먹지 않고, 물도 마시지 않고, 잠도 자지 않았다. 심지어 그는 법을 들을 때 모든 것을 잊어버렸으며, 다른 일체의 욕망과 망상을 모두 없애고 꿇어앉아 법을 들었다.

근세 장쑤성(江蘇省) 전장(鎮江) 금산사(金山寺)에 활불(活佛)이 한 분 계셨다. 이 활불이라는 이름은 어떻게 온 것인가? 그 스님은 자기의 머리에 활불이라는 두 글자를 썼다. 그리고 마치 간판을 팔듯이 남들에게 자기를 활불이라고 부르게 하였다. 이후 사람마다 과연 그를 활불이라고 불렀다. 그는 그 절에 있는 높은 탑에서 떨어져도 죽지 않았다. 누가 무슨 병이 있으면 그는 손으로 한 번 만지거나, 입김으로 한 번 불거나, 혹은 자기의 침을 받아먹게 하거나, 자기의 발 씻은 물을 먹게 하면, 병이 나았다. 그는 자기의 발 씻은 물을 '바라밀탕'이라고 하였다.

이 활불은 누가 경을 강의하는 것이 좋든지 안 좋든지 곧 꿇어앉아 들었다. 좌복도 없이 벽돌바닥에 거의 두 시간 동안 합장하고 꿇어앉아 들은 것이다. 이러한 고행이 있으므로 비로소 일종의 신령스런 감응이 있는 것이다. 방장 스님이 그에게 "가서 쌀을 찾아오너라!"라고 하면 그는 곧 나가서 많이 얻어온다. 여러분은 그가 어떻게 쌀을 얻어오는지 배우고 싶은가? 그는 나가서 주를 염송하듯이 말한다. "쌀아 오거라!

쌀아 오거라![米來]" 그러면 쌀이 오는 것이다. 이렇게 기이하였다.

"그 부처님은 항하사 수의 무량한 삼천대천세계를 하나의 불국토로 삼으며, 땅은 칠보로 이루어지고 손바닥같이 평탄하여 산과 구릉, 계곡, 하천이 없으며, 칠보 누각과 아름다운 곳이 곳곳에 충만하며, 제천의 궁전이 허공 가까이에 있으며, 인간과 천상이 이어져 서로 볼 수 있다.
모든 악도가 없고 또한 여인도 없으며, 일체중생이 모두 화생으로 나며, 음욕이 없고 큰 신통을 얻어 몸에서는 광명이 나오고 비행이 자재하며, 불법을 닦으려는 뜻과 생각이 견고하고, 정진하며 지혜가 있다.
그곳 중생의 몸은 금색으로서 삼십이상으로 스스로를 장엄할 것이며, 그 국토의 중생은 항상 두 가지의 음식으로 생활한다. 하나는 법희식이며, 다른 하나는 선열식이다.
무량한 아승기 천만억 나유타 수의 모든 보살들은 큰 신통과 네 가지 무애지(無碍智)를 얻어 중생을 잘 교화한다. 성문들도 너무 많아 산수로는 계산하여 알 수 없으며, 그들 모두 여섯 가지의 신통과 삼명과 여덟 가지 해탈을 구족한다. 그 불국토에는 이와 같은 무량한 공덕으로 장엄하고 성취할 것이다.
겁은 보명이고 나라 이름은 선정이다. 그 부처님의 수명은 무량한 아승기겁이며, 법은 매우 오래 머물 것이며, 부처님께서 열반에 드신 후 칠보 탑을 그 나라 곳곳에 두루 가득 세울 것이다."

其佛以恒河沙等三千大千世界爲一佛土, 七寶爲地, 地平如掌, 無有山陵谿澗溝壑, 七寶臺觀充滿其中, 諸天宮殿, 近處虛空, 人天交接, 兩得相見。無諸惡道, 亦無女人, 一切衆生皆以化生, 無有婬欲, 得大神通。身出光明, 飛行自在, 志念堅固, 精進智慧。普皆金色,三十二相而自莊嚴。其國衆生常以二食，一者·法喜食，二者·禪悅食●。有無量阿僧祇千萬億那由他諸菩薩衆，得大神通·四無礙智，善能教化衆生之類。其聲聞衆，算數校計所不能知，皆得具足六通·三明，及八解脫。其佛國土，有如是等無量功德莊嚴成就。劫名寶明，國名善淨。其佛壽命無量阿僧祇劫，法住甚久，佛滅度後，起七寶塔，遍滿其國。

기국중생상이이식(其國衆生常以二食) **일자법희식**(一者法喜食) **이자선열식** (二者禪悅食)● 부루나 존자는 어떻게 밥을 먹지 않고 법문을 들을 수 있는가? 그는 법희식(法喜食)을 얻었기 때문이다. 법으로 식사를 하는 것이다. 이곳 만불성성에서는 지금 매일 한 끼만을 먹는데, 무엇 때문에 이렇게 할 수 있는가? 본래 이것은 사람으로서 할 수 없는 일로서 매우 어려운 것이다. 이른바 식과 색은 본성이라고 하였다. 사람은 먹는 것을 좋아하는 일종의 욕념을 가지고 있는데, 이것은 태어나면서부터 가지고 온 것이다. 그럼에도 너희가 밥을 먹지 않고 불법을 들어도 배가 부른 것이 바로 법희식이다. 너희가 불법을 들으면 기뻐서 다른 것은 잊는다. 먹는 것도 잊고, 잠자는 것도 잊어버린다.

또한 매일 좌선을 하면 할수록 기쁘고 즐거우며 희열이 생긴다. 이러한 선열의 식사, 그 맛은 정말로 묘함이 극에 달한다. 너희가 이러한 선열의 맛을 얻으면 좌선을 하지 않으려고 해도 안 될 것이다. 매일 선열의 재미를 추구하고, 선열의 맛을 수습하려고 한다. 이것을 선열식(禪悅食)이라고 한다.

먹는 것에는 여러 종류가 있다. 우리 범부가 먹는 것은 분단식(分段食)이며, 천상인은 사식(思食)을 하며, 귀신은 촉식(觸食)을 한다. 천상인은 한 번 생각하면 곧 배가 부르다. 이것은 즉 약간의 선열식의 맛이 있는 것이다. 촉식은 후식(嗅食)이라고도 한다. 귀신은 코로써 물건에 접촉을 해서 한 번 냄새를 맡아야 배가 부르다.

너희가 만약 천안을 얻으면 볼 수 있을 것이다. 비유하면 불전에 올린 과일은 올리기 전에는 하나의 과일에 두 개의 모습이 있다. 유형의 모습이 하나이고, 다른 하나는 무형의 것으로서 그 과일의 성품이다. 육안으로는 보이지 않는다. 불전에 올린 과일도 부처님이 과일의 성품을 수용하는 것이다. 너희가 귀신에게 과일을 보시하면 귀신이 먹는 것도 과일의 성품이다. 이러한 정황은 매우 묘한 것으로서 범부가 알 수 있는 것이 아니다.

4) 부루나 비구의 공덕과 수기 게송

가) 부루나 비구의 공덕 찬탄

그때 세존께서는 이러한 뜻을 거듭 선설하시고자 게송을 설하셨다.

모든 비구는 잘 듣게. 불자 부루나가 행하는 도는
방편을 잘 배운 까닭으로 범부는 알 수가 없네.
중생이 소승법 좋아하고 대승법 두려워함 알기에
그래서 많은 보살은 성문과 연각의 몸으로 나타나네.
무수한 방편으로 일체중생의 무리를 교화하며
그들 스스로 성문이며 불도에서 매우 멀다고 말하네.
그들은 무량한 중생을 제도하여 모두 성취하게 하며
비록 소승인이 게으르나 점차로 부처가 되게 하네.

안으로 보살의 행 품고 밖으로는 성문으로 나타나
욕심 적고 생사 싫어하나, 실제로 불국토 장엄하며
중생에게 삼독심 있고 또 사견의 모습을 나타내네.
나의 제자는 이와 같이 방편으로 중생을 제도하며
만약 내가 갖가지 중생교화의 일 상세하게 말하면
그러한 경계 들은 중생은 마음에 의혹 품을 것이네.

爾時世尊, 欲重宣此義, 而說偈言。

諸比丘諦聽　佛子所行道　善學方便故　不可得思議
知衆樂小法　而畏於大智　是故諸菩薩　作聲聞緣覺
以無數方便　化諸衆生類　自說是聲聞　去佛道甚遠
度脫無量衆　皆悉得成就　雖小欲懈怠　漸當令作佛
內祕菩薩行　外現是聲聞　少欲厭生死　實自淨佛土
示衆有三毒　又現邪見相　我弟子如是　方便度衆生
若我具足說　種種現化事　衆生聞是者　心則懷疑惑

지금 이 부루나 비구는 과거 천억의 부처님 처소에서
행할 도 부지런히 수행하여 제불의 법 펴고 수호하였네.
위없는 지혜를 구하기 위하여 모든 부처님 처소에서
부처님 상수제자가 되어 많이 듣고 지혜가 있었으며
설법하는 것에 두려움이 없어 중생을 기쁘게 하고
힘들어도 아직 싫증 낸 없이 부처님의 일 도왔으며
이미 큰 신통을 얻고 네 가지 무애지를 구족하여
중생 근성의 총명과 둔함 알고 항상 청정법 설하였네.
이러한 뜻을 연설하여 수많은 천억의 중생을 가르쳐

대승법에 머물게 하고, 스스로 불국토를 정화하였네.
미래세에도 무량하고 무수한 부처님을 공양하고
정법을 보호하고 도와 선양하며 불국토를 정화하고
항상 많은 방편으로 법을 설함에 두려움이 없으며
셀 수 없는 중생 제도하여 일체지혜 성취하게 하네.

今此富樓那 於昔千億佛 勤修所行道 宣護諸佛法
爲求無上慧 而於諸佛所 現居弟子上 多聞有智慧
所說無所畏 能令衆歡喜 未曾有疲惓 而以助佛事
已度大神通 具四無礙智 知諸根利鈍 常說淸淨法
演暢如是義 教諸千億衆 令住大乘法 而自淨佛土
未來亦供養 無量無數佛 護助宣正法 亦自淨佛土
常以諸方便 說法無所畏 度不可計衆 成就一切智

나) 수기 게송

많은 여래를 공양하고 법보 창고 보호하고 지녀
그 후 부처를 이루어 명호를 법명이라 하리라.
그 국토의 이름은 선정으로서 칠보가 모여 이루어졌고
겁의 이름은 보명으로서 보살들이 매우 많아서
그 수가 무량하며 모두 큰 신통을 얻고
위덕력을 구족한 보살들이 그 국토에 충만하리.
성문도 무수하여 삼명과 여덟 가지 해탈을 얻고
네 가지 무애지를 얻은 이런 분들이 스님이 되리.
그 나라의 모든 중생은 음욕심을 이미 모두 끊어

순일하게 화생하고, 삼십이상 구족하여 몸을 장엄하네.
법희와 선열로 식사하고 다른 것 먹을 생각 없고
모든 여인 없으며 또한 모든 악도도 없을 것이네.
부루나 비구는 공덕을 모두 원만하게 성취하고
그러한 정토를 얻어 성현들이 매우 많으리니
이러한 무량한 일을 내 지금 간략하게 설하였네.

供養諸如來　護持法寶藏　其後得成佛　號名曰法明
其國名善淨　七寶所合成　劫名爲寶明　菩薩衆甚多
其數無量億　皆度大神通　威德力具足　充滿其國土
聲聞亦無數　三明八解脫　得四無礙智　以是等爲僧
其國諸衆生　婬欲皆已斷　純一變化生　具相莊嚴身
法喜禪悅食　更無餘食想　無有諸女人　亦無諸惡道
富樓那比丘　功德悉成滿　當得斯淨土　賢聖衆甚多
如是無量事　我今但略說

나. 천이백 명 아라한의 수기(受記)

1) 천이백 명의 아라한에 대한 수기

그때 일천이백의 아라한들은 마음이 자재한 분으로 이러한 생각을 하였다. '우리들은 매우 기쁘며 이전에 듣지 못한 것을 얻었구나. 만약 세존께서 다른 대제자들처럼 각자에게 수기를 주신다면, 또한 즐겁지 않겠는가?' 부처님께서는 그들의 마음이 생각하는 것을 아시고 마하가섭에게 말씀하셨다. "일천이백 명의 아라한에게 내가 지금 순서대로 무상정등정각의 수기를 주려고 한다."

爾時千二百阿羅漢心自在者作是念。我等歡喜, 得未曾有, 若世尊各見授記, 如餘大弟子者, 不亦快乎。佛知此等心之所念, 告摩訶迦葉。是千二百阿羅漢, 我今當現前次第與授阿耨多羅三藐三菩提記。

2) 교진여 비구에 대한 수기

"이들 가운데 나의 대제자인 교진여 비구는 장래 육만 이천억의 부처님을 공양한 연후에 부처를 이룰 것이며, 명호를 보명여래, 응공, 정변지, 명행족, 선서세간해, 무상사, 조어장부, 천인사, 불, 세존이라고 할 것이다."

於此衆中, 我大弟子憍陳如比丘, 當供養六萬二千億佛, 然後得成爲佛, 號曰普明如來 · 應供 · 正遍知 · 明行足 · 善逝 · 世間解 · 無上士 · 調御丈夫 · 天人師 · 佛 · 世尊。

3) 오백 명의 비구에 대한 수기

"그 가운데 오백 명의 아라한인 우루빈나가섭, 가야가섭, 나제가섭, 가류타이, 우타이, 아누루타, 리바다, 겁빈나, 박구라, 주리반타가, 시가타 등도 모두 장래 무상정등정각을 얻을 것이며, 모두 동일한 명호인 보명이라고 할 것이다."

其五百阿羅漢, 優樓頻螺迦葉·伽耶迦葉·那提迦葉·迦留陀夷*·優陀夷*·阿㝹樓馱·離婆多·劫賓那·薄拘羅·周陀·莎伽陀等, 皆當得阿耨多羅三藐三菩提, 盡同一號, 名曰普明。

가류타이(迦留陀夷)* 가류타이 존자는 부처님 당시 육군비구(六群比丘) 중 한 명으로, 규칙을 잘 지키지 않고 항상 거리에 나가 놀았다. 나가도 저녁에만 나갔다. 그의 얼굴은 마치 옻칠을 한 것처럼 매우 검었으며 또한 빛이 났다. 어느 날 저녁, 거리에 등도 없을 때 그의 검은 얼굴이 빛이 나서 명료하게 보였다. 그렇게 그가 거리를 걸어가다가 어느 집의 여인을 만났다. 그 여인은 문을 열고 보다가 마침 그가 걸어오는 것을 보고 말하였다. "어, 저건 귀신이다!" 그래서 그녀는 공포심을 느꼈다. 공교롭게도 그녀는 임신 중이었는데, 공포심이 생겨 놀라서 아기를 조산하고 말았다.

그 후 그 여인은 그가 귀신이 아니라 부처님의 제자라는 것을 알게 되었다. 그래서 부처님 계신 곳으로 가서 항의를 하였다. "당신은 마땅히 제자로 하여금 저녁에 나가지 않게 하셔야 합니다. 저는 놀라 아기를 조산하였습니다." 그리하여 부처님께서는 하나의 규칙을 세웠다. '비구는 저녁에 거리에 나가는 것을 허락하지 않는다.'

가류타이는 범어로서, 번역하면 검은 빛[黑光]이다. 그런데 그분은 사람들과의 인연이 매우 좋아서 사람마다 그의 교화를 듣고 그의 말을 믿게 되었다. 너희는 그분이 규칙을 가장 안 지키는 육군비구의 하나라고 보지 않아야 할 것이다. 그분은 이상하게도 사람들이 그를 볼 때면 곧 규칙을 지키는 것이다. 그 자신은 스승이 되어 규칙을 지키지 않는데도, 그의 제자들은 규칙을 매우 잘 지켰다.

그는 천 쌍의 부부를 교화하여 모두 깨닫게 하였다고 한다. 그래서 그를 '교화제일(敎化第一)'이라고 부른다. 얼굴이 검은 분이 사람들과 인연이 있어 많은 사람들이 그에게 귀의한 것이다.

우타이(優陀夷)• 그는 아난의 제자이다. 우타이는 범어로서, 번역하면 출현(出現)이라고 한다. 태양이 나올 때 태어났기 때문에 그렇게 불렀다. 그는 엄격하게 계율을 지켰다. 그는 '권도제일(勸導第一)'이라고도 불렀다. 불법으로 권장하고 인도하는 것이 최고였다는 것이다.

다. 천이백 아라한에 대한 수기 게송

1) 교진여와 오백 명의 아라한에 대한 수기

그때 세존께서는 이러한 뜻을 거듭 선설하시고자 게송을 설하셨다.

교진여 비구는 장래 무량한 부처님을 뵙고
아승기겁을 지난 후 부처를 이룰 것이네.
항상 큰 광명을 발하고 모든 신통 구족하여
두루 시방세계 알려져 일체중생의 존경 받으며
항상 위없는 도를 설하므로 보명이라 이름하리.
국토는 청정하고 보살들은 용맹하게 정진하며

모두 묘한 누각에 올라 시방세계를 다니면서
위없는 공양 도구로써 시방제불에게 봉헌하며
이런 공양을 마친 후 마음으로 크게 기뻐하며
잠깐 사이에 본국으로 돌아오는 이런 신통 있네.
부처님 수명 육만 겁이고, 정법은 그 배로 머물며
상법은 그 배로 머물고, 법 멸하면 천인이 근심하네.
오백 명의 비구는 차례로 장래 부처가 될 것이며
명호는 같이 보명으로 부르고, 돌아가며 수기 주기를
내가 열반에 든 후 아무개가 부처가 될 것이라고.
그 부처가 교화하는 세간은 지금의 나와 같을 것이며
국토는 장엄하고 청정하며 모든 신통력을 구족하네.
보살과 성문의 수, 정법과 상법이 세상에 머무는 시간
수명과 겁이 얼마인지는 모두 위에서 말한 것과 같네.

爾時世尊。欲重宣此義。而說偈言。

憍陳如比丘 當見無量佛 過阿僧祇劫 乃成等正覺
常放大光明 具足諸神通 名聞遍十方 一切之所敬
常說無上道 故號爲普明 其國土清淨 菩薩皆勇猛
咸昇妙樓閣 遊諸十方國 以無上供具 奉獻於諸佛
作是供養已 心懷大歡喜 須臾還本國 有如是神力
佛壽六萬劫 正法住倍壽 像法復倍是 法滅天人憂
其五百比丘 次第當作佛 同號曰普明 轉次而授記
我滅度之後 某甲當作佛 其所化世間 亦如我今日
國土之嚴淨 及諸神通力 菩薩聲聞衆 正法及像法
壽命劫多少 皆如上所說

2) 모든 성문들에 대한 수기

가섭은 내가 말한 것을 알았으니, 오백 명의 아라한과
나머지 모든 성문들도 또한 장래 이와 같을 것이라
법회에 참석 못한 이에게는 나 대신 그대가 말해 주게.
迦葉汝已知　五百自在者　餘諸聲聞衆　亦當復如是
其不在此會　汝當爲宣說

라. 오백 명 아라한의 후회

1) 작은 지혜에 만족한 잘못

그때 오백 명의 아라한들은 부처님의 수기를 받고 뛸 듯이 기뻐서 즉시 자리에서 일어나 부처님 앞으로 가서 오체투지로 발에 절을 하고 이전의 잘못을 후회하고 자책하였다.
"세존이시여, 저희는 항상 이미 궁극의 열반을 얻었다고 생각하였습니다. 그러나 지금 곧 우리 자신은 지혜가 없는 자와 같다는 것을 알게 되었습니다. 무슨 까닭인가 하면, 저희는 마땅히 여래의 지혜를 얻어야 하는데 작은 지혜를 얻고 만족하였기 때문입니다."
爾時五百阿羅漢於佛前得受記已, 歡喜踊躍, 卽從座起, 到於佛前, 頭面禮足, 悔過自責。世尊。我等常作是念。自謂已得究竟滅度,今乃知之, 如無智者。所以者何。我等應得如來智慧, 而便自以小智爲足。

2) 가난한 친구 옷 속의 보배 구슬 비유

"세존이시여, 비유하면 어떤 사람이 친한 친구의 집에 이르러 술에 취하여 누워 있는데, 이때 친구가 관청의 일로 나가야 해서 가치를 알 수 없는 보배 구슬을 그의 옷 속에 꿰매어 두고 간 것과 같습니다. 그 사람은 취하여 누워 있었기 때문에 그러한 일을 모른 채 일어나 다른 나라로 유랑을 갔으며, 의식(衣食)을 위해 부지런히 구하고 찾느라고 매우 힘들고 어려웠으며, 만약 적은 것을 얻어도 곧 만족스럽다고 여겼습니다. 그 후 친구가 우연히 그를 만나 이렇게 말했습니다. '에이, 이 사람아! 어찌하여 먹고사는 것이 이와 같은가? 내가 이전에 그대가 안락하고 오욕을 마음대로 누리라고 모년 모월 모일 가치를 알 수 없는 보배 구슬을 그대의 옷 속에 꿰매 두었는데, 지금도 여전히 있구나. 너는 알지 못한 채 힘들고 괴롭게 근심과 걱정으로 살아가기를 구하고 있으니, 매우 어리석구나. 그대는 이제 이 보배를 가지고 필요한 것을 살 수 있으며, 항상 너의 뜻대로 해도 부족함이 없을 것이다.'"

世尊。譬如有人至親友家, 醉酒而臥, 是時親友官事當行, 以無價寶珠繫其衣裏, 與之而去。其人醉臥, 都不覺知, 起已遊行, 到於他國。爲衣食故, 勤力求索, 甚大艱難, 若少有所得, 便以爲足。於後親友會遇見之, 而作是言。咄哉丈夫。何爲衣食乃至如是。我昔欲令汝得安樂·五欲自恣, 於某年日月, 以無價寶珠繫汝衣裏,今故現在。而汝不知, 勤苦憂惱以求自活, 甚爲癡也。汝今可以此寶, 貿易所須, 常可如意, 無所乏短。

시시친우관사당행(是時親友官事當行)• 친우는 부처를 가리킨다. 관청의 일로 밖에 나가는 것은 이곳의 인연이 다하여 다른 세계로 중생을 교화하기 위하여 가는 것을 비유한다.

이무가보주계기의리(以無價寶珠繫其衣裏) 여지이거(與之而去)• 무가보주(無價寶珠)는 실상의 본체, 본래 갖추고 있는 불성을 비유한다. 옷 속에 꿰매어 두는[繫其衣裏] 것은 실상의 묘리로써 중생을 교화하는 것을 비유한다. 그것을 주고 갔다[與之而去]는 것은 대승법으로 중생을 교화하는 것을 비유한다.

기인취와(其人醉臥) 도불각지(都不覺知)• 그는 큰 지혜가 없어 여전히 어리석음과 오욕에 취하여 있고, 그곳에 누워서 대승불법을 받아들일 줄을 모른다.

위의식고(爲衣食故)• 정도(正道)의 옷과 조도(助道)의 식을 말한다.

오욕자자(五欲自恣)• 오욕은 색·성·향·미·촉을 가리키며, 이 다섯 가지를 마음껏 수용할 수 있다는 것이다. 여기서 오욕이란 오근(五根)과 오력(五力)을 나타낸다. 무엇이든 모두 원만하다는 것이다.

3) 궁극의 열반

"부처님도 이와 같습니다. 부처님이 이전에 보살이었을 때 저희를 교화하여 일체지혜를 구하려는 마음을 발하게 하였으나, 지금 저희는 잊어버리고 알지 못하며 깨닫지 못하고 있습니다. 저희는 이미 아라한도 얻은 것을 궁극의 열반이라고 말하면서, 살아가는 것이 힘들고 어려운데도 적은 것을 얻고 만족하였습니다. 일체지를 구하려는 원은 아직 잃지 않았습니다.

지금 세존께서 저희를 깨우쳐서 이와 같이 말씀하십니다. '비구들이여, 너희가 얻은 것은 궁극의 열반이 아니다. 나는 오랜 이전부터 너희에게 부처의 선근을 심게 하려고 방편법으로 이승(二乘)의 열반상을 보인 것이나, 너희는 이승의 열반을 진정한 열반을 얻었다고 말하는 것이다.'

세존이시여, 저희는 이제야 진실로 보살로서 무상정등정각의 수기를 받은 것을 알게 되었습니다. 이러한 인연으로 이전에 없었던 즐거움을 얻어 매우 기쁩니다."

佛亦如是, 爲菩薩時, 教化我等, 令發一切智心, 而尋廢忘, 不知不覺, 既得阿羅漢道, 自謂滅度, 資生艱難, 得少爲足。一切智願, 猶在不失。今者世尊覺悟我等, 作如是言。諸比丘, 汝等所得, 非究竟滅, 我久令汝等種佛善根, 以方便故, 示涅槃相, 而汝謂爲實得滅度。世尊。我今乃知實是菩薩, 得受阿耨多羅三藐三菩提記, 以是因緣, 甚大歡喜, 得未曾有。

4) 옷 속의 보배 구슬을 깨닫지 못한 잘못

그때 아야교진여 등은 이러한 뜻을 거듭 펴고자 게송을 설하였다.

저희들은 부처님께서 안온한 수기 주시는 소리 듣고
미증유 얻어 기뻐서 무량한 지혜의 부처님께 절하며
지금 세존 앞에서 이전의 모든 잘못 스스로 뉘우칩니다.
무량한 부처의 보물에서 소승의 열반을 얻고서
마치 지혜 없고 어리석은 사람같이 스스로 만족하였네.

爾時阿若憍陳如等。欲重宣此義。而說偈言。

我等聞無上　安隱授記聲　歡喜未曾有　禮無量智佛
今於世尊前　自悔諸過咎　於無量佛寶　得少涅槃分
如無智愚人　便自以爲足

비유하면 빈궁한 사람이 친한 친구의 집에 갔는데
그 집은 매우 부유하고 진수성찬 갖추어 차려 주고
가치를 알 수 없는 보배 구슬 옷 속에 꿰매어 두고
말없이 가 버렸으나 그는 취해 잠들어 알지 못하였네.
이 사람은 그 후 일어나 다른 나라에 유랑을 가서
옷과 음식 스스로 해결하고 생활이 매우 곤란하여
적은 것 얻어도 만족하고 더 좋은 것 원하지 않았으며
옷 속에 무가의 보주가 있는 것을 깨닫지 못하였네.

譬如貧窮人　往至親友家　其家甚大富　具設諸餚膳
以無價寶珠　繫著內衣裏　默與而捨去　時臥不覺知
是人旣已起　遊行詣他國　求衣食自濟　資生甚艱難

得少便爲足　更不願好者　不覺內衣裏　有無價寶珠

보주를 주고 간 친구는 그 후 이 가난한 사람을 만나
노파심에서 그를 질책하며 옷 속 보주를 보여 주니
가난한 사람은 이 보주 보고 그 마음 크게 기뻐하고
부유하게 되어 온갖 재물 가지고 오욕을 마음대로 누렸네.
저희들도 이와 같이 세존께서는 어두운 긴 밤에
항상 연민하여 교화하며 위없는 원 심게 하였으나
저희들은 지혜가 없어 깨닫지 못하고 알지 못하여
소승의 열반 얻고 만족하며 다른 법 구하지 않다가
지금 부처님께서 우리를 깨우쳐 진정한 열반 아니라고
부처의 위없는 지혜 얻어야 진정한 열반이라 하시니
저는 지금 부처님께서 수기 주시는 장엄한 일과
차례로 수기 받는 것 들으니 몸과 마음 두루 기쁩니다.

與珠之親友　後見此貧人　苦切責之已　示以所繫珠
貧人見此珠　其心大歡喜　富有諸財物　五欲而自恣
我等亦如是　世尊於長夜　常愍見教化　令種無上願
我等無智故　不覺亦不知　得少涅槃分　自足不求餘
今佛覺悟我　言非實滅度　得佛無上慧　爾乃爲眞滅
我今從佛聞　授記莊嚴事　及轉次受決　身心遍歡喜

◉ 방금 누군가 대승의 보리심을 발하면서 말하였다. "이 대승법은 정말 좋아! 이러한 신통묘용을 얻고 오욕을 마음대로 할 수 있다니! 나는 오늘부터 반드시 큰 보리심을 발하여 오욕을 마음대로 누리는 경계를

얻으려고 한다. 좋아하는 것은 무엇이든 얻을 수 있으니까, 너무 좋은 것이지! 이것은 정말로 불가사의한 경계이며, 나는 어쨌든 반드시 이러한 경계를 얻어야겠어!"

틀렸다! 너희가 만약 이러한 경계를 위하여 발심하면, 오래 안 가서 장래 지옥에 떨어질 것이다. 왜냐하면 너희의 발심이 잘못되었기 때문이다. 너희가 오욕을 마음대로 하기 위하여 발심하는 것은 그야말로 잘못되어도 한참 잘못되었다. 그러면 어떻게 해야 하는가? 너희는 오욕(五欲)을 구하기 위하여 보리심을 발해서는 안 되며, 무욕(無欲)을 위하여 보리심을 발해야 한다. 무욕이란 이 오욕을 원하지 않는 것이다. 너희가 대승법을 닦으면서 어떻게 오욕의 집착이 있을 수 있는가? (역자주: 五欲과 無欲의 중국어 발음이 같다.)

방금 내가 이러한 도리를 말한 것은 모두 비유이다. 너희는 원하는 만큼 잠을 자는 것이 가장 묘하다고 생각하지 않아야 한다. 세계에서 가장 맛있는 음식을 얻는 것이 정말로 좋다고 생각하는 것은 완전히 잘못된 것이다. 대승근성의 보살은 바로 얻을 수 있어도 그것을 바라서는 안 된다. 하지만 이 경전에서 형용하는 것은, 즐거움이 자재하여 어떤 것을 원하더라도 그렇게 된다는 것이다. 그러나 그도 오욕의 문제를 좋아하지 않을 것이다.

무엇 때문인가? 그가 만약 이러한 경계를 좋아한다면, 그것은 집착하는 바가 있기 때문이다. 그는 아무것도 집착하지 않는다. 이른바 "마땅히 머무는 바가 없이 그 마음을 낸다[應無所住而生其心]"는 것이다. 만약 오욕을 위하여 보리심을 발한다면, 그것은 바로 마왕의 마음이다. 마왕은 오욕을 놓지 못하여 재물, 여색, 명예, 음식, 수면을 좋은 것으로 느낀다. 따라서 이것은 바로 마왕이 소유하는 것이다.

九

수학무학인기품

(授學無學人記品)

경을 설한 인연

앞에서는 대제자들에게 수기를 주었으며, 또 오백 명의 아라한과 일천 이백 명의 제자들에게 수기를 주었다. 지금은 학무학인(學無學人)들에게 수기를 주려고 한다. 학(學)이란 유학위(有學位)를 뜻하며, 무학(無學)이란 무학위(無學位)를 뜻한다. 이른바 "진리를 연구하여 미혹을 끊고 수승한 지견을 구하려는[硏眞斷惑 慕求勝見]" 것을 학이라고 한다. 우리는 진리를 연구하며, 또 이 진리를 실행하려고 한다. 단지 진리를 연구하기만 하고 실행하지 않으면 미혹을 끊을 방법이 없다.

미혹을 끊는다는 것은 거친 혹[粗惑]과 미세한 혹[細惑]과 진사혹(塵沙惑)을 끊는 것이다. 초과(初果)의 수다원부터 이과(二果)의 사다함, 삼과(三果)의 아나함의 과위를 유학위라고 한다. 또한 초과는 견도위(見道位)라고 한다. 도를 보았다는 것이다. 이과와 삼과는 수도위(修道位)라고 한다. 도를 닦는 지위에 있다는 것이다. 그리고 사과(四果) 아라한을 무학위라고 부른다. 무학이란 바로 "진리를 궁구하여 미혹이 다한[眞窮惑盡]" 경지이다. 지금 유학과 무학의 이천 명에게 수기를 주신다.

가. 유학과 무학의 제자의 수기 청함

그때 아난과 라후라는 이렇게 생각하였다. '우리도 자주 사유하기를 만약 수기를 받으면 기쁘지 않겠는가.' 즉시 자리에서 일어나 부처님 앞으로 가서 오체투지로 발에 절을 한 후 함께 부처님께 말하였다. "세존이시여, 저희도 이 법회에서 또한 마땅히 수기를 받을 인연이 있겠습니까? 오직 여래만이 저희가 귀의할 분입니다. 그리고 모든 세간 사람과 천상인, 아수라들이 저희를 선지식으로 생각하고 있습니다. 아난은 항상 부처님의 시자가 되어 법장을 보호하며, 라후라는 부처님의 아들입니다. 만약 부처님께서 무상정등정각의 수기를 내려 주시면 저희의 소원도 만족하고, 유학과 무학 대중들의 희망도 충족될 것입니다."

이때 유학과 무학의 성문 제자 이천 명은 모두 자리에서 일어나, 오른쪽 어깨를 드러내고 부처님 앞으로 가서 아난과 라후라가 원하는 것과 같이, 일심으로 합장하면서 세존을 우러러보며 한쪽에 서서 머물렀다.

爾時阿難 · 羅睺羅, 而作是念。我等每自思惟, 設得授記, 不亦快乎。卽從座起, 到於佛前, 頭面禮足, 俱白佛言。世尊。我等於此, 亦應有分。唯有如來, 我等所歸。又我等爲一切世間天 · 人 · 阿修羅所見知識, 阿難常爲侍者, 護持法藏。羅睺羅是佛之子, 若佛見授阿耨多羅三藐三菩提記者, 我願旣滿, 衆望亦足。爾時學 · 無學聲聞弟子二千人, 皆從座起, 偏袒右肩, 到於佛前, 一心合掌, 瞻仰世尊, 如阿難 · 羅睺羅所願, 住立一面。

나. 아난 존자의 수기

1) 아난 존자에 대한 수기

그때 부처님께서는 아난에게 말씀하셨다. "너는 미래세에 부처가 될 것이며, 명호를 산해혜자재통왕여래, 응공, 정변지, 명행족, 선서, 세간해, 무상사, 조어장부, 천인사, 불세존이라고 할 것이다. 마땅히 육십이억의 수많은 부처님을 공양하고 법장을 보호할 것이며, 그런 연후에 무상정등정각을 얻을 것이다.
이십천만억 항하사 수의 보살들을 교화하여 무상정등정각을 이루게 할 것이다. 국토의 이름은 상립승번이며, 그 국토는 청정하여 유리로 땅이 되며, 겁의 이름은 묘음변만이라고 할 것이다. 그 부처님의 수명은 무량한 천만억 아승기겁이며, 만약 사람이 천만억의 무량한 아승기겁 동안 산수로 계산하려고 해도 알 수 없다. 정법이 세상에 머무는 시간은 부처님 수명의 배이며, 상법이 머무는 시간은 다시 정법의 배이다. 아난아, 이 산해혜자재통왕불은 시방의 무량한 천만억 항하사 수의 제불여래가 모두 그 부처님의 공덕을 찬탄하고 칭찬할 것이다."

爾時佛告阿難。汝於來世, 當得作佛, 號山海慧自在通王如來·應供·正遍知·明行足·善逝·世間解·無上士·調御丈夫·天人師·佛·世尊。當供養六十二億諸佛, 護持法藏, 然後得阿耨多羅三藐三菩提。教化二十千萬億恒河沙諸菩薩等, 令成阿耨多羅三藐三菩提。國名常立勝旛, 其土淸淨, 琉璃爲地, 劫名妙音遍滿。其佛壽命, 無量千萬億阿僧祇劫, 若人於千萬億無量阿僧祇劫中, 算數校計, 不能得知。正法住世, 倍於壽命, 像法住世, 復倍正法。阿難。是山海慧自在通王佛, 爲十方無量千萬億恒河沙等諸佛如來, 所共讚歎, 稱其功德。

그때 부처님께서 이러한 뜻을 거듭 선설하시려고 게송을 설하셨다.

내 지금 비구들에게 말하니, 아난은 법 지닌 자로서

장차 많은 부처님을 공양한 연후에 정각을 이루어
명호를 산해혜자재통왕불이라고 할 것이며
그 국토는 청정하며 이름을 상립승번이라고 하네.
많은 보살 교화하며 그 수가 항하사와 같을 것이며
그 부처님 큰 위덕 있고 이름이 시방에 두루 퍼지네.
부처님 수명은 무량한데 중생을 연민하기 때문이며
정법은 부처 수명의 두 배, 상법은 정법의 두 배이네.
항하사 수와 같이 무수한 많은 중생들이
그 부처님의 법 가운데서 불도의 인연을 심으리라.

爾時世尊, 欲重宣此義, 而說偈言。

我今僧中說 阿難持法者 常供養諸佛 然後成正覺
號曰山海慧 自在通王佛 其國土清淨 名常立勝旛
教化諸菩薩 其數如恒沙 佛有大威德 名聞滿十方
壽命無有量 以愍衆生故 正法倍壽命 像法復倍是
如恒河沙等 無數諸衆生 於此佛法中 種佛道因緣

2) 팔천 명 보살의 의심

그때 법회 가운데의 새로 뜻을 발한 보살 팔천 명이 모두 이렇게 생각하였다. '우리는 아직 부처님께서 대보살들에게 이러한 수기 주시는 것을 듣지 못하였다. 어떤 인연으로 모든 성문들은 이러한 수기를 얻는가?'

爾時會中新發意菩薩八千人, 咸作是念。我等尚不聞諸大菩薩得如是記, 有何因緣, 而諸聲聞得如是決?

이시회중신발의보살팔천인(爾時會中新發意菩薩八千人)•

신발의보살이란 어떤 뜻인가? 모두 젊은 보살이다. 젊은 보살은 나이가 얼마인가? 대략 7, 8천 세가 될 것이다. 우리의 20, 30세와 같은 젊은이가 아니다. 신발의보살은 모두 몇 대겁을 경과한 것이다. 이것은 초발심보살이 아니라, 보살의 유희신통삼매를 처음으로 얻은 보살을 가리킨다.

3) 아난 존자 과거세의 본원

이때 세존께서는 모든 보살들의 생각을 아시고 말씀하셨다. "모든 선남자들이여, 나와 아난 등은 공왕불의 처소에서 동시에 무상정등정각의 마음을 발하였다. 아난은 항상 많이 듣기를 좋아하고, 나는 항상 부지런히 정진하였으니, 이러한 까닭으로 나는 이미 무상정등정각을 얻었지만, 아난은 나의 법을 보호하고 지니며 또한 장래 모든 부처님의 법장을 보호하고 지니어 많은 보살들을 교화하여 성취하게 할 것이다. 그의 본원이 이와 같은 까닭으로 이러한 수기를 받은 것이다."

爾時世尊知諸菩薩心之所念, 而告之曰。諸善男子。我與阿難等, 於空王佛所, 同時發阿耨多羅三藐三菩提心。阿難常樂多聞, 我常勤精進, 是故我已得成阿耨多羅三藐三菩提。而阿難護持我法, 亦護將來諸佛法藏, 教化成就諸菩薩衆, 其本願如是, 故獲斯記。

아난은 부처님 앞에서 친히 수기를 듣고 아울러 국토의 장엄과 원하는 바를 구족할 것이라는 말씀을 들으니 마음이 크게 기뻤으며 이전에 얻지 못한 즐거움을 얻었다. 그리하여 즉시 과거 무량한 천만억 제불의 법장을 기억하는 데 걸림 없이 통달하여 마치 지금 들은 것과 같았으며, 또한 본래 발한 서원도 기억이 났다. 이때 아난은 게송을 설하였다.
阿難面於佛前, 自聞授記及國土莊嚴, 所願具足, 心大歡喜, 得未曾有。即時憶念過去無量千萬億諸佛法藏, 通達無礙, 如今所聞, 亦識本願。爾時阿難。而說偈言。

세존은 매우 희유하시며, 저에게 과거 기억나게 하시니
무량한 많은 부처님의 법을 마치 오늘 들은 것과 같네.
저는 이제 다시 의심하지 않으며 불도에 편안히 머물러
방편으로 부처님 시자가 되어 제불의 법을 호지하리라.
世尊甚希有　令我念過去　無量諸佛法　如今日所聞
我今無復疑　安住於佛道　方便爲侍者　護持諸佛法

다. 라후라 존자의 수기

그때 부처님께서 라후라에게 말씀하셨다. "너는 미래세에 부처가 될 것이며, 명호를 도칠보화여래, 응공, 정변지, 명행족, 선서, 세간해, 무상사, 조어장부, 천인사, 불세존이라고 할 것이다. 열 세계의 미진수 제불여래를 공양하면서, 마치 금생에 나의 아들이 된 것과 같이 항상 제불의 장자가 될 것이다.
도칠보화불의 국토장엄, 수명과 겁수, 교화할 제자, 정법과 상법이 세상에 머무는 시간 등은 산해혜자재통왕여래와 다름이 없으며, 또한 그 부처님의 장자가 될 것이며, 이 부처님을 지난 후 무상정등정각을 얻을 것이다."

爾時佛告羅睺羅。汝於來世, 當得作佛, 號蹈七寶華如來·應供·正遍知·明行足·善逝·世間解·無上士·調御丈夫·天人師·佛·世尊。當供養十世界微塵等數諸佛如來, 常爲諸佛而作長子, 猶如今也。是蹈七寶華佛, 國土莊嚴, 壽命劫數, 所化弟子, 正法·像法, 亦如山海慧自在通王如來無異, 亦爲此佛而作長子, 過是已後, 當得阿耨多羅三藐三菩提。

이때 세존께서는 이러한 뜻을 거듭 선설하시고자 게송을 설하셨다.

내가 태자였을 때 라후라는 나의 아들 되었으며
내 지금 불도를 이루니 법을 받고 법의 아들 되었네.
미래세에서 무량한 천만억의 부처님을 뵙고
모두 그분의 아들 되어 일심으로 불도 구하리.
라후라 밀행은 오직 나만이 그것을 알 수 있으며
지금 나의 장자가 되어 모든 중생에게 보여 주네.
무량한 천만억의 공덕은 많아서 셀 수가 없으며
불법에 편안히 머물러 위없는 불도를 구하리라.

爾時世尊, 欲重宣此義, 而說偈言。

我爲太子時　羅睺爲長子　我今成佛道　受法爲法子
於未來世中　見無量億佛　皆爲其長子　一心求佛道
羅睺羅密行　唯我能知之　現爲我長子　以示諸衆生
無量億千萬　功德不可數　安住於佛法　以求無上道

◉ 우리는 금생에 누가 나의 부친이고, 누가 나의 모친이며, 혹은 누가 나의 형이고 나의 동생인가 하는 갖가지의 관계에 집착하지 말아야 한다. 금생에 너희의 부친이 되었으나 전생에는 너희의 아들이었는지는 일정하지 않다. 금생에 너희의 여동생이 전생에는 너희의 부인이었는지도 일정하지 않다. 이것은 일정함이 없는 것이다. 앞의 원인으로 뒤의 결과가 나오며, 너희가 무슨 인을 심으면 무슨 과를 맺게 된다.

비유하면 너희의 부인이 만약 나의 여동생이면 가장 좋겠다고 생각하면, 내생에는 여동생이 된다. 혹은 나는 아들에 대하여 나의 부친보다도 효순하면, 내생에는 너희가 아들의 아들, 즉 손자가 될 것이다. 금생에 그는 너희의 아들이지만, 내생에는 그가 또 너희의 부친이 된다. 따라서 사람과 사람의 관계에서 지금 함께 만나는 것은 모두 깊고 깊은 인연이 있다. 그래서 어떤 때는 내가 너희를 욕해도 화를 내지 않고, 어떤 때는 너희가 나를 욕해도 화를 내지 않는다. 어떤 때는 연극을 하듯이 그렇게 한다.

너희가 지금 왜 나에게 절을 하는가? 내가 너희에게 절을 많이 하였기 때문이다. 나는 12세부터 매일같이 모든 중생들에게 절을 하였다. 따라서 지금 절을 하지 않는 사람들이 모두 나에게 절을 하는 것은 내가 이전에 너희에게 절을 많이 하였기 때문이다. 그러므로 누가 자기에게 좋게 대하고 나쁘게 대하는 것은 모두 한 생만의 일이 아니다. 착한 인(因)을 심으면 좋은 과(果)를 맺는 것이며, 악한 인을 심으면 나쁜 과를 맺는 것이다.

그러면 어떤 사람은 말한다. "스님이 말씀하신 도리를 나는 믿을 수 없습니다." 믿어도 나는 이렇게 말하고, 믿지 않아도 나는 여전히 이렇게 말할 것이다. 나는 너희가 믿고 믿지 않는 것에 관계없이, 너희가 어느 날 반드시 믿을 것이라는 것을 안다. 무엇 때문인가? 너희가 믿지 않으면, 가야 할 다른 길이 없기 때문이다.

이 세계는 바로 육도윤회로서, 돌고 도는 것은 모두 인과순환의 일이다. 범부의 육안으로는 갖가지의 인과를 알지 못하지만, 성인의 법안으로는 알 수 있다. 그러나 어떤 사람이 아는 것은 또한 반드시 정확한 것이 아니다. 비록 눈이 열렸을지라도, 망상을 많이 지으면 보는 일도 허망한 것으로 변한다. 이것이 묘하며, 여기에 묘함이 있다.

너희가 망상을 많이 할수록 너희가 보는 것도 모두 거짓된 것이다. 너희가 만약 망상이 없으면, "한 생각이 나지 않으면 전체가 드러난다.[一念不生全體現]"고 하듯이 모든 것이 참되다. 따라서 "하나가 참되면 일체가 참되어 깨달음의 열매가 이루어진다.[一眞一切眞 菩提果子成]"라고 말하는 것이다. 너희가 만약 하나가 참되지 못하면 일체도 참되지 못하다.

무엇 때문인가? 너희의 '한 종류[一樣]'는 모두 참된 것이 없기 때문이다. 그러니 다른 것이 어떻게 참될 수 있겠는가? 한 종류[一樣]란 무엇인가? 바로 무명(無明)이며, 너희가 이해하지 못하는 그 하나이다. 너희가 이해하지 못하는 것을 이해하면 곧 바로 깨달음이다.

이러한 도리는 이야기하자면 너무 많다. 각자 스스로 생각해 보라. '나의 전생은 무엇이었을까? 쥐였는가, 아니면 소였는가? 소라서 이렇게 가르침을 듣지 않는가! 나의 전생은 보살이었을까? 내가 스님의 법문을 들으면 들을수록 기쁘고, 심지어 밥을 먹지 않아도 물을 마시지 않아도 배고픔을 참고 법문을 들으려고 한다. 이것은 무슨 도리인가?'

이것은 반드시 부처님과 큰 인연이 있다는 것이며, 이는 물어보지 않아도 알 수 있다. 너희가 지금 불법을 좋아하는 것은 곧 너희의 근기가 좋다는 것이다. 바로 이곳에 있다. 너희는 반드시 타심통, 숙명통을 얻어야 비로소 알 수 있다고 말해서는 안 된다. 너희가 지금 불법을 좋아한다는 것은 바로 너희가 불법의 인연이 있으며, 부처님과 인연이 있다는 것이다.

이 라후라 존자는 석가모니 부처님의 장자이며, 미래세에 열 세계의 미진수같이 많은 부처님의 아들이 될 것이다. 왜냐하면 그는 이러한 원을 발했기 때문이다. 내가 지금 경을 강의하는데 너희는 왜 나의 강의를 듣는가? 이것도 너희들이 이전에 원을 발했기 때문이다. "우리는 이 법사의 말씀을 이해하든 이해하지 못하든 관계없이 그의 법을 들을 것이다."

따라서 지금 별 속의 달과 같이 그렇게 적은 사람이 경을 들으려고 온다. 너희는 모두 별 속의 달과 같다. 그러니 많을 수가 없다. 세간의 사람마다 모두 부자가 아니다. 돈이 있는 사람은 가난한 사람보다 적은 것이다. 너희가 불법을 들으려고 오는 것은 너희의 자성 속에서 진정한 부유함이다.

라. 유학과 무학의 제자 수기

그때 세존께서는 유학과 무학의 이천 명은 뜻이 유연하고 적연히 청정하며 일심으로 부처님을 바라보는 것을 보고 아난에게 말씀하셨다. "너는 유학과 무학의 이천 명을 보는가?"

"예, 이미 보았습니다."

"아난아, 이 모든 사람들은 장래 오십 세계의 미진수 제불여래를 공양하고 공경하며 존중할 것이며, 제불의 법장을 보호하고 지닐 것이다. 그런 후에 동시에 시방의 국토에서 각각 성불할 것이며, 모두 동일한 명호인 보상여래, 응공, 정변지, 명행족, 선서, 세간해, 무상사, 조어장부, 천인사, 불세존이라고 할 것이다. 그 부처님의 수명은 일 겁이고, 국토의 장엄과 성문과 보살의 수, 정법과 상법이 세상에 머무는 시간은 모두 같을 것이다."

爾時, 世尊見學·無學二千人, 其意柔軟, 寂然淸淨•, 一心觀佛。佛告阿難。汝見是學·無學二千人不•。唯然已見。阿難。是諸人等, 當供養五十世界微塵數諸佛如來, 恭敬尊重, 護持法藏。末後同時於十方國, 各得成佛, 皆同一號, 名曰寶相如來·應供·正遍知·明行足·善逝·世間解·無上士·調御丈夫·天人師·佛·世尊。壽命一劫, 國土莊嚴, 聲聞·菩薩, 正法·像法·皆悉同等。

적연청정(寂然淸淨)• 적연이란 바로 부동(不動)이며, 그곳에서 망상을 짓지 않는 것이다. 청정이란 너희의 잡념, 날뛰는 마음, 망상을 없앤 것이다. 범부의 자성청정한 본체는 육조대사가 하신 말씀과 같다. "자성은 본래 청정함을 진실로 알며, 자성은 본래 움직이지 않음을 진실로 알며, 자성은 만법을 생하는 것을 진실로 안다." 이것이 바로 적연청정이다. 이러한 경계는 또한 육조대사가 말씀하신 경계와 같다. 이때 적연청정하다.

여견시학무학이천인부(汝見是學無學二千人不)• 유학과 무학의 이천 명 제자 모두 신체를 가지고 있어 누구나 볼 수 있는데, 부처님은 왜 아난에게 "너는 유학과 무학의 이천 명을 보는가."라고 물었을까? 이때 물은 것은 일반적으로 보는 것을 뜻하는 것이 아니다. 바로 앞에서 "그 뜻이 유연하고, 적연히 청정하다."고 하지 않았는가? 그래서 부처님께서는 아난에게 "너는 그들의 마음을 보았는가? 너는 그들의 마음속에 생각하는 것이 무엇인지 아는가?"라고 물은 것이다.

그때 세존께서는 그 뜻을 거듭 선설하시고자 게송을 설하셨다.

이 이천 명의 성문은 지금 나의 앞에 있는데
모두 미래에 부처 이루리라는 수기를 주노라.
위에서 말한 바와 같이 미진수의 제불 공양하고
그들의 법장 호지하고 후에 정각을 이룰 것이네.
각각은 시방세계에서 모두 동일한 명호 가지며
동시에 도량에 앉아 위없는 지혜 증득할 것이네.
모두 명호를 보상여래라고 할 것이며 국토와 제자
정법과 상법이 머무는 시간은 모두 차이가 없네.
모두 모든 신통으로 시방의 중생을 제도하고
이름 시방에 알려지고 점차로 열반에 들어가네.

爾時世尊, 欲重宣此義, 而說偈言。

是二千聲聞　今於我前住　悉皆與授記　未來當成佛
所供養諸佛　如上說塵數　護持其法藏　後當成正覺
各於十方國　悉同一名號　俱時坐道場　以證無上慧
皆名爲寶相　國土及弟子　正法與像法　悉等無有異
咸以諸神通　度十方衆生　名聞普周遍　漸入於涅槃

그때 유학과 무학 이천 명의 제자는 부처님께서 수기 주시는 것을 듣고 뛸 듯이 기뻐서 게송을 설하였다.

세존의 지혜 등은 밝아 저희들 수기의 소리 들으니
마음이 기쁨에 충만함이 감로의 관정을 받음과 같네.

爾時學·無學二千人, 聞佛授記歡喜踊躍·而說偈言。

世尊慧燈明 我聞授記音 心歡喜充滿 如甘露見灌

◉ 너희 모두 이곳에서 생각해야 할 것이다. 이들 이천 명은 함께 도반이 되어 수행을 한다. 그들은 서로 질투하지 않는다. 그들은 네가 나이고, 내가 너라고 생각한다. 그들은 함께 수행할 뿐 아니라 또 세세생생 같은 일을 발원한 것이다. 무슨 일인가? 도를 닦는 것이다. '우리는 성불을 할 때 같이 성불할 것이다. 우리의 명호도 같은 이름으로 할 것이다.' 이와 같이 이천 명의 사람은 한 사람으로 변하고, 한 마음으로 변한 것이다. 그래서 함께 같은 부처를 이루고 동일한 명호를 부른다. 이렇게 되면 비로소 "서로서로 섞이지 않고 장애가 없는" 경지가 되며, 모두 피차 같게 되어 차별이 없고 섞여 어지럽지 않으며, 누구도 누구를 장애하지 않는다.

이곳에서 우리는 진정으로 큰 보리심을 발해야 한다. 자기만 생사를 마치는 사람[自了漢]이 되어서는 안 된다. 이들 이천 명의 제자는 뜻이 같고 도가 부합되며, 서로를 돕고 서로를 경책하며 같은 일을 한다. 심지어 태어날 때도 같이 나고, 죽을 때도 같이 죽는다. 보라. 이것이 비로소 진정한 생사의 도반이다. 그들은 서로 제도한다. 어떤 사람도 뒤떨어지면 안 된다. 모두 같이 일하고 같이 수행한다. 따라서 동시에 성불하는 것이다. 이것은 작은 인연이 아니다. 깊고도 깊은 인연이라고 할 수 있다.

이들 이천 명의 제자는 왜 동시에 수기를 받았으며, 동일한 명호를 받았는가? 그들은 인지(因地)에서 수행할 때 한 분의 스승을 따라 도를 배웠으며, 모두 특별한 원을 발하였다. "우리 이천 명은 세세생생 동일한 사람을 스승으로 삼아 불법을 배울 것이다. 우리는 스승이 성불할 때 함께 수기를 받을 것이다. 우리는 비록 이천 명이지만, 동일한 명호의 부처를 이룰 것을 원한다."

十

법사품
(法師品)

『법화경』을 수지하는 사람의 공덕

법사에는 다섯 종류가 있다.

① 수지법사(受持法師) : 수는 마음으로 받는 것이고, 지는 몸으로 지니는 것이다. 이것은 마음속에서 이러한 법을 이해하고, 몸은 이러한 법을 실천하는 것이다.

② 독경법사(讀經法師) : 경문을 보고 읽는 법사를 말한다. 독이란 경의 책자를 보고 읽는 것이다.

③ 송경법사(誦經法師) : 경문을 외울 수 있는 법사를 말한다. 송이란 경문을 보지 않고 외우는 것이다.

④ 서사법사(書寫法師) : 경문을 서사하는 법사를 말한다. 서사란 필기도구로 종이 위에 경문을 쓰는 것이다.

⑤ 강경법사(講經法師) : 다른 사람에게 경문을 해설하는 법사를 말한다.

수지하고 독송하고 서사하는 것은 자기에게 큰 이익이 있다. 이 모두 자기를 이롭게 하는[自利] 방면에서 말한 것이다. 오직 남을 위하여 해설하는 것은 다른 사람에게 이익이 있는 것으로서 이것은 남을 이롭게 하는[利他] 것이며 또한 남을 교화하는[化他] 것이다.

그리고 법사를 "법으로 스승을 삼는[以法爲師]" 것으로 해석할 수 있다. 즉 불법을 자기의 스승으로 삼는 것이다. 이 외에도 또 하나의 뜻이 있는데, "법으로 남에게 보시하는[以法施人]" 것으로 말할 수 있다. 즉 불법으로 남에게 보시하는 것이다. 이 품에서 이들 법사는 모두 부처님으로부터 수기를 받는다. 그래서 이 품을 「법사품」이라고 한다.

가. 『법화경』을 듣고 기뻐한 사람에 대한 수기

1) 부처님 재세시의 제자

그때 세존께서는 약왕보살로 인하여 팔만의 대보살들에게 말씀하셨다. "약왕보살이여, 그대는 이 대중 가운데서 무량한 천인, 용왕, 야차, 건달바, 아수라, 가루라, 긴나라, 마후라가, 사람과 사람 아닌 중생, 또는 비구, 비구니, 우바새, 우바이와 성문의 과위를 구하는 자, 벽지불의 과위를 구하는 자, 불도를 구하는 자 등 이러한 무리를 보는가? 이들은 모두 부처님 앞에서 법화경의 한 게송이나 한 구절을 듣거나, 또는 한 생각이라도 법화경을 따라 기뻐한 자들로서, 나는 모두에게 장래 그들이 무상정등정각을 얻을 것이라는 수기를 준다."

爾時世尊, 因藥王菩薩, 告八萬大士。藥王。汝見是大衆中, 無量諸天·龍王·夜叉·乾闥婆·阿修羅·迦樓羅·緊那羅·摩睺羅伽·人與非人, 及比丘·比丘尼·優婆塞·優婆夷, 求聲聞者·求辟支佛者·求佛道者, 如是等類, 咸於佛前, 聞妙法華經, 一偈一句, 乃至一念隨喜者, 我皆與授記, 當得阿耨多羅三藐三菩提。

2) 부처님 열반 후의 제자

부처님께서 약왕보살에게 말씀하셨다. "또 여래가 열반에 든 후 만약 어떤 사람이 법화경을 듣고, 한 게송이나 한 구절을 듣거나 한 생각이라도 따라 기뻐한다면, 나는 역시 그에게도 무상정등정각의 수기를 줄 것이다."

佛告藥王, 又如來滅度之後, 若有人聞妙法華經, 乃至一偈一句, 一念隨喜者, 我亦與授阿耨多羅三藐三菩提記。

나. 『법화경』을 수지, 공경하는 사람의 공덕

1) 현재세

"또한 만약 어떤 사람이 법화경을 한 게송이라도 수지하고 독송하며 해설하고 서사하며, 이 경전을 부처님 대하듯이 공경하게 대하며, 갖가지의 공양구, 즉 꽃과 향, 영락, 말향, 도향, 소향, 비단으로 만든 보개, 당번, 의복, 기악으로 공양하고, 또는 합장하여 공경하는 사람이 있다면, 약왕이여, 마땅히 알아야 한다. 이러한 모든 사람들은 이미 과거에 십만억의 부처님께 공양하고 제불의 처소에서 대원을 성취하였지만, 중생을 불쌍히 여기는 까닭으로 이 인간세계에 태어난 것이다."

若復有人, 受持·讀誦·解說·書寫妙法華經, 乃至一偈, 於此經卷,敬視如佛, 種種供養, 華 · 香 · 瓔珞 · 末香 · 塗香 · 燒香 · 繒蓋 · 幢幡 · 衣服 · 伎樂, 乃至合掌恭敬, 藥王當知。是諸人等, 已曾供養十萬億佛, 於諸佛所, 成就大願, 愍衆生故, 生此人間。

"약왕보살이여! 만약 어떤 사람이 미래세에 어떤 중생이 부처를 이룰 수 있느냐고 묻는다면, 그대는 마땅히 이러한 모든 사람들이 미래세에 반드시 부처를 이룰 수 있다고 가르쳐야 할 것이다.
무엇 때문인가? 만약 선남자와 선여인이 이 법화경에서 한 구절이라도 수지하고 독송하고 해설하고 서사하며, 법화경에 꽃과 향, 영락, 말향, 도향, 소향, 비단으로 만든 보개, 당번, 의복, 기악 등 갖가지로 공양하거나, 법화경에 합장하여 공경하면, 모든 세간 사람들은 이러한 사람을 마땅히 우러러 받들어야 할 것이며, 마땅히 여래를 공양하듯이 그를 공양해야 할 것이다.
이 사람은 대보살로서 이미 무상정등정각을 성취하였지만, 중생을 불쌍히 여기므로 이 세간에 태어나 널리 법화경을 연설하고 분별하여 해설하기 원한다는 것을 마땅히 알아야 한다. 하물며 법화경을 힘써 수지하고 갖가지로 공양하는 사람이야 말할 것도 없다.
약왕보살이여! 마땅히 알아야 한다. 이 사람은 스스로 청정한 업보를 버리고 내가 열반에 든 후 중생을 불쌍히 여기는 까닭으로 오탁악세에 태어나 이 경을 널리 강설하는 것이다."
藥王。若有人問, 何等衆生於未來世當得作佛。應示是諸人等, 於未來世, 必得作佛。何以故。若善男子 · 善女人, 於法華經, 乃至一句, 受持 · 讀誦 · 解說 · 書寫 · 種種供養經卷, 華 · 香 · 瓔珞 · 末香 · 塗香 · 燒香 · 繒蓋 · 幢幡 · 衣服 · 伎樂, 合掌恭敬。是人一切世間所應瞻奉, 應以如來供養而供養之。當知此人是大菩薩, 成就阿耨多羅三藐三菩提, 哀愍衆生, 願生此間, 廣演分別妙法華經。何況盡能受持·種種供養者。藥王當知。是人自捨清淨業報, 於我滅度後, 愍衆生故, 生於惡世廣演此經。

2) 미래세

"만약 선남자와 선여인이 내가 열반에 든 후 남몰래 한 사람을 위해 법화경을 설하거나 또는 한 구절이라도 설한다면, 이 사람은 곧 여래의 사자로서 여래가 파견하여 여래의 일을 행하는 것이라고 알아야 한다. 하물며 대중 가운데서 널리 설하는 사람이야 말할 것도 없다."
若是善男子·善女人, 我滅度後, 能竊爲一人說法華經, 乃至一句。當知是人, 則如來使, 如來所遣, 行如來事。何況於大衆中, 廣爲人說。

"약왕보살이여, 만약 어떤 악인이 착하지 못한 마음으로 일 겁 동안 부처님 앞에 나타나서 항상 부처님을 헐뜯고 욕한다면, 그 죄는 오히려 가볍다. 만약 어떤 사람이 한 마디의 나쁜 말로 법화경을 독송하는 재가자와 출가자를 헐뜯고 욕한다면, 그 죄는 매우 무겁다.
약왕보살이여, 법화경을 독송하는 자는 부처님을 장엄함으로써 스스로를 장엄하며 마치 여래의 어깨에 짊어진 것과 같으므로, 그 사람이 어느 곳으로 가든지, 응당 절을 하며 일심으로 합장하고 공경하고 공양하며 존중하고 찬탄해야 할 것이다.
그리고 꽃과 향, 영락, 가루 향, 바르는 향, 태우는 향, 비단으로 만든 보개, 당번, 의복, 음식으로 공양하고, 기악을 연주하며, 인간에서 가장 좋은 공양구로써 공양해야 할 것이며, 천상의 보배꽃을 그에게 뿌리고 천상의 보배 더미를 봉헌해야 할 것이다. 무슨 까닭인가? 이 사람이 기뻐하며 설법하는 것을 잠깐이라도 들으면, 즉시 궁극의 무상정등정각을 얻기 때문이다."

藥王。若有惡人, 以不善心, 於一劫中, 現於佛前, 常毁罵佛, 其罪尙輕。若人以一惡言, 毁呰在家·出家讀誦法華經者, 其罪甚重。藥王。其有讀誦法華經者, 當知是人, 以佛莊嚴而自莊嚴, 則爲如來肩所荷擔, 其所至方, 應隨向禮, 一心合掌, 恭敬供養, 尊重讚歎。華·香·瓔珞, 末香·塗香·燒香, 繒蓋·幢幡, 衣服·餚饌, 作諸伎樂, 人中上供而供養之, 應持天寶而以散之, 天上寶聚應以奉獻。所以者何。是人歡喜說法, 須臾聞之, 卽得究竟阿耨多羅三藐三菩提故。

다. 『법화경』 공덕의 찬탄 게송

1) 『법화경』 수지하는 자를 공양하라

그때 세존께서는 이러한 뜻을 거듭 선설하시고자 게송을 설하셨다.

　만약 불도에 머물려면 자연지를 성취해야 하며
　항상 법화경 수지하는 자를 부지런히 공양해야 하네.

빨리 일체종지를 얻으려는 사람이 있으면
응당 법화경 수지하거나, 수지하는 자 공양해야 하리.

爾時世尊。欲重宣此義。而說偈言。

若欲住佛道• 成就自然智• 常當勤供養 受持法華者
其有欲疾得 一切種智慧• 當受持是經 幷供養持者•

약욕주불도(若欲住佛道)• 불도에 머물 수 있으면 성불할 수 있다. 그럼 어떻게 해야 불도에 머문다고 할 수 있는가? 너희가 만약 불도에 머물다가 다시 외도로 옮긴다면, 그것은 불도에 머문 것이 아니다. 이러한 사람은 매우 많다.

불도에 머물다가 어떤 경계가 와도 참아야 한다. 좋은 경계가 와도 참아야 하고, 나쁜 경계가 와도 참아야 한다. 순조로운 경계가 와도 참아야 하고, 거스르는 경계가 와도 참아야 한다. 단지 좋은 경계만 좋아하는 것도 경계에 움직이는 것이고, 좋지 않은 경계를 싫어해도 경계에 움직이는 것이다. 이 모두 불도에 머문 것이 아니다. 불도에 머물려면 인욕을 닦아야 한다. 인욕심이 있으면 어떠한 경계도 너희의 마음을 동요시킬 수 없다. 그래야 비로소 불도에 머문다고 말할 수 있을 것이다.

성취자연지(成就自然智)• 불도에 머물려고 생각한다면, 반드시 먼저 자연지를 가져야 한다. 자연지란 무사지(無師智)라고도 한다. 즉 스승이 필요 없는 것이다. 하지만 원래부터 나에게는 스승이 없이 자연지를 얻었다고 말하는 것이 아니다. 너희에게 스승이 있으면 스승의 지도를 거쳐야 이해할 수 있으며, 그런 연후에 비로소 자연지를 얻을 수 있다. 마치 육조대사가 하신 말과 같다. "미혹할 때는 스승이 제도하지만, 깨달으면 스스로 제도한다. 제도한다는 이름은 비록 하나이지만, 그 쓰임은 같지 않다." 이것이 바로 자연지다. 자연지를 얻으면 스승의 제도가 필요하지 않다. 이것은 또한 배를 타고 강을 건너는 것과 같다. 강을 건넜으면 배는 필요가 없다. 너희가 만약 강을 건너지 못했으면 건널 배가 필요하지만, 강을 건넌 후에는 배가 필요 없는 것이다. 이 배를 짊어지고 가야겠다고 말할 수 없다. 강을 건넜으면 이 배를 내려놓아야 한다. 자연지를 얻으면 자연스럽게 지혜가 있게 된다.

기유욕질득(其有欲疾得) 일체종지혜(一切種智慧)• 일체종지는 얻기가 쉽지 않다. 앞에서 설명한 자연지는 일체지가 아니다. 일체지는 만유를 포함하며, 무슨 지혜든지 다 가진 것이다. 이러한 지혜는 원만한 지혜이며, 일체종지를 얻게 되면 비로소 성불할 수 있다. 그럼 어떻게 일체종지를 얻는가?

당수지시경(當受持是經) 병공양지자(幷供養持者)• 마땅히 『법화경』을 수지하는 것이다. 너희가 만약 항상 『법화경』을 수지하면, 매우 빨리 일체종지를 얻을 수 있다. 『법화경』의 묘한 점을 보라. 왜 묘법이라고 하는가? 묘법도 바로 이곳에 있다. 너희는 단지 『법화경』을 수지하고 독송하면 이러한 묘법을 얻을 수 있으며, 일체종지의 지혜를 얻을 수 있다. 그러므로 너희는 응당 항상 이 경을 읽어야 할 것이다. 수지(受持)한다는 것은 즉 입으로는 『법화경』을 송하고 마음으로는 『법화경』의 묘의(妙義)를 생각하는 것이며, 몸으로는 힘써 『법화경』의 도리를 행하는 것이다. 이런 사람을 『법화경』을 실행하고 수지하는 사람이라고 하며, 그런 사람은 곧 일체종지를 얻을 것이다. 너희가 『법화경』을 수지하면, 또한 몸을 돌려 『법화경』을 수지하는 다른 사람을 공양해야 한다.

너희가 일체종지를 얻으면 다시는 미혹하지 않는다. 너희가 자연지를 얻어도 다시는 미혹하지 않는다. 왜 도리를 명료하게 인식하지 못하고, 어찌 된 일인가를 모르는가? 그것은 진정한 지혜를 얻지 못했기 때문이다. 즉 자연지를 얻지 못하고, 일체종지를 얻지 못한 것이다. 앞 생각이 미혹하면 중생이며, 뒷생각이 깨달으면 바로 부처이다. 한 생각이 깨달으면 바로 불도에 머무는 것이다. 따라서 생각 생각이 깨달으면 바로 생각 생각이 불도에 머문다. 무슨 이상한 것이 없으며, 바로 너희의 미혹과 깨달음 속에 있는 것이다. 미혹하는 것도 자기가 미혹하는 것이며, 깨닫는 것도 자기가 깨닫는 것이다.

만약 법화경 수지하는 자가 있으면
부처님 사자로서 모든 중생 연민한다고 알아야 하며
법화경을 수지하는 모든 자는
청정국토 버리고 중생을 연민해 이 세간에 태어났네.
이런 사람은 나고자 하는 바에 자재하여
오탁악세에서 널리 위없는 법 설함을 알아야 하네.
마땅히 천상의 꽃과 향과 보배 옷과
천상의 묘한 보배로써 법 설하는 자 공양해야 하네.

若有能受持　妙法華經者　當知佛所使　愍念諸衆生
諸有能受持　妙法華經者　捨於淸淨土　愍衆故生此
當知如是人　自在所欲生　能於此惡世　廣說無上法
應以天華香　及天寶衣服　天上妙寶聚　供養說法者

◉ 너희는 기억해야 한다. 불법을 배우려면 매일 열심히 공부해야 한다. 예를 들면 경전의 번역, 아침과 저녁의 예불, 경전 강의 청취는 모두가 공동으로 해야 하는 정당한 필수의 과제다. 이러한 필수적인 과제 외에 자기의 사적인 공부를 할 수 있어야 한다. 『금강경』, 『법화경』, 『능엄경』을 오로지 지송하거나, 혹은 『지장경』을 전일하게 지송하는 것이다. 그러한 경에 대하여 특별한 연구가 있는가? 이러한 경이 진정으로 너희의 뱃속으로 들어갔는가? 따라서 너희는 이러한 능력을 가져야 하며, 하루 종일 시간을 헛되이 보내서는 안 될 것이다. 출가인이든 재가인이든 우리는 생각을 수섭하여 공을 관하고 수행하여, 많은 습기와 결점을 바꾸고 제거해 나가야 한다. 이러한 때 비로소 불도에 머물 수 있으며, 불법에 상응할 수 있다.

2) 『법화경』 수지자는 여래의 일을 행한다

내가 열반 후 악세에 이 경 수지하는 자에게는
부처님께 공양하듯이 합장하고 예경해야 하며
가장 맛있고 감미로운 음식과 갖가지 의복으로
이 불자 공양하여 잠시라도 듣길 바라야 하네.
만약 미래세에 이 경을 수지하는 자가 있으면
내가 세간에 파견하여 여래 일을 행하는 사람이네.

吾滅後惡世　能持是經者　當合掌禮敬　如供養世尊
上饌衆甘美　及種種衣服　供養是佛子　冀得須臾聞
若能於後世　受持是經者　我遣在人中　行於如來事

수지시경자(受持是經者)• 여기에서 수지하는 것이란 수지, 독송, 서사, 해설을 포함하고 있다. 이렇게 할 수 있는 사람은 바로 석가모니 부처님께서 인간 세상에 파견한 사람이다. 그러면 "내가 경을 듣는 것도 부처님께서 파견하신 것인가?" 이것은 자신에게 물어봐야 하고, 내게 묻지 않아야 한다. 너희가 만약 이 경전에 대하여 믿음이 있으면, 또한 부처님께서 너희를 파견하여 도량을 옹호하는 것이다. 만약 한쪽으로는 듣고 마음으로는 금문공원이나 해변으로 달려간다면, 그것은 부처님께서 너희를 파견한 것이 아니라고 나는 믿는다. 그것은 너희가 경을 듣는 것이 아니라 망상을 짓고 있는 것이기 때문이다.

3) 모든 경전 중에 『법화경』이 제일이다

만약 일 겁 동안 항상 착하지 못한 마음을 품고
노한 기색으로 부처님 욕하면 무량한 중죄 얻지만
이 법화경을 독송하고 수지하는 자에게
잠깐 나쁜 말 해도 그 죄는 앞의 죄보다 중하리.
어떤 사람이 불도를 구하는데 일 겁의 기간 중에
나의 앞에서 합장하여 무수한 게송으로 찬탄하며
이렇게 부처님 찬탄한 까닭으로 무량공덕 얻지만
경 수지하는 자 찬미하면 그 복이 저보다 더 크네.
팔십억 겁 동안 가장 묘한 색과 소리와
향과 맛과 감촉으로 경을 수지하는 자 공양하며
이러한 공양 마친 후 만약 잠시라도 경을 들으면

나는 지금 큰 이익 얻었다고 크게 기뻐해야 하리.
약왕에게 지금 말하노니, 내가 설한 모든 경전과
이 경전들 중에서 법화경이 가장 제일이네.

若於一劫中　常懷不善心　作色而罵佛　獲無量重罪
其有讀誦持　是法華經者　須臾加惡言　其罪復過彼
有人求佛道　而於一劫中　合掌在我前　以無數偈讚
由是讚佛故　得無量功德　歎美持經者　其福復過彼
於八十億劫　以最妙色聲　及與香味觸　供養持經者
如是供養已　若得須臾聞　則應自欣慶　我今獲大利
藥王今告汝　我所說諸經　而於此經中　法華最第一

◉ 내가 왜 지혜를 여는 경은 『능엄경』이며, 부처를 이루는 경은 『법화경』이라고 하는가? 『법화경』은 부처님의 법신이며, 부처님의 진신이며, 부처님의 보신이기 때문이다. 『법화경』 속에는 부처님의 삼신(三身), 네 가지 지혜[四智], 오안(五眼), 육신통(六神通)이 모두 다 있다. 『법화경』은 경전 가운데 왕이다.

우리가 지금 『법화경』 강의를 들을 수 있고 『법화경』을 읽을 수 있다면, 『법화경』을 이해하든지 못하든지, 믿든지 안 믿든지 모두 법화와 인연을 맺은 것이다. 너희가 이곳에 와서 경을 들으면, 너희가 이해하든 이해하지 못하든 모두 이미 법화회상에서 법화의 연을 맺은 것이다. 너희가 지금 법화에 대하여 믿음이 생기고 이해할 수 있는 것은 바로 묘법이다. 본래 이해하지 못할 것인데 지금 이해한 것이다. 심지어 지금 이해하지 못하는 것도 묘법이다. 이미 묘법의 종자를 심은 것이기 때문이다. 장래 유학과 무학의 이천 명이 성불할 때 너희도 그 법회에 참가할 수 있을 것이다. 만약 너희가 용맹정진을 한다면 더욱 빨리 『법화경』을 친히 들을 수 있고, 모든 부처님을 친근할 수 있을 것이다. 아난과 라후라가 성불할 때 너희가 만약 용맹정진하면 그들보다 이전에 부처를 이루는 것도 장담 못할 것이 없다. 무엇 때문인가? 부처를 이루는 것은 바로 너희가 용맹정진을 하느냐 안 하느냐에 달려 있기 때문이다.

미륵보살이 본래 석가모니 부처님보다 먼저 성불해야 했다. 하지만 명예를 구하였기 때문에 늦게 성불했다. 아난 존자도 본래 일찍 성불해야 하는데, 다문을 좋아했기 때문에 늦게 성불한 것이다.

라. 『법화경』과 수지하는 사람에 대한 찬탄

1) 『법화경』에 대한 찬탄

그때 부처님께서는 다시 약왕보살마하살에게 말씀하셨다. "내가 설한 경전은 무량한 천만억으로서 과거에 이미 설하였거나 지금 설하거나 미래에 설할 것이다. 그러한 경전 가운데서 이 법화경이 가장 믿기 어렵고 이해하기 어렵다.

약왕보살이여, 이 경은 모든 부처님의 비밀하고도 중요한 법장으로서 함부로 사람들에게 유통하거나 전수할 수 없으며, 모든 부처님께서 수호하시는 경전으로서 이전부터 지금까지 드러나게 설하지 않았다. 그리고 이 경은 여래가 지금 계시는데도 원망과 질투가 많은데, 하물며 여래가 열반에 든 후에는 어떻겠는가?"

爾時, 佛復告藥王菩薩摩訶薩。我所說經典, 無量千萬億, 已說·今說·當說。而於其中, 此法華經最爲難信難解。藥王。此經是諸佛祕要之藏, 不可分布妄授與人, 諸佛世尊之所守護, 從昔已來, 未曾顯說。而此經者, 如來現在, 猶多怨嫉, 況滅度後。

이차경자(而此經者) **여래현재**(如來現在) **유다원질**(猶多怨嫉) **황멸도후**(況滅度後) 왜 부처님께서는 그 전에는 『법화경』을 설하지 않았는가? 왜냐하면 일반인은 믿지 않고 이해하지 못하기 때문이다. 따라서 부처님께서 설하셔도 소용이 없는 것이다. 아울러 『법화경』을 설하면 천마외도가 질투심을 낸다. 만약 우리가 이곳에서 참마검(斬馬劍: 마를 베는 검)을 날리면, 마왕은 곧 얼굴이 붉을 것이다. '이거 큰 일 났구나!' 이것이 바로 원망하고 질투하는[怨嫉] 것이다. 우리가 정법을 홍양하려고 하면 마왕은 화를 내며, 사람들이 정법 이해하는 것을 좋아하지 않는다. 너희가 만약에 정법을 이해한다면, 그들의 삿된 법은 쓸모없는 것으로 변하고 말기 때문에 원망하고 질투하는 것이다.

석가모니 부처님께서도 매우 조심하신 것이다. 이전에 『법화경』을 설하지 않으신 것은 바로 남들의 원망과 질투를 불러올까 조심하신 것이다. 그리고 이제 열반에 드시려고 하니까 그런 것을 관여하지 않으시고 설하신 것이다. 여래께서 세상에 계실 때도 많은 사람들이 원망하고 질투하는데, 하물며 열반에 드신 후에는 그러한 원망과 질투는 더욱 많을 것이다. 지금 우리가 이곳에서 매주 『법화경』을 강의하는 것에 대하여도 반드시 많은 사람이 원망하고 질투할 것이다. 왜냐하면 우리는 이곳에서 정법을 행하고 수지하기 때문이다. 그래서 마왕은 편하지가 않고 그에게 불리하다고 느껴 크게 화를 낸다. 그러나 이곳에 와서 화를 내어도 소용이 없다. 왜냐하면 너희가 모두 정법을 수행하고 있기 때문이다. 삿됨은 바름을 이길 수 없으니 그는 도망가는 것이다.

석가모니 부처님이 세상에 계실 때 많은 외도들이 불법을 질투하였다. 지금 말법시대에 이르러 외도는 더욱 많아졌다. 어떤 외도는 신통을 가졌다고 말하는데, 이를테면 자기를 얼음 속에 백년을 두어도 다시 살아난다는 것이다. 설령 그렇게 살아난다고 하더라도 무슨 소용이 있는가? 남들에게 이익이 있는가? 아니면 자기에게 이익이 있는가? 남에게도 자기에게도 이익이 없다고 나는 믿는다. 이것은 일종의 설장(雪藏)외도이다.

또 어떤 외도는 시화(侍火: 불을 모시는)외도이다. 그는 전문적으로 불을 가지고 논다. 술을 불에 뿜어 한입으로 불의 술을 뱃속으로 들이마신다. 이것도 무슨 신통 같지만 아무것도 아니다. 왜냐하면 뱃속으로 들어가면 공기가 통하지 않으니 불이 붙지 않기 때문이다. 또한 어떤 외도는 불 위를 걸어갈 수 있다고 말하는데, 어리석은 사람들은 그것을 보고 대단하다고 생각한다. 시험해보면 불 위를 빨리 걸어가면 불에 타지 않는다는 것을 알 수 있다. 이것을 무슨 공부라고 할 수 있는가? 만약 불 위에 앉을 수 있다면, 그것은 "불속에서 연꽃을 재배하는[火裏栽蓮]"것이라고 할 수 있다. 몸에 기름을 가득 바르고 앉아 불을 붙이고 만약 타지 않는다면, 그것은 정말로 약간의 공부가 있는 것이겠지만 궁극의 신통은 아니다. 일종의 사술(邪術)도 불을 피하여 앉을 수 있으니, 참된 공부라고 할 수 없다. 지금 이러한 외도는 매우 많다.

어떤 외도는 물을 마시는 외도이다. 너희는 이런 외도를 본 적이 없을 것이다. 그는 말하기를 "나는 아무리 많은 물이라도 다 마실 수 있다. 심지어 바닷물도 다 마실 수 있다." 설령 바닷물이 마르도록 다 마시더라도 이것은 또 무슨 쓸모가 있는가? 바닷물을 다 마시면 그 속의 고기들이 살 수가 없을 것이다. 이러한 허물은 얼마나 큰가? 무형 중에 많은 중생을 죽이는 것이다. 따라서 이러한 외도는 배울 필요가 없는 것이다.

2) 수지하는 사람에 대한 찬탄

"약왕보살은 마땅히 알아야 한다. 여래가 열반에 든 후 이 경을 수지하고 서사하며 독송하고 공양하며, 다른 사람을 위하여 해설하는 사람에게는 여래가 옷을 덮어 주시고, 또한 다른 세계의 현재 계시는 제불께서 호념하실 것이다. 이 사람은 큰 믿음의 힘, 서원의 힘, 모든 선근의 힘을 가지고 있다. 이 사람은 여래와 함께 머물며, 여래의 손으로 그의 머리를 만질 것이라고 알아야 한다."

藥王當知, 如來滅後, 其能書·持·讀·誦·供養·爲他人說者, 如來則爲以衣覆之•, 又爲他方現在諸佛之所護念。是人有大信力•, 及志願力, 諸善根力。當知是人與如來共宿, 則爲如來手摩其頭•。

여래즉위이의부지(如來則爲以衣覆之)• 만약에 이러한 다섯 종류의 법사가 있으면, 부처님께서는 그의 옷(즉 가사)으로 그 법사를 덮어 주실 것이다. 우리가 "나무아미타불…." 염불하면서 염하지 않아도 염해지고, 염해도 염하지 않게 될 때 이러한 경계를 얻게 되며, 곧 아미타불께서 손으로 너희의 머리를 만지고, 옷으로 너희의 몸을 덮어 주시게 되는데, 이렇게 되면 장래 반드시 아미타불의 극락세계에 왕생하게 될 것이다.

시인유대신력(是人有大信力)• 이 사람은 큰 믿음의 힘을 가진다. 이 큰 믿음의 힘은 작은[小] 믿음보다 큰[大] 믿음이라는 말이 아니다. 상대적인 것이 아니라, 이렇게 큰 믿음의 힘은 더 이상 큰 것이 없다는 것이다. 이른바 "불법은 바다와 같아서 오직 믿음으로 들어갈 수 있다."라고 하는 것이다. 너희가 만약 믿는 마음이 없으면 불법 속으로 들어갈 수 없다. 또한 "믿음은 도의 근원이며, 공덕의 어머니"라고 한다. 너희가 만약 믿음이 있으면 공덕을 가질 수 있으며, 믿음이 없으면 공덕을 가질 수 없을 것이다. 믿음이 있어야 도를 닦을 수 있고, 믿음이 없으면 도를 닦을 수 없다. 따라서 이 믿음은 가장 중요한 것이다. 너희가 『법화경』을 수지하고 독송하며 서사하고 남을 위하여 해설할 수 있으면, 그것은 큰 믿음의 힘을 가진 것이다. 너희가 만약 큰 믿음의 힘을 가지지 못하면 그러한 일을 할 수 없다. 믿음에다가 힘을 더한 것은 무엇인가? 바로 아무리 해도 의심하는 마음이 생기지 않으며, 오직 믿는 마음뿐이다.

당지시인여여래공숙(當知是人與如來共宿) 즉위여래수마기두(則爲如來手摩其頭)• 너희는 마땅히 알아야 한다. 『법화경』을 수지, 독송, 서사, 해설하는 사람은 항상 여래와 함께 머무는 것이다. 왜냐하면 『법화경』은 바로 여래의 진신(眞身)이기 때문이다. 이 사람은 항상 여래께서 정수리를 만지는[摩頂] 가피를 얻게 된다. 불교에서 가장 자애함을 표시하는 것이 바로 마정을 주는 것이다. 부처님께서는 항상 중생에게 마정을 주신다. 어떤 사람에게 인연이 있으면 그 중생에게 마정을 주신다. 마정이란 부처님의 위덕으로 가피를 주어 그 중생에게 일체의 장애를 없게 하는 것이다. 만약 마정에다 다시 수기를 주신다면,

그것은 장래 성불의 기회가 있는 것이다.

우리가 수행하면서 좌선할 때 머리 위에 마치 무언가가 움직이는 것 같은 느낌을 받는데, 이러한 감각이 있을 때 이것은 모두 시방제불께서 너희에게 마정을 해주시는 것이다. 이때 너희는 더욱 신심을 내고 발원심을 내어 불도를 수행해야 한다. 무엇 때문인가? 부처님은 너희에게 큰 자비를 베풀어 가피를 내리시는 것이다. 만약 너희가 발심하지 않으면, 이것은 부처님의 이러한 자비를 저버리는 것이다.

3)『법화경』 소재하는 곳의 찬탄

"약왕보살이여, 법화경을 해설하고 독송하고 서사하며 경전의 책이 있는 곳이라면 어느 곳이든지, 모두 칠보탑을 매우 높고 넓고 아름답게 세워야 할 것이며, 다시 부처님의 사리를 봉안할 필요는 없다. 무엇 때문인가? 그 가운데는 이미 여래의 전신이 있기 때문이다. 이 탑에는 마땅히 일체의 꽃과 향, 영락, 비단으로 만든 보개, 당번, 기악과 찬탄하는 노래로써 공양하고 공경하며 존중하고 찬탄해야 할 것이다. 만약 어떤 사람이 이 탑을 보고 예배하고 공양하면, 이 사람들은 모두 무상정등정각에 가까이 왔음을 마땅히 알아야 한다."

藥王。在在處處, 若說·若讀·若誦·若書, 若經卷所住處, 皆應起七寶塔, 極令高廣嚴飾, 不須復安舍利。所以者何。此中已有如來全身, 此塔應以一切華·香·瓔珞, 繒蓋·幢幡, 伎樂·歌頌, 供養恭敬, 尊重讚歎。若有人得見此塔, 禮拜·供養, 當知是等, 皆近阿耨多羅三藐三菩提。

개근아뇩다라삼먁삼보리(皆近阿耨多羅三藐三菩提)• 너희는 마땅히 알아야 한다. 이러한 사람은 부처님의 무상정등정각과 이미 가까워졌다. 부처의 과위와 멀지 않다. 따라서 우리는 장래 모두 함께 발원하여 『법화경』에게 칠보탑을 세워야 할 것이다. 뉴욕의 마천루 건물보다도 더 높고 큰, 심지어 세계에서 가장 높은 보탑을 세워야 할 것이다. 단지 모두가 원을 발하면 해 낼 수 있을 것이다. 내가 출가하였을 때 나는 하나의 뜻을 세웠다. "나는 장래 불교를 온 세계에 퍼지게 할 것이다. 불법이 없는 곳에는 반드시 불법이 있게 할 것이다. 불법이 있을 뿐 아니라 참된 불법이 있게 할 것이다." 이것이 나의 원력이다. 그러면 지금 그 목표에 도달했는가? 아직 도달하지 못했다. 세계의 모든 곳에 불법이 있게 되면, 그때 나의 원이 성취되는 것이다. 너희도 각자가 원을 발하고 뜻을 세우면 장래 반드시 성공할 것이다.

4) 보살도를 행하는 원인의 찬탄

"약왕보살이여, 많은 재가자와 출가자가 보살도를 행하면서 만약 이 법화경을 보지 못하고 듣지 못하며, 독송하거나 서사하거나 수지하거나 공양하지 못한 사람은 아직 보살도를 잘 행하지 못한다는 것을 알아야 한다. 만약 이 경전을 보거나 듣는 자는 보살도를 잘 행할 수 있을 것이다."

藥王。多有人在家·出家, 行菩薩道•。若不能得見聞·讀誦·書持·供養是法華經者, 當知是人未善行菩薩道。若有得聞是經典者, 乃能善行菩薩之道。

행보살도(行菩薩道)• 무엇이 보살도인가? 중생을 이롭게 하는 것이다. 자기도 이롭고 남도 이로운 것이 보살도이다. 자기를 버리고 남을 위하는 것이 보살도이다. 즉 좋은 것은 다른 사람에게 주고 좋지 않은 것은 자기가 하는 것이다.

보살도를 행하는 사람은 마치 물과 같다. 물은 만물을 이롭게 하지만, 공을 내세우지 않는다. 태생, 난생, 습생, 화생을 막론하고 물의 도움으로 비로소 생존할 수 있다. 만약 물이 없으면 생존할 수 없다. 그러나 물의 본체는 중생에게 자기의 공덕을 보고하지 않는다. 보살도를 행하는 사람도 이와 같아야 한다. 일체중생을 이롭게 하지만, 스스로 공덕이 있다고 생각하지 않는다. 물은 가장 낮은 곳으로 흐르며 머문다. 그러나 중생은 누구도 그러한 곳에 머물기를 원하지 않는다. 따라서 너희가 만약 이렇게 할 수 있다면 이것이 바로 보살도이다.

보살도를 행하려면 공로는 남에게 돌리고 잘못은 자신에게서 찾아야 한다. 그러나 진실한 도리에서는 그 공덕은 여전히 너희의 것이다. 반면 이해하지 못하는 사람은 곳곳에서 공을 다투고 제일을 쟁취하려고 한다. 곳곳에서 남들이 자기를 알아주기를 원한다. 이것은 이해하지 못한 사람이다. 이해한 사람은 남이 알아주기를 구하지 않는다. 그래서 선을 남에게 보이려고 하면 참된 선이 아니며, 악을 남이 알까 두려워하면 곧 큰 악이라고 한 것이다. 보살은 선한 일을 하지만 남이 보는 것을 원하지 않으며, 악한 일을 하지만 남이 알아도 관계가 없다. 따라서 보살도를 행하는 것은 자기에게도 이롭고, 남에게는 더욱 이롭다. 심지어 자기에게 이익이 없어도 다른 사람에게 이익이 있으면 해야 한다.

보살도를 행하려면 육도만행(六度滿行)을 닦아야 한다. 즉 보시, 지계, 인욕, 정진, 선정, 지혜를 닦아야 한다. 하루만 행하는 것이 아니라 매일 행해야 한다.

5) 『법화경』을 수지한 공덕의 찬탄

"불도를 구하는 어떤 중생이 만약 법화경을 보거나 듣거나, 들은 후 믿고 이해하며 수지하는 사람은 무상정등정각에 가까워졌음을 알아야 한다."
其有衆生求佛道者, 若見·若聞是法華經, 聞已信解受持者。當知是人, 得近阿耨多羅三藐三菩提。

"약왕보살이여, 비유하면 어떤 사람이 목이 말라 물을 마시려고 저 고원에서 땅을 파 물을 구하는 것과 같다. 건조한 흙이 보이면 물이 아직 멀리 있다는 것을 알고 땅 파는 작업을 그치지 않아야 할 것이며, 계속 땅을 파서 습한 흙이 보이다가 점차 진흙에 이르면 반드시 물이 가까이 있음을 마음으로 결정해 아는 것과 같은 것이다.
보살도 또한 이와 같다. 만약 법화경을 아직 듣지 못하고 이해하지 못하여 수습할 수 없으면, 이 사람은 무상정등정각까지 아직 멀다는 것을 알아야 한다. 만약 듣고 이해하며 사유하고 수습할 수 있으면, 무상정등정각에 가까이 왔음을 반드시 알아야 한다. 무엇 때문인가? 모든 보살의 무상정등정각은 모두 이 경에 속하기 때문이다.
이 경은 방편의 문을 열어서 진실한 모습을 보이는 경이며, 그 경장은 도리가 깊고 견고하며 그윽하고 멀어서 그러한 경지에 이를 수 있는 사람이 없으므로, 지금 부처님께서는 보살을 교화하고 성취케 하기 위하여 법화경을 설하시는 것이다.

약왕보살이여, 만약 어떤 보살이 이 법화경을 듣고 놀라고 두려워하고 의혹을 가진다면, 그 보살은 뜻을 새로 발한 보살임을 알아야 한다. 만약 성문인이 이 경을 듣고 놀라고 두려워하고 의혹을 가진다면, 이 사람은 교만한 사람이라는 것을 알아야 한다."

藥王。譬如有人, 渴乏須水, 於彼高原, 穿鑿求之, 猶見乾土, 知水尙遠, 施功不已, 轉見濕土, 遂漸至泥, 其心決定·知水必近。菩薩亦復如是, 若未聞·未解·未能修習是法華經者, 當知是人, 去阿耨多羅三藐三菩提尙遠。若得聞解·思惟·修習, 必知得近阿耨多羅三藐三菩提。所以者何。一切菩薩阿耨多羅三藐三菩提, 皆屬此經。此經開方便門, 示眞實相。是法華經藏, 深固幽遠, 無人能到, 今佛教化成就菩薩, 而爲開示。藥王。若有菩薩聞是法華經, 驚疑·怖畏, 當知是爲新發意菩薩。若聲聞人聞是經, 驚疑·怖畏, 當知是爲增上慢者。

유견건토(猶見乾土) 지수상원(知水尙遠) 비록 땅을 파지만 고원이기 때문에 흙이 아직 건조하다. 이것은 우리의 종래의 습기와 결점, 즉 무명, 번뇌, 아견이 수미산처럼 높다는 것을 말한다. 너희가 만약 수미산처럼 높은 곳에서 물을 찾으려고 하면, 그것은 매우 어려운 일이다. 오만과 아만의 마음으로 도를 닦으려고 생각하면, 법성(法性)의 물을 찾는 것은 매우 곤란하다.

따라서 아만의 곳에서 수행하는 것은 "여전히 건조한 흙이 보인다.[猶見乾土]"는 것이며, 이것은 단지 건혜지(乾慧地)를 얻는다는 것이다. 약간의 지혜가 있지만 크지 않고 작은 것이어서 건혜지라고 한다. 아직 법성의 물을 얻지 못한 것이다. 진정한 지혜를 열지 못한 것이다.

건조한 흙이 보이기 때문에 물과는 아직 멀다는 것을 안다. 즉 약간의 마른 지혜를 얻은 것이며, 물기가 있는 지혜가 아니다.

작은 지혜를 얻을 때 약간의 불가사의한 경계가 생긴다. '아, 나는 어째서 앉으니 자성에서 광명이 나오는 것을 느끼는가? 몸과 마음이 모두 청정함을 느끼는가? 남도 없고 나도 없으니 정말로 좋구나!' 이것이 바로 건혜이다. 좋다고 느끼지만 진정한 지혜를 연 것이 아니다. 아직 검은 칠통(漆筒)을 타파한 것이 아니다. 즉 무명을 아직 깨뜨리지 못하였다. 그러나 이때는 약간 재미가 있음을 안다. '이상하지! 어째서 이러한 묘한 경계가 있는가? 오, 이것은 반드시 부처를 이룰 것이며, 부처를 이루는 이 법문은 허망한 것이 아니다. 나는 지금 이전에는 이해하지 못한 경계를 얻었다.' 이것이 바로 "여전히 건조한 흙이 보인다.[猶見乾土]"는 것이다. 진정한 부처의 지혜는 아직 멀고, 법성의 물과는 거리가 있는 것이다.

전견습토(轉見濕土) 수점지니(遂漸至泥) 기심결정(其心決定) 지수필근(知水必近)• 계속해서 땅을 파면 축축한 흙이 나오며, 점차 진흙에 이르게 된다. 축축한 흙을 보는 것은 즉 법성의 물을 약간 얻은 것을 뜻한다. 축축한 흙 밑에는 진흙이 있으며, 이것은 바로 과를 증득한[證果] 것이다. 초과의 수다원, 이과의 사다함, 삼과의 아나함, 사과의 아라한을 증득한다. 이때는 과를 증득하여 약간의 좋은 맛을 느낀다. '아, 이곳에 곧 물이 나오겠네!' 그래서 장래 반드시 법성의 이치의 물[法性的理水]을 얻고, 성불할 것을 안다.

약득문해(若得聞解) 사유수습(思惟修習)• 『법화경』을 들으면 일종의 듣는 지혜[聞慧]가 나와서 이해하게 되며, 사유하는 지혜[思慧]가 생긴다. 사유란 바로 정려(靜慮)이다. 즉 망상이 없다. 수습이란 닦는 지혜[修慧]로서 수행하는 지혜다. 너희가 만약 이러한 지혜가 없으면, 매우 어리석어 『법화경』에 따라 수행할 수 없을 것이다. 수행할 수 없을 뿐 아니라 생각하려고 해도 생각할 수 없고 사유할 수 없다. 사유할 수 없을 뿐 아니라 들으려고 해도 들리지 않으며, 이 『법화경』을 들을 기회가 없다. 이른바 "문사수(聞思修)로부터 삼마지에 들어간다."라고 하였다.

『법화경』은 방편을 열어 진실을 드러낸 것이며, 진실한 도리를 설한 것으로서 한 글자도 거짓이 없다. 따라서 『법화경』을 들은 사람은 모두 큰 선근이 있고, 큰 지혜가 있다. 만약 선근이 없고 지혜가 없으면, 『법화경』을 들을 기회가 없다. 너희가 이곳에 와서 『법화경』을 듣는 것이 쉬운 일이라고 생각해서는 안 될 것이다. 이것은 쉽지 않은 일이며, 가장 어려운 일이다.

이곳에서 마음을 평온하게 하여 『법화경』을 듣는 것은 불가사의한 경계이다. 하지만 너희는 다생다겁의 습기(習氣)가 너무 중하여, 비록 『법화경』을 듣기를 원하지만 어떤 때는 망상을 하게 된다. 마치 누군가 내게 말했듯이, 그는 자신 안에 두 사람이 있는 것 같다고 말하였다. 한 사람은 경을 듣기 좋아하고, 한 사람은 경을 들으려 하지 않고, 이렇게 언제나 마치 전쟁을 하듯이 자기가 자기와 싸운다는 것이다.

너희 속에서 경을 들으려고 하는 그 사람은 바로 너희의 본성이며, 경을 듣기를 원하지 않는 그 사람은 바로 너희의 습성(習性)이다. 습기는 너희에게 너희의 마음을 항복시킬 방법이 없게 한다. 너희는 스스로 깊이 살펴봐라. 왜 하나는 경을 듣기 좋아하고, 또 다른 하나는 경을 듣기 좋아하지 않는가? 스스로 이해한다면, 너희는 습기의 말을 듣지 않을 것이며, 그러면 너희를 어지럽게 할 수 없을 것이다. 너희는 알아야 한다. 경을 듣지 못하게 하는 그 습기는 너희를 타락하게 하고, 정당하지 못한 길로 가게 한다. 너희 속에서 경을 듣게 하는 그 사람은 너희를 바른 길로 가게 하여 삼악도에 떨어지지 않게 한다. 따라서 너희 스스로 하나의 생각을 가지고 습기를 따라 움직이지 않아야 한다.

시법화경장(是法華經藏) 심고유원(深固幽遠) 무인능도(無人能到)• 이 『법화경』의 경장은 깊고 견고하며 그윽하고 멀다. 깊다는 것은 어떤 뜻인가? 『법화경』은 무량한 뜻을 구족하여 마치 대해와 같이 깊어서 측량할 수 없기 때문이다. 견고하다는 것은 무엇인가? 『법화경』의 묘법은 어떠한 천마외도도 파괴할 수 없는 것이기 때문이다. 어째서 그윽하다고 하는가? 『법화경』의 도리는 매우 미묘하여 그것을 이해하기가 쉽지 않기 때문에 그윽하다고 하였다.

어째서 멀다고 하였는가? 부처의 과위로 논하자면, 우리 중생이 부처의 과위에 도달하는 것은 아홉 단계를 거쳐야 한다. 즉 구법계로부터 부처의 법계에 이르게 된다. 부처의 법계에 이르는 것은 매우 먼 것이다. 너무 멀기 때문에 사람은 『법화경』의 정도에 이르는 것이 쉽지 않다. 『법화경』에서 너희에게 말하기를 "사람마다 장래 모두 성불할 것이다."라 했지만, 이러한 말씀을 믿기가 쉽지 않은 것이다. 믿기 어렵고 이해하기 어렵다.

마. 『법화경』을 설하는 마음가짐

1) 자비, 인욕, 공의 마음

"약왕보살이여, 만약 선남자와 선여인이 여래가 열반에 든 후 사부대중을 위하여 법화경을 설하려고 하면, 마땅히 어떻게 설해야 하는가? 이 선남자와 선여인은 여래의 방에 들어가, 여래의 옷을 입고, 여래의 자리에 앉아 사부대중을 위해 널리 이 경을 설해야 한다.
여래의 방이란 일체중생에 대한 대자비심을 말하며, 여래의 옷이란 유연하고 화합하며 인욕하는 마음을 말하며, 여래의 자리란 일체법의 공함을 말한다. 이러한 가운데 편안하게 머문 연후에 게으르지 않은 마음으로 모든 보살과 사부대중을 위하여 이 법화경을 널리 설해야 할 것이다."

藥王。若有善男子·善女人, 如來滅後, 欲爲四衆說是法華經者, 云何應說。是善男子·善女人, 入如來室•, 著如來衣•, 坐如來座•, 爾乃應爲四衆廣說斯經。如來室者, 一切衆生中, 大慈悲心是。如來衣者, 柔和忍辱心是。如來座者, 一切法空是。安住是中, 然後以不懈怠心, 爲諸菩薩及四衆, 廣說是法華經。

입여래실(入如來室)• 너희가 여래 멸후 모든 사부대중을 위하여 『법화경』을 강설하려면, 반드시 여래의 방에 들어가고, 여래의 옷을 입으며, 여래의 자리에 앉아야 한다. 무엇을 여래의 방이라고 하는가? 바로 대자비심이라고 하였다. 중생이 너희를 헐뜯고 비방해도 진한심(瞋恨心)을 내지 않는다. 너희를 때리고 욕해도 더욱 진한심을 내지 않는다.

언제나 무연(無緣)의 대자(大慈)와 동체(同體)의 대비(大悲)를 행하는 것이다. 너희와 인연이 없어도 자비를 실천하고, 마치 자기의 고통과 같이 중생의 고통을 해결해 준다. 이것이 바로 여래의 방에 들어가는 것이다.

착여래의(著如來衣)• 여래의 옷이란 무엇인가? 바로 유연하고 화합하며[柔和], 인욕하는 것이다. 유연하고 화합한다는 것은 바로 조금의 성미도 없는 것이다. 인욕은 쉽지 않은 것이며, 더욱이 청년들에게는 더 힘들다. 너희의 아랫사람에게 사양하며 참을 수 있는 것이 비로소 참된 인욕이라고 할 수 있다. 윗사람이 너희에게 화를 내는 것을 참는 것은 참된 인욕에 들어가지 않는다. 유연하고 화합하며 인욕하는 것은 바로 무명의 불이 없다는 것이다.

좌여래좌(坐如來座)• 여래의 자리란 일체의 법이 공한 것을 말한다. 인욕을 닦을 때는 인욕을 닦는 줄을 알지만, 인욕을 닦지 않을 때 너희는 인욕을 마음에 담아두지 말아야 한다. 인욕이란 읽는 것이 아니라 행하는 것이다. 따라서 제법이 공하다는 것을 배워야 한다. 너희가 만약 공하지 않으면 법의 집착을 가지게 될 것이다. 법을 배우는 사람은 남도 공하고, 법도 공해야 한다.

2) 화현(化現)한 대중의 파견

"약왕보살이여, 내가 다른 나라에 화현한 사람을 파견하여 법을 듣는 대중이 되게 할 것이며, 또한 화현한 비구, 비구니, 우바새, 우바이를 파견하여 그의 설법을 듣게 할 것이다. 이 모든 화현인은 법을 듣고 믿고 받아들이며 수순하고 거스르지 않을 것이다.

만약 법을 설하는 자가 아무도 없는 텅 빈 곳에 있으면, 내가 그때 천룡, 귀신, 건달바, 아수라 등을 널리 파견하여 그의 설법을 듣게 할 것이다. 내가 비록 다른 나라에 있더라도, 언제나 설법하는 자로 하여금 나의 몸을 보게 할 것이며, 만약 이 경에서 구절과 문단을 잊어버렸으면 내가 그에게 설하여 완전히 생각나게 할 것이다."

藥王。我於餘國遣化人，爲其集聽法衆。亦遣化比丘·比丘尼·優婆塞·優婆夷，聽其說法。是諸化人，聞法信受，隨順不逆。若說法者，在空閑處，我時廣遣天·龍·鬼神·乾闥婆·阿修羅等，聽其說法。我雖在異國，時時令說法者得見我身。若於此經忘失句讀，我還爲說令得具足。

바. 『법화경』 찬탄 게송

1) 부처의 지혜에 가까워진다

그때 세존께서는 그러한 뜻을 거듭 선설하시고자 게송을 설하셨다.

모든 게으름 버리려면 응당 이 경을 들어야 하며
이 경은 듣기도 어렵고 믿고 받아들이기도 어렵네.
마치 목이 말라 물을 구해 고원에서 우물을 팔 때

건조한 흙 보이면 물이 아직 멀리 있음을 알고

점차 젖은 흙과 진흙 보이면 물이 가까웠음을 알듯이.

爾時世尊。欲重宣此義。而說偈言。

欲捨諸懈怠　應當聽此經　是經難得聞　信受者亦難

如人渴須水　穿鑿於高原　猶見乾燥土　知去水尙遠

漸見濕土泥　決定知近水•

점견습토니(漸見濕土泥) 결정지근수(決定知近水)• 건조한 흙이 있는 곳에서 다시 아래로 향하여 땅을 파면 서서히 축축한 흙이 보인다. 다시 수행을 하여 노력하면 약간의 수행의 맛을 얻게 된다. 진흙이란 과위를 증득하는 것을 비유한다. 과위를 증득한 후 너희는 장래 반드시 성불할 것이라는 것을 확실하게 안다. 이것을 "물이 가깝다.[近水]"라고 한다.

『화엄경(華嚴經)』을 비유로 들겠다. 우리가 이 『화엄경』을 이해하려고 생각하는 것은 마치 고원에서 하나의 우물을 파는 것과 같다. 파 내려가도 『화엄경』의 도리를 얻지 못한다. 그런데 아함경(阿含經)에 이르렀는데, 아함경은 건조한 흙에 비유한다. 그런 연후 시공을 멈추지 않으면, 즉 열심히 수행하여 불교의 도리를 연구하면 방등경(方等經)에 이른다. 막 축축한 흙을 보았지만, 아직 진흙은 보지 못하였다. 반야경(般若經)에 이르렀을 때 마치 축축한 흙을 지나 진흙을 보는 것과 비슷하다. 반야는 이전의 가르침을 『법화경』으로 돌리는 시기이며, 진흙에 비유한다. 지금 『법화경』에 이르렀는데, 이것은 부처님의 전신(全身)이며, 물에 비유한다.

그리고 이렇게 설명할 수도 있다. 우리가 최초에 도를 닦는 것은 매우 어려운 일이며, 계속 수행을 하지만 또한 무엇을 얻지 못한다. 이렇게 많은 불법을 배워도 여전히 마치 허공과 같이 텅 비어 손에 잡을 수 있는 것은 아무것도 없다. 보아도 보이지 않고, 들어도 들리지 않고, 이리저리 생각해봐도 여전히 공한 것이다. 이것은 쉽지 않은 것이지만, 너희는 여전히 노력해서 공을 들여야 한다. 노력해도 얻은 것이 없는 것이 마치 건조한 흙과 같은 것이다.

다시 어느 시기가 지나면, 축축한 흙이 보이며 약간 재미가 느껴진다. 다시 앞을 향하여 노력하면, 아! 자기가 지혜를 연 것을 느낀다. 이것은 반야의 진흙[般若泥]을 얻은 것이다. 반야의 진흙을 얻은 연후에 법화의 물[法華水]을 얻는다. 법화의 도리는 정말로 무궁무진하며, 시작도 없고 끝도 없으며, 안도 없고 밖도 없으며, 작음도 없고 큼도 없으며, 묘하여 말로 할 수 없다. 말로 할 수 있는 것은 묘하지 않다. 이 『법화경』은 정말로 묘한 법이며, 단지 하나의 묘함으로 법화의 도리를 형용할 수 있다. 이것도 법화의 물을 본 것이다. 법화의 물을 마시면 영원히 귀신이 되지 않을 것이며, 부처가 될 것이다. 너희는 왜 귀신이 되는가? 법화의 물을 마시지 못했기 때문이다. 너희는 왜 축생이 되는가? 반야의 진흙을 얻지 못했기 때문이다.

또 다르게 설명할 수 있다. 이 도리는 무궁무진한 것이므로 묘법이라고 부른다. 너희가 도를 닦는 것을 고원에서 우물을 파는 것이라고 한다. 먼저 난위(煖位)에 이른다. 따뜻한 뜻[煖意]이 있음을 느끼는 것이다. 그러나 이 따뜻한 뜻이 어디로부터 오는 것인지를 모른다. 하지만 따뜻하다. 따뜻한 것이 지속되면 꼭대기[頂]에 이른다. 즉 정위(頂位)에 이른다. 머리의 정수리를 말하며, 바로 가장 높은 곳이다.

너희가 먼저 난위에 이른 것은 물을 마시려고 생각하는 것이다. 그래서 고원에서 우물을 파는 것이다. 그래서 정위에 이른다. 이것은 마치 어린아이가 막 출생하여 아무것도 이해하지 못하는 것이다. 정위에 이르러도 아직은 멀리 갈 수 없으며 지키고 보호해야 한다. 수호(守護)한다는 것은 인위(忍位)이다. 이곳에서는 참아야 하며, 망상을 지어 멀리 가려고 해서는 안 된다. 멀리 가게 되면 요마귀괴에게 붙잡힐 수 있다. 따라서 이때는 멀리 갈 수 없으며, 단지 정수리에서 왔다갔다 할 수밖에 없다. 정수리 위에서 재주를 부리는 것은 무방하지만, 멀리 갔다가는 돌아오기가 쉽지 않다.

이 정수리 위에서 중요한 것은 참는 것이다. 이 인위를 닦아야 한다. 이 인위가 바로 건조한 흙과 습한 흙을 얻는 것이며, 진흙이 있는 곳에 이르는 것이다. 인위에서 어느 시기가 지나고 난 연후에야 비로소 물을 얻을 수 있으며, 물을 마실 수 있다. 물이 있는 곳에 이른 것을 세제일(世第一)이라고 한다. 즉 세상에서 제일 높은 사람이라는 것이다. 깨달은 사람이라는 것이다. 세제일은 또한 마실 물을 얻은 것이며, 법화의 물을 얻은 것이다. 그러므로 법을 설명하려고 하면 무궁무진하여 말로 다할 수 없다.

약왕보살이여 알아야 하네. 이와 같은 사람들이
법화경을 듣지 않으면 부처 지혜와는 매우 멀며
이 깊은 경 들으면 성문법이 궁극 아님을 깨닫고
모든 경의 왕인 법화경을 들은 후 깊이 사유하면
이런 사람들은 부처 지혜에 가까움을 알아야 하리.

藥王汝當知　如是諸人等　不聞法華經　去佛智甚遠
若聞是深經　決了聲聞法　是諸經之王　聞已諦思惟
當知此人等　近於佛智慧

미국인들은 방생을 이상한 일이라고 본다. 왜 방생을 하는가? 방생은 중생이 우리 안에 갇혀 있지 않게 하여 자유를 얻게 하는 것이다. 우리는 자비심을 크게 자라게 하기 위하여 중생을 내보내어 자유를 얻게 한다. 우리가 살생하지 않는 것도 자비심을 닦는 것이다. 우리가 방생하는 것도 자비심을 닦는 것이다. 우리의 자비심이 하루하루 크게 되어 관세음보살의 대자대비의 마음처럼 커져야 한다. 관세음보살은 바로 방생을 하며 살생을 하지 않는다. 따라서 그는 대자대비의 마음을 가지고 있다. 우리도 관세음보살의 대자대비의 마음을 배우려면 방생을 해야 한다. 너희가 방생을 하면 곧 너희의 자비심이 증가할 것이다.

그리고 방생은 또한 나를 놓는[放我] 것이다. 왜냐하면 나와 중생은 한몸이기 때문이다. 마치 자기가 우리 속에 갇히게 되면 매우 불편하고 자유가 없으며 즐겁지 않으므로 남이 내보내 주기를 바라는 것과 같다. 자기가 강제로 감옥에 갇히는 것도 원하지 않지만, 중생도 우리 속에 갇히는 것을 원하지 않는다. 나와 중생은 피차 일종의 동체(同體)라는 느낌을 갖고 있기 때문에 방생을 하는 것이다.

또한 이 중생은 전생에 나와 어떤 관계였는지 모른다. 나의 부모였거나, 혹은 나의 형제자매였거나, 혹은 나의 자녀였거나, 혹은 나의 친구였는지 모른다. 나는 천안통을 얻지 못하고 숙명통을 얻지 못하여 이러한 전후의 인과관계를 알지 못하지만, 지금 내가 이러한 축생들이 자유가 없으니 나의 마음이 즐겁지 않으므로 방생하려고 한다. 이 방생을 어떤 사람은 매우 어리석은 짓이라고 말하는데, 이것은 어리석은 것이 아니며 수행의 일부분이다. 수행이란 단지 하나의 길로만 간다고 성공하는 것은 아니다. 팔만사천 법문마다 모두 무상도를 이루는 길이다.

방생도 그 가운데 하나의 문이다. 이곳 미국에서 과거에는 이러한 도리를 이해하는 사람이 매우 적었지만, 우리는 선도하는 사람이 되어야 한다. 우리는 이러한 방생을 해서 이러한 풍조를 열어서 모두가 이러한 법을 알게 해야 한다. 이것이 어리석은 행위라고 말해서는 안 된다. 너희가 그런 생각을 가지고 있으면 너희 자신의 수행에 장애가 생기게 될 것이다. 그래서 방금 우리는 우리에 갇히기를 원하지 않고 감옥에 들어가기를 원하지 않을 것이라고 비유해서 말한 것이다.

이제 나는 여러분에게 진실한 법을 말하려고 한다. 솔직하게 말하자면 이것은 비유가 아니고 참된 것이다. 너희 자신의 몸이 바로 우리(새장)이며, 너희는 이 신체라는 우리 속에서 시종 밖으로 나가지 못한다. 앞에서 "난·정·인·세제일"을 말한 것과 같이, 너희는 시종 이러한 수행의 경지에 이르지 못하였다. 너희가 만약 세제일(世第一)의 경지에 이르면, 바로 이 새장을 벗어날 수 있다. 그러면 그것은 너희 자신이 자기를 방생하는 것이다. 그것이 참된 방생이다.

이해가 되는가? 지금 나는 여러분에게 진정한 도리를 설명하는 것이다. 너희가 만약 그러한 방생(진정한 방생)을 얻으려면, 곧 먼저 이러한 일반적인 방생을 해야 한다. 그러면 방생이 증가할 것이고 크게 될 것이다. 그러므로 방생은 불법 속에서 매우 중요한 위치를 차지하고 있다. 하지만 너희는 이러한 맛을 얻지 못하고 이러한 도리를 깨닫지 못하여, 방생을 그저 보통의 일로 여기게 된다. 너희가 자기를 방생하려고 하면, 먼저 이러한 방생을 닦아야 한다. 이러한 방생을 닦지 않으면 진정한 방생을 얻을 수 없다. 이것은 매우 변화가 무궁한 도리로서, 너희는 방생을 작게 보면 안 될 것이다. 도를 닦는 것은 바로 자기 스스로 행을 닦는 것이다. 너희가 이러한 도리를 이해하지 못하면, 절대로 이러한 방생법문을 비평해서는 안 된다.

2) 『법화경』을 설하는 마음가짐

만약 사람이 이 경 해설하려면 여래의 방에 들어가
여래의 옷을 입고 여래의 자리에 앉아야 할 것이네.
대중 속에 두려움 없이 널리 분별하여 설하려면
대자비로 방을 삼고 유화와 인욕으로 옷을 삼으며
제법 공함을 자리로 삼고 그곳에서 법 설해야 하리.
만약 이 경을 설할 때 어떤 사람이 그대 욕하거나
칼과 몽둥이로 때리고 기와나 돌을 던져도
부처님을 염하는 까닭으로 마땅히 참아야 하네.

若人說此經　應入如來室　著於如來衣　而坐如來座
處衆無所畏　廣爲分別說　大慈悲爲室•　柔和忍辱衣•
諸法空爲座•　處此爲說法　若說此經時　有人惡口罵
加刀杖瓦石　念佛故應忍•

대자비위실(大慈悲爲室)• 여래의 방이란 결코 여래께서 머무시는 방이 아니다. 대자비심을 말한다. 너희가 대자비의 마음을 가져서 일체중생을 널리 제도하겠다고 발원하여 일체중생이 이고득락하고 생사를 벗어나게 할 수 있으면, 너희는 일찍이 불도를 이룰 것이다. 자비는 바로 풀 한포기 혹은 나무 한그루라도 그것을 차마 꺾지 못하는 것이다. 혹은 작은 벌레, 개미 한 마리, 심지어 모기 한 마리라도 해치지 않는 것이다. 이러한 모든 것이 자비심이다. 우리가 불교 활동 속에서 방생을 하는 것도 바로 너희의 자비심에 근거하여 하는 것이다. 너희가 진정으로 자비심을 가지면 만물과 같은 몸이 된다.

앞에서 우리는 "무연대자(無緣大慈), 동체대비(同體大悲)"를 설명하였다. 우리는 중생과 모두 같은 몸인 것이다. 중생이 이러한 환경에서 자유롭지 못하다면, 우리는 응당 그들을 도와서 자유를 얻게 해야 할 것이다. 그래서 어제 우리는 비둘기를 방생하였다. 그들이 과거생에 나의 부모였거나 혹은 형제자매와 육친권속이었거나를 막론하고, 우리는 이러한 자비심에 따라 중생이 고통을 받거나 자유를 얻지 못하는 것을 보고 마땅히 그들을 도와야 한다. 이것이 바로 자비심이다. 자비심은 이러한 일에 대해서는 자비롭고 저러한 일에 대해서는 자비롭지 못한 것이 아니다. 광대한 자비심을 가지려면 일체중생 모두에게 자비를 가져야 한다. 사람뿐 아니라 축생에게도 자비를 행해야 한다. 이러한 자비는 삼라만상을 포함하는 것이다. 법계를 이 자비심 속에 포괄해야 할 것이다. 따라서 방금 말한 여래의 방은 바로 대자비심을 뜻한다.

유화인욕의(柔和忍辱衣)• 여래의 옷이란 즉 유화와 인욕을 뜻한다. 유화란 강경하지 않고 너무 강하지 않은 것이다. 『지장경』에서 말씀하시기를 "강강한 중생은 조복하기가 어렵다.[剛强衆生 難調難伏]"라고 하였듯이, 유화란 강강(剛强)에 반대되는 말이다. 유화와 인욕은 가장 묘한 법문이다. 육바라밀에서도 세 번째 바라밀이 인욕이다. 인욕에는 세 종류가 있는데, 생인(生忍), 법인(法忍), 무생법인(無生法忍)이다.

생인이란 일체중생이 너희에게 좋고 나쁘게 대하여도 모두 참을 수 있는 것이며, 남들이 참을 수 없는 것을 참는 것이다. 배고픔을 참고 목마름을 참으며, 바람을 참고 비를 참고 더위를 참고 추위를 참으며, 일체를 참아야 한다. 이것이 출가인의 인욕행이며, 인욕 수행이다. 너희가 유화하고 인욕하는 것이 마치 의복을 입는 것과 같아서 여래의 옷에 비유한 것이다.

법인이란 무엇인가? 불법을 배움에 있어서 어떤 사람은 불법이 너무 많은 것을 싫어하고 참지를 못한다. 어떤 사람은 또한 불법이 너무 적은 것을 싫어하여 참지 못한다. 참지 못한다는 것은 마음속이 편하지 못한 것이다. 무엇을 법이 너무 많은 것이라고 하는가? 우리가 이렇게 많은 불법을 배우고, 이렇게 많은 경을 읽고, 이렇게 많은 주(呪)를 배우는데, 언제나 배울 것이 아직도 남아 있어 다 배우지 못한다. 그래서 배우고 싶지 않고 참을 수 없는 것이다.

어떤 사람은 불법이 너무 적다고 느끼는데, 남들은 그렇게 많이 배우는데 자기는 이렇게 적게 배우니 마음속에서 일종의 초조한 마음이 생기는 것이다. 너희가 초조한 마음을 가지면 이 또한 참을 수 없게 된다. 너희는 불법에 대하여 참는 힘을 가져야 하며, 아무 일도 아닌 것처럼 행하는 것을 닦아야 한다. 즉 너희는 초조하지 않은 것을 배워야 하며, 또한 너무 많은 것을 얻으려고 생각하지 않아야 한다. 너희가 초조해지는 것은 모두 망상이다. 너희가 한 번 망상을 지으면, 무슨 불법이든지 심지어 너희가 배운 것도 잊어버리게 된다. 그러면 참을 수 없게 되며, 법인이 없게 된다.

그리고 무생법인을 가져야 하며, 무생법인을 깨달아야 한다. 무엇이 무생인가? 즉 무명(無明)이 나지 않는 것이다. 인(忍)이란 바로 마음에서 참는 것이다. 너희가 장차 불법을 얻으려고 할 때 매우 참기 어렵다. 비유하면 어떤 사람에게 오안(五眼)이 열리려고 할 때 많은 경계가 너희를 불편하게 한다. 어떤 때는 머리가 아프거나, 어떤 때는 눈이 사물을 보지 못하게 된다. 이때 너희는 참아야 한다.

너희를 아프게 해도 아프다고 느끼지 말아야 하며, 불편해도 그것에 관여하지 않아야 된다. 참을 방법이 없어도 여전히 참아야 한다. 이것이 인(忍)이다. 너희가 정말로 참을 수 없으면 너희는 깨달을 수 없다. 너희가 그때 초조하거나 성미를 내면 '참는 것을 마치는[忍了]' 것을 할 수 없는 것이다. 무슨 일이든지 막론하고 모두 참아야 한다. 참을 수 있는 것도 참고, 참을 수 없는 것도 참아야 한다.

제법공위좌(諸法空爲座)• 보라! 불법을 배우는 것은 또한 불법을 잊는 것이다. 사람도 공하고, 법도 공해야 한다. 사람도 없고, 법도 없다. 너희는 절대로 자만심을 내어서는 안 된다. "나를 봐! 나는 지금 『능엄경』을 강의할 수 있으며, 『법화경』도 설명할 수 있으며, 『금강경』은 더욱 말할 것도 없어. 나는 이렇게 많은 불법을 배워서 다른 사람보다도 뛰어나!" 이것은 공하지 않은 것이며, 법에게 가로막힌 것이다. 이것은 불법을 배워 지혜를 얻지 못한 것일 뿐 아니라 장애가 되었다. 법의 장애를 법집(法執)이라고도 한다. 자기에 대하여 아집이 있고 법에 대하여 법집이 나오는 것은 일종의 집착을 내는 것이다. 집착하는 바가 있으면 "제법이 공함을 자리로 삼음[諸法空爲座]"을 얻을 수 없다. 근본적으로 일체법은 모두 제법이 공함을 자리로 삼아야 한다. 너희가 법공을 얻을 수 있으면 곧 좋은 점을 얻을 수 있다.

약설차경시(若說此經時) 유인악구매(有人惡口罵) 가도장와석(加刀杖瓦石) 염불고응인(念佛故應忍)• 만약 너희가 『법화경』을 강설하고 있을 때 어떤 사람이 와서 너희를 때린다고 해보자. 이것은 『금강경』에서 명백하게 설하고 있다. "만약 어떤 사람이 이 경을 독송하는데, 세상 사람이 너희를 경시하고 천시하면, 그 사람은 과거세의 죄업이 즉시 소멸되고 미래에는 무상정등정각을 얻을 것이다." 따라서 법사가 되면 어떤 때는 이러한 역경의 인연을 만나게 되며, 또한 어떤 사람은 훼방하고 비방하기도 한다. 훼방하고 비방해도 마음이 움직이지 않고 남에게 화를 내지 않아야 한다. 심지어 칼로 너희를 찌르거나 몽둥이로 때리고 돌멩이를 너희에게 던져도 참아야 하며, 인욕의 옷으로 마장을 물리쳐야 한다.

본래 경을 강의하고 법을 설하는 것은 좋은 일이고 공덕인데, 어떤 사람이 와서 너희를 욕하고 혹은 죽이거나 때리기도 할 것이다. 이때 너희는 마땅히 부처님을 염하여 대자비심을 구족해야 하며, 법을 염하여 유화와 인욕의 마음을 가져야 하고, 승(僧)을 염하여 제법이 공한 마음을 가져야 한다. 일체법이 이미 공한 것인데, 너희를 때리고 욕하고 죽이는 것도 공하니, 그가 어떤 좋지 않은 행위로 너희를 대하여도 모두 공한 것이다. 너희가 이미 이러한 도리를 깨달으면 참지 못할 것이 무엇이 있겠는가? 또한 너희가 화를 낼 가치가 있는 일이 무엇이 있겠는가? 그러므로 부처님을 염하는 까닭으로 응당 참아야 한다는 것이다. 부처님을 염하는 것은 곧 부처님을 염하고[念佛] 법을 염하고[念法] 승을 염하는[念僧] 것이다. 부처님을 염하는 것은 곧 부처님의 자비를 배우는 것이며, 법을 염하는 것은 곧 유화와 인욕의 마음을 닦는 것이고, 승을 염하는 것은 곧 제법이 공함을 닦는 것이다. 이렇게 할 수 있는 것이 바로 참음[忍]이다.

3) 화현한 대중의 파견

나는 천만억 국토에서 청정하고 견고한 몸을 나투어
무량한 억겁 동안 중생을 위하여 법을 설할 것이네.
만약 내가 열반에 든 후 이 경을 해설하는 자 있으면
나는 화현한 사부대중인 비구와 비구니와
청신사와 청신녀를 파견하여 그 법사 공양하게 하고
많은 중생 인도하여 그들 모아 법을 듣게 할 것이네.
법사에게 칼과 몽둥이와 기와나 돌로 위해 가하면
즉시 화현으로 된 사람 파견하여 그를 호위할 것이네.
만약 설법하는 사람이 홀로 사람 없는 곳에 머물며
사람 소리 없는 적막한 곳에서 이 법화경 독송하면
나는 그때 법사 위해 청정한 광명의 몸을 드러내리.
만약 경전의 구절 잊어버리면 말하여 기억나게 하며
만약 사람이 덕행 갖추어 사부대중 위하여 설하거나
한적한 곳에서 경 독송하면 모두 나의 몸 보게 하고
만약 어떤 사람이 한적한 곳에서 법화경을 강설하면
나는 천룡·야차·귀신 보내어 법 듣는 청중 되게 하리.
이 사람은 설법 즐거워하고 분별하여 걸림이 없으며
제불이 그 법사를 보호하시므로 대중들 기쁘게 하리.
만약 법사를 친근하면 속히 보살도를 얻을 것이며
이 법사를 따라 배우면 항하사수 부처님 친견하리라.

我千萬億土　現淨堅固身　於無量億劫　爲衆生說法
若我滅度後　能說此經者　我遣化四衆　比丘比丘尼

及淸信士女　供養於法師　引導諸衆生　集之令聽法
若人欲加惡　刀杖及瓦石　則遣變化人　爲之作衛護
若說法之人　獨在空閑處　寂寞無人聲　讀誦此經典
我爾時爲現　淸淨光明身　若忘失章句　爲說令通利
若人具是德　或爲四衆說　空處讀誦經　皆得見我身
若人在空閑　我遣天龍王　夜叉鬼神等　爲作聽法衆
是人樂說法　分別無罣礙　諸佛護念故　能令大衆喜
若親近法師　速得菩薩道　隨順是師學　得見恒沙佛

약인욕가악(若人欲加惡) 도장급와석(刀杖及瓦石) 즉견변화인(則遣變化人) 위지작위호(爲之作衛護) 가령 어떤 사람이 이 법사를 해치려고 칼이나 몽둥이, 혹은 기와나 돌로 그에게 위해를 가하려고 하면, 석가모니 부처님께서는 즉시 변화로 된 모든 사람을 보내어 법을 설하는 그 법사를 보호할 것이다. 석가모니 부처님은 비록 열반에 들었을지라도, 지금 다른 국토에서 다시 성불하여 일체의 중생을 교화하신다. 이 사바세계에서 『법화경』을 해설하는 사람이 있으면 석가모니 부처님께서는 다른 국토에서 이 법사를 보호하신다는 것이다. 이 법사를 보호할 뿐만 아니라 『법화경』을 수지하는 법사, 독송하는 법사, 서사하는 법사도 보호하신다. 「법사품」에서 설명하는 다섯 종류의 법사 모두 석가모니 부처님의 보호를 받는다. 석가모니 부처님께서 천룡팔부를 파견하여 이 법사를 옹호하신다. 법사라는 두 글자는 어떤 뜻이 있는가? 첫 번째는 불법을 자기의 스승으로 삼는 사람이라는 뜻이다. 두 번째는 법으로 보시하는 사람도 법사라고 부른다.

아이시위현(我爾時爲現) 청정광명신(淸淨光明身)• 이때 사람이 없는 적막한 곳에서 수도하는 사람을 위하여 석가모니 부처님께서 청정하고 광명이 나는 몸을 나타내신다는 것이다. 청정한 광명의 몸은 또한 청정한 지혜이며, 바로 일체의 질투심과 남을 장해하는 마음이 없는 것이다. 무엇이 청정한 광명의 몸인가? 바로 『법화경』을 가리킨다. 『법화경』은 너희로 하여금 청정한 지혜를 내게 한다. 너희에게 청정한 지혜가 있으면 곧 청정한 광명을 얻게 된다. 청정한 광명이 있으면 곧 청정한 법신이 나타난다.

약인구시덕(若人具是德) 혹위사중설(或爲四衆說) 공처독송경(空處讀誦經) 개득견아신(皆得見我身)• 만약 어떤 사람이 이러한 청정하게 수행하는 덕행을 구족하면, 즉 욕심, 탐심, 진심(瞋心), 치심(癡心)이 없으며, 계·정·혜의 덕을 갖추어 사부대중을 위하여 『법화경』을 설하거나, 혹은 한적한 곳에서 경전을 독송하면, 그들은 모두 '나의 몸'을 볼 수 있다는 것이다. 무엇이 나의 몸인가? 석가모니 부처님께서 말하시는 나의 몸이란 사실 『법화경』을 말한다. 너희가 『법화경』을 염송하면 반드시 『법화경』의 지혜를 얻게 되는데, 이것이 바로 부처의 지혜를 여는 것이다. 부처의 지혜를 여는 것은 또한 부처의 몸을 얻는 것이다.

十二

견보탑품
(見寶塔品)

보탑의 출현과 다보불의 증명

「견보탑품」의 견(見)이란 본다는 뜻이며, 탑(塔)이란 방분(方墳: 네모진 무덤)이라고도 하는데, 부처님과 조사의 진신을 공양하는 곳이며 또한 부처님의 사리가 있는 곳이다.

이 보탑은 다보(多寶)여래께서 열반에 드신 후 일체중생이 만든 것이다. 다보여래께서는 성불하시기 전에 발원하시기를 "미래세에 시방세계 모든 부처님께서 세상에 출현하셔서 『법화경』을 강설하실 때 나의 보탑이 땅에서 솟아올라, 그 법회의 앞 허공에 나타나 법회 가운데의 모든 대중들이 이 보탑을 볼 수 있기를 발원합니다."라고 하셨다. 이 보탑은 『법화경』의 이러한 경계가 불가사의함을 증명하는 것이다. 따라서 지금 석가모니 부처님께서 『법화경』을 강설하시니 다보여래께서 이러한 원력을 타고 허공 가운데 출현하신 것이다.

이러한 점으로부터 우리는 『법화경』이 얼마나 중요한지를 알 수 있다. 부처님께서는 최후에 비로소 『법화경』을 설하신 것이다. 부처님께서는 먼저 『화엄경』을 설하신 후 아함경, 방등경을 설하시고, 그 다음에 반야경을 설하셨으며, 가장 마지막에 『법화경』과 『열반경』을 설하셨다.

내가 미국에서 먼저 강설한 것은 『능엄경』이며, 그 다음에 「보현보살행원품」을 강의하고, 또 『육조단경』을 강설하였으며, 이제 『법화경』을 강의하고 있다. 우리가 이 강당 안에서 공동으로 불법을 연구하는 것은 작은 인연이 아니며, 매우 큰 인연이라고 말할 수 있다. 하지만 너희가 숙명통과 천안통을 얻기 전에는 이러한 인연을 알 수 없을 것이다. 그러나 너희가 이곳에서 「견보탑품」을 들을 수 있는 기회를 가지는 것은 일종의 불가사의한 경계가 나타난 것이다.

사람들이 보탑을 보는 것은 모두 눈으로 보는 것이다. 그러나 「견보탑품」을 설명하면서 우리가 보는 이것은 눈으로 보는 것뿐만 아니라, 마음으로도 보는 것이다. 마음으로 보는 것뿐만 아니라, 너희의 본성으로 보는 것이다. 왜냐하면 다보여래께서는 우리 일체중생의 본성 속에 있기 때문이다. 나타나는 것도 또한 본성의 여래가 나타나는 것이며, 보는 것도 본성의 여래를 보는 것이다. 따라서 본성의 여래를 보고 본성의 여래가 나타나는 것도 또한 이 보탑을 보는 것이다. 이 보탑은 우리가 일반적으로 보는 그러한 크기의 보탑이 아니며 이 보탑은 매우 높고 크다.

방금 내가 마음으로 보고[心見] 본성으로 보는[性見] 것이라고 말하였는데, 어떤 사람은 이러한 도리를 믿지 못할 것이다. 그러나 이것은 가장 참된 도리이다. 사람들은 단지 눈으로 보는[眼見] 것만 알지만, 눈은 근본적으로 볼 수 없다는 것을 알지 못한다. 눈이 만약 볼 수 있다면, 사람이 죽어도 이 눈이 여전히 몸에 있는데 어째서 볼 수 없는가? 이것은 눈이 보는 것이 아니라 성품이 보는 것이라는 것을 증명하는 것이다. 지금 과학기술이 발전하여 눈을 다른 사람에게 이식하여도 볼 수 있게 되었다. 그것도 눈이 보는 것이 아니라, 보는 성품[見性]이 보는 것을 말하는 것이다. 만약 보는 성품이 없으면 볼 수 없을 것이다. 그러나 이 보는 성품은 어떤 모양인가? 너희는 볼 수 없는 것이다.

『능엄경』에서 말씀하시기를 "보는 것이 만약 보는 것을 떠나면, 볼 수 없다.[見猶離見 見不能及]"라고 하였다. 너희는 왜 볼 수 없는가? 너희가 물질을 보는 이 견(見)은 팔식(八識)의 상분(相分)이 나타나는 것이며, 사실 거짓의 것이다. 너희가 볼 수 없는 그것이 비로소 참된 것이다. 참된 것은 보이지 않는다. 어떤 사람은 "보이지 않는 것이 참된 것인가? 참된 것은 응당 보이는 것이야!"라고 말하는데, 바로 이 점에서 차이가 나는 것이다. 본래 너희가 볼 수 있는, 너희의 자성(自性)은 둥글고[圓陀

陀] 빛나는[光灼灼] 것이고 원융무애한 것이다. 너희는 이 거짓된 것을 참된 것으로 인식하기 때문에 참된 것도 보이지 않는다. 너희가 만약 거짓된 것을 놓아버리면 참된 것을 알 수 있으며, 그것이 비로소 참된 너희의 것[你的]이다. 우리의 이 보는 것은 『능엄경』에서 전문적으로 연구하고 있다.

"그대의 이 보는 것이 지금 그대의 앞에 있는데, 그것이 가리키는 것은 무슨 모양이며, 어떤 물질인가?"

아난도 가리킬 방법이 없어 다음과 같이 말하였다. "보는 것이 만약 보는 것을 떠나면, 볼 수 없습니다.[見猶離見 見不能及]"

보는 것은 이 보는 것을 떠나야 한다. 어째서 "이 보는 것을 떠나야 한다."라고 하는가? 즉 너희로 하여금 집착하는 바를 없애기 위함이다.

이 보는 것이 바로 너희가 볼 수 없는 것이며, 그것이 '참된 봄[眞見]'이라고 말하는 것이다. 너희가 볼 수 있는 것은 모두 팔식의 상분이며, 견분(見分)이 아니다. 이러한 도리를 연구하면 연구할수록 더욱 묘하다.

따라서 『금강경』에서 말씀하시기를 "무릇 보이는 모든 모습은 허망하며, 만약 모든 상을 상이 아닌 것으로 볼 수 있으면 즉시 여래를 볼 수 있다.[凡所有相 皆是虛妄 若見諸相非相 卽見如來]"라고 하였다. 너희는 모든 상을 상이 아닌 것으로 볼 수 있는가? 이것도 또한 "보는 것이 만약 보는 성품을 떠나면, 볼 수 없다.[見猶離見 見不能及]"는 것이며, 이것은 또한 "거짓된 것을 놓아버리면 참된 것이 나타난다."는 것을 뜻한다. 그러므로 일체의 형상이 있는 것은 모두 허망하다고 말하는 것이며, 너희가 만약 이러한 허망한 상이 참된 것이 아니라 허망한 것이라고 볼 수 있으면, 이때 너희는 비로소 여래를 볼 수 있다.

가. 보탑의 출현

1) 보탑의 모습과 대중의 공양

그때 부처님 앞에 칠보의 탑이 있었는데, 높이는 오백 유순이고 가로와 세로는 이백오십 유순으로서 땅 밑에서 솟아올라 허공에 머물렀다. 갖가지의 보물로 장식되어 있었으며, 오천의 난간과 천만의 감실은 무수한 당번으로 아름답게 장식되었고, 보배 영락과 보배 방울이 만억 개나 그 위에 달려 있었다. 사면에는 모두 다마라발전단의 향기가 퍼져 나와 세계에 두루 충만하였으며, 그 모든 깃발의 덮개에는 금, 은, 유리, 자거, 마노, 진주, 매괴의 칠보로 합성되어 높이가 사천왕천의 궁전에 이르렀다.
삼십삼천에서 천상의 만다라꽃을 뿌려 보탑에 공양하였으며, 다른 모든 천인과 용, 야차, 건달바, 아수라, 가루라, 긴나라, 마후라가, 사람과 사람이 아닌 중생 등 천만억의 수많은 대중들은 모든 꽃과 향, 영락, 번개, 기악으로 보탑에 공양하고 공경하며 존중하고 찬탄하였다.

爾時佛前有七寶塔, 高五百由旬, 縱廣二百五十由旬, 從地涌出, 住在空中。種種寶物而莊校之。五千欄楯, 龕室千萬, 無數幢幡以爲嚴飾, 垂寶瓔珞寶鈴萬億而懸其上。四面皆出多摩羅跋栴檀之香, 充遍世界。其諸幡蓋, 以金 · 銀 · 琉璃 · 硨磲 · 瑪瑙 · 眞珠 · 玫瑰 · 七寶合成, 高至四天王宮。三十三天, 雨天曼陀羅華, 供養寶塔。餘諸天 · 龍 · 夜叉 · 乾闥婆 · 阿修羅 · 迦樓羅 · 緊那羅 · 摩睺羅伽 · 人非人等, 千萬億衆, 以一切華 · 香 · 瓔珞 · 幡蓋 · 伎樂, 供養寶塔, 恭敬 · 尊重 · 讚歎。

2) 보탑 속 다보불의 증명

그때 보탑 가운데서 큰 음성의 찬탄하는 말이 나왔다. "훌륭하고 훌륭하십니다! 석가모니 세존은 평등하고 큰 지혜로써 보살을 가르치는 법이며, 부처님께서 호념하시는 법화경을 대중들에게 설하십니다. 이와 같고, 이와 같습니다! 석가모니 세존께서 설하신 것은 모두 진실합니다."
爾時寶塔中出大音聲, 歎言。善哉, 善哉。釋迦牟尼世尊。能以平等大慧教菩薩法, 佛所護念妙法華經, 爲大衆說。如是如是。釋迦牟尼世尊。如所說者, 皆是眞實。

3) 대중의 기쁨과 의문

그때 사부대중은 큰 보탑이 허공중에 머물고 있는 것을 보고, 또 보탑 안에서 소리가 나오는 것을 듣고 모두 법희가 충만함을 얻었으며, 이전에 없던 이상한 일이라고 생각하면서 자리에서 일어나 공경하게 합장하고 물러나 한쪽에 머물렀다.
그때 대요설이라고 이름하는 보살마하살이 일체 세간의 천상, 인간, 아수라 등이 마음으로 의문하는 것을 알고 부처님께 물었다. "세존이시여! 무슨 인연으로 이 보탑이 땅에서 솟아나왔으며, 또한 그 보탑 안에서 이러한 음성이 나오는 것입니까?"
爾時四衆, 見大寶塔住在空中, 又聞塔中所出音聲, 皆得法喜, 怪未曾有, 從座而起, 恭敬合掌, 卻住一面。爾時有菩薩摩訶薩, 名大樂說, 知一切世間天·人·阿修羅等, 心之所疑, 而白佛言。世尊。以何因緣, 有此寶塔, 從地踊出, 又於其中, 發是音聲。

4) 보탑의 출현 인연

그때 부처님께서 대요설보살에게 말씀하셨다. "이 보탑 안에는 여래의 전신이 계시는데, 과거세 이곳에서 동방으로 무량한 천만억 아승기의 세계를 지나 보정(寶淨)이라는 나라가 있었으며, 그곳에 부처님이 계셨는데 명호를 다보(多寶)라고 하였다. 그 부처님께서 보살도를 행하실 때 큰 서원을 발하였다.
'만약 내가 성불하여 열반에 든 후 시방의 국토에서 법화경을 설하는 곳이 있으면, 나의 탑은 이 경을 듣기 위하여 그 앞에 솟아나와 증명을 하고, 훌륭하다고 찬탄하리라.'
저 부처님께서 도를 이루신 후 장차 열반에 드시려고 할 때 천상과 인간의 대중 가운데서 모든 비구들에게 말씀하시기를 '내가 열반에 든 후 나의 전신을 공양하려는 자는 마땅히 하나의 큰 탑을 세워야 할 것이다'라고 하였다.
그 부처님은 신통과 원력으로 시방세계의 곳곳에서 만약 법화경을 설하는 분이 있으면 저 보탑은 모두 땅에서 솟아나와 그 앞에 나타나, 부처님의 전신이 탑 안에서 '훌륭하고 훌륭하구나!'라고 찬탄하시게 될 것이다. 대요설이여! 지금 다보여래의 탑이 법화경을 듣기 위한 까닭으로 땅에서 솟아나와 '훌륭하고 훌륭하십니다!'라고 찬탄하신 것이다."
爾時佛告大樂說菩薩。此寶塔中, 有如來全身, 乃往過去東方無量千萬億阿僧祇世界, 國名寶淨, 彼中有佛, 號曰多寶。其佛行菩薩道時, 作大誓願。若我成佛·滅度之後, 於十方國土, 有說法華經處, 我之塔廟爲聽是經故, 湧現其前, 爲作證明, 讚言善哉。彼佛成道已, 臨滅度時, 於天人大衆中, 告諸比丘, 我滅度後, 欲供養我全身者, 應起一大塔。其佛以神通願力, 十方世界在在處處, 若有說法華經者, 彼之寶塔皆湧出其前, 全身在於塔中, 讚言善哉善哉。大樂說, 今多寶如來塔, 聞說法華經故, 從地湧出, 讚言善哉善哉。

나. 석가모니불 분신 제불의 운집

1) 다보불의 깊은 원

이때 대요설보살은 여래의 신통력으로 부처님께 말하였다. "세존이시여! 저희는 저 다보여래의 상호를 뵙고 싶습니다."
부처님께서 대요설보살마하살에게 말씀하셨다. "이 다보불께서는 다음과 같은 깊고 깊은 원을 발하셨다. '만약 나의 보탑이 법화경을 듣기 위해 제불의 앞에 출현할 때 나의 몸이 사부대중에게 나타나기를 원하는 자가 있으면, 저 부처님 분신의 모든 부처는 시방세계에서 법을 설하시는데 모두 돌아와 한곳에 모인 연후에야 비로소 나의 몸이 출현하리라.' 그러므로 대요설이여! 시방세계에서 법을 설하는 나의 분신의 제불을 지금 응당 다 모아야 한다."
대요설보살이 부처님께 말하였다. "세존이시여! 저희는 또한 세존의 분신인 제불을 뵙고 예배하고 공양하기를 원합니다."

是時大樂說菩薩以如來神力故, 白佛言。世尊, 我等願欲見此佛身。佛告大樂說菩薩摩訶薩。是多寶佛有深重願, 若我寶塔爲聽法華經故, 出於諸佛前時, 其有欲以我身示四衆者, 彼佛分身諸佛, 在於十方世界說法, 盡還集一處, 然後我身乃出現耳•。大樂說。我分身諸佛, 在於十方世界說法者, 今應當集。大樂說白佛言。世尊。我等亦願欲見世尊分身諸佛, 禮拜供養•。

피불분신제불(彼佛分身諸佛) 재어시방세계설법(在於十方世界說法) 진환집일처(盡還集一處) 연후아신내출현이(然後我身乃出現耳)• 『법화경』을 설하시는 부처님에게는 분신의 제불이 있다. 분신이란 즉 화신(化身)을 뜻한다. 석가모니 부처님에게만 천백억 화신이 있는 것이 아니라, 각각의 부처님에게도 모두 천백억 화신이 있다. 시방세계에서 법을 설하고 중생을 교화하는 모든 분신의 제불들이 전부 한곳에 모인다는 것이다. 이것은 만물은 여전히 하나의 근본으로 돌아온다[萬殊仍歸一本]는 것이다. 한분의 부처님은 무량하고 무변한 부처를 변화로 낼 수 있으며, 또한 돌아와 하나의 부처가 될 수 있다. 이러한 경계는 범부로서는 알 수가 없다. 따라서 『법화경』은 특별히 묘하며, 사람이 상상할 수 없을 정도로 묘하다.

아등역원욕견세존분신제불(我等亦願欲見世尊分身諸佛) 예배공양(禮拜供養)• 어떤 사람은 이렇게 말한다. "부처님께 절하는 것은 미신이다. 불상은 나무로 만들거나, 또 진흙으로 만들거나, 금, 은, 동, 쇠로 만들었다. 이것이 모두 사람이 만든 것인데, 사람이 그것에 예배하면 무슨 소용이 있는가? 이것이 어찌 미신이 아닌가?" 이것은 결코 미신이 아니다. 우리가 부처님께 절하는 것은 첫째로 우리의 아만심을 제거할 수 있으며, 둘째로 일종의 부드러운 마음과 공경의 마음을 낼 수 있기 때문이다.

부처님께서 성불하면 부처님께 예배하는 사람이 있다. 부처님께서도 성불하기 이전에 다른 부처님께 절하였다. 석가모니 부처님은 과거생에 상불경(常不敬) 보살이 되어 남을 보면 만나는 사람마다 절하였다. 그러고 말하였다. "나는 당신들을 경시할 수 없으며, 당신들은 장래 모두 부처가 될 것이다." 그래서 석가모니 부처님께서 성불하신 이후에 많은 사람들이 부처님께 절하였다. 만약 부처가 되려고 생각하면 어떻게 해야 하는가? 바로 부처님께 예배하는 것이다.

이른바 "부처님께 예배하면 항하사와 같은 죄가 소멸될 것이다."라고 한다. 너희가 부처님께 절하면, 무량한 겁 동안의 죄업이 소멸된다. 이것은 부처님께 예배한 공덕이다. 부처님께 절하면 생사의 중죄를 소멸할 수 있다. 너희가 만약 부처님께 절하지 않으면 어떠한가? 장래 너희가 부처를 이루고 나서도 너희에게 절하는 사람이 없을 것이다. 왜냐하면 너희가 당초 부처님께 절하지 않았기 때문이다. 너희가 부처님께 절하는 것은 자성불(自性佛)께 절하는 것이다. 장래 너희도 자성의 부처를 이룰 것이다.

공양이란 말이 나와서 이야기하는데, 이것은 불교에서 가장 중요한 것이다. 너희는 삼보, 즉 불·법·승 삼보에 공양해야 한다. 왜 삼보에 공양해야 하는가? 너희가 지금 모든 일이 뜻대로 되지 않는 것은 너희가 삼보에 공양하지 않았기 때문이다. 너희는 지금 돈을 쓰려고 해도 쓸 돈이 없다. 옷을 하나 사려고 해도 돈이 없고, 집을 하나 사려고 해도 돈이 없다. 이것은 모두 너희가 삼보를 공양하지 않았기 때문에 복보(福報)가 나날이 얇아진 것이다. 너희가 만약 삼보를 공양한다면, 복보가 나날이 증가할 것이다.

삼보는 세간의 좋은 복전이다. 복을 심기 좋은 밭이다. 따라서 이러한 말이 있다.

진흙의 용이 비록 비를 내리지는 못해도
비를 구하려면 반드시 진흙의 용을 빌려야 하며
범부의 스님에게 비록 복을 심지는 못해도
복을 구하려면 반드시 범부의 스님을 빌려야 하네.

진흙으로 만든 용은 비를 내리게 할 줄 모르지만, 너희가 비를 구하려면 어디에 가서 구하는가? 용왕묘에 가서 진흙으로 만든 용왕상에게 비를 구하면 비가 내린다. 너희가 만약 진흙의 용이 있는 그곳에 가서 비를 구하지 않으면, 비는 내리지 않는다. 그러면 어떤 사람은 이렇게 말할 것이다. "구하지 않아도 비는 내릴 것이다." 그러나 너희는 구하지 않아도 비가 내릴 것을 반드시 아는가? 너희는 모른다. 단지 상상으로 그렇게 말하는 것이며, 상상 중의 일은 반드시 그렇게 되지는 않는다.

범부의 스님은 비록 복을 심을 수 없지만, 너희가 복을 구하려면 반드시 삼보의 면전으로 와서 복을 구해야 한다. 부귀한 사람들은 모두 전생에 삼보를 공양하였기 때문에 얻는 복이 그렇게 큰 것이다. 우리가 금생에 빈곤한 것은 삼보를 공양할 줄 몰랐기 때문이다. 그러면 어떤 사람은 이렇게 말할 것이다. "이러한 도리를 나는 조금도 믿지 않는다." 너희가 믿지 않으면, 내생에도 금생과 같이 여전히 가난할 것이다.

2) 분신제불의 소집

그때 석가모니 부처님께서 백호에서 하나의 광명을 방출하자 즉시 동방의 오백만억 나유타 항하사 수와 같이 많은 국토의 제불이 보였다. 그 모든 국토는 땅이 모두 파리(玻瓈)로 되어 있고, 보배 나무와 보배의 옷으로 장엄하였다. 무수한 천만억의 보살들이 그 가운데 충만하였으며, 곳곳에 보배 장막을 두루 두르고 그 위에 보배 그물을 덮었다.
저 국토의 모든 부처님께서는 크고 묘한 음성으로 제법을 설하시며, 아울러 무량한 천만억의 보살들이 모든 나라에 두루 충만하여 대중을 위하여 법을 설하는 것이 보였다.
남서북방과 사유상하의 모든 국토에 백호상광이 비추는 곳에서는 또한 이와 같았다. 이때 시방의 모든 부처님께서는 각각 많은 보살들에게 말씀하셨다. "선남자여! 나는 지금 마땅히 사바세계의 석가모니 부처님 계신 곳으로 가서 다보여래의 보탑에 공양해야겠다."

爾時佛放白毫一光, 卽見東方五百萬億那由他恒河沙等國土諸佛, 彼諸國土, 皆以玻瓈爲地, 寶樹·寶衣以爲莊嚴。無數千萬億菩薩充滿其中, 遍張寶幔, 寶網羅上。彼國諸佛, 以大妙音而說諸法, 及見無量千萬億菩薩遍滿諸國, 爲衆說法。南西北方·四維上下, 白毫相光所照之處, 亦復如是。爾時十方諸佛各告衆菩薩言。善男子。我今應往娑婆世界釋迦牟尼佛所, 幷供養多寶如來寶塔。

3) 국토의 세 번의 변화[三變土田]

가) 첫 번째 변화

그때 사바세계는 즉시 청정하게 변하여 유리로 땅이 되고 보배 나무로 이 세계를 장엄하였으며, 황금으로 줄이 되어 여덟 가지의 길을 구분하였다. 모든 취락, 시골, 도시, 대해, 강, 산천, 숲 들이 없으며, 큰 보배 향을 태우고, 만다라꽃이 다른 곳에 두루 분포되어 있으며, 보배 그물로 이루어진 장막으로 그 위를 덮고, 보배 그물에는 많은 보배 방울이 매달렸다. 오직 이 법회의 대중들만 남겨 두고 모든 천인과 사람들을 다른 국토로 옮겨 놓았다.

이때 모든 부처님은 각각 하나의 대보살을 시자로 데리고 사바세계에 이르러 각각 보배 나무 아래에 앉으셨다. 각각의 보배 나무는 높이가 오백 유순이고 가지와 잎, 꽃과 열매가 순서대로 장엄되었으며, 모든 보배 나무 아래에는 모두 사자좌가 있고 그 높이가 오 유순이며 또한 큰 보배로 장식되었다. 그때 모든 부처님은 각각 이 사자좌에 결가부좌로 앉으시고, 이와 같이 한 줄 한 줄 앉으니 삼천대천세계에 두루 충만하였다. 그러나 석가모니 부처님의 한 방향의 분신 부처님은 아직 다 앉지 못하셨다.

時娑婆世界卽變清淨, 琉璃爲地, 寶樹莊嚴, 黃金爲繩以界八道。無諸聚落·村營·城邑·大海·江河·山川·林藪。燒大寶香, 曼陀羅華遍布其地, 以寶網幔羅覆其上, 懸諸寶鈴。唯留此會衆, 移諸天人置於他土。是時諸佛, 各將一人菩薩以爲侍者, 至娑婆世界, 各到寶樹下。一一寶樹, 高五百由旬, 枝·葉·華·果次第莊嚴, 諸寶樹下皆有師子之座, 高五由旬, 亦以大寶而校飾之。爾時諸佛各於此座結跏趺坐, 如是展轉, 遍滿三千大千世界, 而於釋迦牟尼佛一方所分之身, 猶故未盡。

시사바세계즉변청정(時娑婆世界卽變淸淨)• 석가모니 부처님의 분신 부처는 모두 다보여래의 보탑을 공양하기 원하였다. 이때 석가모니 부처님은 신통의 힘으로 사바세계를 변화시켰다. 왜 사바세계를 변화시켰는가? 석가모니 부처님은 사바세계에 태어나시어 본래 오탁이 없는 세계인데, 중생을 교화하기 위한 까닭으로 오탁악세를 나타내었다. 본래 석가모니 부처님은 부처를 이루면 마땅히 실보장엄토(實報莊嚴土)에 머물러야 한다. 실보장엄토는 바로 부처와 대보살이 머무는 곳이다. 본래 우리 사바세계도 유리로 땅이 되고, 모든 산과 하천, 강과 바다, 높고 낮음이 없이 손바닥과 같이 평평한데, 부처님께서 중생을 교화하기 위하여 깨끗하고 더러운 모습을 나타내어 정토와 예토(穢土)가 있게 되었다.

지금 다보여래께서 몸을 드러내시려고 하자 석가모니 부처님 분신의 모든 부처님은 한곳에 모였다. 석가모니 부처님은 지금 시방의 분신 부처를 모두 한곳에 모았기 때문에 사바세계를 청정한 세계로 변화시키신 것이다. 이것을 세 번 국토를 변화시키는[三變土田] 것이라고 한다. 세 번 사바세계를 변화시켜서 청정한 유리로 땅이 된 세계, 즉 실보장엄토로 만든 것이다.

황금위승이계팔도(黃金爲繩以界八道)• 황금으로 줄을 만들어 땅을 하나하나씩 구분하여 여덟 개의 길로 만든 것이다. 이것은 팔

정도를 나타낸다. 정견(正見), 정사유(正思惟), 정어(正語), 정업(正業), 정명(正命), 정정진(正精進), 정념(正念), 정정(正定)을 말한다.

나) 두 번째 변화

그래서 이때 석가모니 부처님께서는 분신의 모든 부처를 수용하기 위해 다른 여덟 방위에서 각각 다시 이백만억 나유타 수의 많은 국토를 모두 청정국토로 변화시켰다. 그곳에는 지옥, 아귀, 축생과 아수라가 없었으며, 또한 모든 천상인과 인간을 다른 국토로 옮겨 놓았다.
그렇게 변화된 국토도 역시 유리로 땅이 되고, 보배 나무가 국토를 장엄하였으며, 나무의 높이는 오백 유순이고, 가지와 잎, 꽃과 열매는 차례로 국토를 아름답게 장엄하였다. 나무 아래에는 모두 보배의 사자좌가 있으며, 그 높이는 오 유순이고 갖가지의 보배로 장식되었다.
또한 큰 바다와 강, 하천이 없고, 아울러 작은 석산(石山)과 큰 석산, 철위산과 대철위산, 수미산 등 모든 산도 없으며, 전부 하나의 불국토가 되었다. 보배의 땅은 평평하고 바르며, 보배로 장식한 장막으로 육지의 땅을 두루 덮었으며, 그 위에는 모든 당번과 보개를 달았으며, 가장 귀중한 향을 태우고 많은 천상의 보배 꽃을 그 땅에 널리 뿌렸다.
時釋迦牟尼佛, 欲容受所分身諸佛故, 八方各更變二百萬億那由他國, 皆令淸淨。無有地獄·餓鬼·畜生, 及阿修羅, 又移諸天·人置於他土。所化之國, 亦以琉璃爲地, 寶樹莊嚴, 樹高五百由旬, 枝·葉·華·果次第嚴飾。樹下皆有寶師子座, 高五由旬, 種種諸寶以爲莊校。亦無大海·江河, 及目眞鄰陀山·摩訶目眞鄰陀山·鐵圍山·大鐵圍山·須彌山等諸山王, 通爲一佛國土。寶地平正, 寶交露幔,遍覆其上, 懸諸幡蓋, 燒大寶香, 諸天寶華遍布其地。

다) 세 번째 변화

석가모니 부처님께서는 시방의 모든 분신 부처를 수용하기 위해 다시 여덟 방위에서 각각 이백만억 나유타 수의 많은 국토를 모두 청정국토로 변화시켰다. 그곳에는 지옥, 아귀, 축생과 아수라가 없으며, 또한 모든 천상인과 인간을 다른 국토로 옮겨 놓았다.

변화된 국토도 역시 유리로 땅이 되고, 보배 나무가 국토를 장엄하였으며, 나무의 높이는 오백 유순이고, 가지와 잎, 꽃과 열매는 차례로 국토를 아름답게 장엄하였다. 나무 아래에는 모두 보배의 사자좌가 있으며, 그 높이는 오 유순이고 갖가지의 보배로 장식되었다.

또한 큰 바다와 강, 하천이 없고, 아울러 작은 석산(石山)과 큰 석산, 철위산과 대철위산, 수미산 등 모든 산도 없으며, 전부 하나의 불국토가 되었다. 보배의 땅은 평평하고 바르며, 보배로 장식한 장막으로 육지의 땅을 두루 덮었으며, 그 위에는 모든 당번과 보개를 달았으며, 가장 귀중한 향을 태우고 모든 천상의 보배 꽃을 그 땅에 널리 뿌렸다.

釋迦牟尼佛爲諸佛當來坐故, 復於八方, 各更變二百萬億那由他國, 皆令淸淨。無有地獄·餓鬼·畜生, 及阿修羅, 又移諸天·人置於他土。所化之國, 亦以琉璃爲地, 寶樹莊嚴, 樹高五百由旬, 枝·葉·華·果次第莊嚴。樹下皆有寶師子座, 高五由旬, 亦以大寶而校飾之。亦無大海·江河, 及目眞鄰陀山·摩訶目眞鄰陀山·鐵圍山·大鐵圍山·須彌山等諸山王, 通爲一佛國土。寶地平正, 寶交露幔·遍覆其上, 懸諸幡蓋, 燒大寶香, 諸天寶華, 遍布其地。

◉ 석가모니 부처님께서는 신통력으로 세 번 정토로 변화시켰는데, 이것은 궁극적으로 어떤 뜻인가? 마치 우리가 손님을 청하고 나서 손님맞이를 위해 방 청소를 깨끗이 하는 것과 같은 것인가? 단지 그런 뜻은 아니다. 그러면 무슨 뜻인가?

첫 번째 정토로 변한 것은 견혹(見惑)과 사혹(思惑)을 끊는 것을 나타낸다. 무엇을 견혹과 사혹이라 하는가? 견혹이란 경계를 대하여 탐하고 애착하는 마음을 내는 것이다. 경계를 대하여 너희에게 탐하는 것이 있고 애착하는 것이 있으면, 이것을 견혹이라고 한다. 만약 견혹이 끊어지면, 어떤 경계가 와도 너희는 여여부동(如如不動)하다.

어떤 사람이 "그렇다면 나는 견혹이 없어!"라고 말한다면, 나는 믿지 않는다. 무엇 때문인가? 남들이 맛있는 것을 먹으면 너희는 먹고 싶지 않은가? "나는 먹고 싶지 않다."고 말한다면, 그것은 거짓말이다. 남들이 맛있는 것을 먹으면 반드시 너희도 먹고 싶을 것이다. 술을 마실 줄 아는 사람은 남이 술 마시는 것을 보면, '아, 저 술은 좋은 건데, 나도 조금 마시면 얼마나 좋을까!' 이렇게 생각하면 그것은 견혹이 있다는 것이다.

재물을 보고 탐심을 내는 것도 견혹이며, 색을 보고 탐애를 내는 것도 견혹이다. 남이 명예가 좋은 것을 보고 탐애를 내는 것도 견혹이며, 남이 잠자는 것을 보고 잠자고 싶은 것도 견혹이다. 견혹이란 바로 견해 상에서 명료하지 못한 것이다.

사혹이란 바로 이치에 미혹하여 분별을 일으키는 것이다. 도리에 대하여 이해하지 못하고 이러한 이치에 미혹하는 것을 사혹이라고 한다. 그는 생각한다. '아, 이것은 잘못된 것이다. 이 법사가 설명하는 법은 모두 방편법이고 참된 법이 아니야.'라는 생각을 낸다.

이치에 미혹하여 분별심을 일으키는 것은 바로 이러한 도리를 인식하지 못하여 허망하게 분별하는 것이다. 본래 그 법사가 설명하는 법은 구구절절 모두 참된 것인데, 그는 한 구절도 참된 것이 없다고 말한다. 이것을 사혹이라고 하며, 바로 사상(思想) 상에서 명료하게 이해하지 못하여 미혹을 내는 것이다. 견혹과 사혹은 거친 미혹으로서 쉽게 발각되며, 그것이 미혹이라는 것을 쉽게 이해할 수 있다.

두 번째 정토로 변한 것은 진사혹(塵沙惑)을 끊는 것을 나타낸다. 진사란 번뇌가 먼지와 모래와 같이 많다는 것이다. 우리는 팔식(八識) 속에서 하루 종일 많고도 많은 진사혹을 가지고 있다. 견혹과 사혹은 바로 진사혹이 도와 나오는 것이다. 이 진사혹은 너희 자신이 이렇게 많은 미혹을 가지고 있다는 것을 모른다.

하나의 예를 들어 비유하고자 한다. 우리의 방안은 평소에는 먼지가 없고 매우 깨끗한 것처럼 보이지만, 햇빛이 비추면 많은 먼지들이 아래위로 날아다니는 것이 보인다. 햇빛이 있으므로 비로소 보이는 것이다. 햇빛은 무엇인가? 바로 우리가 본래 가진 지혜이다. 너희는 지혜가 있어 곧 이러한 망상, 즉 진사혹이 있다는 것을 알아챌 수 있다. 진사혹은 또한 아무런 연고도 없이 그렇게 많은 망상을 낸다. 이러한 망상은 먼지와 모래처럼 그렇게 많다.

견혹과 사혹은 거친 미혹이지만, 진사혹은 미세한 미혹이다. 어리석은 사람은 하루 종일 자기가 망상을 짓는 줄을 모른다. 자기가 짓는 망상은 여전히 이득을 보는 것이라고 인식한다. 그렇게 많은 망상을 짓기 때문에 마음속의 기름을 모두 다 써버렸다. 마치 등과 같이 기름을 다 써버린 것이다. 너희가 망상을 지으면 너희의 '혜명의 기름[慧命的油]'도 다 써버리게 된다. 지금 너희에게 말하니 비로소 너희가 아는 것이다. 가장 나쁜 것은 망상을 짓는 것이다. 이것을 진사혹이라고 한다.

세 번째 정토로 변한 것은 무명혹(無明惑)을 끊는 것을 나타낸다. 무명을 타파하면 비로소 법성(法性)을 볼 수 있다. 무명은 가장 미세한 것이며, 즉 너희가 가장 이해하지 못하는 것이다. 무엇이 그러한가? 너희가 이해하지 못하는 일은 많다. 너희가 불법을 이해하지 못하는 것이 너희의 무명이다. 너희가 생하는 법을 모르는 것이 무명이며, 너희가 죽는 법을 모르는 것이 무명이다. 너희가 이해하지 못하는 것은 모두 무명이다.

등각(等覺)보살의 지위를 증득해도 여전히 한 분량의 생상(生相)무명을 타파하지 못하였다. 만약 그가 한 분량의 생상무명을 타파하면 성불하며 불과(佛果)를 증득한다. 우리는 얼마의 무명을 타파하지 못하였는가? 우리는 무량하고 무변한 그렇게 많은 무명을 타파하지 못하였다. 진사의 혹을 타파하지 못하므로 무명의 혹도 많이 따라 오는 것이다. 진사혹은 바로 무명이 도와 나오는 것이다. 무명은 무엇이 도와 나오는가? 어리석음이다. 어리석음이 바로 무명을 돕는 것이다. 그러므로 석가모니 부처님께서 세 번 국토를 변화시킨 뜻은 바로 우리가 세 가지 미혹을 끊게 하시는 것이다.

경문을 글자에 따라 읽는다고 곧 불법을 이해하는 것은 아니다. 이 모두 깊은 의미를 가지고 있으며, 너희가 이러한 의미를 이해해야 비로소 "경장(經藏)에 깊이 들어가 지혜가 바다와 같다."고 할 수 있다. 너희가 경전을 읽어도 그것이 궁극적으로 가르치는 것이 무엇인지 모르면, 너희는 아직 경의 밖에 있는 것이며, 경장에 깊이 들어간 것이 아니다. 경장에 깊이 들어가지 못하면, 너희는 지혜가 바다와 같을 수 없다. 여전히 번뇌를 보아도 한 끼 한 끼 먹으며, 무명을 보아도 항상 같이 있으며, 무명과 같이 잠을 자고, 번뇌와 같이 밥을 먹고, 거친 미혹과 미세한 미혹과 진사혹과 같이 친구가 된다. 너희가 만약 이해하면 곧 그들을 떠나게 되고, 이해하지 못하면 그들에게 미혹될 것이다.

라) 분신 제불의 운집

그때 동방의 석가모니불의 분신인 백천만억 나유타 항하사수의 국토 가운데의 모든 부처는 각각 법을 설하시다가 이곳에 와서 모였다. 이렇게 순서대로 시방의 제불이 모두 와서 모여 여덟 방위에 앉으셨다. 이때 하나하나의 방위마다 사백만억 나유타 국토의 제불여래께서 그 안에 가득 앉으셨다.

爾時東方釋迦牟尼佛所分之身, 百千萬億那由他恒河沙等國土中諸佛, 各各說法, 來集於此。如是次第, 十方諸佛皆悉來集, 坐於八方。爾時一一方, 四百萬億那由他國土諸佛如來, 遍滿其中。

다. 보탑 속 다보여래의 친견

1) 분신 제불이 청하다

이때 모든 제불들은 각각 보배 나무 아래 사자좌에 앉아서 모두 시자를 보내 석가모니불에게 문안을 드리고자, 각각 보배 꽃을 한아름 지니게 하고 그들에게 말씀하셨다.

"선남자여, 그대는 기사굴산 석가모니 부처님 처소에 가서 나의 말과 같이 말하여라. '병은 없으시고 걱정도 없으시며, 기력은 좋으십니까? 아울러 보살과 성문들도 모두 안온하십니까?' 그런 연후 이 보배 꽃을 부처님께 뿌려 공양한 후 이와 같이 말하여라. '저 아무개 부처님은 모두 함께 이 보탑 열기를 원합니다.'" 다른 모든 부처님들도 시자를 보내 이와 같이 안부를 물으셨다.

是時諸佛各在寶樹下坐師子座, 皆遣侍者, 問訊釋迦牟尼佛, 各齎寶華滿掬, 而告之言。善男子。汝往詣耆闍崛山釋迦牟尼佛所, 如我辭曰。少病·少惱, 氣力安樂, 及菩薩·聲聞衆悉安隱不。以此寶華散佛供養, 而作是言。彼某甲佛, 與欲開此寶塔。諸佛遣使, 亦復如是。

2) 보탑을 열다

그때 석가모니 부처님께서는 분신 부처가 모두 모여 각각 사자좌에 앉은 것을 보시고, 모든 제불께서 다 같이 보탑 열기를 원하는 말을 듣고 즉시 자리에서 일어나 허공에 머무시니, 모든 사부대중은 일어나 합장하고 일심으로 부처님을 바라보았다. 그래서 석가모니 부처님께서는 오른쪽 손가락으로 칠보탑의 문을 여시니, 마치 큰 성문의 빗장을 여는 것처럼 큰 소리가 났다.

爾時, 釋迦牟尼佛見所分身佛悉已來集, 各各坐於師子之座, 皆聞諸佛與欲同開寶塔, 卽從座起, 住虛空中。一切四衆, 起立合掌, 一心觀佛。於是釋迦牟尼佛, 以右指開七寶塔戶, 出大音聲, 如卻關鑰, 開大城門。

3) 다보여래를 친견하다

즉시 모든 대중들은 다보여래께서 보탑 가운데 사자좌에 앉아 계신 것을 보았으며, 전신은 흩어지지 않고 마치 선정에 드신 것처럼 보였다. 그리고 다음과 같은 말씀이 들렸다. "훌륭하고 훌륭하십니다! 석가모니불이시여, 빨리 법화경을 설하소서. 나는 이 경을 듣기 위한 까닭으로 이곳에 왔습니다."
이때 사부대중은 과거 무량한 천만억 겁 이전에 열반에 드신 부처님께서 이와 같이 말씀하시는 것을 보고, 이전에 보지 못하던 일이라고 찬탄하면서 천상의 보배 꽃을 다보불과 석가모니불 위에 뿌렸다.
卽時一切衆會皆見多寶如來於寶塔中, 坐師子座, 全身不散, 如入禪定。又聞其言。善哉善哉, 釋迦牟尼佛, 快說是法華經, 我爲聽是經故, 而來至此。爾時四衆等 · 見過去無量千萬億劫滅度佛, 說如是言, 歎未曾有, 以天寶華聚, 散多寶佛及釋迦牟尼佛上。

◉ 석가모니 부처님께서 오른쪽 손가락으로 칠보의 불탑을 여신 것은 방편법문을 여신 것을 나타내는 것이다. 그리고 다보여래께서 몸을 드러내신 것은 진실한 법문을 드러내는 것을 뜻한다. 이것이 바로 "방편을 열어 진실을 드러내는[開權顯實]" 것이다.

4) 두 부처님이 좌석을 나눠 앉다

그때 다보불께서 보탑 안에서 좌석의 반을 석가모니불에게 나누어 주시면서 이렇게 말씀하셨다. "석가모니불이시여! 이 자리에 앉으십시오." 즉시 석가모니 부처님께서는 보탑 안으로 들어가서 그 반쪽의 좌석에 결가부좌로 앉으셨다.

이때 대중들은 두 분 여래께서 보탑 안의 사자좌에 결가부좌로 앉으신 것을 보고 각각 이렇게 생각하였다. '부처님의 좌석은 높고 머니, 여래께서는 신통력으로 저희가 함께 허공에 머물 수 있게 해 주시기를 원합니다.' 그러자 즉시 석가모니 부처님께서는 신통력으로써 모든 대중들을 허공에 머물게 하셨다.

爾時多寶佛於寶塔中, 分半座與釋迦牟尼佛, 而作是言。釋迦牟尼佛。可就此座。卽時釋迦牟尼佛入其塔中, 坐其半座, 結跏趺坐。爾時大衆見二如來在七寶塔中, 師子座上·結跏趺坐, 各作是念。佛座高遠, 唯願如來以神通力, 令我等輩俱處虛空。卽時釋迦牟尼佛·以神通力, 接諸大衆皆在虛空。

그런 후 큰 음성으로 대중들에게 말씀하셨다. "누가 이 사바국토에서 법화경을 널리 설할 수 있겠는가? 지금이 바로 그 시기이다. 여래는 머지않아 열반에 들어갈 것이니, 부처는 이 법화경을 그대들에게 부촉하려고 한다."

以大音聲普告四衆。誰能於此娑婆國土, 廣說妙法華經, 今正是時。如來不久當入涅槃, 佛欲以此妙法華經付囑有在。

라. 보탑의 출현과 『법화경』 부촉의 게송

1) 보탑과 다보불

그때 세존께서는 이러한 뜻을 거듭 선설하시고자 게송을 설하셨다.

성스러운 주인 세존께서 오래전 열반에 드셨지만
보탑 가운데서 오히려 법을 듣기 위하여 오셨는데
사람들은 어찌하여 부지런히 법을 위하지 않는가?
다보여래는 무수한 겁 전에 열반에 드셨지만
곳곳에서 법화경 듣는 것이 어렵기 때문에
저 부처님의 본원은 내가 열반에 든 후
법화경 설하는 곳마다 가서 법을 듣는 것이네.

爾時世尊欲重宣此義，而說偈言。

聖主世尊　雖久滅度　在寶塔中　尙爲法來
諸人云何　不勤爲法　此佛滅度　無央數劫
處處聽法　以難遇故　彼佛本願　我滅度後
在在所往　常爲聽法

2) 분신 제불의 운집

그리고 나의 분신의 무량한 부처는
마치 항하사같이 많지만 모두 와서 법 들으며

오래전에 열반하신 다보여래를 뵈려고 하네.
그들은 각각 미묘한 국토와 제자들과
천상과 인간, 용과 신들의 공양을 버려두고
법이 오래 머물도록 하기 위해 이곳에 왔네.
분신 제불의 자리 마련하기 위해 신통력으로
무량한 중생을 옮겨 청정국토로 변화시켰네.
분신 제불은 각각 보배 나무 아래에 앉으시니
마치 청정한 연못에 연꽃으로 장엄한 것 같네.
그 보배 나무 아래 모든 사자좌 위에
모든 분신 부처 앉으시니 광명으로 빛나며
마치 어두운 밤에 큰 불꽃이 타는 것 같네.
부처님 몸에서 미묘한 향이 시방에 두루 퍼져
중생들 맡으니 기쁨에 스스로 이기지 못하네.
마치 큰 바람이 작은 나뭇가지에 부는 것처럼
이러한 방편으로 불법이 오래도록 머물게 하네.

又我分身　無量諸佛　如恒沙等　來欲聽法
及見滅度　多寶如來　各捨妙土　及弟子衆
天人龍神　諸供養事　令法久住　故來至此
爲坐諸佛　以神通力　移無量衆　令國淸淨
諸佛各各　詣寶樹下　如淸淨池　蓮華莊嚴
其寶樹下　諸師子座　佛坐其上　光明嚴飾
如夜闇中　燃大炬火　身出妙香　遍十方國
衆生蒙薰　喜不自勝　譬如大風　吹小樹枝
以是方便　令法久住

3) 세 부처님의 『법화경』 부촉

가) 『법화경』을 오래 머물게 하라

대중들에게 말하노니, 내가 열반에 든 후
누가 이 경을 호지하며 독송 해설하겠는가.
지금 부처님 앞에서 스스로 서원 말하여라.
저 다보불은 오래전에 열반에 드셨지만
큰 서원으로 보탑 안에서 사자후 설하시네.
다보여래와 나 석가모니불과
이곳 모인 분신의 화신불은 이 뜻을 아네.
모든 불자들은 누가 법화경 보호할 것인지
큰 서원 발하여 법화경이 오래 머물게 하라.
告諸大衆　我滅度後　誰能護持　讀說斯經
今於佛前　自說誓言　其多寶佛　雖久滅度
以大誓願　而師子吼　多寶如來　及與我身
所集化佛　當知此意　諸佛子等　誰能護法
當發大願　令得久住

나) 『법화경』 설하면 부처님 친견한다

이 법화경의 경법을 보호할 수 있는 자는
즉 나와 다보여래를 공양하는 것이네.
이 다보 부처님께서 보탑 안에 계시면서

항상 시방세계 다니심은 이 경 위한 까닭이네.
이 또한 다시 모든 화신불을 공양하는 것이며
모든 세계를 장엄하고 빛으로 장식하는 것이네.
만약 이 법화경을 해설하면 나 석가모니와
다보여래와 나의 모든 화신 부처를 뵙는 것이네.

其有能護　此經法者　則爲供養　我及多寶
此多寶佛　處於寶塔　常遊十方　爲是經故
亦復供養　諸來化佛　莊嚴光飾　諸世界者
若說此經　則爲見我　多寶如來　及諸化佛

다) 『법화경』을 위하여 대원을 발하라

모든 선남자와 선여인은 각각 깊이 사유하여라.
이것은 어려운 일이니 마땅히 큰 서원 발하라.
항하사수와 같이 많은 다른 경전을
비록 설하더라도 그것은 어렵다고 할 수 없네.
수미산을 잡아 다른 무수한 불국토로 던진다면
그것도 또한 어렵지 않으며
만약 발가락으로 대천세계를 움직여서
다른 국토로 멀리 던진다 해도 어렵지 않으며
만약 천상의 꼭대기에 서서 대중을 위하여
무량한 다른 경전 연설하는 것도 어렵지 않으나
만약 부처님께서 열반에 드신 후 오탁악세에서
이 법화경을 설하는 것은 어렵네.

諸善男子　各諦思惟　此爲難事　宜發大願
諸餘經典　數如恒沙　雖說此等　未足爲難
若接須彌　擲置他方　無數佛土　亦未爲難
若以足指　動大千界　遠擲他國　亦未爲難
若立有頂　爲衆演說　無量餘經　亦未爲難
若佛滅後　於惡世中　能說此經　是則爲難

가령 어떤 사람이 손으로 허공을 잡고
허공을 걸어간다 하더라도 어렵지 않으나
내 열반 후 만약 스스로 이 경을 서사하고
지송하며 남 시켜 서사하게 하는 것은 어렵네.
만약 대지를 발톱 위에 놓고
범천으로 올라가는 것도 또한 어렵지 않으나
부처님이 열반에 드신 후 오탁악세에서
잠시라도 이 경전을 독송하는 것은 어렵네.
假使有人　手把虛空　而以遊行　亦未爲難
於我滅後　若自書持　若使人書　是則爲難
若以大地　置足甲上　昇於梵天　亦未爲難
佛滅度後　於惡世中　暫讀此經　是則爲難

가령 겁의 불이 탈 때 마른 풀을 짊어지고
불속에 들어가 타지 않는 것은 어렵지 않으나
내 열반 후 만약 이 법화경을 수지하거나
한 사람을 위해서라도 설하는 것은 어렵네.

만약 팔만사천 법장을 수지하고
십이부의 경전을 남을 위해 강설하여
듣는 자들로 하여금 육신통을 얻게 한다면
비록 이렇게 할 수 있는 것은 어렵지 않으나
내가 열반에 든 후 이 경을 듣고 받아들이며
이 법화경의 도리를 묻는 것은 어렵네.

假使劫燒　擔負乾草　入中不燒　亦未爲難
我滅度後　若持此經　爲一人說　是則爲難
若持八萬　四千法藏　十二部經　爲人演說
令諸聽者　得六神通　雖能如是　亦未爲難
於我滅後　聽受此經　問其義趣　是則爲難

만약 어떤 사람이 법을 설하여 천만억의
무량하고 무수한 항하사수의 중생으로 하여금
아라한을 얻게 하고 육신통 갖추게 한다면
비록 이런 이익 있게 해도 어렵지 않으나
내가 열반에 든 후 만약 이와 같은 경전을
받들어 지닐 수 있으면 그것은 어렵네.

若人說法　令千萬億　無量無數　恒沙衆生
得阿羅漢　具六神通　雖有是益　亦未爲難
於我滅後　若能奉持　如斯經典　是則爲難

나는 불도를 위하여 무량한 국토에서
처음부터 지금까지 많은 경전 널리 설했지만

그 가운데 이 법화경이 제일이니
수지할 수 있으면 부처의 몸 지니는 것이네.
我爲佛道　於無量土　從始至今　廣說諸經
而於其中　此經第一　若有能持　則持佛身

라)『법화경』을 수지하면 제불이 찬탄한다

선남자, 선여인이여! 내가 열반에 든 후
누가 이 경을 수지하고 독송할 것인가
지금 부처님 앞에서 스스로 서원 발하여라.
이 경은 수지하기 어려워 잠시라도 수지하면
나는 기뻐할 것이며 제불도 또한 기뻐하리라.
법화경 수지하는 사람은 제불이 찬탄하리니
이는 용맹함이요 이것은 바로 정진함이며
이는 지계하고 두타행 실천하는 자라 하리.
이 사람은 빨리 위없는 불도를 얻을 것이며
내세에 이 법화경 독송하고 수지할 것이며
이 사람은 참된 불자라 순박한 선에 머물고
부처님 열반 후 이 경의 뜻 이해할 수 있으면
이 사람은 모든 천상과 인간세상의 안목이네.
두려운 악세에서 잠시라도 이 경을 설하면
일체의 천인과 인간은 모두 공양해야 하리.
諸善男子　於我滅後　誰能受持　讀誦此經
今於佛前　自說誓言　此經難持　若暫持者

我則歡喜　諸佛亦然　如是之人　諸佛所歎
是則勇猛　是則精進　是名持戒　行頭陀者
則爲疾得　無上佛道　能於來世　讀持此經
是眞佛子　住淳善地　佛滅度後　能解其義
是諸天人　世間之眼　於恐畏世　能須臾說
一切天人　皆應供養

수능수지(誰能受持) 독송차경(讀誦此經)• 어떻게 하는 것을 수지한다고 하는가? 매일 이 경전을 지송하고, 마음속으로도 읽는 것이다. 경전이 있거나 없거나 모두 수지할 수 있다. 매일 수지하는 것이 아니라 일생 수지하는 것이며, 세세생생 수지하는 것이다. 따라서 우리는 일을 할 때 무슨 일을 하든지 간에 반드시 장원심(長遠心)을 가져야 하며, 반드시 처음도 있고 끝남도 있어야 하며, 시종여일(始終如一)해야 한다. 세세생생 『법화경』을 수지할 것을 발원해야 할 것이다.

十二

제바달다품

(提婆達多品)

제바달다의 수기(受記)와 용녀의 성불

제바달다는 부처님의 사촌동생이다. 그는 부처님과 부처님의 모든 일을 반대하였다. 어떤 사람은 그가 부처님과는 원수라고 말하는데, 그렇지 않다. 석가모니 부처님의 성불은 바로 제바달다가 도와서 이룬 것이다. 그는 한 생만 부처님을 도운 것이 아니라, 세세생생 부처님을 도와 도업을 성취하게 하였다.

하지만 돕는 길이 같지 않았다. 그는 반대편의 길에서 부처님을 도운 것이다. 이른바 말하기를 "반대로 도운[逆助]" 것이다. 이는 무엇을 말하는가? 마치 지금 어떤 한 사람이 발심하여 수도하는데 다른 한 사람은 하루 종일 그를 귀찮게 하는 것과 같다. 그를 욕하거나 비난하고, 혹은 그를 힘들게 하는 것이다. 어쨌든 그를 귀찮게 함으로써 반대편으로부터 그를 시험하는 것이다.

이전에 어떤 제자가 나에게 물었다. "제가 남을 시험할 수 있습니까?"

내가 말하였다. "안 된다. 네가 만약 과위를 증득해 그를 시험해서 그가 도를 이룰 수 있을 것을 안다면, 그렇게 할 수 있다. 그러나 만약 네가 과위를 증득하지 않았다면 남을 시험해서는 안 된다."

너희가 만약 남을 시험한다면, 남도 너희를 시험할 것이다. 너희가 남을 시험해서 남이 참을 수 없으면 그는 곧 타락할 것이며, 남이 너희를 시험해서 너희가 참을 수 없으면 너희 또한 타락할 것이다.

제바달다의 경계는 불가사의하고, 그의 신통은 부처님과 같이 크다. 그래서 그는 반대로 부처님을 도운 것이다. 석가모니 부처님의 성불은 과거세 제바달다가 그에게 강설한 『법화경』을 들었기 때문이며, 그래서 비로소 지금 성불하신 것이다.

제바달다라는 이름은 무슨 뜻인가? 제바달다는 범어로서, 번역하면 '날씨가 덥다[天熱]'라는 뜻이다. 왜냐하면 그가 세상에 머물 때 반면

(反面)으로 사람을 도왔기 때문에, 사람들이 마음속에서 열이 나고 괴롭게 느꼈기 때문이다. 이것은 인연으로 이름을 삼은 것이다. 제바달다는 왜 이와 같이 반면으로 부처님이 도업을 이룰 수 있도록 도왔는가? 인연이 있었기 때문이다. 이제 그 인연을 이야기하고자 한다.

과거세에 부유한 장자가 한 분 있었는데, 수단(須檀)이라고 이름하였다. 수단 장자는 일곱 종류의 보배를 가지고 있을 정도로 매우 부유하였다. 그에게는 수마제라고 부르는 아들이 하나 있었다. 나중에 수단 장자의 부인이 죽자 다시 작은부인을 맞이하였으며, 이 두 번째 부인이 또 아들을 하나 낳았다. 두 번째 아들의 이름은 수비야라고 하였다. 작은아들이 열여덟 살 때쯤 장자는 죽었다. 아버지가 돌아가시자 두 아들은 곧 분가를 위하여 재산을 나누려고 하였다. 수마제는 재산을 반씩 나누면 손해를 보는 느낌이 들었다. 그래서 한 방법을 생각하였다. 어떤 방법인가?

수마제는 수비야에게 말하였다. "영취산이 있는 그곳은 놀기가 매우 좋아. 우리 그 산 위에 놀러가자!" 수비야가 말하였다. "좋아! 나도 일찍부터 그곳에 가고 싶었어!" 그리하여 형제는 함께 영취산으로 놀러가게 되었다. 높은 계곡에 이르렀을 때 수마제는 동생을 계곡 아래로 밀어 떨어지게 하였다. 동생은 계곡으로 떨어져 머리가 깨졌는데 수마제는 내처 돌로써 그의 몸을 때려 결국은 죽게 하였다. 그리하여 그는 전 재산을 모두 차지하게 되었다.

수마제는 누구인가? 여러분은 석가모니 부처님이 좋은 일만 하셨다고 생각하지 않아야 할 것이다. 그분도 사람을 죽인 적이 있으며, 수마제가 바로 석가모니 부처님이었다. 수비야는 누구인가? 바로 제바달다이다. 그들의 아버지 수단 장자는 바로 아사세 왕이다. 그의 모친 위제희를 기억하는가? 아사세 왕은 그의 부친을 일곱 겹의 감옥 속에 가둔 그 왕이다. 제바달다와 석가모니 부처님은 세세생생 갖가지의 관계와 인연이 있었기 때문에 석가모니 부처님께서 성불하신 후에도 제바달다는 여전히 부처님께 귀찮은 일을 많이 저질렀다.

이 품은 제바달다가 부처님을 도와 성불하게 한 일을 설한다. 원한을 가지고 미워하는 사람이 서로 만나면 괴롭다[怨憎會苦]. 하지만 두 분의 관계는 원증회락(怨憎會樂)이라고 할 수 있다. 어째서 즐거운가? 석가모니 부처님은 제바달다가 자기를 반대할수록 더욱 즐겁기 때문에 서로 원수[怨]가 아니다. 원수가 아니기 때문에 그들은 세세생생 모두 한곳에 태어나 서로 도운 것이다. 만약 서로 원한을 가진 사이라면 그들은 더욱 멀리 떨어져 함께 가지 않았을 것이다.

가. 석가세존을 도운 제바달다의 과거 인연

1) 무량겁 과거 석가세존의 구법 인연

그때 부처님께서는 모든 보살과 천상인과 인간, 그리고 사부대중에게 말씀하셨다. "나는 과거 무량겁 가운데서 법화경을 구하기 위하여 게으르지 않았다. 많은 겁 동안 항상 국왕이 되어 위없는 깨달음 구할 것을 발원하고 마음이 물러나지 않았다. 육바라밀을 만족하기 위해 부지런히 보시를 행하는 데 인색하거나 아까워하는 마음이 없었다. 코끼리,

말, 칠보, 국가, 도시, 처자, 노비, 고용인, 머리, 눈, 골수, 신체의 살과 손발 등 신명을 아끼지 않았다.
그 당시 세간의 백성은 수명이 무량하였으며, 그 국왕은 법을 구하기 위해 왕위를 버리고 모든 권력을 태자에게 넘겨주었다. 그런 연후에 큰 북을 두드려 칙령을 선포하였다. '나는 지금 사방에 법을 구하려고 하는데, 나를 위해 대승의 불법을 설하는 사람이 있으면 나는 종신토록 그 사람을 모시고 시중을 들 것이다.'
이때 어떤 선인(仙人)이 와서 왕에게 말하였다. '나는 법화경이라고 하는 대승의 경전을 가지고 있으며, 만약 나를 거스르지 않으면 그대를 위하여 설하겠습니다.' 왕은 선인의 말을 듣고 뛸 듯이 기뻐하였으며, 즉시 선인을 따라가서 그가 필요로 하는 모든 물건을 공급하였다. 과일을 따고 물을 길어 나르며 땔감을 가져와 식사를 준비하였으며, 나아가 몸으로 선인의 침대와 좌석이 되어 드리면서 몸과 마음으로 조금도 게으르지 않았다.
이렇게 그 선인을 시중하고 받들기를 일천 년이 지나도록 국왕은 법을 구하기 위한 까닭으로 부지런히 노력하여 선인에게 필요한 물품이 조금도 부족하지 않게 공급하였다."

爾時, 佛告諸菩薩及天人四衆, 吾於過去無量劫中, 求法華經, 無有懈惓。於多劫中, 常作國王, 發願求於無上菩提, 心不退轉。爲欲滿足六波羅蜜, 勤行布施, 心無吝惜, 象·馬·七珍·國·城·妻·子, 奴婢·僕從, 頭·目·髓·腦, 身·肉·手·足, 不惜軀命。時世人民, 壽命無量, 爲於法故, 捐捨國位, 委政太子, 擊鼓宣令, 四方求法, 誰能爲我說大乘者, 吾當終身供給走使。時有仙人來白王言。我有大乘, 名妙法華經, 若不違我, 當爲宣說。王聞仙言, 歡喜踊躍, 卽隨仙人供給所須, 採果·汲水·拾薪·設食, 乃至以身而爲床座, 身心無惓。於時奉事, 經於千歲, 爲於法故, 精勤給侍, 令無所乏。

◉ 석가모니 부처님은 육바라밀을 원만하게 행하기 위하여 의보(依報)도 버리고, 정보(正報)도 버렸다. 이렇게 하는 것이 비로소 진정한 보시바라밀이다.

지계바라밀은 무엇인가? 바로 악을 그치고 잘못을 막는[止惡防非] 것이다. 몸의 세 가지 악은 살생, 도둑질, 사음이고, 입의 네 가지 악은 거짓말, 꾸미는 말, 나쁜 말, 이간질하는 말이다. 이러한 일곱 가지를 범하지 않는 것이 계(戒)이다.

인욕바라밀에서 무엇을 인욕(忍辱)이라고 하는가? 인은 억지로라도 참는 것이며, 욕은 남이 자기를 욕되게 하는 것이다. 인욕이란 근본적으로 참을 수 없는 것을 억지로 참는 것이다. 욕을 해도 되갚지 않고, 상대방이 자기를 때려도 그에게 반대로 때리지 않는 것이다.

정진바라밀이란 너희가 무슨 일을 하든지 막론하고, 처음이 있고 마침이 있게 일을 하는 것이다. 일을 하는 데 시작만 있고 마침이 없게 해서는 안 된다. 시작할 때는 기쁘게 하지만 일정한 시기가 지나면 하기를 원하지 않는데, 이것이 마침이 없는 것이다.

선정바라밀이란 무엇인가? 선정은 바로 사선팔정(四禪八定)을 말한다. 사선은 초선(初禪), 이선(二禪), 삼선(三禪), 사선(四禪)을 뜻한다. 초선의 경계에 이르면 호흡의 기가 끊어진다. 만약 너희를 땅속에 묻어도 죽지 않으면 너희가 초선에 이른 것을 증명하는 것이다. 이선의 경계에 이르면 맥박이 정지된다. 마치 죽은 사람처럼 맥이 끊어진다. 심장도 뛰지 않는다. 하지만 심장이 아주 미세하게 뛰는 경우도 있다. 삼선에 이르면 생각[念慮]이 멈추고 생하지 않는다. 이때는 정말로 망상을 짓지 않는다. 사선에 이르게 되면 생각[念]이 끊어지고 없어진다. 팔정은 사선 외에 다시 공무변처정, 식무변처정, 무소유처정, 비상비비상처정을 더한 것이다.

반야바라밀은 다툼이 없는 것이다. 왜 투쟁을 하는가? 진정한 지혜가 없고 진정한 반야가 없기 때문이다. 만약 진정한 지혜가 있으면 투쟁하지 않을 것이다. 이러한 모든 것은 소승 삼장교의 교의이며, 이렇게 설명하는 법이 있다. 육바라밀을 설명하려면 많은 설명법이 있으며, 각 하나의 바라밀에는 열 가지의 이익이 있다.

육바라밀의 뜻과 도리[義理]는 매우 많다. 십선(十善)을 육바라밀과 대비하여 설명하면 다음과 같다. 살생하지 않고, 훔치지 않고, 사음하지 않고, 거짓말하지 않는 것은 보시바라밀이다. 이간질하지 않는 것은 지계바라밀이다. 나쁜 말을 하지 않는 것은 인욕바라밀이다. 꾸미는 말을 하지 않는 것은 정진바라밀이다. 탐하지 않고 화내지 않는 것은 선정바라밀이다. 사견이 없는 것은 반야바라밀이다.

그리고 육바라밀은 세 종류의 설명법이 있다.

① 대치(對治)

보시는 간탐(慳貪: 아끼고 탐함)을 대치하고, 지계는 헐고 범하는 것을 대치하고, 인욕은 성내고 원한 가지는 것을 대치하고, 정진은 게으름을 대치하고, 선정은 산란함을 대치하고, 지혜는 어리석음을 대치한다.

② 상생(相生)

가짐을 버리는 것은 지계이다. 계를 지킬 때 욕됨을 만나면 참아야 한다. 참음이 끝나면 너희는 정진할 것이다. 정진하면 눈, 귀, 코, 혀, 몸의 오근(五根)이 조화롭게 된다. 오근을 조화롭게 하면 안에서 수작을 부리지 않으므로 모두 너희의 지시를 따르게 되어 선정이 있게 된다. 이 오근을 조복하면 너희는 곧 법계의 성품을 알게 된다. 법계를 아는 것은 바로 반야이다.

③ 과보(果報)

너희가 보시를 행하면 부귀와 재보를 얻는 과보를 얻게 된다. 너희가 계율을 지키면 제근(諸根)이 원만하게 구족되는 과보를 얻게 되어 신체의 장애를 가지지 않게 된다. 만약 인욕하게 되면 용모가 단정한 과보를 얻게 된다. 무엇 때문에 용모가 추한가? 너희가 전생에 무엇이든지 참지 못했기 때문이다. 너희가 정진하면 큰 힘을 얻게 된다. 너희가 선정을 얻으면 수명이 길게 된다. 반야를 얻으면 걸림이 없는 변재를 얻게 된다.

2) 구법 인연에 대한 게송

그때 세존께서는 이러한 뜻을 거듭 선설하시고자 게송을 설하셨다.

내가 과거겁 생각해 보니, 대승법 구하기 위하여
비록 세상의 국왕 되었지만 오욕락을 탐하지 않고
종을 쳐서 사방 알리기를, 누가 대승법 가졌는가
나를 위해 해설한다면 나는 그의 노복이 되겠다.

爾時世尊欲重宣此義, 而說偈言。

我念過去劫　爲求大法故　雖作世國王　不貪五欲樂
椎鍾告四方　誰有大法者　若爲我解說　身當爲奴僕

당시 장수(長壽) 선인이 와서 대왕에게 말하기를
나에게 미묘한 법 있으며 세간에 희유한 것이네.
만약 수행할 수 있으면 내 그대에게 설하리라.
時有阿私仙• 來白於大王 我有微妙法 世間所希有
若能修行者 吾當爲汝說

시유아사선(時有阿私仙)• 아사선은 바로 장수(長壽) 선인이다. 수명이 비교할 수 없을 정도로 길다는 뜻이다. 또한 그의 법도 누구와 비할 바가 없을 정도로 좋다는 것이다. 따라서 아사선은 수명도 무량하고, 법도 무량하다는 뜻이다.

그때 왕은 선인의 말 듣고 마음이 크게 기뻤으며
즉시 선인을 따라가서 필요한 물품을 공급하였네.
땔나무와 과일과 채소 수시로 공경하게 공양하며
묘법을 구하려는 뜻으로 신심이 게으르지 않았네.
時王聞仙言 心生大喜悅 卽便隨仙人 供給於所須
採薪及果蓏 隨時恭敬與 情存妙法故 身心無懈惓

널리 모든 중생 위해 부지런히 대승법 구한 것은
자기의 몸과 오욕의 즐거움 위한 것이 아니었네.
큰 국왕이 되었어도 열심히 이 법 구해 얻었으며
마침내 성불하여 지금 너희들 위해 법을 설하네.
普爲諸衆生 勤求於大法 亦不爲己身 及以五欲樂
故爲大國王 勤求獲此法 遂致得成佛 今故爲汝說

3) 제바달다와의 숙세 인연

부처님께서 모든 비구들에게 말씀하셨다. "그때 그 국왕은 나의 이 몸이며, 그 당시의 선인은 지금의 제바달다이다. 제바달다 선지식 때문에 나는 육바라밀과 자비희사의 사무량심, 삼십이상과 팔십종호의 자마금색의 몸을 원만히 갖추고, 십력, 사무소외, 사섭법, 십팔불공법, 신통도력을 구족하여 정각을 성취하고 널리 중생을 제도하게 되었다. 이것은 모두 제바달다 선지식의 교화 때문이다."

佛告諸比丘。爾時王者, 則我身是。時仙人者, 今提婆達多•是。由提婆達多善知識故, 令我具足六波羅蜜, 慈悲喜捨, 三十二相, 八十種好, 紫磨金色, 十力·四無所畏·四攝法·十八不共, 神通道力•, 成等正覺, 廣度衆生, 皆因提婆達多善知識故。

제바달다(提婆達多)• 제바달다는 천열(天熱)로 번역된다. 그는 과거생에서 석가모니 부처님의 선지식이었으며, 또한 석가모니 부처님의 스승으로서 『법화경』을 가르쳤다. 석가모니 부처님은 그의 시자, 노복(奴僕)이 되어 비로소 무상의 묘법을 얻었다. 그러나 금생에서는 제바달다는 선지식이 아니라 석가모니불의 악지식(惡知識)이 되어 매사 석가모니 부처님을 반대하였다.

부처님에게는 오백 명의 제자가 있었는데, 제바달다는 부처님 계신 곳에서 신통을 드러내어 오백 명의 제자를 미혹시켰다. 그는 말하였다. "석가모니불은 신통이 있다고 말하는데, 그의 신통은 나의 신통보다 못하다. 너희는 나를 따라와서 시험해 봐라!" 그래서 오백 명의 제자는 모두 그를 따라 가버렸다. 제바달다는 오백 명의 제자를 데리고 가서 말하기를 "나는 한 번 잠을 자면 백 일을 자도 깨지 않는다. 너희는 봐라!" 오백 명의 제자는 그를 모시고 잠을 잤다.

이때 사리불이 돌아와서 오백 명의 비구가 없어진 것을 보고, 곧 신통으로 다시 데려왔다. 제바달다가 잠을 깨서 보니 오백 명의 비구가 보이지 않자, 사리불이 신통을 써서 데려간 것을 알고 매우 불쾌하였다. '흥, 네가 뺐어가, 좋아!' 그래서 그는 온갖 방법을 써서 석가모니 부처님을 파괴하려고 하였다.

석가모니 부처님이 비구를 교화하시며 채식을 하고 고기를 먹지 말라고 말씀하시자, 그는 그의 제자에게 밥을 먹지 말고 식초와 소금도 먹지 않게 하였다. 부처님께서 제자들에게 하루 한 끼를 먹게 하시자[日中一食], 그는 곧 백 일 동안 밥을 먹지 않게 하였다. 보라! 그는 말하였다. "우리가 이렇게 하는 것이 비로소 참된 수행이며, 석가모니 부처님보다 더욱 높아!" 당시에는 높은 행위를 좋아하는 사람들이 있었기 때문에 제바달다를 따라가 배웠다. 이렇게 하면 사실 배울수록 더욱 멀어지는데, 왜냐하면 중도(中道)에 맞지 않기 때문이다.

제바달다는 또한 부처님 몸에서 피가 나게 하였다. 부처님께서 영취산 아래를 지나가실 것을 알고 그는 큰 돌을 굴려서 부처님을 죽이려고 하였다. 이때 호법신이 급히 보배 몽둥이로 그 돌을 깨뜨려서 한쪽으로 내려가게 하였으나, 하나의 돌이 굴러가 부처님의 발가락을 다치게 하여 피가 났다. 이것을 출불신혈(出佛身血)이라고 한다.

그는 또 아라한을 죽이기도 하였다. 연화색 비구니는 아라한을 증득한 분인데, 제바달다는 주먹으로 때려서 그녀를 죽게 하였다. 또한 그는 화합승을 파괴하고, 아사세 왕자를 교사하여 왕의 부친과 모친을 죽게 하였다. 따라서 그는 오역죄(五逆罪)를 모두 범하였다. 그러나 비록 그가 오역죄를 범하고 악지식이 되었을지라도, 그는 마침내 석가모니 부처님을 도운 것이다. 하지만 상반된 방향으로 부처님을 도운 것이다. 그러므로 장래 제바달다도 성불할 것이다. 『법화경』에서는 부처님께서 그에게 수기를 주신다. 보라! 제바달다는 이전에는 석가모니 부처님의 스승이었으나, 석가모니 부처님은 성불하였지만 그는 아직 성불하지 못하였다. 불법 속에서는 열심히 정진하는 사람이 먼저 성취하는 것이다.

십팔불공(十八不共) 신통도력(神通道力)• 십팔불공법은 다음과 같다.

① 신무실(身無失) : 부처님께서는 무량겁 이래로 세세생생 법신혜명(法身慧命)을 보호하고 유지해왔으며, 잃은 적이 없다. 실(失)을 과실, 잘못으로 설명할 수 있다. 비유하면 몸의 과실, 즉 살생, 도둑질, 사음을 저지른 적이 없다고도 설명할 수 있다.

② 구무실(口無失) : 입으로 하는 말은 모두 깊고 깊은 묘법이다. 입으로는 거짓말, 꾸밈말, 나쁜 말, 이간질의 말을 하지 않는다.

③ 의무실(意無失) : 의념 속에는 항상 법을 위하는 마음을 간직하고, 탐하는 마음, 화내는 마음, 어리석음이 없다.

④ 무이상(無異想) : 부처님께서는 무량겁 이래로 단지 무상보리를 구하고 다른 망상이 없다는 것이다. 따라서 지금에 이르러 무상보리의 불도를 이루었다.

⑤ 무부정심(無不定心) : 부처님은 다른 생각이 없을 뿐 아니라 세세생생 수승한 선정을 얻어 마음이 산란하지 않다.

⑥ 무부지기사(無不知己捨) : 부처님은 일체법에 대하여 모두 알고 이해하신다. 다만 집착하지 않으신다. 비록 일체법을 알지만, 또한 일체법을 버리며, 일체법을 놓는다. 일체법을 놓기 때문에 한 법도 얻을 법이 없다.

⑦ 욕무감(欲無減) : 욕이란 바로 욕망이다. 그런데 욕망이 없다고 말하지 않고 어째서 감소함이 없다고 하는가? 감소함이 없다는 것은 감소할 수 없다는 뜻이다. 부처님의 욕망은 우리 일반인의 욕망과 같이 명예를 탐하거나 이익을 도모하는 것이 아니라, 오욕에 대하여 탐하지 않는다. 부처님은 이러한 욕망이 아니며, 세세생생 중생을 제도하기 원하는 것이다. 중생을 교화하여 모두 불도를 이루게 하는 것이다.

⑧ 정진무감(精進無減) : 정진이 감소할 수 없다는 것이다. 부처님은 처음부터 보살도를 닦으면서 다만 앞을 향하여 정진하며, 뒤로 후퇴하는 때가 없다. 무슨 일을 하시든지 반드시 원만하게 될 때까지 정진하신다.

⑨ 염무감(念無減) : 삼세 일체제불이 닦으신 법을 생각하는 것이 끊어지지 않는다. 부처를 염하고, 법을 염하고, 승을 염하는 마음이 시시각각 감소하지 않는다.

⑩ 혜무감(慧無減) ; 지혜가 나날이 증가하고, 감소하지 않는다.

⑪ 해탈무감(解脫無減) : 하루하루 조금씩 해탈을 얻으며, 하루하루 조금씩 자재함을 얻는다.

⑫ 해탈지견무감(解脫知見無減) : 해탈의 지견이 감소하지 않는다.

⑬ 일체신업수지혜행(一切身業隨智慧行) : 일체의 몸으로 짓는 업은 모두 어리석음이 없고, 무명이 없으며, 신업이 청정하다.

⑭ 일체구업수지혜행(一切口業隨智慧行) : 일체의 구업은 지혜를 따라 짓는다.

⑮ 일체의업수지혜행(一切意業隨智慧行) : 일체의 의업은 지혜를 따라 짓는다.

⑯ 지혜지과거세무애(智慧知過去世無碍) : 과거세를 아는 지혜가 걸림이 없다.

⑰ 지혜지미래세무애(智慧知未來世無碍) : 미래세를 아는 지혜가 걸림이 없다.

⑱ 지혜지현재세무애(智慧知現在世無碍) : 현재세를 아는 지혜가 걸림이 없다.

이러한 18가지의 법은 부처님에게는 있으나, 삼승(보살승, 성문승, 연각승)

과는 함께 할 수 없는 법이다. 따라서 십팔불공법이라고 한다. 또한 부처님은 무량한 신통력을 가지고 있다.

4) 제바달다에 대한 수기

"그러므로 모든 사부대중에게 이르노니, 제바달다는 장래 무량겁이 지난 후 마땅히 성불할 것이며, 명호를 천왕여래, 응공, 정변지, 명행족, 선서, 세간해, 무상사, 조어장부, 천인사, 불세존이라고 할 것이며, 그 세계의 이름은 천도라고 할 것이다."

告諸四衆, 提婆達多卻後過無量劫, 當得成佛, 號曰天王如來 · 應供 · 正遍知 · 明行足 · 善逝 · 世間解 · 無上士 · 調御丈夫 · 天人師 · 佛 · 世尊, 世界名天道。

"그 당시 천왕불은 이십 중겁 동안 세계에 머무시면서 널리 중생을 위해 묘법을 설하시어 항하사수의 중생이 아라한과를 얻을 것이며, 무량한 중생이 연각의 마음을 발할 것이며, 항하사수의 중생이 위없는 보리심을 발하여 무생법인을 얻고 불퇴전의 과위에 이를 것이다.

그때 천왕불께서 열반에 드신 후 정법이 이십 중겁 동안 세상에 머물 것이다. 부처님 전신의 사리를 칠보탑을 세워 모실 것이며, 그 높이가 육십 유순이고 넓이는 사십 유순이 될 것이다. 많은 천상인과 인간이 여러 가지 꽃과 가루 향, 태우는 향, 바르는 향과 의복, 영락, 당번, 보개와 기악과 음악으로 칠보의 미묘한 탑에 예배하고 공양할 것이다.

천왕불이 열반하신 후에도 무량한 중생이 아라한과를 얻고, 무량한 중생이 벽지불을 깨달으며, 불가사의한 중생이 보리심을 발하여 불퇴전의 과위에 이를 것이다."

時天王佛住世二十中劫, 廣爲衆生說於妙法, 恒河沙衆生得阿羅漢果, 無量衆生發緣覺心, 恒河沙衆生發無上道心, 得無生忍, 至不退轉。時天王佛般涅槃後, 正法住世二十中劫。全身舍利起七寶塔, 高六十由旬, 縱廣四十由旬, 諸天人民, 悉以雜華·末香·燒香·塗香, 衣服·瓔珞·幢幡·寶蓋, 伎樂·歌頌, 禮拜供養七寶妙塔。無量衆生得阿羅漢果, 無量衆生悟辟支佛, 不可思議衆生發菩提心, 至不退轉。

5) 「제바달다품」을 믿는 이익

부처님께서 모든 비구들에게 말씀하셨다. "미래세에 만약 어떤 선남자와 선여인이 법화경의 제바달다품을 듣고, 청정한 마음으로 믿고 공경하며 의혹을 내지 않으면 지옥·아귀·축생에 떨어지지 않고 시방세계의 부처님 계신 곳에 태어날 것이며, 그곳에서 항상 이 경을 들을 것이다. 만약 인간과 천상에 나면 수승하고 묘한 즐거움을 받을 것이며, 만약 부처님 계신 곳에 나면 연꽃에서 화생할 것이다."

佛告諸比丘。未來世中, 若有善男子·善女人。聞妙法華經提婆達多品, 淨心信敬, 不生疑惑者•, 不墮地獄·餓鬼·畜生, 生十方佛前, 所生之處, 常聞此經。若生人天中, 受勝妙樂, 若在佛前, 蓮華化生。

정심신경(淨心信敬) 불생의혹자(不生疑惑者)• 어떠한 것을 청정한 마음[淨心]이라고 하는가? 바로 마음속에 오염된 법이 없는 것이다. 오염된 법이 없다는 것은 선과 악의 일에서 분별심이 없는 것이다. 선도 생각하지 않고 악도 생각하지 않는 것이다. 선과 악, 옳고 그름에서 분별하지 않는 것을 청정한 마음이라고 한다. 너희가 만약 선과 악의 일에서 이것은 선이고 저것은 악이며, 이것은 좋고 저것은 나쁘며, 이것은 옳고 저것은 그르다고 분별하면서 많은 분별심을 내면, 그것은 청정한 마음이 아니다.

그럼 어떤 사람은 이렇게 말할 것이다. "그렇게 되면 죽은 물건[死物]이 되는 것이 아닌가?" 그렇다. 바로 너희는 죽은 물건이 되어야 한다. 너희가 만약 살아 있는 물건에서 다시 마치 죽은 물건처럼 되면, 바로 청정한 마음의 묘한 점을 얻을 수 있다. 그러나 애석하게도 너희는 그렇게 하지 못한다. 왜 선악을 분별하지 말라고 하는가? 너희가 만약 분별하면, 제바달다는 가장 나쁜 사람이 되는 것이다. 그러나 너희는 알아야 한다. 이 제바달다는 확실히 대보살이며, 반면(反面)으로 상반된 방향에서 사람을 제도한 것이다.

무엇이 믿음인가? 너희가 세세생생 너희를 반대하는 사람을 만나거나 혹은 너희에게 괴로움을 주는 사람을 만나면, 이 모두 너희의 성불을 도와주는 사람이라고 믿는 것이다. 이것은 마치 큰 용광로에서 불로 단련하여 너희의 습기와 나쁜 점을 조금도 남기지 않게 하여 너희의 심성을 솜처럼 부드럽게 하는 것과 같다. 이것을 참된 믿음이라고 하며, 또한 깊은 믿음이라고 한다. 너희를 귀찮게 하는 사람은 모두 너희의 수행을 돕는 사람임을 알아야 한다. 너희에게 만약 괴로움이 없다면 어떻게 너희에게서 인내력이 나올 수 있겠는가? 이러한 괴로움이 있기 때문에 너희의 부동심이 증명되는 것이다. 미륵보살은 결코 참을 인(忍) 자를 말하지 않고 인욕심을 드러내고 있다. 자신이 인욕바라밀을 행하고 있다고 말하지 않으면서 인욕을 실천하고 있는 것이다.

너희를 반대하는 것은 모두 너희의 성불을 돕는 것이라고 너희는 믿어야 한다. 그래서 그런 사람을 선지식처럼 생각해서 반드시 공경해야 한다.

이 경전에 대하여 의혹을 내지 않는 것은 마치 젖을 먹는 어린아이가 자기 엄마가 추한지 아름다운지를 따지지 않고 젖을 먹는 것과 같으며, 과일나무가 굽었다고 해서 과일을 안 따지 않는 것과 같다. 따라서 너희가 「제바달다품」에 대하여, 비록 그가 행하고 저지른 것이 가장 악한 사람이라고 말할지라도, 너희는 이러한 분별심을 내지 않아야 한다. 이것이 의혹을 내지 않는[不生疑惑] 것이다. 너희가 이렇게 의혹심을 내지 않을 수 있으면, 이것이 진정한 듣는 지혜[聞慧]이고, 또한 진정한 사유하는 지혜[思慧]이며, 진정한 닦는 지혜[修慧]이며, 진정한 수행이다.

나. 용녀의 성불

1) 지적보살의 청문

그때 하방세계 다보세존 계신 곳으로부터 온 지적이라는 보살이 다보불께 말하였다. "지금 본토로 돌아가도 되겠습니까?"

석가모니 부처님께서 지적보살에게 말씀하셨다. "선남자여! 잠시만 기다리시게. 이곳에 문수사리라고 하는 보살이 있는데, 서로 만나 묘법을 담론하고 돌아가는 게 좋겠네."

그때 문수사리보살은 크기가 수레바퀴만 한 천 잎의 연꽃에 앉아 계셨으며, 함께 온 보살도 천 잎의 보배 연꽃에 앉아 큰 바다의 사갈라 용궁에서 저절로 솟아나와 허공에 머물렀다. 영취산에 이르러 연꽃에서 내려와 부처님 계신 곳으로 와서 두 분 세존께 오체투지로 공경스럽게 절을 하였다. 공경한 예의를 다 마친 후 지적보살이 있는 곳으로 가서 서로 안부를 물은 후 한쪽으로 앉았다.

지적보살이 문수사리보살에게 물었다. "인자시여, 용궁에 가서 교화하신 중생의 수가 얼마나 됩니까?"

於時下方多寶世尊所從菩薩, 名曰智積, 白多寶佛。當還本土。釋迦牟尼佛告智積曰。善男子, 且待須臾。此有菩薩名文殊師利, 可與相見, 論說妙法, 可還本土。爾時文殊師利坐千葉蓮華, 大如車輪, 俱來菩薩亦坐寶蓮華, 從於大海娑竭羅龍宮自然湧出, 住虛空中。詣靈鷲山, 從蓮華下, 至於佛所, 頭面敬禮二世尊足。修敬已畢, 往智積所, 共相慰問, 卻坐一面。智積菩薩•問文殊師利。仁往龍宮, 所化衆生, 其數幾何。

지적보살(智積菩薩)• 지적보살은 중국의 소주(蘇州) 영암산(靈巖山)에서 자주 출현하여 중생을 교화하고, 사람들이 그를 보게 한다. 그곳에 절을 지으려고 땅을 파면 지적보살의 상이 나오는데, 이것도 이상한 일이다.

2) 문수사리보살의 답변

문수사리보살이 말하였다. "그 수는 무량하여 계산할 수 없으며, 입으로 말할 수 없고 마음으로 사량할 수 없을 정도입니다. 잠시 기다리시면 스스로 아시게 될 것입니다."

말이 다 끝나지 않았을 때 무수한 보살들이 보배 연꽃에 앉아 바다로부터 솟아나와 영취산에 이르러 허공에 머물렀다. 이 모든 보살들은 문수사리보살이 교화하여 제도한 보살들이며, 그들은 보살행을 갖추고 모두 함께 육바라밀을 토론하였다. 그들 중에 본래 성문(聲聞)이던 사람은 허공 가운데서 성문의 행을 설하였으나, 지금은 모두 대승의 공한 도리를 수행하고 있다고 말하였다. 문수사리보살이 지적보살에게 말하였다. "바다에서 교화한 일은 이와 같습니다."

文殊師利言。其數無量, 不可稱計, 非口所宣, 非心所測, 且待須臾, 自當證知。所言未竟, 無數菩薩坐寶蓮華, 從海湧出, 詣靈鷲山, 住在虛空。此諸菩薩, 皆是文殊師利之所化度, 具菩薩行, 皆共論說六波羅蜜。本聲聞人, 在虛空中說聲聞行, 今皆修行大乘空義•。文殊師利謂智積曰。於海教化, 其事如是。

금개수행대승공의(今皆修行大乘空義)• 대승의 공한 도리란 즉 실상(實相)이다. 그들은 실상의 법문을 수행하고 있다는 뜻이다.

3) 지적보살의 찬탄 게송

그때 지적보살은 게송으로 찬탄하였다.

　큰 지혜와 덕과 용맹함으로 무량한 중생 제도하여
　지금 법회의 모든 대중과 저는 그들을 모두 보았네.

실상의 이치 연설하고 일승의 법을 열어 천명하여
일체중생 널리 인도하여 보리를 속히 이루게 하네.

爾時智積菩薩, 以偈讚曰。

大智德勇健　化度無量衆　今此諸大會　及我皆已見
演暢實相義　開闡一乘法　廣導諸衆生　令速成菩提

4) 8세 용녀의 성불

가) 문수보살과 지적보살의 문답

문수사리보살이 말하였다. "나는 바다 가운데서 항상 오직 법화경을 선설하였습니다."

지적보살이 문수사리보살에게 말하였다. "이 경은 매우 깊고 미묘하여 모든 경 가운데서 보배이며, 세상에 희유한 것입니다. 이 법화경에 따라 부지런히 정진하고 수행하여 속히 부처를 이루는 중생이 많이 있습니까?"

문수사리보살이 말하였다. "있습니다. 사갈라 용왕의 딸은 나이가 비로소 8세인데, 지혜가 총명하여 중생의 모든 근기의 인과와 행업을 잘 알고 다라니를 얻었으며, 제불께서 설하신 깊고 깊은 비밀의 경장(經藏)을 모두 수지할 수 있습니다. 선정에 깊이 들어가 모든 법을 깨달아 통달하고, 순식간에 보리심을 발하여 불퇴전의 과위를 얻었으며, 변재가 걸림이 없습니다. 중생을 마치 자식처럼 자애롭게 생각하며, 공덕을 원만히 갖추고 마음으로 법을 염하고 입으로 설하는 것이 미묘하고 광대하며, 마음이 자비롭고 인자하고 겸손하며, 뜻이 부드럽고 올바르므로 빨리 보리(깨달음)에 이를 수 있습니다."
文殊師利言。我於海中，唯常宣說妙法華經。智積問文殊師利言。此經甚深微妙，諸經中寶，世所希有，頗有衆生勤加精進，修行此經，速得佛不。文殊師利言。有娑竭羅龍王女，年始八歲，智慧利根，善知衆生諸根行業，得陀羅尼。諸佛所說甚深祕藏，悉能受持。深入禪定，了達諸法，於刹那頃，發菩提心，得不退轉，辯才無礙。慈念衆生·猶如赤子，功德具足，心念口演，微妙廣大，慈悲仁讓，志意和雅，能至菩提。

지적보살이 말하였다. "내가 석가모니여래를 보니, 그분은 무량겁 동안 난행과 고행을 통하여 공덕을 쌓아 보리의 도 구하기를 일찍이 멈추거나 쉬지 않았습니다. 삼천대천세계를 살펴보니 그 보살이 중생을 위해 목숨을 보시하지 않은 곳이 개자씨만 한 곳도 없으며, 그런 연후에 비로소 보리의 도를 이루었습니다. 이 어린 용녀가 잠깐 사이에 정각을 이룬 것을 믿지 못하겠습니다."
智積菩薩言。我見釋迦如來，於無量劫難行苦行，積功累德，求菩提道，未曾止息。觀三千大千世界，乃至無有如芥子許，非是菩薩捨身命處，爲衆生故，然後乃得成菩提道。不信此女於須臾頃·便成正覺。

나) 용녀의 게송

두 보살의 변론이 아직 끝나기도 전에 용왕의 딸이 갑자기 앞에 나타나 부처님께 절을 하고 한쪽에 머문 후 게송으로 찬탄하였다.

죄와 복의 모습 깊이 통달하여 시방 두루 비추고
미묘한 청정법신으로 삼십이상을 구족하고
팔십 가지의 종호로 법신을 장엄하였으니
천신과 인간이 첨앙하고 용과 신들 모두 공경하며
일체중생의 모든 종류가 숭배하지 않는 자가 없고
법 들어 정각 이룰 것을 오직 부처만 증명하시며
나는 대승의 가르침 선양하여 고해 중생 제도하리.

言論未訖, 時龍王女忽現於前, 頭面禮敬, 卻住一面, 以偈讚曰。

深達罪福相　遍照於十方　微妙淨法身　具相三十二
以八十種好　用莊嚴法身　天人所戴仰　龍神咸恭敬
一切衆生類　無不宗奉者　又聞成菩提　唯佛當證知
我闡大乘教　度脫苦衆生

다) 사리불의 의혹

이때 사리불이 용녀에게 말하였다. "그대는 머지않아 위없는 불도를 얻을 것이라고 하는데, 나는 이 일을 믿기 어렵습니다. 무엇 때문인가? 여자의 몸은 정결하지 못하여 부처를 이룰 수 있는 법기가 아닌데, 어떻게 위없는 깨달음을 얻을 수 있겠습니까? 불도는 너무나 멀고 가없이 넓어, 무량겁을 지나면서 부지런히 고행을 닦고 공덕을 쌓으며, 모든 바라밀을 원만히 닦은 연후에야 비로소 이룰 수 있습니다.
그리고 여자의 몸은 다섯 가지의 장애가 있습니다. 첫째 대범천왕, 둘째 제석천왕, 셋째 마왕, 넷째 전륜성왕, 다섯째 부처의 몸이 될 수 없습니다. 그런데 어떻게 여자의 몸으로 속히 성불할 수 있습니까?"

時舍利弗語龍女言。汝謂不久得無上道，是事難信。所以者何。女身垢穢，非是法器，云何能得無上菩提。佛道懸曠，經無量劫，勤苦積行，具修諸度，然後乃成。又女人身，猶有五障，一者·不得作梵天王，二者·帝釋，三者·魔王，四者·轉輪聖王，五者·佛身，云何女身速得成佛。

라) 용녀가 성불하다

그때 용녀에게 그 가치가 삼천대천세계처럼 그렇게 많은 하나의 보배구슬이 있었는데, 그것을 손으로 잡아서 부처님께 바치니 부처님께서는 즉시 그것을 받으셨다. 용녀는 지적보살과 사리불존자에게 말하였다.
"내가 보주를 바치니 세존께서 받으셨는데, 이 일은 빠르지 않습니까?"
답하기를 "매우 빠릅니다."
용녀가 말하였다. "그대의 신통력으로, 내가 부처를 이루는 것이 이보다 더 빠른 것을 볼 것입니다."
당시 법회의 대중들은 모두 용녀가 갑자기 남자로 변하여 보살행을 원만히 갖추고, 즉시 남방의 무구세계로 가서 보배 연꽃 위에 앉아 정등각을 이루어 삼십이상과 팔십종호를 갖추고 널리 시방의 일체중생을 위하여 묘법을 연설하는 것을 보았다.

爾時龍女有一寶珠，價直三千大千世界，持以上佛，佛卽受之。龍女謂智積菩薩·尊者舍利弗言。我獻寶珠，世尊納受，是事疾不。答言，甚疾。女言。以汝神力，觀我成佛，復速於此。當時衆會，皆見龍女，忽然之間，變成男子，具菩薩行，卽往南方無垢世界，坐寶蓮華•，成等正覺。三十二相·八十種好，普爲十方一切衆生演說妙法。

좌보련화(坐寶蓮華)• 보련화 위에 앉는 것은 바로 연화화신(蓮華化身)으로서, 연꽃 꽃술에서 화신이 부처를 이루는 것이다. 연화화신은 그렇게 쉬운 일이 아니며, 닦을 수 없는 고행을 많이 닦아야 한다. 다음의 여덟 가지의 인연을 갖추어야 비로소 연화화신을 얻을 수 있다.

① 목숨을 잃을 지경이라도 남의 잘못을 말하지 않는다. 예를 들면 "그 일은 내가 한 것이 아니며, 그의 잘못이니 나를 탓하지 마시오!"라고 변명하지 않으면 목숨이 날아갈 판이라도, 다른 사람의 잘못을 말하지 않는 것이다. 생각해 보라. 누가 이렇게 할 수 있겠는가? 어떤 사람이 너희의 생명을 요구하는데 만약 너희가 그에게 설명하지 않는다면 생명이 없어진다. 설명하면 생명은 건질 수 있다. 그러나 심지어 자기의 생명이 없어지려고 하는데도 남의 과실을 말하지 않는다면 연화화신을 얻을 수 있다. 하루 종일 남의 시비를 이야기하면 연화화신을 얻을 수 없다. 다만 이전에 너희가 남의 시비를 말한 것은 관여하지 않겠다. 내가 너희를 가르친 후에는 이전에 저질렀던 죄업에 대해서는 너희에게 죄가 없을 것이라고 증명할 수 있지만 이후에 다시 남의 시비를 말하면, 나는 증명하지 않을 것이다.

② 중생을 권유하고 교화하여 삼보에 귀의하게 한다.

③ 모든 것을 보리심에 놓는다.

④ 범행(梵行)을 정미하게 닦고 오염되지 않게 한다. 범행이란 바로 청정한 행이다. 오염되지 않는다는 것은 탐하지 않고, 화내지 않고, 어리석

지 않은 것이다. 정미하게 범행을 닦는다는 것은 조금의 탐심도 없는 것이다. 너희는 경을 들을 때는 탐심이 없으나, 경을 듣지 않을 때 이 탐심은 다시 나온다. 혹은 심지어 경을 들을 때 내가 탐심을 가지지 말라고 말하면 이를 이해하지 못하고 '아, 정말이지, 이런 도리를 말하다니! 내가 가장 좋아하는 것이 탐심인데, 왜 탐심을 가지지 말라고 하는가?'라고 생각하면서 성미를 낸다. 성미가 나오면 이후에는 경을 듣지 않는다. "나는 잠자는 것이 경을 듣는 것보다 좋아!" 보라. 정미하게 범행을 닦는 것은 바로 미세하고 미세한 곳에서도 모두 탐심을 내지 않는 것이다.

⑤ 불상을 조성하여 연꽃좌대에 안치한다.

⑥ 걱정하고 고뇌하는 중생들에게 걱정과 고뇌를 제거한다. 즉 너희가 중생의 고뇌를 해결할 수 있다면, 중생이 고뇌할 때 해결해 주는 것이다.

⑦ 아만심을 가진 사람에게 항상 스스로를 겸양하고 낮춘다.

⑧ 다른 사람을 번뇌하지 않게 한다.

마) 대중이 얻은 이익

그때 사바세계의 보살, 성문, 천룡팔부, 사람과 사람 아닌 중생들 모두 저 용녀가 성불하여 널리 인간과 천인을 위하여 법을 설하는 것을 멀리서 보고, 마음으로 크게 기뻐하면서 공경하게 예배하였다. 무량한 중생들이 법을 듣고 이해하고 깨달아 불퇴전의 과위를 얻었으며, 또한 무량한 중생이 성불의 수기를 받았다.

무구세계는 여섯 가지로 진동하고, 사바세계에서 삼천의 중생은 불퇴전의 경지에 머물고, 삼천의 중생은 보리심을 발하고 수기를 얻었다.

지적보살과 사리불과 법회의 모든 대중들은 말없이 믿고 받아들였다.

爾時娑婆世界, 菩薩·聲聞·天龍八部·人與非人, 皆遙見彼龍女成佛, 普爲時會人天說法, 心大歡喜, 悉遙敬禮。無量衆生聞法解悟, 得不退轉, 無量衆生, 得受道記。無垢世界, 六反震動•。娑婆世界, 三千衆生住不退地, 三千衆生發菩提心, 而得受記。智積菩薩及舍利弗。一切衆會默然信受。

육반진동(六反震動)• 이것은 이른바 "대지가 여섯 가지로 진동한다.[大地六遍震動]"는 것을 말한다. 여섯 가지는 진(震: 벼락치다), 후(吼: 울부짖다), 격(擊: 부딪치다), 동(動: 움직이다), 용(湧: 솟아나오다), 기(起: 융기하다)를 뜻한다. 앞의 세 가지는 소리에 속하고, 뒤의 세 가지는 형상에 속한다.

이것은 또한 우리의 육근(六根)의 진동을 나타낸다. 육근이란 눈, 귀, 코, 혀, 몸, 뜻을 말한다. 너희가 수도할 때 어떤 때는 천둥, 벼락이 치는 그런 느낌을 가지게 된다. 어떤 때는 마치 싸우는 소리 같은 것이 들리고, 어떤 때는 마치 부딪치는 것과 같으며, 어떤 때는 좌선하면서 움직이는 것을 느끼게 되는데, 이런 움직임은 너희가 그것을 움직이려는 것이 아니라 그것이 저절로 움직이는 것이다. 그리고 좌선할 때 어째서 몸이 허공으로 용솟음치는가? 또한 좌선하면서 온몸이 공중으로 뜨는 것을 느끼게 된다. 이것을 육변진동(六遍震動)이라고 한다. 또 육반진동(六反震動) 혹은 육종진동(六種震動)이라고도 한다. 각 하나의 진동은 다시 세 종류로 나누는데, 이것은 18계를 나타낸다. 즉 육근, 육진(六塵), 육식(六識)을 말한다.

十三

권지품
(勸持品)

『법화경』 수지(受持) 발원

무엇을 권지(勸持)라고 하는가? 갖가지의 언어로써 상대방에게 권하여 이 경전을 독송하고 수지하게 하는 것이다. 본래 너희는 『법화경』에 대하여 알지 못했는데 누군가에게 이런 말을 들었을 것이다. "모든 경전 가운데 『법화경』이 경 가운데의 왕이다. 너희가 만약 『법화경』을 읽으면 그 공덕은 불가사의하다. 이 『법화경』은 말할 수 없을 정도로 묘한 것이며, 이보다 더 묘한 것은 없다. 믿지 못하겠으면 한 번 읽어봐라. 그러면 묘한 맛을 알게 될 것이다." 너희는 이러한 말을 듣고 '아, 그렇게 묘한가! 나도 한 번 읽어봐야지'라고 생각한다. 너희가 『법화경』을 읽어보면 곧 멈출 수 없다. 그래서 매일 『법화경』을 독송하고 서사하면서 『법화경』을 수지할 것을 발심하게 되는 것이다. 따라서 「권지품(勸持品)」이라고 한다.

남에게 『법화경』 독송을 권하면 무량한 공덕이 있다. 하물며 우리는 지금 『법화경』을 강설하고 듣고 있으니, 더욱 공덕이 불가사의하며 크다. 그래서 석가모니 부처님과 대보살, 성문, 아라한은 모두 일체중생에게 이 『법화경』을 수지할 것을 권하는 것이다.

가. 『법화경』 수지 발원

1) 보살의 수지 발원

그때 약왕보살마하살과 대요설보살마하살은 이만의 보살권속들과 함께 모두 부처님 앞에서 이러한 서원을 발하였다. "부디 세존께서는 염려하지 마시기 바랍니다. 저희는 부처님께서 열반에 드신 후 마땅히 이 경전을 받들어 수지하고 독송하겠습니다. 후세에 악한 세상의 중생은 선근이 점차로 적고 증상만을 가진 사람이 많을 것이며, 그들은 이익과 공양을 탐하고 불선근을 증가하여 해탈로부터 멀어질 것입니다. 비록 그들을 교화하기 어려울지라도, 저희는 마땅히 큰 인내력을 일으켜 이 경을 독송하고 수지하며 해설하고 서사하며, 갖가지로 공양하는데 목숨을 아끼지 않겠습니다."

爾時藥王菩薩摩訶薩, 及大樂說菩薩摩訶薩, 與二萬菩薩眷屬俱, 皆於佛前作是誓言。唯願世尊不以爲慮, 我等於佛滅後, 當奉持讀誦, 說此經典。後惡世衆生, 善根轉少, 多增上慢•, 貪利供養, 增不善根, 遠離解脫。雖難可敎化, 我等當起大忍力, 讀誦此經, 持說書寫, 種種供養, 不惜身命。

후악세중생(後惡世衆生) 선근전소(善根轉少) 다증상만(多增上慢)• 장래 악세의 중생은 사람마다 부처를 믿지 않으며, 불법을 강의해도 듣는 사람이 없다. 무엇 때문인가? 그러한 죄악의 세계에서는 중생의 선근이 나날이 적어지기 때문이다. 따라서 그 중생도 박복(薄福)하다. 선근이 있는 사람을 찾아도 매우 적으며, 증상만의 사람은 가장 많다. 마치 이렇게 말하는 사람과 같다. "내가 누군지 그대는 아는가? 내가 바로 부처야! 내가 부처일 뿐 아니라 사람마다 모두 부처야!" 이것이 바로 증상만이다.

이러한 사람은 부끄러움을 모르고, 업장의 귀신으로서 도리어 자기가 부처라고 말한다. 그는 무슨 일을 하든지 계율을 지키지 않고 불교의 경전에 대하여 한 부도 이해하지 못하면서 자기가 부처라고 말한다. 한 부의 경도 알지 못하면서 무슨 부처인가? 부처님은 경을 설하셨는데, 부처님이 설하신 경의 이름조차도 모르면서 부처라고? 이것이 바로 증상만이다. 증상만은 오로지 나[我]만 있고, 남들이 자기가 부처라는 것을 수긍하지 않으니 "모든 사람은 부처다."라고 말하는 것이다. 모든 사람이 부처이면 수행할 필요도 없고, 부처를 이룰 필요도 없다. 그럼 무엇을 닦겠는가? 따라서 이러한 사람은 그야말로 혼탁함이 극에 달한 자이다.

2) 성문의 수지 발원

그때 대중 가운데 수기를 받은 오백 명의 아라한이 부처님께 말하였다. "세존이시여! 저희도 다른 국토에 가서 이 경을 널리 설할 것을 서원합니다."
그러고 나서 수기를 받은 유학과 무학 팔천 명의 사람은 자리에서 일어나 부처님께 합장하고 서원을 말하였다. "세존이시여! 저희도 다른 국토에 가서 이 경을 널리 설하겠습니다. 무슨 까닭인가 하면, 이 사바세계에는 나쁘고 악한 사람이 많으며, 마음속으로 증상만을 품고 있으며, 공덕이 천박하며 분노하고 혼탁하며 아첨하고 바르지 못하며, 마음이 진실하지 못하기 때문입니다."
爾時, 衆中五百阿羅漢得受記者, 白佛言。世尊。我等亦自誓願, 於異國土廣說此經。復有學無學八千人得受記者, 從座而起, 合掌向佛, 作是誓言。世尊。我等亦當於他國土廣說此經, 所以者何。是娑婆國中, 人多弊惡, 懷增上慢, 功德淺薄, 瞋濁諂曲, 心不實故。

3) 비구니 대중의 수기(受記)와 발원

가) 마하파사파제 비구니의 수기

그때 부처님의 이모이신 마하파사파제 비구니는 유학과 무학의 비구니 육천 명과 함께 자리에서 일어나 일심으로 합장하고 부처님의 존안을 우러러보며 눈을 잠시도 떼지 못하였다.

그때 세존께서는 교담미(마하파사파제 비구니)에게 말씀하셨다.

"무슨 까닭으로 걱정하는 표정으로 여래를 바라봅니까? 내가 당신의 이름을 거론하지 않고 무상정등정각의 수기를 주지 않았기 때문입니까? 교담미시여! 나는 먼저 총괄적으로 모든 성문들에게 이미 수기를 준다고 말하였는데, 지금 당신은 당신의 수기 내용을 알고 싶어 하시는군요. 당신은 미래세에 육만 팔천억 제불의 법 가운데서 대법사가 될 것이며, 아울러 육천 명의 유학과 무학의 비구니도 모두 법사가 될 것입니다. 당신은 이와 같이 점차적으로 보살도를 구족하여 부처가 될 것이며, 명호를 일체중생희견여래, 응공, 정변지, 명행족, 선서, 세간해, 무상사, 조어장부, 천인사, 불세존이라고 할 것입니다. 교담미시여! 이 일체중생희견여래와 육천의 보살은 함께 차례대로 무상정등정각의 수기를 줄 것입니다."

爾時佛姨母摩訶波闍波提比丘尼, 與學無學比丘尼六千人俱, 從座而起, 一心合掌, 瞻仰尊顔, 目不暫捨。於時世尊告憍曇彌。何故憂色而視如來, 汝心將無謂我不說汝名, 授阿耨多羅三藐三菩提記耶。憍曇彌。我先總說一切聲聞皆已授記, 今汝欲知記者, 將來之世, 當於六萬八千億諸佛法中, 爲大法師, 及六千學無學比丘尼俱爲法師。汝如是漸漸具菩薩道，當得作佛，號一切衆生喜見如來，應供·正遍知·明行足·善逝·世間解·無上士·調御丈夫·天人師·佛·世尊。憍曇彌。是一切衆生喜見佛，及六千菩薩，轉次授記，得阿耨多羅三藐三菩提。

교담미(憍曇彌)• 교담은 성(姓)으로서 구담(瞿曇)이라고도 부른다. 즉 석가(釋迦)의 성이다. 미는 여자라는 뜻이다. 그러므로 교담미란 석가족 여성에 대한 존칭이다. 자기의 이모를 이러한 존칭으로 부른 것이다.

나) 야수다라 비구니의 수기

그때 라후라의 모친인 야수다라 비구니는 이러한 생각을 하였다. '세존께서는 수기하시는 가운데 오직 나의 이름은 말씀하시지 않는구나.'
그래서 부처님께서는 야수다라에게 말씀하셨다. "그대는 미래세에 백천만억의 무수한 제불의 법 가운데서 보살행을 닦아 대법사가 될 것이며, 점차적으로 불도를 갖추어 좋은 나라에서 부처가 될 것이며, 명호를 구족천만광상여래, 응공, 정변지, 명행족, 선서, 세간해, 무상사, 조어장부, 천인사, 불세존이라고 할 것이며, 그 부처님의 수명은 무량한 아승기겁이 될 것이다."
爾時，羅睺羅母耶輸陀羅比丘尼，作是念。世尊於授記中獨不說我名。佛告耶輸陀羅。汝於來世，百千萬億諸佛法中，修菩薩行，爲大法師，漸具佛道。於善國中，當得作佛，號具足千萬光相如來，應供·正遍知·明行足·善逝·世間解·無上士·調御丈夫·天人師·佛·世尊，佛壽無量阿僧祇劫。

다) 비구니 대중들의 발원

그때 마하파사파제 비구니와 야수다라 비구니와 그의 권속들은 모두 크게 기뻐하면서 이전에 없던 일이라고 생각하고, 즉시 부처님 앞에서 게송을 설하였다.

　대도사이신 세존께서 천상과 인간 안온하게 하시고
　저희들은 수기를 듣고 마음이 원만하게 편안합니다.

모든 비구니들은 이 게송을 설한 후 부처님께 말하였다. "세존이시여! 저희도 다른 국토에서 이 경을 널리 선양하겠습니다."

爾時摩訶波闍波提比丘尼, 及耶輸陀羅比丘尼, 幷其眷屬, 皆大歡喜, 得未曾有, 卽於佛前而說偈言。

　世尊導師　安隱天人　我等聞記　心安具足

諸比丘尼說是偈已, 白佛言。世尊。我等亦能於他方國, 廣宣此經。

나. 『법화경』을 위한 보살들의 발원

1) 부처님의 분부를 기다리다

그때 세존께서는 팔십만억 나유타의 모든 보살마하살을 바라보셨다. 이 모든 보살들은 불퇴전의 보살로서, 불퇴의 법륜을 굴리며 모든 다라니를 얻었다. 그들은 즉시 자리에서 일어나 부처님 앞에 이르러 일심으로 합장하고 이렇게 생각하였다. '만약 세존께서 우리에게 지시하여 이 경을 수지하고 해설하라고 분부하시면, 마땅히 부처님의 가르침대로 널리 이 법을 선양하리라.'

그리고 다시 이렇게 생각하였다. '부처님께서는 지금 묵연히 분부하지 않으시니, 우리는 마땅히 어떻게 해야 하는가?'

爾時世尊, 視八十萬億那由他諸菩薩摩訶薩。是諸菩薩皆是阿惟越致, 轉不退法輪, 得諸陀羅尼。卽從座起, 至於佛前, 一心合掌, 而作是念。若世尊告敕我等, 持說此經者, 當如佛教, 廣宣斯法。復作是念。佛今黙然, 不見告敕, 我當云何。

2) 부처님의 뜻에 따라 발원하다

이때 모든 보살은 부처님의 뜻을 공경하게 따르고 아울러 스스로 본래의 원을 만족하기 위하여 곧 부처님 앞에서 큰 소리로 서원을 발하였다. "세존이시여! 저희는 여래께서 열반에 드신 후 시방세계를 두루 오고 가면서 중생들로 하여금 이 경을 서사하고 수지하고 독송하고 그 뜻을 해설하며, 여법하게 수행하고 바르게 억념하게 할 것입니다. 이것은 모두 부처님의 위신력 때문입니다. 오직 원하오니, 세존께서는 다른 국토에서 멀리서 보시고 수호하여 주시옵소서."

時諸菩薩敬順佛意, 幷欲自滿本願, 便於佛前作師子吼, 而發誓言。世尊。我等於如來滅後, 周旋往返十方世界, 能令衆生書寫此經, 受持讀誦, 解說其義, 如法修行, 正憶念, 皆是佛之威力。唯願世尊, 在於他方, 遙見守護。

3) 보살들의 발원 게송

가) 나쁜 비구의 악행을 참다

즉시 모든 보살들은 함께 소리를 내어 게송을 설하였다.

부디 염려하지 마소서, 부처님 열반 후 미래세에
두려운 오탁악세에서 저희들은 널리 설하오리.
지혜가 없는 많은 사람이 나쁜 말로 욕을 하고
칼과 몽둥이로 때려도 저희들 모두 참으오리다.

卽時諸菩薩俱同發聲, 而說偈言。

唯願不爲慮　於佛滅度後　恐怖惡世中　我等當廣說
有諸無智人　惡口罵詈等　及加刀杖者　我等皆當忍

악세 중의 비구는 삿된 지혜와 마음이 첨곡되어
얻지 못하고도 얻었다고 말하고 아만심이 충만하며
고요한 수행처에서 납의를 입고 한가히 지내면서
스스로 참된 도 수행한다고 사람 경시하는 자는
이양을 탐착하기 때문에 세속인에게 법을 설하여
육신통 얻은 아라한처럼 세상 사람의 공경 받네.
이 사람은 나쁜 마음 품고 항상 세속일 생각하니
다툼이 없는 적정처(寂靜處)라는 말은 거짓이네.

惡世中比丘　邪智心諂曲　未得謂爲得　我慢心充滿
或有阿練若•　納衣在空閒　自謂行眞道　輕賤人間者
貪著利養故　與白衣說法　爲世所恭敬　如六通羅漢

是人懷惡心 常念世俗事 假名阿練若

혹유아련야(或有阿練若)* 아련야(阿練若)를 어떤 사람은 아란야(阿蘭若)라고도 말한다. 아련야는 번역하면 다툼이 없다[無諍]는 뜻이며, 시끄러움이 없는 곳이라고도 한다. 즉 시끄러운 소리가 들리지 않는 맑고 고요한[淸靜] 곳을 뜻한다. 또 적정처(寂靜處)라고도 칭하는데, 매우 고요한 곳을 말한다. 이런 곳은 누가 머무는가? 수도인이 머무는 곳으로서 수행인은 어떤 때는 이러한 적정처를 찾아 거주한다.

그는 저희들의 허물 드러내기 좋아해 이렇게 말하네.
이 모든 비구들은 이익과 공양을 탐하는 까닭으로
외도법의 도리 설하고 스스로 이 법화경을 지어내어
세간 사람을 속이는 것이며 명예를 구하는 까닭으로
이 경을 분별하여 해설한다고 비방하여 말할 것이네.
그는 항상 대중 속에서 저희들 비방하려는 까닭으로
국왕과 대신, 바라문과 거사와
다른 비구들에게 우리의 악을 비방해 말하기를
저들은 사견인이며 외도의 도리를 설한다고 하리.
저희들은 부처님 공경하기 때문에 모든 악 참으며
경멸하는 말로 그대들은 모두 부처라고 말하더라도
이러한 경멸하는 말을 모두 참고 받아들이네.

好出我等過 而作如是言 此諸比丘等 爲貪利養故
說外道論議 自作此經典 誑惑世間人 爲求名聞故
分別於是經 常在大衆中 欲毁我等故 向國王大臣

婆羅門居士　及餘比丘衆　誹謗說我惡　謂是邪見人
說外道論議　我等敬佛故　悉忍是諸惡　爲斯所輕言
汝等皆是佛　如此輕慢言　皆當忍受之

◉ 이것이 바로 말법시대이다. 너희가 참된 법을 설하면 그는 너희를 가짜라고 말한다. 너희가 거짓의 법을 설하면 그는 또 진짜라고 말한다. 말법의 중생은 이렇게 진짜와 가짜, 검은 것과 흰 것을 구별할 수 없으며 인식하지 못한다. 너희가 만약 그와 몇 마디 거짓의 말을 해보면 그는 곧 기뻐한다. 너희가 참된 말을 하면 "당신의 말은 듣고 싶지 않아, 정말로 도리가 없어!"라고 말할 것이다.

우리 불교강당에서 설하는 법은 참된 것도 아니고, 거짓도 아니다. 어째서인가? 너희가 참된 것이라고 인식하면 거짓도 참된 것이며, 너희가 거짓이라고 생각하면 참된 것도 거짓으로 변한다. 따라서 "설하지만 설하지 않는다.[說而未說]"고 하며, 또한 참된 것도 참됨이 없으며 거짓된 것도 거짓이 없다. 우리는 하루 종일 말하는 사람이 없이 바로 좌선한다. 이것은 참된 것인가, 거짓된 것인가? 나도 모른다. 너희가 참된 것을 얻으면 또한 너희 자신이 알고, 거짓된 것을 얻어도 너희 자신이 안다. 마치 물을 마시는 것과 같아서, 이 물이 뜨거운지 차가운지 너희 자신이 알고 있으므로 나에게 물을 필요가 없다.

나) 『법화경』을 위해 온갖 악행 참다

오탁악세 가운데서는 무섭고 두려운 일이 많은데
악귀가 그의 몸에 들어가 우리를 욕하고 헐뜯더라도

저희들은 부처님 공경하고 믿으므로 인욕의 갑옷 입고
이 경을 설하기 위하여 이 모든 어려운 일을 참으며
저희는 목숨 연연하지 않으나 위없는 불도 아끼므로
저희는 미래세에 부처님 분부 보호하고 지키오리다.
세존께서는 아실 것이네, 오탁세계의 악한 비구는
부처님의 방편이 근기 따라 설한 법임을 모르고
욕설하고 눈살 찌푸리며 자주 보고 쫓아내며
탑사에서 멀리 떠나게 하는 이러한 온갖 악행을
부처님 분부 생각하기 때문에 이 일 모두 참으리.

濁劫惡世中　多有諸恐怖　惡鬼入其身　罵詈毀辱我
我等敬信佛　當著忍辱鎧　爲說是經故　忍此諸難事
我不愛身命　但惜無上道　我等於來世　護持佛所囑
世尊自當知　濁世惡比丘　不知佛方便　隨宜所說法
惡口而顰蹙　數數見擯出　遠離於塔寺　如是等衆惡
念佛告敕故　皆當忍是事

◉ 말법시대는 마(魔)가 강하고 불법이 약하여 악귀가 그의 몸에 들어간다. 악귀가 왜 사람의 몸에 들어가는가? 바로 그 사람의 마음이 정당하지 못하기 때문이다. 마음이 정당하지 못하고 삿된 생각을 가지면, 곧 악귀가 구멍으로 들어오기 쉽다. 악귀가 사람의 몸에 붙으면 아무것도 알지 못하며, 또한 자기가 무엇을 말하는지도 모른다. 왜냐하면 삿됨이 마음을 미혹시켰기 때문이다. 악귀가 그의 마음을 미혹시켜 아무것도 모르게 한다. 그가 하는 말은 악귀가 말하는 것인데 그 사람 자신은 모른다.

내가 이전에 새크라멘토 거리에 있을 때 악귀가 몸에 붙은 여인을 만난 적이 있다. 그녀는 자기가 성인(聖人)이고 보살이라고 말하였다. 나는 그녀에게 말하였다. "보살이면 마땅히 무엇이든 알 것인데, 너희는 어째서 아무것도 모르는가?" 그녀는 말을 하지 못하고 결국 가버렸다. 지금은 이렇게 성현이라고 사칭하는 사람이 매우 많다. 그녀 자신은 본래 귀신인데, 악귀가 그의 몸에 들어와서 '자기는 보살이며, 혹은 무슨 부처로서 중생을 교화하러 왔다'고 말한다. 실제로는 이 모두 악귀가 몸에 붙은 것이다.

왜 악귀가 사람의 몸에 붙는가? 바로 사람의 마음이 귀신으로 변하였기 때문이다. 그의 마음속에 귀신이 있기 때문에 바깥의 귀신이 들어온 것이다. 바깥의 귀신과 안의 귀신이 합하여 하나가 되었기 때문에 그는 이 귀신에게 지배당하여 자기가 주인이 되지 못하는 것이다.

다) 법을 구하는 자에게 『법화경』을 설하다

여러 취락과 도시에서 법을 구하는 사람 있으면
저희는 그곳에 이르러 부처님 부촉하신 법 설하리.
저희는 세존의 사자로서 대중처소에서 두려움 없이
제법을 잘 설할 것이니 부처님은 편안히 머무소서.
저희는 세존과 시방에서 오신 모든 제불 앞에서
이러한 서원 발하니 부처님은 저의 마음을 아시리.

諸聚落城邑　其有求法者　我皆到其所　說佛所囑法
我是世尊使　處衆無所畏　我當善說法　願佛安隱住
我於世尊前　諸來十方佛　發如是誓言　佛自知我心

妙法蓮華經卷第四

十四

안락행품

(安樂行品)

네 가지의 안락행

안락행은 바로 보살행이다. 보살행도 또한 안락행이다. 즉 즐겁고 편안하게 보살이 닦는 행문에 머문다는 뜻이다. 몸도 편안하고 마음도 편안하여 신심이 모두 보살도를 행하는 경계 위에 편안히 머문다는 것이다. 이러한 경계에 편안히 머물 뿐 아니라 또한 즐겁다. 어째서 즐거운가? 자기가 좋아하는 보살도를 행하기 때문이다. 앞의 「법사품」, 「제바달다품」, 「권지품」 모두 중요하지만, 「안락행품」은 더욱 중요하다. 어째서 안락한가? 여래의 좌석에 앉고, 여래의 옷을 입으며, 여래의 방에 들어가서 이러한 안락의 행을 닦기 때문이다. 이것은 보살도를 행하는 데 필수적으로 거쳐야 하는 길이다. 따라서 이것을 「안락행품」이라고 한다.

가. 네 가지의 안락행

1) 네 가지 법에 안주하라

그때 문수사리법왕자 보살마하살은 부처님께 말하였다. "세존이시여! 이 모든 보살들은 매우 희유합니다. 부처님의 뜻을 존경하여 따르기 때문에 미래의 오탁악세에서 이 법화경을 보호하고 수지하며 독송하고 해설하려는 큰 서원을 발하였습니다. 세존이시여! 보살마하살은 미래의 오탁악세에서 이 법화경을 어떻게 설할 수 있습니까?"
부처님께서 문수사리보살에게 말씀하셨다. "만약 보살마하살이 미래의 오탁악세에서 이 경을 설하려면, 마땅히 네 가지의 법에 안주해야 한다."

爾時文殊師利法王子菩薩摩訶薩白佛言。世尊。是諸菩薩, 甚爲難有, 敬順佛故, 發大誓願。於後惡世, 護持讀說是法華經。世尊。菩薩摩訶薩於後惡世, 云何能說是經。佛告文殊師利。若菩薩摩訶薩, 於後惡世, 欲說是經, 當安住四法。

가) 몸[身]의 안락행

(1) 보살이 수행해야 할 일

"첫 번째는 보살이 수행해야 할 일과 친근해야 할 것에 안주해야 중생을 위하여 이 경을 연설할 수 있다.

문수사리보살이여! 무엇을 보살마하살이 수행해야 할 일이라고 하는가? 만약 보살마하살이 인욕의 땅에 머물러 유순하고 다투지 않으며 착하고 잘 수순하며, 성질이 급하지 않고 거칠지 않으며, 마음도 놀라지 않는 것이다. 그리고 또한 법에서 행한다는 집착이 없으며, 모든 법을 관함이 진여실상에 부합되며, 또한 분별하지 않는다는 견해를 짓지 않는 것이다. 이러한 것들을 보살마하살이 수행해야 할 일이라고 한다."

一者安住菩薩行處, 及親近處, 能爲衆生演說是經。文殊師利。云何名菩薩摩訶薩行處。若菩薩摩訶薩住忍辱地, 柔和善順, 而不卒暴, 心亦不驚•。又復於法無所行, 而觀諸法如實相•, 亦不行不分別•, 是名菩薩摩訶薩行處。

이부졸폭(而不卒暴) **심역불경**(心亦不驚)• 졸(卒)이란 갑자기 무슨 일을 하여 그 결과가 매우 합리적이지 않은 것이다. 폭(暴)은 성정이 급하고 거친 것이다. 마음이 놀라지 않는다는 것은 마음속에 선정력이 있기 때문이다.

우부어법무소행(又復於法無所行) 이관제법여실상(而觀諸法如實相)• 이 보살마하살은 일체의 법에서 수행을 집착하는 마음이 없다. 이러한 집착의 생각이 없는 것을 무소행(無所行)이라고 한다. 그는 일을 해도 마치 아무런 일이 없는 것 같다. 이것은 무엇 때문인가? 그는 진정으로 놓아버렸기[放下] 때문이다. 그리고 그는 일체의 제법이 모두 공하다고 관한다. 사람들은 그가 제법이 모두 공하다고 말하면 수행을 하지 않는다. "제법이 모두 공한데 무엇을 닦는가? 닦아도 공하고, 닦지 않아도 공하니, 닦을 필요가 있겠는가?" 이러한 생각은 외도(外道)의 지견이다. 보살은 제법이 공함을 관하여 일체법이 공하다고 알지만, 완전히 진여실상의 이치에 부합한다.

역불행불분별(亦不行不分別)• 그는 또한 '분별하지 않는다'는 견해를 짓지 않는다. 외도는 제법이 공함을 분별하지 않고 또한 수행하지 않는다. 이것은 외도의 분별하지 않는 지견이다. '그것이 공한데 분별해서 무엇 하겠는가?' 외도는 이러한 사견(邪見)을 수행한다. 그러나 보살은 이러한 사견을 닦지 않는다.

(2) 보살이 친근해야 할 것

"무엇을 보살마하살이 친근해야 할 것이라고 하는가? 보살마하살은 국왕, 왕자, 대신, 관리를 친근하지 않는다. 모든 외도의 범지와 니건자 등을 친근하지 않으며, 세속의 문필가와 외도의 책을 찬양하는 사람, 그리고 악의 논의를 하는 사람과 나쁜 일을 하도록 권장하는 사람을 친근하지 않는다. 또한 모든 흉악한 놀이와 서로 때리고 치는 공연과 대역사(大力士) 등의 연기와 마술공연을 친근하지 않는다.

그리고 도축을 하는 하층민과 돼지·양·닭·개를 기르고 사냥을 하고 고기를 잡는 사람과, 모든 나쁜 율의를 행하는 사람을 친근하지 않는다. 이러한 사람들이 찾아오면 법을 설하되, 바라는 반연의 마음이 없어야 한다. 그리고 성문을 구하는 비구, 비구니, 청신사, 청신녀를 친근하지 않으며, 또한 안부를 묻지 않는다. 이러한 사람들과는 자기의 방과 경행처와 강당에서는 함께 머물지 않는다. 혹시 어떤 때 그들이 오면 근기에 따라 법을 설하여 주되, 조금도 바라는 마음을 가져서는 안 된다."

云何名菩薩摩訶薩親近處。菩薩摩訶薩不親近國王, 王子, 大臣, 官長•。不親近諸外道梵志, 尼犍子等•, 及造世俗文筆讚詠外書•, 及路伽耶陀•, 逆路伽耶陀者•。亦不親近諸有兇戲, 相扠相撲•, 及那羅等種種變現之戲•。又不親近旃陀羅•, 及畜豬羊雞狗, 畋獵漁捕, 諸惡律儀•。如是人等或時來者, 則爲說法, 無所希望。又不親近求聲聞比丘, 比丘尼, 優婆塞, 優婆夷, 亦不問訊。若於房中, 若經行處, 若在講堂中, 不共住止。或時來者, 隨宜說法, 無所希求。

보살마하살불친근국왕(菩薩摩訶薩不親近國王) **왕자**(王子) **대신**(大臣) **관장**(官長)• 대보살은 이들과 친구가 되거나 교류하지 않는다. 국왕을 가까이하는 것은 바로 반연심이다. 즉 그들과 왕래하지 않는 것을 말한다. 물론 그들과 왕래할 수도 있으나, 이는 그들이 보살을 친근하는 것이며, 보살이 그들을 가까이하는 것이 아니다.

예를 들면 절에서 조금의 반연하는 마음도 없는데 어떤 국왕이 와서 너희를 친근하고 절하는 것은 관계가 없다. 이때는 너희는 근기에 따라 그에게 법을 설할 수 있다. 따라서 이 법은 정해진 것이 없다. 그러니 너희가 집착하여 이렇게 말하면 안 된다. "아, 『법화경』의 경문에 의하면, 보살은 수행할 때 국왕, 왕자, 대신, 관리를 친근하면 안 된다고 하더라." 그래서 그들이 와도 만나주지 않으면, 이것도 잘못된 것이다. 그들이 당신을 가까이하는 것은 괜찮으며, 너희가 그들을 친근하러 가는 것이 아니면 가능하다. 그러나 만약 너희가 그들을 찾아가 "오늘은 당신의 생일이라서 내가 당신을 축하하기 위해서 왔습니다. 당신에게 『무량수경(無量壽經)』 한 권을 읽어 주어 당신의 장생불로를 기원합니다."라고 말하는 것은 안 된다. 이를 무엇이라고 하는가? 이것을 아첨한다고 하는 것이다. 이것은 잘못된 것이다.

너희가 조용한 수행처에 머물고 있는데 국왕이 와서 너희를 만나고자 하는 것은 가능한 것이다. 그러나 너희가 국왕을 오게 하려고 방법을 쓸 필요는 없다. 너희가 생각하기를 '만약 왕이 와서 나에게 절을 하면 나의 명예가 클 것이야!' 이렇게 망상을 지으면 옳지 않은 것이다. 감응에 의지하는 것은 괜찮다. 감응에 의지하는 것은 어떤 것인가? 위태(韋馱) 보살이 그를 오게 하는 것이다. 너희에게 수행이 있으면 위태보살이 보고, '이 보살에게는 호법이 없구나, 내가 큰 호법을 찾아서 그를 도와야겠구나.' 하여 부유한 사람으로 하여금 너희를 돕게 하는 것이다. 이것은 가능한 것이다.

불친근제외도범지(不親近諸外道梵志) 니건자등(尼揵子等)• 범지란 출가한 외도를 말한다. 니건자도 외도의 하나이다. 외도에는 아흔여섯 종류가 있다. 따라서 등(等)이라고 말한 것이다. 니건자는 번역하면 '속박을 떠나다[離繫]'라는 뜻이다. 속박을 떠났지만 해탈을 얻지 못했으므로 외도의 하나이다.

급조세속문필찬영외서(及造世俗文筆讚詠外書)• 세간에서 영화나 연극의 대본을 쓰며, 사람들에게 음욕심을 일으키는 소설을 쓰는 것을 모두 세속문필(世俗文筆)이라고 한다. 찬영외서(讚詠外書)란 불교의 서적이 아닌 외서를 찬탄하는 것이다.

급로가야타(及路伽耶陀)• 로가야타(路伽耶陀)는 악론(惡論)이라고 번역한다. 즉 나쁜 논조(論調), 나쁜 논의(論議)를 뜻한다. 이리저리 설명해도 하나의 진리가 나오지 않으며, 사람으로 하여금 악을 짓게 하는 것이다. 마치 "그대는 독약을 많이 먹으면 곧 크게 깨달을 것이고, 적게 먹으면 작게 깨달을 것이다. 따라서 너희는 많이 먹을수록 좋다!"라고 말하는 것과 같은 것이다. 이것은 스승이 제자를 파괴하는 논(論)이다. 너희가 아무리 옳아도 스승은 옳지 않다고 말하며, 너희에게 악의 논과 도리에 부합하지 않는 논을 짓게 하는 것이 로가야타다.

역로가야타자(逆路伽耶陀者)• 역로가야타는 바로 역론(逆論)이다. 어떠한 것을 역론이라고 하는가? "그대가 만약 그대의 아버지를 죽일 수 있으면, 그대는 영웅이야!", "그대가 만약 그대의 스승을 한 대 때리면, 그대는 정말로 대장부야!", "그대가 불상을 깨부수면, 내가 그대에게 절을 할게!" 이렇게 권하는 것이 역론이다. 사람에게 거스르는 일을 짓게 하고, 나쁜 일을 권장하는 것이다. 역론은 제자로 하여금 스승을 파괴하는 것이다. 앞의 로가야타가 스승이 제자를 파괴하는 것이라면, 이것은 제자가 전문적으로 스승을 파괴하는 것이다.

역불친근제유흉희(亦不親近諸有兇戲) 상차상박(相扠相撲)• 서로 죽이고, 투쟁하고, 전쟁하는 영화·연극·공연은 보러 가거나 들으면 안 된다. 그리고 서로 무술을 겨루고 치고 때리는 것도 보면 안 된다.

급나나등종종변현지희(及那羅等種種變現之戲)• 나라(那羅)란 대역사(大力士)라는 뜻이다. 대역사는 무거운 것을 들면서 너희와 힘을 비교하는 것이다. 그리고 마술도 보면 안 된다. 마술은 어린아이가 보면 진짜라고 여긴다. 보살은 이러한 마술의 극도 보지 않아야 한다.

우불친근전다라(又不親近旃陀羅)• 전다라는 인도의 종성(種姓) 가운데 하나이다. 가장 하층계급을 가리킨다. 전다라는 가축을 도살하는 사람으로서 마을 가운데 살 수 없으며, 일반인이 걸어가는 길을 갈 수 없다. 그들은 거리에서 남들이 알 수 있도록 심지어 요령을 달고 표시판을 걸고 가야 한다.

제악율의(諸惡律儀)• 나쁜 율의를 지니는 모든 사람을 뜻한다. 그들은 스님이라고 말하지만, 입은 옷은 이상하고 각지로 다니며 돈을 걸식한다. 지금 기괴한 사람들이 종종 있는데, 괴상한 옷을 입고 다닌다. 이 모두를 악율의라고 한다.

"문수사리보살이여! 그리고 보살마하살은 여인의 몸을 보고 욕망의 생각을 일으킬 상을 취해 법을 설하면 안 되며, 또한 여인 보는 것을 즐기지 않아야 한다. 만약 보살이 남의 집에 들어가면, 소녀와 처녀와 과부들과는 함께 말하지 않아야 하며, 또한 남자도 아니고 여자도 아닌 다섯 종류의 사람과는 가까이하여 두텁게 친하지 않아야 한다. 혼자 남의 집에 들어가지 말아야 하며, 만약 인연이 있어 혼자 들어가야 할 때에는 일심으로 염불을 해야 한다.
만약 여인을 위해 설법을 하면 치아를 드러내 웃지 말고, 가슴의 살이 드러나지 않도록 해야 하며, 법을 위하여 설법할 경우라도 깊이 친하지 않아야 할 것인데, 하물며 다른 일에 있어서야 말할 필요가 있겠는가? 나이가 어린 제자와 어린 사미를 거두어 양성하기를 원하지 않아야 하며, 또한 그들과 같은 스승을 모시기를 원하지 않아야 한다. 항상 좌선하기를 좋아하고, 한적한 곳에서 그 마음을 수섭해야 한다. 문수사리보살이여! 이것을 첫 번째 친근해야 할 일이라고 한다."

文殊師利。又菩薩摩訶薩, 不應於女人身, 取能生欲想相而爲說法, 亦不樂見。若入他家, 不與小女, 處女, 寡女等共語。亦復不近五種不男之人, 以爲親厚。不獨入他家, 若有因緣須獨入時, 但一心念佛。若爲女人說法, 不露齒笑, 不現胸臆, 乃至爲法, 猶不親厚。況復餘事。不樂畜年少弟子, 沙彌小兒, 亦不樂與同師。常好坐禪, 在於閒處, 修攝其心。文殊師利, 是名初親近處。

역부불근오종불남지인(亦復不近五種不男之人) 이위친후(以爲親厚) 남자가 아닌[不男] 사람이라고 하는데, 그럼 여인이란 말인가? 여인도 아니다. 그는 남자라고 말하지만 남자의 일을 못하며, 여자라고 말하지만 여인의 일을 할 수 없다. 그래서 이 다섯 종류를 남자가 아닌 사람이라고 한다. 남자도 아니고 여자도 아닌 것은 그럼 무엇인가? 그야말로 세상에서 조금의 쓸모도 없는 사람이며, 밥 먹는 물건이다. 이러한 사람에 다섯 종류가 있다.

① 생(生) : 태어나면서부터 남근도 없고, 여근도 없는 사람이다. 이 사람은 남자도 아니고 여자도 아니다. 왜 이러한 과보를 받고 태어나는가? 과거에 동성애를 좋아했기 때문이다. 그래서 사람의 모습은 있지만, 사람의 근이 없는 것이다.

② 건(犍) : 본래 남근이 있으나 남근을 제거한 사람이다. 혹은 악창이 생겨 남근이 허물어져 버린 경우도 있으며, 여인도 마찬가지다.

③ 투(妒) : 그는 남자를 보면 질투심이 생겨 남자로 변하지만, 남자의 일을 하지는 못한다. 어떤 때는 여자를 보면 질투심이 생겨 또 여인으로 변하지만, 여인의 도리를 할 수 없다. 이러한 형상은 모두 질투심으로 인하여 생긴 것이다.

④ 변(變) : 이 사람은 예를 들어 열두 시간은 남자이고, 그 시간이 지나면 여인으로 변하는 것이다. 스스로 변할 수 있는 것이다. 그래서 '남자인데 남자가 아니고, 여자인데 여자가 아닌' 사람이라고 한다. 이러한 모습은 무슨 도리인가? 그가 이렇게 변하는 것도 바로 동성애 때문에 조성된 것이다. 혹은 스스로가 자기의 음욕을 행하는 행위(자위행위)를 하면 장래 이러한 과보를 받게 된다.

⑤ 반(半) : 한 달 가운데 반은 남자로 변하고, 반은 여자로 변하는 것이다.

불법을 연구해야 비로소 이런 도리를 이해할 수 있다. 불법을 연구하지 않는 사람은 근본적으로 이런 다섯 종류의, 남자도 아니고 여자도 아닌 것을 알지 못할 것이다. 이 다섯 종류의 사람은 출가하려고 해도 받을 수 없으며, 허락할 수 없다. 부처님께서도 이런 다섯 종류의 사람을 제도하지 않은 것은 그들이 너무 나쁘기 때문이다. 그들의 생각은 가장 나쁘고 오염된 것이다. 따라서 어떤 경우를 막론하고 만약 이러한 자위행위[自瀆]의 정황이 있으면, 이런 다섯 종류의 사람으로 변할 수 있을 것이다. 이 다섯 종류의 사람은 제근이 구족되지 못했다고 한다. 남녀의 근이 구족되지 못한 이것은 세계에서 가장 나쁜 사람이다. 그러므로 사람이 되었으면 반드시 자기 스스로 규칙을 지켜야 한다. 너희가 규칙을 따르지 않으면 장래 과보를 받을 것이며, 또한 정상적인 사람이 되지 못한다.

불락축연소제자(不樂畜年少弟子) 사미소아(沙彌小兒)• 불락(不樂)이란 원하지 않는다는 뜻이다. 출가인이 나이가 들어 자기를 모실 사람이 없다고 나이 어린 제자를 받아들이는 것은 옳지 않다. 왜냐하면 출가인이나 보살행을 닦는 사람은 마땅히 누리지 말아야 하며, 남으로 하여금 자기를 시봉하게 해서는 안 된다. 보살도를 행하는 사람은 매우 불편하며, 많은 일을 할 수가 없다. 너희가 대충대충 사는 것은 불가하다. 따라서 너희는 어린 제자를 받아들이려고 생각하면 안 된다. 다만 특별한 상황이 있으면 예외를 둘 수는 있다.

왜 어린 제자를 거두지 말아야 하는가? 어린 제자는 가르침을 잘 듣지 않기 때문이다. 부모의 말도 잘 안 듣는데 어떻게 그를 잘 가르칠 수 있겠는가? 그러나 만약 그가 말을 잘 듣고, 내력이 확실하고, 개구쟁이가 아니라면, 제자로 받아들일 수 있다. 경전의 문구를 너무 고지식하게 해석하면 안 되고 활발발하게 보아야 한다.

◉ 불법을 강의하려면 반드시 선정력을 닦아야 한다. 너희가 만약 선정력을 가지면, 물에 들어가도 빠지지 않고 불에 들어가도 타지 않는다. 비유하면 가장 좋은 금 열 돈을 불로 아무리 태워도 줄어들지 않는 것과 같다. 도를 닦는 것도 이와 같아서, 너희가 만약 진정으로 수행이 성공하면 불로 태워도 타지 않고, 물로 잠기게 해도 파괴되지 않는다. 이것을 인연을 따르되 변하지 않고[隨緣不變], 변하지 않으면서 인연을 따르는[不變隨緣] 것이라고 한다. 이렇게 할 수 있는 것이 가장 불가사의한 경계이다. 만약 이러한 경지에 이르지 않았으면, 반드시 조심하고 근신(謹愼)해야 하며, 시시각각 망상을 짓지 않아야 한다.

◉ 지금은 이곳 불교강당에 사람도 이전보다 많고, 규칙도 매우 좋아졌다. 이전에 내가 수터 거리[Sutter Street]에 있을 때는 사람들이 와서 경을 듣는 모습이, 어떤 사람은 엎드려 경을 듣고, 어떤 사람은 누워서 듣고, 어떤 이는 의자 위에 발을 걸치고 머리는 의자 밑으로 두고 들었다. 왜 그러한 모습이었는가? 그들은 그것을 요가를 연습하는 것으로 생각하였다. 그래서 나도 그들이 그렇게 하는 데 신경 쓰지 않았다. 왜냐하면 그 당시에는 사람마다 규칙을 알지 못했기 때문이며, 그래서 규칙을 지키는 사람도 없었던 것이다.

이곳으로 와서 과용(果容)이 대학생을 데리고 왔는데, 그들은 대학생이라 약간의 규칙을 이해하였다. 그래서 조금씩 규칙을 따르게 되었다. 아울러 첫 번째 여름방학 연수반을 열었을 때는 나도 매우 엄격하여 일 분이라도 시간을 허비하는 것을 허용하지 않았으며, 오 분도 쉬지 못하게 하였다. 그래서 어떤 사람은 소란을 일으키려고 생각하였지만 성공하지 못했다.

두 번째 여름방학 연수반에서는 규칙이 더욱 좋아졌다. 이전에는 사람들이 출가인에게 절을 하는 것을 근본적으로 이해하지 못했다. 하지만 그때 어떤 사람은 매일 나에게 절을 하였으며, 네 시간 동안 꿇어 앉을 수도 있다고 하였다. 그리고 과지(果地)는 이곳에 와서 지도자가 되어 매일 나에게 절을 한다. 이후 주미륵(周彌勒)이라는 이는 그를 보고 절을 하면서 내가 그들에게 절을 하라고 시켰다고 말하였다. 사실 나는 사람들에게 나를 향해 절하라고 시키지 않았다. 나는 스스로 도덕이 없음을 알기에 남들이 나에게 절하는 것을 좋아하지 않는다. 그럼에도 이 사람은 미친 듯이 나에게 절을 하였다. 그는 그 일을 신중하게 생각하려고, 또한 그가 자격이 있다고 생각하였기 때문에 농담하듯이 절을 하였다. 이후 농담하듯이 자기의 체면이 없게 되었다.

불교강당은 지금에 이르러 약간의 규칙이 있으며, 아울러 여러분 미국인들도 이러한 규칙을 세우고 말을 하지 않는다. 이것은 내가 가장 동의하는 것이다. 왜냐하면 나도 말하는 것을 좋아하지 않기 때문이다. 지금은 매우 좋아졌으며, 이전에 비하여 규칙도 생기게 되었다. 그럼 앞으로는? 하루하루 더 좋아질 것이라고 나는 믿는다.

상호좌선(常好坐禪) 재어한처(在於閒處)• 너희가 좌선을 좋아한다면 좌선을 할 수 있으나, 만약 좋아하지 않으면 좌선을 해도 아무런 소용이 없다. 항상 좌선하기를 좋아하는[常好坐禪] 것은 보살도를 수행하는 가장 중요한 하나의 조건이다. 좌선을 좋아하지 않으면 즉 산란심을 좋아하는 것이다.

좌선은 정력(定力)을 얻을 수 있다. 그럼 선은 앉아서 하는 것인가? 앉아서 하는 것이기도 하고, 앉아서 하는 것이 아니기도 하다. 너희가 앉기 전에는 앉는 것이 아니며, 앉은 후에는 또한 앉는 것이 아니다. 좌선을 할 때 바로 앉는 것이다. 실제로 이 선은 서서도 할 수 있고, 길을 걸어가면서도 할 수 있으며, 잠을 자면서도 할 수 있다. 너희가 만약 선을 할 줄 알면, 가고 머물고 앉고 누워도 모두 선이다. 하지만 선을 이해하기 전에는 반드시 먼저 앉아서 해야 한다. 너희가 선을 얻으면 선을 떠날 수 없으며, 가고 머물고 앉고 누워도 선은 바로 너희이고, 너희도 바로 선이다. 선도 너희를 따르고, 너희도 선을 따른다. 마치 그림자가 형체를 따르듯이 떠나려고 해도 떠날 수 없다. 그것이 바로 선정력이며, 이것이 좌선이다.

선은 도대체 무엇인가? 무엇도 아니다. 너희가 만약 그것이 무엇이라고 여긴다면, 집착함이 있는 것이다. 아무것도 아니라야 집착함이 없는 것이다. "이것은 가장자리(끝)에 붙지 않는다는 말이군!" 당연히 만약 가장자리가 있으면 선이 아니다. 선은 바로 가장자리가 없는 것이며, 또한 공한 것이다. 공한 것이라야 너희의 선정력이 나오고 삼매가 나온다.

너희가 선을 할 줄 모르면, 앉아서 망상을 짓는다. 정진할 수 있으면 망상을 때려서 도망가게 하며, 곧 망상이 없게 된다. 너희는 망상을 때리는 것을 나쁜 것이라고 생각해서는 안 된다. 망상을 때리는 것은 좋은 것이며, 망상을 때려 도망가게 할 수 있다. 망상이 나오면 너희는 곧 항마저(降魔杵)로 때려서 망상을 죽게 해야 한다. 조금 있다가 다시 망상이 나오면 또 항마저로 때려죽인다.

어떤 때는 때려죽여도 계속 살아나는데, 이때는 어떻게 해야 하는가? 바로 참마검(斬魔劍: 마를 베는 검)을 사용하는 것이다. 망상이 나오는 것을 보고 검을 휘둘러 베면 다시 살아날 수 없을 것이다. 따라서 참마

검은 대단한 것이다. 너희가 망상을 베어 죽이면 너희의 지혜가 살아나올 것이다. 지혜가 바로 참마검이다. 너희에게 지혜가 있으면 곧 참마검을 가진 것이다. 그러므로 항상 좌선하기를 좋아하여[常好坐禪] 정력을 닦기를 원하는 것은 보살이 마땅히 수행해야 하는 것이다.

수섭기심(修攝其心)• 섭(攝)이란 마치 자석이 쇠붙이를 흡수하고 끌어당기는 것과 같다. 무엇을 끌어당기는가? 마음을 끌어당긴다. 즉 너희의 마음을 도망가지 못하게 하는 것이다. 어떤 사람은 묻는다. "나의 마음이 도망갈 수 있는가?" 너희의 마음은 도망갈 수 있을 뿐 아니라 십만 팔천 리나 도망갈 수 있으며, 어디로 도망가는지도 모른다. 앞생각이 유럽으로 가면, 뒷생각은 호주로 가고, 그 뒷생각은 또 아시아로 간다. 이렇게 해도 돈을 쓸 필요도 없고 비행기표를 살 필요도 없이 오대양을 유람할 수 있으니, 너희는 매우 값싼 일로 여길 것이다.

그러나 사실 너희 자성(自性) 속의 가솔린을 너희는 너무 많이 사용하였다. 단지 너희가 느끼지 못할 뿐이다. 그 기름(가솔린)은 무엇을 하는가? 빛을 발할 수 있다. 그러나 너희가 다 써버리면 빛이 없이 어둡다. 내가 설명하는 이 속에는 확실히 진정한 도리가 들어 있으며, 너희가 이해하면 매우 유용하다. 만약 너희가 이해하지 못하면, 장래 기름을 다 사용하여 어둡게 변할 것이며, 아귀의 세계로 달려갈 것이다.

따라서 맹자가 말하였다. "사람은 닭이나 개를 잃어버리면 그것을 찾을 줄을 아나, 마음을 잃어버리면 찾을 줄을 모르니, 슬프도다!" 여러분은 망상을 짓는 것의 해로움을 마땅히 알아야 할 것이다. 함부로 망상을 지어서는 안 된다. 망상을 짓는 것은 마음을 닦고 거두어들이는[修攝其心] 것이 아니다.

◉ 마음을 수섭(修攝)하려면 어떻게 해야 하는가?

첫째, 오욕(五欲)을 책망해야 한다. 무엇이 오욕인가? 바로 색(色)·성(聲)·향(香)·미(味)·촉(觸)이며, 또한 재(財)·색(色)·명(名)·식(食)·수(睡)이다. 색은 색진(色塵)을 따라 달리는 것이며, 성·향·미·촉도 성진·향진·미진·촉진을 따라 가는 것이다. 너희가 힘써 이들 거짓의 것에 미혹되는 것이며, 미혹되어 너희의 자성이 광명을 놓지 못한다. 그래서 이 오욕을 가르쳐 얌전해지게 하는 것이 오욕을 책망하는 것이다.

둘째, 다섯 덮개[五蓋]를 포기하는 것이다. 무엇을 오개라고 하는가? 무엇을 덮는다는 것인가? 바로 너희의 정(定)을 덮고, 너희의 혜(慧)를 덮는다. 그것이 덮기 때문에 너희의 선정이 나오지 못하고, 지혜도 나오지 못한다. 너희가 만약 이 오개에 덮이고 싶지 않으면, 그것을 포기하고 그것을 요구하지 않아야 한다. 오개는 다음과 같다.

① 탐욕 : 무엇을 탐하는가? 바로 욕망을 탐한다. 이 욕망이란 가장 나쁜 것이다. 재(財)·색(色)·명(名)·식(食)·수(睡)를 탐하고, 색(色)·성(聲)·향(香)·미(味)·촉(觸)을 탐하는 것이 탐욕이다. 하지만 계·정·혜를 탐하면 가장 좋을 것이다. 부처나 보살이 되기를 탐하고, 좋은 사람이 되기를 탐하고, 효순하는 제자가 되기를 탐하는 것은 좋은 것이다.

② 진에(瞋恚) : 바로 화를 내는 것이다. 이러한 화와 분노는 이른바 천일의 공덕을 한 번의 분노로 모두 태울 수 있다. 항상 너희에게 이야기하는 것은 바로 성냄의 나쁜 점이다.

③ 수면 : 잠을 자는 것도 가장 나쁜 것이다. 잠을 너무 많이 자면 너희를 어리석게 하며, 조금도 총명하지 않게 한다. 잠을 자지 않는 것도 안 된다. 수면은 필요하며, 피로할 때 잠은 너희를 휴식하게 한다. 적당하게 자면 괜찮으나, 너무 많이 자면 덮개가 된다.

④ 도회(掉悔) : 이것은 어떻게 해야 할지를 모르는 것이며, 마음이 심하게 흔들리고 후회하는 것이다. 앉아도 편안하지 않고, 서도 서 있을 수 없는 것이다.

⑤ 의혹 : 도를 닦는데 의혹심이 나오면 이것도 일종의 덮개이다. 마치 어떤 법사가 강의하는 법에 대하여 말하기를 "법사가 강의하는 것은 모두 방편법이며, 아무런 근거도 없으며 의지할 수 없는 것이다."라고 생각하는 것과 같다.

셋째, 다섯 가지의 일을 조화시켜야 한다. 그 다섯 가지는 다음과 같다.

① 조식(調食) : 먹는 것을 적당하게 조절하는 것이다. 너무 적게 먹어도 안 되고, 너무 많이 먹어도 안 된다.

② 조수(調睡) : 잠자는 것을 적당하게 조절하는 것이다. 인생살이에서 단지 먹고 자는 이 두 가지 문제를 너희는 잘 조절해야 한다. 조절하지 못하면 곧 병이 생길 수 있다. 따라서 먹는 것은 배고프지도 않고, 배부르지도 않게 하는 것이다. 잠은 너무 많이 자도 안 되고, 너무 적게 자도 안 된다.

③ 조신(調身) : 이 몸은 일이 없게도 하지 말고, 일이 너무 많게도 하지 않아야 한다. 그러나 마땅히 이 세계에 약간의 공헌을 하려면 약간의 일이 있어야 한다.

④ 조식(調息) : 식이란 출입식을 말한다. 호흡은 너무 느리게 해도 안 되고, 너무 빠르게 해도 안 된다. 이 모두 양생의 도에 부합하지 않는다.

⑤ 조심(調心) : 앞의 네 가지를 조절하는 것은 모두 마음으로 조절한다. 마음은 어떻게 조절하는가? 너무 가라앉게 해도 안 되고, 너무 뜨게 해도 안 된다. 또한 너무 혼침해도 안 되고, 너무 경박해도 안 된다. 언제나 평정심을 유지해야 한다.

마음을 닦고 거두어들이는 것은 오욕을 책망하고, 오개를 포기하며, 다섯 가지 일을 조절하는 것이다. 이 모두가 수섭기심(修攝其心)의 방법이다.

"그리고 다시 보살마하살은 일체법이 공함을 관해야 한다. 일체법은 실상과 같고, 전도되지 않고, 움직이지 않고, 물러나지 않고, 윤회에 굴려지지 않으며, 허공과 같으며, 존재하는 자성이 없으며, 일체의 언어의 길이 끊어졌으며, 생하지 않고, 나오지 않고, 일어나지 않으며, 이름이 없고, 모습이 없으며, 실제로 존재하는 바가 없으며, 수량이 없고, 끝이 없고, 걸림이 없고, 막힘이 없음을 관찰해서 단지 일체법은 갖가지의 인연으로 갖가지의 모습이 존재하며, 이 모든 것은 전도됨으로부터 나온다. 그러므로 말하노니, 마땅히 이러한 갖가지의 법상(法相)을 항상 즐겨 관상(觀想)하여 일체법이 공한 것으로 보아야 한다. 이것을 보살마하살이 두 번째 친근해야 할 일이라고 한다."

復次菩薩摩訶薩觀一切法空, 如實相, 不顚倒, 不動, 不退, 不轉, 如虛空, 無所有性。一切語言道斷, 不生, 不出, 不起, 無名, 無相, 實無所有。無量, 無邊, 無礙, 無障, 但以因緣有, 從顚倒生。故說, 常樂觀如是法相, 是名菩薩摩訶薩第二親近處。

부차보살마하살관일체법공(復次菩薩摩訶薩觀一切法空) 관(觀)은 관할 수 있는[能觀] 지혜이다. 공한 것은 관해지는[所觀] 경계이다. 관해지는 경계란 무슨 경계이며, 어째서 또 일체라고 하는가? 대보살은 모든 십법계(十法界)의 경계를 관해야 한다는 것을 말한다. 열 가지의 법계는 현전하는 한 생각[一念]을 벗어나지 않는다. 일념의 마음이 십법계를 낸다. 십법계는 네 종류의 성인(聖人)법계와 여섯 종류의 범부법계를 말한다. 즉 부처, 보살, 연각, 성문, 천상, 인간, 아수라, 축생, 아귀, 지옥법계이다.

여실상(如實相) 실상은 바로 일체 상(相)의 근본이다. 모든 상의 근본은 상이 없다. 보살은 일체법의 공함이 허공과 같다고 관한다. 십법계를 관하면 경계가 모두 공한 것으로, 마치 실상과 같은 것이다. 공은 공한 것이지만, 공함 속에 또 유(有)가 있다. 이 진공(眞空) 속에서 묘유(妙有)가 생긴다.

따라서 "진공은 공하지 않으며, 묘유를 장애하지 않는다. 묘유는 유가 아니며, 진공을 장애하지 않는다."라고 말하는 것이다. 진공은 실상의 다른 이름이다. 따라서 일체법이 마치 실상과 같다고 관하여 바깥으로 탐하는 것이 없으며, 안으로 구하는 것이 없다. 안과 밖이 모두 공하다. 안의 공[內空]은 육근(六根 : 안·이·비·설·신·의)이고, 외공(外空)은 육진(六塵 : 색·성·향·미·촉·법)이며, 중공(中空)은 육식(六識 : 안식·이식·비식·설식·신식·의식)이다.

육근이 공해진 연후에 육진이 공하며, 또 육식이 공해진다. 십이처도 공하고, 십팔계도 공하다. 공하지만 아무것도 없는 것인가? 아무것도 없는 것이 아니다. 마치 실상과 같은 것이다. 따라서 미묘하고 불가사의한 점은 이곳에 있다. 참선, 좌선을 하여 육근, 육진, 육식이 모두 공하면 이것은 무소유처(無所有處)에 이른 것이고, 비상비비상처천(非想非非想處天)에 이른 것이다.

여실상(如實相)을 다시 다르게 설명하면 다음과 같다. 바로 십법계의 이러한 경계를 관하는 것을 실상이라고 한다는 것을 말한다. 여(如)는 바로 공에도 떨어지지 않고 유에도 떨어지지 않은 것이다. 공(空)·가(假)·중(中)을 삼제(三諦)라고 하는데, 삼제가 다른 모습이 아니고 하나이다. 이 삼제에 어떠한 구별이 없는 것이 바로 여(如)이다.

실(實)이란 일곱 방편이 같지 않은 것이다. 일곱 방편이란 바로 인간, 천상, 성문, 연각, 장교(藏教)보살, 통교(通教)보살, 별교(別教)보살을 말한다. 또 오정심(五停心)·별상념(別相念)·총상념(總相念)·난(煖)·정(頂)·인(忍)·세제일(世第一)을 일곱 방편의 과위라고 한다. 이러한 일곱 방편을 초과한 것을 실이라고 한다. 실을 상으로 생각하며, 실을 상의 본체로 삼는 것이다. 그래서 여실상이라고 말한다.

부전도(不顚倒)• 이것은 중도를 관하는 지혜를 말한다. 무엇이 전도(顚倒)이고, 무엇이 부전도(不顚倒)인가? 너희가 만약 전도되지 않으려면, 먼저 무엇이 전도된 것인지를 알아야 한다.

범부의 전도는 다음과 같다. 항상하지 않은 것을 항상하다[常]고 생각하며, 즐거움이 아닌데 즐겁다[樂]고 생각하고, 나가 없는데 나[我]라고 생각하며, 청정함이 아닌데 청정하다[淨]고 생각하는 것이다. 이승(二乘)도 전도됨을 가지고 있다. 항상함[常]을 무상하다고 생각하며, 즐거움[樂]을 괴로움이라고 생각하며, 나가 있는데 나가 없다[無我]고 생각하며, 청정함[淨]을 청정하지 않다고 생각하는 것이다. 보살도 출가(出假 : 거짓을 벗어남)의 전도를 가지고 있다. 오직 부처만이 전도됨이 없다.

그러므로 아홉 법계의 중생은 모두 전도된 환경 속에서 생존하고 있다. 전도되었을 때는 어떤 때는 좋다고 느끼고, 어떤 때는 좋지 않다고 느낀다. 너희는 무엇이 좋고 무엇이 좋지 않은지를 이해할 수 있는가? 이 모든 좋고 좋지 않음은 모두 중생의 전도된 분상에서 허망하게 분별하고 억측하는 것이다. 너희가 만약 전도되지 않으면 그것이 바로 중도(中道)이며, 즉 중도에 부합하는 것이다.

너희가 불법을 배우려고 생각하는 것이 바로 전도되지 않은 것이다. 너희가 불법을 배우고 싶지 않은 것은 바로 전도된 길로 달려가는 것이다. 너희가 만약 규칙을 지킨다면 그것이 바로 전도되지 않음이며, 규칙을 지키지 않는 것은 전도됨이다. 전도와 전도되지 않은 것은 즉 바름과 삿됨이다. 그러니 이제 우리는 자기가 전도되었는지, 전도되지 않았는지 살펴보아야 할 것이다.

부동(不動)• 움직이지 않음은 즉 정(定)이며, 정은 또한 두려움이 없는 것이다. 너희가 이곳에서 좌선을 하여 마침 선정 속에 있는데, 호랑이가 와서 한 입에 너희를 삼키려고 할 때 만약 두려운 마음이 일어나면 이것은 움직인 것이며, 두려운 마음이 생하지 않으면 바로 움직이지 않은[不動] 것이다. 부동은 단지 호랑이를 두려워하지 않는 것을 말하는 것이 아니다. 이것은 죽음을 두려워하지 않으며, 죽음을 삶과 같이 생각하는 것이다. 이른바 "생사를 두려워하지 않고, 생사에 움직이지 않는다."라고 하는 것이 정력(定力)이다. 그러나 너희가 성미로써, 혹은 무명으로써 그렇게 생각한다면, 그것은 생사를 멈출 수 없다. "죽는게 무슨 문제인가? 지옥에 떨어지면 떨어지고, 고통을 받으면 받지! 나는 두렵지 않아!" 이렇게 성미로 오기를 부리면 안 된다는 것이다.

불퇴(不退)• 이것은 지혜가 어리석음으로 물러나지 않는 것이다. 너희의 마음이 적멸하고 망상이 없으면 일종의 큰 지혜가 있게 되는데, 이것을 불퇴라고 한다. 즉 너희가 반야의 지혜를 얻으면, 다시는 어리석은 일을 저지르지 않는 것이다.

부전(不轉)• 이것은 윤회의 굴림을 받지 않는 것이다. 범부와 같이 생사에 유전하면서 생사의 길에서 이리저리 굴러가지 않는 것이다.

여허공(如虛空)• 이것은 허공과 같다는 것이다. 『화엄경』에서 말씀하시기를 "만약 어떤 사람이 부처님의 경계를 인식하려고 하면, 마땅히 그 마음을 허공처럼 청정하게 해야 한다.[若人欲識佛境界 當淨其意如虛空]"라고 하였다. 허공에는 아무것도 없다. 비록 아무것도 없지만, 무엇이든 허공 속에 포함된다. 허공과 같다는 것은, 단지 이름은 있지만 그것에는 자성이 없다는 것이다. 중도의 지혜를 닦는 것도 단지 이름만 있을 뿐이며, 너희가 하나의 실재하는 성질을 찾으려 해도 아무것도 없다. 따라서 이것을 허공과 같다고 한다. 너희는 머리 위에 다시 머리를 놓지 말라. 허공에는 아무것도 없는데, 너희는 다시 무엇을 찾는가?

무소유성(無所有性)• 이것은 자성이 없다는 것이며, 또한 다른 성품[他性]도 없고, 공동의 성품[共性]도 없다는 것이다. 그리고 원인의 성품[因性]도 없고, 결과의 성품[果性]도 없다. 그래서 일체가 공하다.

일체어언도단(一切語言道斷)• 말하려고 해도 말할 수 없고, 생각하려고 해도 생각할 수 없는 것이다. 말할 방법이 없고, 언어의 길이 끊어졌다. 그래서 이른바 "입으로 말하려고 하나 언어가 없고, 마음이 반연하려고 하나 생각이 없어졌네."라고 하는 것이다. 이것은 바로 "언어의 길이 끊어지고, 마음이 가는 곳이 소멸하였네.[言語道斷 心行處滅]"라는 것이다.

그럼 이것은 어떤 경계인가? 이것은 즉 "네 구절을 떠나고, 모든 그름을 끊었네.[離四句 絶百非]"이다. 네 구절이란 "일체의 유위법은, 꿈과 같고 환상과 같고 거품과 같고 그림자와 같으며, 이슬과 같고 번개와 같으니, 마땅히 이와 같이 관해야 하네.[一切有爲法 如夢幻泡影 如露亦如電 應作如是觀]"이다.

이러한 것은 모두 불가사의한 경계이다. 불가사의함은 바로 묘함[妙]이다. 너희가 이 묘함을 이해하면 『법화경』의 묘미를 약간 안 것이다[知道少分]. 만약 이 묘함을 알지 못하면, 『법화경』을 들어도 들을 방법이 없다. 『법화경』의 설함은 묘하며, 이리 설하고 저리 설하는 것 모두가 묘하다.

불생(不生)• 무엇이 생하지 않는가? 무명이 생하지 않고, 지혜가 생하지 않는다. 지혜도 없고 무명도 없으니, 너희는 이것을 무엇이라고 말할 것인가? 이것은 이치[理]다. 너희에게 무명이 없으므로 지혜도 없다. 너희에게 지혜가 없으므로 무명도 없다. 지혜와 무명은 상대적이다. 무명도 생하지 않고 지혜도 생하지 않는 것은 또한 "선도 생각하지 않고, 악도 생각하지 않는[不思善 不思惡]" 그런 경계다.

너희에게 선이 있으면 생하는 바가 있으며, 너희에게 악이 있으면 또한 생하는 바가 있다. 지혜와 무명이 모두 생하지 않으면, 이때가 묘한 경계이다. 왜냐하면 무명과 지혜가 없는 것이 바로 이치, 즉 본래의 이체(理體)이며, 본래 자성의 대광명장이기 때문이다. 따라서 타파할 대상도 없고, 타파하는 주체도 없다. 그것을 타파할 방법이 없다. 무엇 때문인가? 그것이 바로 생하지 않는 이치이기 때문이다. 이러한 경계 상에서는 수행[行], 과위[位], 원인[因], 결과[果] 등이 생하지 않는다.

불출(不出)• 나오지 않는다는 것은 또한 들어가지도 않는 것이다. 나옴도 없고 들어감도 없는 이것은 여래의 본체이다. 여래가 수행하는 이 본체가 궁극처에 도달하였으므로 나옴도 없고 들어감도 없으며, 또한 바로 무명도 없고, 지혜도 없는 것이다.

불기(不起)• 여래의 이체(理體)를 증득하면, 이는 단지 하나의 이치이기 때문에 방편의 가르침은 모두 적멸하여 일어나지 않는다.

무명(無名)• 그러면 이것에는 이름이 있는가? 이름은 없고 단지 이치만 있다. 따라서 이러한 이치를 대표할 수 있는 아무런 이름이 없는 것이다. 앞에서 전도되지 않음[不顚倒]으로부터 일어나지 않음[不起]까지, 그것의 이름으로 삼을 어떤 이름도 없다. 따라서 무명이라고 한다.

무상(無相) 그것을 나타낼 수 있는 어떤 모습도 없다. 무명은 성품의 공함[性空]이고, 무상은 현상의 공함[相空]이다.

실무소유(實無所有) 이것은 중도의 관[中道的觀]을 찬탄하는 것이다. 중도의 관은 두 가지의 변[二邊]에 떨어지지 않는다. 즉 공변에도 떨어지지 않고, 유변에도 떨어지지 않는다. 따라서 진실로 있는 바가 없다, 즉 아무것도 없다고 말하는 것이다.

무량(無量) 이것은 바로 수량(數量)이 없는 법이다. 무엇이 수량이 있는 법인가? 색·수·상·행·식의 오음은 수량이 있는 법이다. 즉 다섯 종류가 있다는 것이다. 육근, 육진, 육식 모두 수량이 있다. 이 중도의 관은 셀 수 있는 수량이 없는 것이며, 따라서 수량이 없다고 한다. 수량이 없다는 것은 모자람도 없고 남음도 없다는 것이다.

무변(無邉) 가장자리, 끝이 없다는 것이다. 일정함이 있는 것은 한도가 있는 것이다. 일정함이 있으면 끝이 있는 것이고, 일정함이 없는 것은 끝이 없다. 끝이 없다는 것은 정해진 법이 없다[無有定法]는 것이다.

무애(無礙) 이것은 일체법에 두루 들어간다. 중도의 관지(觀智)이기 때문에 일체법에 두루 들어갈 수 있다. 일체법에 두루 들어가지만, 막히거나 걸림이 없다.

무장(無障) 중도의 관지를 가로막을 한 법도 없다. 일체법이 공함을 관하는[觀一切法空] 것에서부터 가로막힘이 없는[無障] 것까지, 이 경문은 열아홉 구(句)이다. 일체법이 공함을 관하는 것은 능관(能觀)의 지혜이다. 이것은 총괄적인 표준[總標]으로서, 총괄하여 그것을 나타내고 있다. 뒤의 열여덟 구는 분별하여 해석하는 것이다. 이것을 별석(別釋)이라고 한다. 상세하게 설명을 하자면 무궁무진하지만, 지금은 단지 대략적인 뜻만을 강의할 수 있다.

뒤의 열여덟 구는 대반야경(大般若經)의 십팔공(空)에 따라 해석할 수 있다. 또한 열여덟 구 앞에 일체법을 붙여서 해석할 수도 있다.

단이인연유(但以因緣有) 종전도생(從顚倒生)• 단지 갖가지의 인연으로 갖가지의 모습이 있게 되며, 이 모두는 전도됨으로부터 나온다.

그때 세존께서는 이러한 뜻을 거듭 선설하시고자 게송을 설하셨다.

만약 어떤 보살이 있어 미래의 오탁악세에
두려운 마음 없이 법화경을 설하려고 하면
응당 수행할 일과 친근할 것에 들어가야 하리.

爾時世尊欲重宣此義, 而說偈言。

若有菩薩　於後惡世　無怖畏心　欲說是經
應入行處　及親近處

항상 국왕과 왕자 멀리 떠나 친근하지 않으며
대신과 관리, 흉악하고 위험한 극을 하는 자와
도살하는 자와 외도와 바라문들 친근하지 말고
증상만의 사람과 소승 탐착하는 삼장의 학자와
파계한 비구와 이름뿐인 아라한과

비구니와 극(劇)과 웃기는 것을 좋아하는 자와
오욕을 깊이 탐착하고 현생에서 열반을 구하는
청신녀들도 모두 친근하지 말아야 하네.
常離國王　及國王子　大臣官長　兇險戱者
及旃陀羅　外道梵志　亦不親近　增上慢人
貪著小乘　三藏學者　破戒比丘　名字羅漢
及比丘尼　好戱笑者　深著五欲　求現滅度
諸優婆夷　皆勿親近

만약 이러한 사람들이 좋은 마음으로
불도를 듣기 위하여 보살의 처소로 오면
보살도를 닦는 사람은 두려움 없는 마음으로
어떤 바라는 마음 품지 않고 법 설해야 하리.
若是人等　以好心來　到菩薩所　爲聞佛道
菩薩則以　無所畏心　不懷悕望　而爲說法

과부와 처녀, 남자도 여자도 아닌 사람들과는
모두 친근하지 말고, 친하게 지내려고 생각 말며
또한 도살하는 자와 망나니, 사냥꾼, 어부와
이익을 위해 살생하는 자를 친근하지 말 것이며
고기를 팔아 생활하거나, 여색을 팔아 살아가는
이와 같은 사람과는 모두 친근하지 말아야 하리.
寡女處女　及諸不男　皆勿親近　以爲親厚
亦莫親近　屠兒魁膾　畋獵漁捕　爲利殺害

販肉自活　衒賣女色　如是之人　皆勿親近

위험하게 때리고 치며 각종 유희(遊戲) 하거나
모든 음녀들과도 모두 친근하지 않아야 하리.
보이지 않는 곳에서 홀로 여자에게 설법 말고
만약 설법할 때에는 웃지 않아야 할 것이네.
마을에 걸식하려면 다른 비구를 데리고 가며
만약 다른 비구 없으면 일심으로 염불해야 하리.
이것이 수행하고 친근해야 할 점이라고 하며
이 두 가지 일로써 안락하게 법 설할 수 있으리.
兇險相撲　種種嬉戲　諸婬女等　盡勿親近
莫獨屛處　爲女說法　若說法時　無得戲笑
入里乞食　將一比丘　若無比丘　一心念佛
是則名爲　行處近處　以此二處　能安樂說

또한 다시 보살은 상, 중, 하의 삼승법과
유위와 무위, 실과 부실의 법 수행하지 않고
또한 남(지혜)과 여(선정)를 분별하지 않으며,
제법을 얻지 않고 알지 않고 보지 말지니
이것이 바로 보살의 수행할 일이라고 하네.
일체의 제법은 공하여 있는 바가 없으며
상주함도 없고 또한 일어나고 사라짐도 없으니
이것이 지혜로운 자가 친근할 점이라고 하네.
又復不行　上中下法　有爲無爲　實不實法

亦不分別　是男是女•　不得諸法　不知不見
是則名爲　菩薩行處　一切諸法　空無所有
無有常住　亦無起滅　是名智者　所親近處

상중하법(上中下法)• 상법은 보살승, 중법은 연각승, 하법은 성문승이다. 이것은 삼승법(三乘法)이다.

시남시녀(是男是女)• 남자는 지혜, 여자는 선정을 가리킨다. 정과 혜가 여일(如一)해야 한다. 정과 혜는 본래 하나이므로 지나치게 분별하면 안 된다.

전도되어 제법의 있음과 없음을 분별하고
진실과 부실법, 생하고 불생함을 분별하니
고요한 곳에서 마음을 닦고 거두어들여
수미산처럼 실상에 안주하여 움직이지 않고
일체법은 모두 있는 바가 없다고 관하며
마치 허공처럼 견고한 실체 없음을 관하며
불생하고 불출하며, 부동하고 불퇴함을 관하며
한 모습에 상주함 관하는 것이 친근할 점이네.
顚倒分別　諸法有無　是實非實　是生非生
在於閒處　修攝其心　安住不動　如須彌山
觀一切法　皆無所有　猶如虛空　無有堅固
不生不出　不動不退　常住一相•　是名近處

상주일상(常住一相)[•] 앞의 경문에서는 실무소유(實無所有)를 말씀하였는데, 이 게송에서는 어째서 상주일상(常住一相)이라고 말하는가? 왜냐하면 유(有)의 상도 없고 무(無)의 상도 없는 것을 '상주일상'이라고 하기 때문이다. 즉 유도 아니고 무도 아닌[非有非無] 하나의 상 위에 상주한다는 것이다.

내가 열반에 든 후 만약 어떤 비구가
이러한 수행할 일과 친근할 것에 들어가면
이 경을 설할 때는 겁약함이 없을 것이네.
보살이 어떤 때 고요한 방에 들어가
바른 억념으로 뜻에 따라 법을 관하며
선정(禪定)에서 나와 모든 국왕과
왕자와 신하, 백성, 바라문 등을 위하여
교화 열어 이 경전을 막힘없이 연설한다면
그 마음 안온하여 겁약함이 없을 것이네.
문수사리여, 이것을 보살이 첫 번째의 법에
안주하여 후세에 법화경을 설함이라 하네.
若有比丘　於我滅後　入是行處　及親近處
說斯經時　無有怯弱[•]　菩薩有時　入於靜室
以正憶念　隨義觀法　從禪定起　爲諸國王
王子臣民　婆羅門等　開化演暢　說斯經典
其心安隱　無有怯弱　文殊師利　是名菩薩
安住初法　能於後世　說法華經

설사경시(說斯經時) 무유겁약(無有怯弱) 『법화경』을 설할 때는 두려워하는 바가 없어야 하며, 또한 희구(希求)하는 것이 없어야 한다. 왜 두려워하는 바가 없는가? 바로 희구하는 것이 없기 때문이다. 너희가 만약 바라고 구하는 것이 있으면 두려운 것이 있게 된다. 아무것도 바라고 구하는 것이 없으면, 걱정이 없다.

나) 입[口]의 안락행

"그리고 문수사리보살이여, 여래가 열반에 든 후 말법시대에 이 경을 설하려면, 마땅히 안락행에 머물러야 한다. 만약 입으로 이 경을 선설하고 독송할 때는 타인의 허물과 경전의 잘못된 부분을 말하지 않으며, 또한 모든 다른 법사를 경시하지 않으며, 타인의 좋고 나쁜 점, 장점과 단점을 말하지 않으며, 소승의 성문인에 대하여 이름을 칭하면서 그의 과오를 말하지 않아야 한다.

또한 이름을 칭하면서 그 사람의 미덕을 찬탄하지 않으며, 또한 원망하고 싫어하는 마음을 내지 않아야 한다. 이러한 안락의 마음을 잘 닦는 까닭으로 경을 듣는 모든 사람들이 그 뜻을 거스르지 않는다. 어려운 질문이 있으면 소승의 법으로 답을 하지 않고, 오직 대승의 법으로 해설을 하여 일체종지를 얻게 해야 한다."

又文殊師利, 如來滅後, 於末法中, 欲說是經, 應住安樂行。若口宣說, 若讀經時, 不樂說人及經典過。亦不輕慢諸餘法師, 不說他人好惡長短。於聲聞人, 亦不稱名說其過惡, 亦不稱名讚歎其美, 又亦不生怨嫌之心。善修如是安樂心故, 諸有聽者, 不逆其意。有所難問, 不以小乘法答, 但以大乘而爲解說, 令得一切種智。

그때 세존께서 이러한 뜻을 거듭 선설하시고자 게송을 설하셨다.

보살은 중생 안온 위해 항상 즐거이 법 설하며
청정한 곳에 법상과 좌석을 마련하고
몸에 향유를 바르고 몸의 때를 깨끗이 씻으며
깨끗한 새옷 입고 안과 밖 모두 청정하게 하여
법좌에 편안히 머물러 물음에 따라 법 설하네.

爾時世尊欲重宣此義, 而說偈言。

菩薩常樂　安隱說法　於清淨地　而施床座
以油塗身　澡浴塵穢　著新淨衣　內外俱淨
安處法座　隨問爲說

만약 비구와 비구니와 모든 청신사와 청신녀
국왕과 왕자, 신하와 선비, 백성들을 만나면
미묘한 도리로써 부드러운 얼굴로 설해 주고
만약 어려운 질문 있으면 뜻에 따라 답을 하며
갖가지 인연과 비유로 부연하여 설명해야 하리.
이러한 방편법문으로 중생들 모두 발심케 하여
점점 보리심을 증장시켜 불도에 들어가게 하네.
게으른 마음과 싫증내는 생각을 없애고
모든 걱정과 고뇌 떠나 자비심으로 법 설하리.

若有比丘　及比丘尼　諸優婆塞　及優婆夷
國王王子　群臣士民　以微妙義　和顏爲說
若有難問　隨義而答　因緣譬喩　敷演分別
以是方便　皆使發心　漸漸增益　入於佛道

除懶惰意　及懈怠想　離諸憂惱　慈心說法

주야로 항상 위없는 도의 가르침을 설하며
모든 인연과 무량한 비유로써
중생에게 법문하여 모두를 즐겁게 하며
의복과 침구, 음식과 의약의 공양물에 대해
설법하는 가운데 바라는 것이 없어야 하리.
오직 일심으로 생각하여 법 설하는 인연으로
불도를 이루며 중생도 그러하길 원해야 하리.
이것이 큰 이익이며, 중생 안락하는 공양이네.
晝夜常說　無上道敎　以諸因緣　無量譬喩
開示衆生　咸令歡喜　衣服臥具　飮食醫藥
而於其中　無所希望　但一心念　說法因緣
願成佛道　令衆亦爾　是則大利　安樂供養

내가 열반에 든 후 만약 어떤 비구가
이 법화경을 능히 연설할 수 있으면
마음에 질투와 분노 없고 번뇌의 장애 없고
또한 근심 없고 자기를 욕하는 자도 없으리.
두려움이 없고 자기를 해치는 자도 없으며
쫓겨남 없는 것은 인내함에 안주한 까닭이네.
지혜로운 자는 이와 같이 그 마음을 잘 닦아
위에서 말한 것처럼 안락행에 능히 머물면
그런 사람의 공덕은 천만억겁 동안

산수와 비유로도 다 설할 수 없으리.

我滅度後　若有比丘　能演說斯　妙法華經
心無嫉恚　諸惱障礙　亦無憂愁　及罵詈者
又無怖畏　加刀杖等　亦無擯出　安住忍故
智者如是　善修其心　能住安樂　如我上說
其人功德　千萬億劫　算數譬喩　說不能盡

다) 뜻[意]의 안락행

"그리고 문수사리보살이여, 보살마하살로서 장래 말법시대 불법이 소멸하려고 할 때 이 경전을 수지하고 독송하는 자는 마음에 질투하고 아첨하며 속이는 마음을 품지 않아야 하며, 또한 불도를 배우는 자를 업신여기고 비난하면서 그 사람의 장단점을 구하지 말아야 한다.
만약 비구, 비구니, 청신사, 청신녀와 성문을 구하는 자, 벽지불을 구하는 자, 보살도를 구하는 자가 있으면, 그들을 번뇌하게 하여 의혹하고 후회하게 해서는 안 된다. 즉 그들에게 말하기를 '너희는 도(道)와는 매우 멀며, 끝내 부처님의 일체종지를 얻지 못할 것이다. 무엇 때문인가? 너희는 방탕하고 안일한 사람으로서 도를 닦는 데 게으르기 때문이다.' 라고 말하지 않아야 한다. 또한 모든 불법을 가지고 희론하면서 고의로 교활하게 변명해서는 안 된다."
又文殊師利。菩薩摩訶薩, 於後末世, 法欲滅時, 受持讀誦斯經典者, 無懷嫉妬諂誑之心, 亦勿輕罵學佛道者, 求其長短。若比丘, 比丘尼, 優婆塞, 優婆夷, 求聲聞者, 求辟支佛者, 求菩薩道者, 無得惱之, 令其疑悔。語其人言, 汝等去道甚遠, 終不能得一切種智。所以者何。汝是放逸之人，於道懈怠故。又亦不應戲論諸法，有所諍競。

우역불응희론제법(又亦不應戲論諸法) 유소쟁경(有所諍競) 모든 불법을 가지고 놀이하듯이 함부로 강의하면 안 된다. 마치 연극과 같이 불법을 가지고 우스개로 강의하면서 함부로 담론하는 것을 말한다. 희론이란 바로 진실하지 않게 설명하는 것이다. 장단을 쟁론하는 것으로 명백하게 불법과 부합되는데 그는 불법과 부합되지 않게 설한다. 명백하게 옳은데 그는 옳지 않다고 말한다. 이것을 쟁경(諍競)이라고 한다. 고의로 교활하게 변명하는 것이다. 즉 궤변을 늘어놓는 것이다. 그리하여 사람들로 하여금 번뇌하게 해서는 안 될 것이다. "그대는 가장 나태한 사람이며, 그대는 성불할 수 없어!"라고 말해서는 안 된다.

"일체중생에게 마땅히 대비(大悲)의 마음을 일으키고, 모든 여래에 대하여 자애로운 부친이라는 생각을 일으키며, 모든 보살들에 대해서는 큰 스승이라는 생각을 일으켜야 하며, 시방의 모든 대보살에 대해서는 항상 깊은 마음으로 공경하고 예배해야 한다. 일체중생에게는 평등하게 법을 설하며, 이 법을 수순하는 까닭으로 차별하지 않고 더 많이도 설하지 않고 더 적게도 설하지 않으며, 나아가 이 법을 깊이 좋아하는 사람에게도 더 많이 설하지 않아야 한다.
문수사리보살이여, 보살마하살로서 장래 말법시대에 불법이 소멸하려고 할 때 이 세 번째 '뜻의 안락행'을 성취한 자가 있으면, 법화경을 설할 때 아무도 괴롭히고 어지럽게 할 사람이 없을 것이다. 좋은 동학을 인이 함께 이 경을 독송하며, 또한 대중들이 와서 법을 들을 것이다. 그들은 법화경을 들은 후에 수지할 수 있으며, 오랫동안 수지한 이후에는 염송할 수 있으며, 염송한 이후에는 해설할 수 있으며, 해설한 이후에는 서사할 수 있다. 만약 남에게 서사하게 한다면, 서사한 경전을 공양하고 공경하며 존중하고 찬탄할 것이다."

當於一切衆生, 起大悲想。於諸如來, 起慈父想。於諸菩薩, 起大師想。於十方諸大菩薩, 常應深心恭敬禮拜。於一切衆生, 平等說法, 以順法故, 不多不少, 乃至深愛法者, 亦不爲多說。文殊師利。是菩薩摩訶薩, 於後末世, 法欲滅時, 有成就是第三安樂行者, 說是法時, 無能惱亂。得好同學, 共讀誦是經, 亦得大衆而來聽受, 聽已能持, 持已能誦, 誦已能說, 說已能書。若使人書, 供養經卷, 恭敬, 尊重, 讚歎。

◉ 보라. 이 『법화경』은 제불도 모두 이곳에 오셔서 증명하시고 다보여래께서도 증명하여 주시니, 이것이 가장 묘하고 가장 불가사의하다. 너희에게 한 분량의 공경심이 있으면, 한 분량의 감응을 얻는다. 열 분량의 공경심이 있으면, 열 분량의 감응을 얻을 것이다. 너희가 『법화경』을 만난 인연을 함부로 넘기지 말아야 한다. 여러분이 『법화경』을 들을 수 있는 것은 불가사의한 것이다.

너희 이전의 부모, 조부모, 그리고 조부모의 부모에 이르기까지 『법화경』을 들은 적이 없을 것이다. 이제 너희는 『법화경』을 들었으니 너희 조상들의 덕행을 뛰어넘었다. 그러므로 이것이 불가사의한 경계이다. 너희는 이것을 매우 평상한 일로 여기지 않아야 한다. 이 모두 큰 선근과 큰 덕행을 가져야 비로소 경을 듣고 불법을 배울 수 있는 것이다.

그때 세존께서는 이러한 뜻을 거듭 선설하시고자 게송을 설하셨다.

만약 이 경 설하려면 질투·분노·아만과 아첨·속임과
삿됨·허위의 마음 버리고 항상 곧은 언행 닦아야 하며
남들을 멸시하지 말고 또한 법을 희론하지도 말며
너는 성불할 수 없다고 말해서 후회하도록 하지 말라.
이러한 불자가 설법할 때는 항상 유화하고 인욕하며
일체중생에게 자비롭고, 게으른 마음 내지 않으리.
시방의 대보살은 중생을 연민하여 보살도를 행하며
마땅히 그분은 나의 스승이라는 공경심 낼 것이며
제불 세존에 대하여 위없는 부친이라는 생각 내고
교만심을 타파하면 법을 설하는데 장애가 없으리.
세 번째 안락행은 이러하니 지혜로운 자는 수호하여
일심으로 행하면 무량한 중생들이 공경할 것이네.

爾時世尊欲重宣此義, 而說偈言。

若欲說是經　當捨嫉恚慢　諂誑邪僞心　常修質直行
不輕蔑於人　亦不戲論法　不令他疑悔　云汝不得佛
是佛子說法　常柔和能忍　慈悲於一切　不生懈怠心
十方大菩薩　愍衆故行道　應生恭敬心　是則我大師
於諸佛世尊　生無上父想　破於憍慢心　說法無障礙
第三法如是　智者應守護　一心安樂行　無量衆所敬

라) 서원[誓]의 안락행

"또한 문수사리보살이여, 보살마하살로서 장래 말법시대에 법이 단멸하려고 할 때 이 법화경을 수지하는 자는 재가자와 출가인에게 큰 자애의 마음[慈心]을 내고, 보살이 아닌 사람에게는 큰 연민의 마음[悲心]을 내어, 마땅히 이렇게 생각해야 한다.

'이런 사람은 큰 이익을 잃을 것이다. 여래께서는 방편법으로 근기에 따라 법을 설하시는데, 지금 이들은 불법을 듣지도 못하고, 알지도 못하고, 깨닫지도 못하고, 묻지도 못하고, 믿지도 못하고, 이해하지도 못한다. 그 사람들이 비록 이 법화경을 묻지도 못하고, 믿지도 못하고, 이해하지도 못하더라도, 내가 무상정등정각을 얻을 때 어떤 곳에 있든지, 나는 신통의 힘과 지혜의 힘으로 그들을 인도하여 이 묘법 가운데 머물게 하리라.'"

又文殊師利。菩薩摩訶薩, 於後末世, 法欲滅時, 有持是法華經者, 於在家出家人中, 生大慈心, 於非菩薩人中, 生大悲心, 應作是念。如是之人, 則爲大失。如來方便, 隨宜說法, 不聞, 不知, 不覺, 不問, 不信, 不解。其人雖不問, 不信, 不解是經, 我得阿耨多羅三藐三菩提時, 隨在何地, 以神通力,智慧力引之, 令得住是法中。

"문수사리보살이여, 보살마하살로서 여래께서 열반에 드신 후 이 네 번째의 안락행을 성취한 자는 이 법을 설할 때 과실(過失)이 없을 것이다. 비구, 비구니, 청신사, 청신녀와 또는 국왕, 왕자, 대신, 백성, 바라문, 거사들이 항상 그 보살을 공양하고 공경하며 존중하고 찬탄할 것이며, 허공의 모든 천인은 법을 듣기 위한 까닭으로 항상 그를 따르고 모실 것이다.

만약 촌락, 도시, 한적한 숲속에서 어떤 사람이 와서 그에게 어려운 질문을 하면, 모든 천인은 주야로 항상 법을 위하는 까닭으로 그를 호위해서 듣는 자로 하여금 모두 즐거움을 얻게 할 것이다. 무슨 까닭인가?

이 경은 모든 과거, 미래, 현재의 제불께서 신통력으로 보호하시기 때문이다."

文殊師利, 是菩薩摩訶薩, 於如來滅後, 有成就此第四法者•, 說是法時, 無有過失。常爲比丘, 比丘尼, 優婆塞, 優婆夷, 國王, 王子, 大臣, 人民, 婆羅門, 居士等, 供養恭敬, 尊重讚歎。虛空諸天, 爲聽法故, 亦常隨侍。若在聚落, 城邑, 空閑林中, 有人來欲難問者, 諸天晝夜, 常爲法故, 而衛護之, 能令聽者皆得歡喜。所以者何。此經是一切過去, 未來, 現在諸佛, 神力所護故。

유성취차제사법자(有成就此第四法者)• 네 번째의 안락행은 바로 발원(發願)이다.

"문수사리보살이여, 이 법화경은 무량한 국토에서 그 이름을 들을 수도 없는데, 하물며 보고 수지하며 독송하는 것은 어떻겠는가? 문수사리보살이여, 비유하면 강력한 힘을 가진 전륜성왕이 모든 나라를 위엄과 힘으로 항복시키려 하는데 많은 작은 왕들이 그의 명령을 따르지 않으면, 그때 전륜성왕이 각종 병사를 일으켜 그들을 토벌하는 것과 같다.

왕은 병사들 가운데 전쟁에서 공로를 세운 자가 있으면 크게 기뻐하며 공로에 따라 상을 내릴 것이다. 혹은 토지와 주택, 취락, 성읍을 주고, 혹은 의복과 몸을 장식하는 도구를 주며, 혹은 갖가지의 진귀한 보배인 금, 은, 유리, 자거, 마노, 산호, 호박 등과 코끼리, 말, 수레, 노비, 백성을 줄 것이다.

그러나 오직 전륜성왕의 머리 위 상투 가운데 있는 밝은 구슬은 주지 않는다. 무엇 때문인가? 오직 왕의 정수리 위에만 이 구슬이 있는데, 만약 이것을 주면 왕의 모든 권속들은 반드시 크게 놀라고 이상하게 생각할 것이기 때문이다."

文殊師利。是法華經於無量國中, 乃至名字不可得聞, 何況得見, 受持, 讀誦。文殊師利。譬如强力轉輪聖王, 欲以威勢降伏諸國, 而諸小王不順其命, 時轉輪王起種種兵, 而往討伐。王見兵衆戰有功者, 卽大歡喜, 隨功賞賜, 或與田宅, 聚落, 城邑, 或與衣服, 嚴身之具, 或與種種珍寶, 金, 銀, 琉璃, 硨磲, 瑪瑙, 珊瑚, 琥珀, 象, 馬, 車乘, 奴婢, 人民。唯髻中明珠不以與之。所以者何。獨王頂上有此一珠, 若以與之, 王諸眷屬, 必大驚怪。

◉ 여기서 토지[田]은 삼매 또는 정(定)을 비유하고, 주택[宅]은 지혜를 비유한다. 취락은 초과(初果)와 이과(二果)의 아라한을 비유하고, 성은 삼과(三果), 읍은 사과(四果)의 아라한을 비유한다. 그밖에 의복은 인욕을 비유하고, 칠보는 칠각지(七覺支)의 선법(善法)을 비유한다. 코끼리, 말, 수레는 모두 이승(二乘)을 나타내며, 노비는 신통의 공용을, 백성은 선법(善法)을 비유한다.

"문수사리보살이여, 여래도 이와 같이 선정과 지혜의 힘으로 법의 국토를 얻어 삼계에서 법왕이 되었는데, 모든 마왕은 순종하고 항복하지 않으려고 한다. 그래서 여래는 현명하고 성스러운 모든 장수를 데리고 그들과 공동으로 싸우는데, 그들 가운데 공로가 있으면 부처의 마음도 기쁘며, 사부대중 가운데서 많은 경을 설하여 그들의 마음을 즐겁게 하며, 그들에게 선정의 공, 해탈의 덕, 무루의 지혜, 오근(五根), 오력(五力) 등 제법의 법의 재물[法財]을 내려주었다. 또한 다시 열반의 성을 하사하였으며, 그들에게 멸도(滅度)를 얻었다고 말하여 그들의 마음을 인도하여 모두 기쁘게 하였으나, 이 법화경은 그들을 위하여 설하지 않았다.
문수사리보살이여, 마치 전륜성왕이 모든 병사들 가운데 큰 공을 세운 자를 보면 마음이 매우 즐거워, 오랫동안 상투 속에 있던 이 믿기 어려운 구슬을 함부로 남에게 주지 않다가 지금에서야 그에게 주는 것과 같다."

文殊師利, 如來亦復如是, 以禪定智慧力, 得法國土, 王於三界, 而諸魔王不肯順伏。如來賢聖諸將與之共戰, 其有功者, 心亦歡喜, 於四衆中, 爲說諸經, 令其心悅, 賜以禪定, 解脫, 無漏, 根力, 諸法之財。又復賜與涅槃之城, 言得滅度, 引導其心, 令皆歡喜, 而不爲說是法華經。文殊師利。如轉輪王, 見諸兵衆有大功者, 心甚歡喜, 以此難信之珠, 久在髻中, 不妄與人, 而今與之。

"여래도 또한 이와 같이 삼계 가운데서 대법왕이 되어 일체중생을 법으로 교화하는데, 현성(賢聖)의 군대가 오음마, 번뇌마, 죽음의 마와 전투를 하여 삼독을 소멸하고 삼계를 벗어나 마왕의 그물을 타파하는 큰 공훈이 있는 사람을 보면, 이때 여래도 크게 기뻐한다.
이 법화경은 중생으로 하여금 일체지에 이르게 할 수 있으나, 모든 세간의 사람은 법화경의 도리를 많이 원망하고 믿기 어려우므로 이전에는 설하지 않다가 지금에서야 설하는 것이다.
문수사리보살이여, 이 법화경은 모든 여래의 제일의 설법이며, 모든 설법 가운데 가장 깊어서 최후에 설하게 되었는데, 이것은 마치 저 강력한 전륜성왕이 오랫동안 보호해왔던 밝은 구슬을 지금에서야 주는 것과 같다.
문수사리보살이여, 이 법화경은 세불 여래의 비밀의 법장으로서 모든 경 가운데 가장 최상이므로 오랫동안 수호하여 함부로 설하지 않다가,

비로소 지금에서야 그대들에게 분별하여 설하는 것이다."

如來亦復如是, 於三界中, 爲大法王, 以法教化一切衆生, 見賢聖軍與五陰魔, 煩惱魔, 死魔共戰•, 有大功勳, 滅三毒, 出三界, 破魔網, 爾時如來亦大歡喜。此法華經, 能令衆生至一切智, 一切世間多怨難信, 先所未說, 而今說之。文殊師利。此法華經, 是諸如來第一之說, 於諸說中, 最爲甚深。末後賜與, 如彼强力之王, 久護明珠, 今乃與之。文殊師利。此法華經, 諸佛如來祕密之藏, 於諸經中, 最在其上, 長夜守護, 不妄宣說, 始於今日乃與汝等, 而敷演之。

견현성군여오음마(見賢聖軍與五陰魔) 번뇌마(煩惱魔) 사마공전(死魔共戰)• 초과부터 사과의 아라한, 연각, 보살을 모두 현성군(賢聖軍)이라고 한다. 오음마는 색·수·상·행·식이며, 우리 모두 갖추고 있는 것이다. 번뇌의 마도 있고 죽음의 마도 있는데, 사람마다 모두 죽음이 있으며, 죽음도 일종의 마이다. 지금 우리는 수행하고 성불하여 생사가 없게 하려고 한다. 따라서 이 사마(死魔)와 싸워야 한다.

그때 세존께서는 이러한 뜻을 거듭 선설하시고자 게송을 설하셨다.

보살은 항상 인욕 수행하고 중생을 연민해야
제불께서 찬탄하시는 법화경 설할 수 있으리.
장래 말법시대 이 경을 수지, 독송하는 자는
재가자든 출가인이든 불법을 모르는 사람들에게
응당 자비심 내어 그대들이 이 경 듣지 못하고
믿지 못하는 것은 큰 손실이라고 말해야 하며
장래 내가 불도를 얻으면 모든 방편으로써

이 법화경을 설하여 그 가운데 머물게 하리.

爾時世尊欲重宣此義, 而說偈言。

常行忍辱　哀愍一切　乃能演說　佛所讚經
後末世時　持此經者　於家出家　及非菩薩
應生慈悲　斯等不聞　不信是經　則爲大失
我得佛道　以諸方便　爲說此法　令住其中

비유하면 강력한 힘을 가진 전륜성왕이
전투에 공 있는 병사에게 상으로 많은 물건과
코끼리, 말, 수레와 몸을 장식하는 도구와
모든 토지와 주택, 취락과 성읍을 주며
혹은 의복과 갖가지의 진귀한 보물과
노비와 재물을 기쁘게 상으로 주지만
만약 용맹하여 어려운 일 한 자가 있으면
왕은 상투 속 밝은 구슬을 풀어 주는 것과 같네.

譬如强力　轉輪之王　兵戰有功　賞賜諸物
象馬車乘　嚴身之具　及諸田宅　聚落城邑
或與衣服　種種珍寶　奴婢財物　歡喜賜與
如有勇健　能爲難事　王解髻中　明珠賜之

여래도 또한 이와 같아 제법의 왕이 되어
인욕과 큰 힘, 지혜의 보물창고를 가지고
큰 자비로써 법에 따라 세상을 교화하며
모든 사람들이 많은 고뇌 받는 것을 보면

해탈을 구하기 위해 모든 마와 전투를 하네.
이러한 중생 위하여 갖가지의 법을 설하며
큰 방편으로 이러한 모든 경전을 설하다가
이미 중생이 그 힘을 얻은 것을 알고 나서
최후에 비로소 이 법화경을 설하는 것은
마치 왕이 상투의 명주를 주는 것과 같네.
이 경은 존귀하고 모든 경 가운데 최상이라
나는 항상 수호하여 함부로 설하지 않다가
지금이 바로 그때라 그대들을 위해 설하네.

如來亦爾　爲諸法王　忍辱大力　智慧寶藏
以大慈悲　如法化世•　見一切人　受諸苦惱
欲求解脫　與諸魔戰　爲是衆生　說種種法
以大方便　說此諸經　旣知衆生　得其力已
末後乃爲　說是法華　如王解髻　明珠與之
此經爲尊　衆經中上　我常守護　不妄開示
今正是時　爲汝等說

여법화세(如法化世)• 이러한 법에 따라 일체중생을 교화하는 것이다. 또한 부처님 몸으로써 제도될 자에게는 부처님 몸을 나타내어 법을 설하고, 보살의 몸으로써 제도될 자에게는 보살의 몸을 나타내어 법을 설하며, 성문의 몸으로써 제도될 자에게는 성문의 몸을 나타내어 법을 설하는 것이다. 즉 갖가지의 몸을 나타내어 중생을 교화하는 것을 여법화세라고 한다. 또한 근기에 따라 법을 설하고, 사람에 따라 법을 설하는 것이다.

나. 안락행을 성취한 공덕상

1) 보살은 안락행을 행하라

내가 열반에 든 후 불도를 구하는 보살로서
안온함을 얻고 이 경을 설하려고 한다면
마땅히 이러한 네 가지의 법 친근해야 하리.
我滅度後　求佛道者　欲得安隱　演說斯經
應當親近　如是四法•

여시사법(如是四法)• 네 가지의 법이란 바로 신(身)안락행, 구(口)안락행, 의(意)안락행, 원(願)안락행을 말한다.

2) 네 가지 안락행을 성취한 공덕

가) 장애의 소멸

이 경을 독송하는 자는 항상 근심과 번뇌 없고
또한 병의 고통 없으며 얼굴색이 신선하고 희며
빈궁한 가정에 나지 않고, 비천하며 추하지 않네.
중생이 성현을 앙모하듯이 즐겨 만나려고 하며
천상의 모든 동자들이 심부름꾼이 되려고 하며

칼과 몽둥이가 해치지 않고 독이 상해할 수 없네.
만약 사람이 나쁜 욕을 하면 입이 떼어지지 않고
어디로 여행을 가든지 사자왕처럼 두려움 없으며
지혜의 광명은 마치 태양이 비치는 것과 같으리.

讀是經者　常無憂惱　又無病痛　顏色鮮白
不生貧窮　卑賤醜陋　衆生樂見　如慕賢聖
天諸童子　以爲給使　刀杖不加　毒不能害
若人惡罵　口則閉塞　遊行無畏　如師子王
智慧光明　如日之照

나) 일체 번뇌의 소멸

(1) 꿈에서 십신(十信) 상사위(相似位)에 들어가다

꿈속에서도 단지 미묘한 일만 보게 되며
모든 부처님께서 사자좌에 앉아 계시고
많은 비구들에게 둘러싸여 법을 설하시며
또는 천룡팔부의 신들과 아수라 등이
항하사 수와 같이 공경하게 합장하며
자신은 그런 신들에게 설법하는 것을 보네.

若於夢中　但見妙事　見諸如來　坐師子座
諸比丘衆　圍繞說法　又見龍神　阿修羅等
數如恒沙　恭敬合掌　自見其身　而爲說法

(2) 꿈에서 초주(初住) 견도위(見道位)에 들어가다

그리고 제불의 몸 모습이 금색으로서
무량의 광명을 놓아 일체중생을 비추며
범음의 소리로 제법을 설하심을 보네.
부처님은 사부대중 위해 위없는 법 설하시며
자기도 그곳에서 합장하고 부처님을 찬탄하며
법을 듣고 즐거워하며 부처님께 공양하여
다라니 얻고 물러남이 없는 지혜를 증득하네.
부처님은 그의 마음 불도에 깊이 들어감 아시고
즉시 최고의 정각 이루리라는 수기 주시기를
그대 선남자여, 그대는 미래세에
무량한 지혜를 얻고 불도를 이룰 것이며
그 국토는 엄정하고 비할 바 없이 광대하며
또한 사부대중이 합장하고 법을 들을 것이네.

又見諸佛　身相金色　放無量光　照於一切
以梵音聲　演說諸法　佛爲四衆　說無上法
見身處中　合掌讚佛　聞法歡喜　而爲供養
得陀羅尼　證不退智　佛知其心　深入佛道
卽爲授記　成最正覺　汝善男子　當於來世
得無量智　佛之大道　國土嚴淨　廣大無比
亦有四衆　合掌聽法

(3) 꿈에서 십주, 십행, 십회향, 십지의 수도위(修道位)에 들어가다

그리고 자기의 몸은 산림 가운데 있으면서
선법을 수습하여 모든 실상을 증득하고

깊이 선정에 들어가 시방의 제불을 보리라.

又見自身　在山林中　修習善法　證諸實相

深入禪定　見十方佛

⑷ 꿈에서 묘각(妙覺)의 구경위(究竟位)에 들어가다

그 사람은 제불의 몸이 금색으로서

백 가지 복으로 장엄한 모습을 보며

부처님에게 법을 듣고 남 위해 법 설하는

이와 같은 좋은 꿈의 경계가 자주 있으리.

또한 꿈속에서 국왕이 되어 궁전과 권속과

최상의 미묘한 오욕 버리고 도량에 이르러

보리수나무 아래에서 사자좌에 앉아

불도를 구하기 칠 일이 지나 제불의 지혜 얻으리.

위없는 불도 이룬 후 일어나 법륜을 굴리시며

사부대중 위해 설법하기를 천만억겁 지나도록

무루의 묘법을 설하여 무량한 중생을 제도하며

최후에는 마땅히 열반에 들어가는 것이

마치 연기가 다하고 등이 꺼지는 것과 같으리.

諸佛身金色　百福相莊嚴　聞法爲人說　常有是好夢

又夢作國王　捨宮殿眷屬　及上妙五欲　行詣於道場

在菩提樹下　而處師子座　求道過七日　得諸佛之智

成無上道已　起而轉法輪　爲四衆說法　經千萬億劫

說無漏妙法　度無量衆生　後當入涅槃　如煙盡燈滅

만약 장래 오탁악세에 제일의 법화경 설하면
이 사람이 큰 이익을 얻는 것이
마치 위의 모든 공덕과 같으리라.

若後惡世中　說是第一法　是人得大利　如上諸功德

十五

종지용출품

(從地湧出品)

땅속에서 솟아나온 무량한 보살들

어째서 「종지용출품」이라고 하는가? 대보살들이 땅속에서 솟아나오기 때문이다. 얼마나 많이 솟아나오는가? 6만 항하사수의 많은 대보살들이 나온다. 한 분의 보살마다 다시 6만 항하사수의 많은 권속을 데리고 오는데, 이들 모두 석가모니 부처님께서 과거생에 교화하신 제자들이다. 따라서 「종지용출품」이라고 한다.

가. 땅속에서 솟아나온 무량한 보살들

1) 타방국토 보살의 발원

그때 시방의 다른 국토에서 온 팔 항하사수가 넘는 보살마하살들이 대중 가운데서 일어나 합장하고 절을 한 후 부처님께 말하였다. "세존이시여, 저희의 발원을 허락하소서. 부처님께서 열반에 드신 후 이 사바세계에서 부지런히 정진하여 이 경전을 독송하고 서사하며 공양하는 자를 보호할 것이며, 마땅히 이 국토에서 널리 설하겠습니다."

爾時他方國土諸來菩薩摩訶薩, 過八恒河沙數, 於大衆中起, 立合掌作禮, 而白佛言。世尊。若聽我等, 於佛滅後, 在此娑婆世界, 勤加精進, 護持 · 讀 · 書寫 · 供養是經典者, 當於此土而廣說之。

그때 부처님께서 보살마하살들에게 말씀하셨다. "그만 두어라, 선남자들이여! 그대들이 이 경을 보호할 필요가 없다. 무엇 때문인가? 나의 사바세계에는 육만 항하사수의 보살마하살들이 있으며, 각각의 보살에게는 육만 항하사수의 권속이 있으니, 이 모든 사람들이 나의 열반 후에 이 경을 독송하는 자를 보호하고, 이 경을 널리 해설할 것이다."

爾時佛告諸菩薩摩訶薩衆。止, 善男子。不須汝等護持此經。所以者何。我娑婆世界, 自有六萬恒河沙等菩薩摩訶薩, 一一菩薩, 各有六萬恒河沙眷屬, 是諸人等, 能於我滅後, 護持·讀誦·廣說此經。

◉ 오늘 과허(果許)의 모친이 무엇을 잘못 먹었다고 한다. 상세히 말해 보라 하니, 한 제자가 이렇게 대답하였다.

"과허의 모친이 오늘 이곳에 와서 우란분(盂蘭盆)법회에 참가하였습니다. 그녀는 최근 외지로 여행을 가서 어느 산속에서 야생식물, 약초, 과일 등을 보고 따서 먹었다고 합니다. 그녀는 그것을 먹은 후 배가 불편하였는데, 따 먹은 식물에 독이 있었기 때문입니다. 배가 점점 심하게 아파오는 가운데 그녀는 이전에 딸이 아미타불 염불하던 것이 기억이 났다고 합니다. 그래서 매우 정성스럽게 '나무아미타불' 염불을 하였더니, 몇 분 지나지 않아서 아픈 것이 금세 없어졌다고 합니다. 그녀는 매우 놀랐다고 합니다."

너희는 이런 일을 믿는가? 어떤 사람은 그런 이상한 일이 없을 것이라고 생각하며 믿지 않을 것이다. 그러나 이 또한 묘한[妙] 일이라고 말할 수 있다. 즉 불가사의한 경계라고 말할 수 있으며, 너희가 믿어도 생기고 안 믿어도 생긴다. 이러한 일은 시작일 뿐이다. 과허의 모친은 과허가 이곳으로 오는 것을 찬성하고 도와주었기 때문에 이러한 경계가 생긴 것이다.

너희에게 하나의 요결(要訣)을 알려주겠다. 바로 "믿는 자는 구제된다.[信者得救]"는 것이다. 누구라도 믿으면 구제될 수 있으며, 누구라도 믿지 않으면 구제될 수 없다. 기독교에서는 믿으면 단지 천상에 올라간다고 하는데, 천상은 윤회하는 세계 안에 있는 것이다. 불교에서 구제된다는 것은 윤회하는 세계 밖을 초월하는 것으로, 생사를 마치게 된다. 기독교의 그것은 너희를 잠시 구제하는 것일 뿐 영원히 구제하는 것이 아니다. 너희가 기독교의 가르침에 따라 수행하면 천상에는 날 수 있으나, 천상의 복이 다하면 다시 떨어지게 된다.

그렇다면 불교의 구제는 어떤가? 한 번 구제되면 영원히 구제되는 것이며, 다시는 떨어지지 않는다. 기독교에서 천상에 나면 영원한 즐거움을 누린다고 말하는 것은 저들의 말일 뿐이며 인정하는 사람이 없다. 지혜가 있는 사람은 천상에 나면 떨어지지 않을 것이라고 믿지 않는다. 왜냐하면 불경에 '천상의 복이 다하면 다시 떨어진다.'고 명백하게 설명하고 있기 때문이다. 기독교의 구제와 불교의 구제는 같지 않은 것이다.

미국에는 몇몇 늙은 괴물이 있는데, 부처와 신과 예수를 하나로 묶어서 신도 부처이고, 부처도 바로 예수이며, 예수도 부처라고 말하는 사람들이다. 아! 어지럽고, 명료하게 분별하지 못한다. 그들은 왜 그렇게 생각하는가? 바로 너희로 하여금 분명하지 않게 하려는 것이다. 지금 나는 너희로 하여금 분명히 이해하게 하는 것이다.

2) 땅속에서 무량한 보살들이 솟아나다

부처님께서 이러한 말씀을 하실 때 사바세계 삼천대천국토는 땅이 진동하고 갈라지며 그 속에서 무량한 천만억의 보살마하살들이 동시에 솟아나왔다. 이 모든 보살은 몸이 모두 금색이고, 삼십이상과 무량한 광명을 갖추었으며, 그들은 모두 이 사바세계 아래 허공 가운데 머물고 있었다.

佛說是時, 娑婆世界三千大千國土, 地皆震裂, 而於其中, 有無量千萬億菩薩摩訶薩, 同時踊出。是諸菩薩, 身皆金色, 三十二相, 無量光明。先盡在此娑婆世界之下 · 此界虛空中住。

이 모든 보살들은 석가모니 부처님의 설법하시는 음성을 듣고 아래로부터 온 것이다. 각각의 보살은 모두 대중을 가르치고 인도하는 스승으로서 각각 육만 항하사수의 권속을 대동하였다.

더구나 오만, 사만, 삼만, 이만, 일만 항하사수의 권속을 대동한 보살도 있었으며, 또한 일 항하사, 반 항하사, 사 분의 일 항하사수의 권속을 데리고 온 보살도 있었으며, 나아가 천만억 나유타 분의 일 항하사수의 권속을 대동한 보살도 있었다.

또한 천만억 나유타의 권속과 억만의 권속을 대동한 보살도 있었으며, 다시 천만, 백만, 내지 일만의 권속을 대동한 보살도 있었다. 다시 일천, 일백, 일십의 권속을 대동한 보살과 오, 사, 삼, 이, 일의 제자를 데리고 온 보살도 있었으며, 또한 자기 혼자 와서 원리행(遠離行)을 즐기는 보살도 있었다. 이와 같은 무리들은 헤아려 보면 무량하고 무변하여 산수와 비유로는 그 수를 알 수 없었다.

是諸菩薩, 聞釋迦牟尼佛所說音聲, 從下發來。一一菩薩, 皆是大衆唱導之首, 各將六萬恒河沙眷屬。況將五萬 · 四萬 · 三萬 · 二萬 · 一萬恒河沙等眷屬者。況復乃至一恒河沙 · 半恒河沙 · 四分之一 · 乃至千萬億那由他分之一。況復千萬億那由他眷屬。況復億萬眷屬。況復千萬·百萬·乃至一萬。況復一千·一百·乃至一十。況復將五·四·三·二·一弟子者。況復單己, 樂遠離行。如是等比, 無量無邊, 算數譬喩所不能知。

이 모든 보살들은 땅에서 솟아오른 후 각각 허공에 있는 칠보묘탑의 다보여래와 석가모니불의 처소에 이르러 두 세존께 오체투지로 절을 하였으며, 또한 보배 나무 아래의 사자좌에 앉아 계신 시방의 제불에게 절을 한 후 오른쪽으로 세 번을 돈 후 합장하고 공경하였다. 그런 후에 보살들의 갖가지 찬탄 방법으로 찬탄하고서 물러나 한쪽에 머물러 즐거운 마음으로 두 세존을 우러러보았다. 이 모든 보살마하살들이 처음 땅에서 솟아나온 후 모든 보살의 갖가지 찬탄 방법으로 부처님을 찬탄한 이러한 시간이 오십 소겁을 경과하였다.

이때 석가모니불께서는 아무 말 없이 앉아 계셨으며, 아울러 모든 사부대중들도 아무 말 없이 오십 소겁의 시간이 지나갔는데, 부처님의 신통력으로 인하여 모든 대중들은 마치 반일이 지나간 것처럼 느꼈다. 그때 사부대중들도 부처님의 신통력으로 인하여 모든 보살들이 무량한 백천만억 국토의 허공에 두루 가득한 것을 보게 되었다.

是諸菩薩從地出已, 各詣虛空七寶妙塔多寶如來·釋迦牟尼佛所。到已向二世尊頭面禮足, 及至諸寶樹下師子座上佛所, 亦皆作禮, 右繞三匝, 合掌恭敬。以諸菩薩種種讚法, 而以讚歎, 住在一面, 欣樂瞻仰於二世尊。是諸菩薩摩訶薩, 從初湧出, 以諸菩薩種種讚法, 而讚於佛。如是時間, 經五十小劫。是時釋迦牟尼佛默然而坐, 及諸四衆, 亦皆默然。五十小劫, 佛神力故, 令諸大衆謂如半日。爾時四衆亦以佛神力故, 見諸菩薩, 遍滿無量百千萬億國土虛空。

여시시간(如是時間) 경오십소겁(經五十小劫) 이 오십 소겁에 대해 『유마경(維摩經)』을 예로 들어 설명하겠다. 유마 거사가 거주한 방은 사방으로 일 장(丈) 정도 되었다. 그러나 그 방은 삼만 이천의 사자좌를 수용할 수 있었다. 각 사자좌는 모두 높이가 팔만 유순(1由旬은 사십 리)이었다. 그러니 유마 거사의 작은 방에서 어떻게 그러한 사자좌를 수용할 수 있는가? 심지어 성문의 제자는 이 사자좌에 앉으려고 해도 앉을 방법이 없었다.

이것이 바로 "작은 가운데서 큰 것을 드러내고, 큰 것 가운데 작은 것을 나타내며, 작은 것은 큰 것을 장애하지 않고, 큰 것은 작은 것을 장애하지 않는다."는 것이다. 이러한 원융무애한 경계는 범부가 알 수 있는 것이 아니다. 만약 너희가 이해한다면, 오십 소겁은 마치 한 순간과 같을 것이다. 따라서 일념간이 오십 소겁이고, 오십 소겁이 일념간이다.

우리는 이 경을 왜 『법화경』이라고 하는가? 그것은 너무나 묘하고 불가사의하기 때문이다. 이러한 경계를 너희는 볼 수 없다. 마치 우리가 특별한 안경을 쓰고 영화를 보는 것과 같다. 멀리 있는 것이 마치 눈앞에 있는 것과 같은 것이다. "일념간이 오십 소겁"이라거나, "팔만 대겁을 초과한다."는 것도 너희가 특별한 안경을 쓴 것과 같은 것이다. 그러므로 오십 소겁이 길지만 짧은 것으로 변할 수 있으며, 짧은 시간도 긴 시간으로 변할 수 있다. 시간은 일정함이 없다.

본래 속제(俗諦)의 세간법에 따라 말하자면 무엇이든 있지만, 만약 진제(眞諦)에 따라 말하자면 무엇이든 모두 공한 것이며, 상주하고 무너지지 않는 것이 아니다. 따라서 이 시간은 과거도 없고, 현재도 없고, 미래도 없다. 그래서 『금강경』에서 "과거의 마음도 얻을 수 없고, 현재의 마음도 얻을 수 없고, 미래의 마음도 얻을 수 없다."고 한 것이다. 이미 세 가지 마음을 얻을 수 없으면 이 시간도 없다.

지금 이 시간을 설명해 보자면, 사왕천(四王天)의 하루는 우리 인간의 오십 년이고, 도리천(忉利天)의 하루는 인간의 백 년이다. 사왕천 천인의 수명은 오백 년이고, 도리천 천인의 수명은 일천 년이다. 그럼 사왕천 천인의 수명이 인간의 시간으로 얼마나 되는지 계산해 보라. 어떤 외도가 마하가전연(摩訶迦旃延) 존자에게 물었다. "나는 내생이 있다는 것을 믿지 않습니다. 만약 내생이 있다면 어째서 죽은 사람이 돌아와 가족에게 알리는 것을 보지 못합니까?"

그러자 존자가 답하였다. "마치 사람이 죄를 범하면 감옥에 갇히는 것과 같다. 그가 집으로 돌아와 소식을 전하려고 해도 불가능하다." 외도가 생각하더니 이것도 도리가 있다고 생각하고 다시 물었다. "지옥에 간 사람은 돌아오지 못한다 치더라도, 그럼 천상에 태어난 사람은 어째서 돌아와 알리지 못합니까?"

존자께서 답하였다. "천상의 하루 낮밤은 인간의 오십 년인데, 이틀이면 백 년이다. 그가 천상에 이르러 첫날은 휴식하고, 그 다음날 장소를 정리하여 잠이라도 잘 침상을 수습해야 하며, 세 번째 날 가족이 생각나서 돌아오면 너희는 이미 죽은 후이다. 이미 백오십 년이 지난 뒤니 너희가 어떻게 그를 만나볼 수 있겠는가?" 그 외도는 아무 말도 하지 못하였다.

우리 인간과 천상의 시간은 같지 않다. 우리 인간의 하루는 지옥의 오백 년이니, 이 시간이라는 것은 같지 않은 것이다. 그러므로 너희는 시간에 대하여 집착해서는 안 될 것이다. 이 시간은 본래 공한 것이다. 사람으로 말하면 시간이 있지만, 시간의 본래 몸에서는 근본적으로 시간이라고 부를 아무것도 없다. 당체즉공(當體卽空: 어떤 형상을 대하면 바로 공하다는 도리를 알아차린다)이라고 하듯이, 그것은 하나의 자성이 없으며 본체가 없다. 그러므로 너희는 그것이 반드시 어떤 시간이어야 한다고 어찌 집착할 필요가 있겠는가?

3) 상수제자가 부처님께 안부를 묻다

이 모든 보살들 가운데 네 명의 인도자가 있었다. 첫째는 상행이며, 둘째는 무변행이며, 셋째는 정행이며, 넷째는 안립행이라고 이름하였다. 이 네 분의 보살은 무량한 보살들 가운데서 가장 상수이고 영도하는 스승이었다.

이 네 분은 대중들 앞에서 각각 함께 합장하고 석가모니불을 바라보면서 안부를 물었다. "세존이시여! 병이나 걱정은 없으시며, 편안하고 즐겁게 지내십니까? 마땅히 제도해야 할 중생은 쉽게 가르침을 받아들이며, 세존을 피로하게 하지는 않습니까?"

이때 네 분의 대보살은 게송을 설하였다.

是菩薩衆中, 有四導師。一名上行, 二名無邊行, 三名淨行, 四名安立行。是四菩薩, 於其衆中, 最爲上首, 唱導之師。在大衆前, 各共合掌, 觀釋迦牟尼佛, 而問訊言。世尊。少病·少惱, 安樂行不。所應度者, 受教易不。不令世尊生疲勞耶。爾時四大菩薩, 而說偈言。

세존께서는 안락하시고 병과 걱정 없으시며
교화할 중생들 때문에 힘드시지는 않습니까?
또한 모든 중생은 쉽게 교화를 받아들이며

세존을 피로하게 하지는 않습니까?

世尊安樂 少病少惱 教化衆生 得無疲惓
又諸衆生 受化易不 不令世尊 生疲勞耶

그때 세존께서는 보살대중들에게 이렇게 말씀하셨다. "그렇고, 그렇다. 모든 선남자들이여! 여래는 안락하고 병이 없으며 걱정이 없고, 모든 중생들은 교화하기가 쉬워 피로함이 없느니라. 무슨 까닭인가? 이 모든 중생들은 세세생생 이래로 항상 나의 교화를 받았으며, 또한 과거생에 무수한 많은 제불에게 공경하고 존중하면서 많은 선근을 심었기 때문이다. 이 모든 중생들은 나의 몸을 처음으로 보고, 나의 설법을 듣고는 곧바로 믿고 받아들여 여래의 지혜로 들어갔다. 먼저 소승을 닦고 익힌 자는 제외하지만, 이런 사람들에게도 내가 지금 이 법화경을 듣게 하여 부처의 지혜로 들어가게 하였느니라."

爾時世尊於菩薩大衆中, 而作是言。如是, 如是。諸善男子。如來安樂, 少病·少惱。諸衆生等, 易可化度, 無有疲勞。所以者何。是諸衆生, 世世已來, 常受我化。亦於過去諸佛恭敬尊重, 種諸善根。此諸衆生, 始見我身, 聞我所說, 卽皆信受, 入如來慧。除先修習學小乘者, 如是之人, 我今亦令得聞是經, 入於佛慧。

그때 모든 대보살은 게송을 설하였다.

좋고 좋습니다, 대 영웅이신 세존이시여!
모든 중생들은 교화하기 쉬우며
능히 제불에게 깊고 깊은 지혜를 묻고
들은 후 믿고 행하니 저희들 수희합니다.

爾時諸大菩薩, 而說偈言。

善哉善哉　大雄世尊　諸衆生等　易可化度

能問諸佛　甚深智慧　聞已信行　我等隨喜

이때 세존께서는 상수의 모든 대보살을 찬탄하셨다.
"훌륭하고 훌륭하구나. 선남자들이여! 그대들은 여래에게 수희하는 마음을 내었구나."
於時世尊讚歎上首諸大菩薩。善哉, 善哉, 善男子。汝等能於如來發隨喜心。

나. 미륵보살의 의문

1) 사바세계 보살들의 의문

그때 미륵보살과 팔천 항하사수의 많은 보살들은 모두 이러한 생각을 하였다. '우리는 이전부터 이러한 대보살마하살들이 땅에서 솟아나와 세존의 앞에 머물면서 합장하고 공양하며 여래께 안부를 묻는 것을 보지도 못하고 듣지도 못하였다.'
그때 미륵보살마하살은 팔천 항하사수의 보살들의 마음에서 생각하는 것을 알고, 아울러 스스로의 의문을 해결하기 위하여 부처님께 합장하고 게송으로 물었다.

爾時彌勒菩薩, 及八千恒河沙諸菩薩衆, 皆作是念。我等從昔已來, 不見不聞如是大菩薩摩訶薩衆, 從地湧出, 住世尊前, 合掌·供養, 問訊如來。時彌勒菩薩摩訶薩, 知八千恒河沙諸菩薩等心之所念, 并欲自決所疑, 合掌向佛。以偈問曰。

가) 어디서 왔는가?

무량한 천만억의 많은 보살대중들을
이전에는 본 적이 없으니 양족존께서 설해 주소서.
이들은 어디에서 왔으며, 무슨 인연으로 모였는지
이들의 거대한 몸과 대신통과 지혜는 사의할 수 없고
그들의 뜻과 생각은 견고하고 큰 인욕의 힘을 가지며
중생들이 보기를 즐겨하는데, 어디에서 왔습니까?
無量千萬億　大衆諸菩薩　昔所未曾見　願兩足尊說
是從何所來　以何因緣集　巨身大神通　智慧叵思議
其志念堅固　有大忍辱力　衆生所樂見　爲從何所來

나) 권속의 수량

각각의 모든 보살은 많은 권속을 데리고 왔으며
그 수가 항하사수와 같이 무량하네.
어떤 대보살은 육만 항하사수의 권속 데려오고
이와 같은 모든 대중은 일심으로 불도를 구하며
육만 항하사수의 많은 대법사들이

함께 와서 부처님께 공양하고 이 경을 보호하려 하네.

一一諸菩薩　所將諸眷屬　其數無有量　如恒河沙等
或有大菩薩　將六萬恒沙　如是諸大衆　一心求佛道
是諸大師等　六萬恒河沙　俱來供養佛　及護持是經

오만 항하사수의 제자 데려온 보살의
그 수는 이것보다 더 많기도 하며
혹은 사만, 삼만, 이만, 일만에 이르기도 하고
혹은 일천, 일백, 일 항하사수에 이르고
혹은 반, 삼·사 분의 일, 억만 분의 일 항하사거나
천만 나유타 분, 만억의 많은 제자 데려오거나
나아가 반억에 이르기까지 다시 위보다 많으며
백만 또는 일만, 일천 또는 일백에 이르거나
오십과 일십, 또는 셋, 둘, 하나의 제자 데려오고
권속 없이 단신으로 와 홀로 머물기를 즐기는 자들이
모두 함께 부처님 처소로 오니 그 수가 위보다 많네.
만약 어떤 사람이 이 모든 대중들을 계산하려면
항하사 겁이 지나도록 계산해도 다 알 수 없네.

將五萬恒沙　其數過於是　四萬及三萬　二萬至一萬
一千一百等　乃至一恒沙　半及三四分　億萬分之一
千萬那由他　萬億諸弟子　乃至於半億　其數復過上
百萬至一萬　一千及一百　五十與一十　乃至三二一
單己無眷屬　樂於獨處者　俱來至佛所　其數轉過上
如是諸大衆　若人行籌數　過於恒沙劫　猶不能盡知

다) 스승은 누구인가?

큰 위덕 갖추고 정진하는 이 모든 보살들은
누가 그들에게 법 설하여 교화하고 성취하였으며
누구로부터 최초에 발심하고 어떤 불법 선양하며
어떤 경 수지하고 수행하며 어떤 불도를 수습합니까?
是諸大威德　精進菩薩衆　誰爲其說法　教化而成就
從誰初發心　稱揚何佛法　受持行誰經　修習何佛道

라) 어떤 인연으로 왔는가?

이러한 모든 보살들은 신통과 큰 지혜의 힘 있고
사방의 땅이 갈라져 그 가운데서 솟아나왔는데
세존이시여, 저는 이전엔 이런 일 보지 못했으니
그들이 온 국토의 이름을 설하시길 원합니다.
저는 항상 많은 국토 다녔으나 이들 못 보았으며
저는 이 보살대중 가운데 한 사람도 알지 못하니
갑자기 땅에서 솟아나온 그 인연 설하여 주소서.
如是諸菩薩　神通大智力　四方地震裂　皆從中踊出
世尊我昔來　未曾見是事　願說其所從　國土之名號
我常遊諸國　未曾見是衆　我於此衆中　乃不識一人
忽然從地出　願說其因緣

지금 이 법회에 있는 무량한 백천만억의

많은 보살들이 모두 이러한 일을 알려고 하오니
땅에서 솟은 이 모든 보살들의 인연에 대하여
무량한 공덕을 갖춘 세존이시여!
오직 대중의 의문을 해결해 주소서.
今此之大會 無量百千億 是諸菩薩等 皆欲知此事
是諸菩薩衆 本末之因緣 無量德世尊 唯願決衆疑

2) 타방국토 보살들의 의문

그때 석가모니불의 분신제불은 무량한 천만억의 타방국토에서 오신 분으로서, 팔방의 모든 보배 나무 아래 사자좌에서 결가부좌로 앉아 계셨다. 그 부처님들의 시자들은 각각 이러한 보살대중들이 삼천대천세계 사방의 땅에서 솟아나와 허공에 머무는 것을 보고 각자의 부처님께 물었다. "세존이시여! 이러한 무량하고 무변한 아승기의 수많은 보살대중들은 어디에서 왔습니까?"
이때 분신제불께서는 각자의 시자에게 말씀하셨다. "선남자들이여, 잠시만 기다려라. 미륵이라고 이름하는 보살마하살은 석가모니불로부터 다음에 부처가 되리라는 수기를 받았는데, 그가 이러한 일을 물었으므로 부처님께서는 이제 답을 하실 것이니, 그대들은 이로 인하여 저절로 알게 될 것이다."
爾時釋迦牟尼分身諸佛, 從無量千萬億他方國土來者, 在於八方諸寶樹下, 師子座上, 結加趺坐。其佛侍者, 各各見是菩薩大衆, 於三千大千世界四方, 從地湧出, 住於虛空, 各白其佛言。世尊。此諸無量無邊阿僧祇菩薩大衆, 從何所來。爾時諸佛各告侍者。諸善男子, 且待須臾。有菩薩摩訶薩, 名曰彌勒, 釋迦牟尼佛之所授記, 次後作佛, 以問斯事, 佛今答之, 汝等自當因是得聞。

다. 석가세존의 답변

1) 여래의 힘과 위덕

그때 석가모니 부처님께서는 미륵보살에게 말씀하셨다. "훌륭하고 훌륭하구나. 아일다보살이여! 그대는 이러한 큰일을 묻는구나. 그대들은 함께 일심으로 정진의 갑옷을 입고 견고한 뜻을 일으켜야 한다. 여래는 지금 제불의 지혜와 제불의 자재한 신통의 힘, 제불의 사자분신(師子奮迅)의 힘, 제불의 위덕과 용맹한 큰 세력을 드러내어 선설하려고 한다."

爾時釋迦牟尼佛告彌勒菩薩。善哉, 善哉, 阿逸多。乃能問佛如是大事•。汝等當共一心, 被精進鎧, 發堅固意, 如來今欲顯發宣示諸佛智慧•·諸佛自在神通之力•·諸佛師子奮迅之力•·諸佛威猛大勢之力•。

선재(善哉) 선재(善哉) 아일다(阿逸多) 내능문불여시대사(乃能問佛如是大事)• '선재, 선재'에는 두 가지의 뜻이 있다. 앞의 선재는 "그대의 질문이 가장 좋습니다."라고 말한 것이다. 무엇 때문인가? 부처님의 마음을 이해하여 이렇게 물은 것으로서 "위로는 부처님의 마음과 계합한다."는 뜻이다. 뒤의 선재는 "그대는 지금 물은 것이 가장 좋습니다."라고 말한 것이다. 이것은 "아래로는 중생의 마음과 계합한다."는 뜻이다. 그래서 두 번 "선재"라고 말하신 것이다.

그리고 무엇 때문에 이 일을 대사(大事)라고 말하는가? 이것은 "종적을 열어 본생(本生)을 드러내고[開跡顯本], 가까운 일을 열어 먼 일을 나타내는[開近顯遠]" 법문이다. 종적이란 과거의 일이며, 본(本)은 본래의 모습, 본생의 일을 말한다. 이 법문은 과거에는 설한 적이 없다. 화엄시(華嚴時)에서도 이러한 법문을 설한 적이 없고, 아함시·방등시·반야시에서도 설한 적이 없다. 오직 현재 법화시(法華時)에서 비로소 『법화경』을 설하는 것이다. 이것은 가까운 일을 열어 먼 일을 나타내는, 미묘하고 불가사의한 법문이다. 왜냐하면 이전에는 종래로 드러내어 설한 적이 없기 때문이다. 따라서 지금 하나의 큰일[大事]이라고 부르는 것이다.

그리고 이 큰일은 성품의 덕[性德]이 아니고 수행의 덕[修德]이다. 덕행을 닦아 이 과위를 얻는 것은 매우 심원한 일이다. 성품의 덕이 평등하다[性德平等]는 것은 이치의 길에서 말하는 것이다. 이 큰일은 사(事)이지, 이(理)가 아니다. 그래서 대사라고 한다.

여래금욕현발선시제불지혜(如來今欲顯發宣示諸佛智慧)•

무엇을 제불의 지혜라고 하는가? 이 『법화경』이 바로 제불의 지혜이며, 또한 불도를 성취하는 지혜이다. 너희가 만약 제불의 지혜를 알고자 한다면 『법화경』을 연구해야 한다. 너희가 『법화경』을 연구하면 비로소 제불의 지혜를 얻을 수 있다.

제불자재신통지력(諸佛自在神通之力)• 제불의 자재력(自在力)은 바로 열반의 네 가지 덕 가운데 아덕(我德)을 뜻하며, 신통력은 낙덕(樂德)을 뜻한다.

제불사자분신지력(諸佛師子奮迅之力)• 사자분신의 힘이란 무엇인가? 사자분신은 때를 제거하기 때문에 정덕(淨德)을 뜻한다.

제불위맹대세지력(諸佛威猛大勢之力)• 위맹의 큰 세력이란 즉 상덕(常德)을 뜻한다. 이 네 가지의 덕이 원만하면, 과거, 현재, 미래세에서 일체중생에 대하여 힘을 가질 수 있고 이로움을 가질 수 있다. 그래서 힘이라고 칭한 것이다.

자재신통의 힘은 궁극의 자비의 방으로 들어가게 하며, 사자분신의 힘은 궁극의 법공(法空)의 자리이며, 위맹의 대세력은 궁극의 인욕의 옷이다. 따라서 이것도 바로 "여래의 방에 들어가고, 여래의 자리에 앉으며, 여래의 옷을 입는" 경계이다.

그때 세존께서는 이러한 뜻을 거듭 선설하시고자 게송을 설하셨다.

정진하여 한마음 되라, 나는 이 일을 말하려고 하니
의심과 후회하지 말게, 부처의 지혜는 부사의하네.
그대들 지금 믿음의 힘 내고 인욕의 선에 머물러야
이전에는 들어 보지 못한 법을 지금 들을 수 있네.
나는 지금 그대들 안위하니 의구심을 품지 말라.
부처는 진실하지 않은 말 않고 지혜는 사량할 수 없네.
얻은 바의 제일의 묘법은 매우 깊어 분별할 수 없으며

이러한 묘법 지금 설하리니 그대들은 일심으로 듣게나.

爾時世尊欲重宣此義, 而說偈言。

當精進一心　我欲說此事　勿得有疑悔　佛智叵思議
汝今出信力　住於忍善中　昔所未聞法　今皆當得聞
我今安慰汝　勿得懷疑懼　佛無不實語　智慧不可量
所得第一法　甚深叵分別　如是今當說　汝等一心聽

가) 스승에 대한 답변

그때 세존께서는 이 게송을 설하신 후 미륵보살에게 말씀하셨다.

"나는 지금 이 법회의 대중 앞에서 그대들에게 말하겠다. 아일다여! 무량하고 무수한 아승기의 이 모든 보살마하살들이 땅에서 솟아나온 것을 그대들은 이전에 보지 못했을 것이다. 나는 이 사바세계에서 무상정등정각을 얻은 후 이 모든 보살들을 교화하고 가르치며 인도하여, 그 마음을 조복하고 수도(修道)의 뜻을 내게 하였다."

爾時世尊說此偈已, 告彌勒菩薩。我今於此大衆, 宣告汝等。阿逸多。是諸大菩薩摩訶薩, 無量無數阿僧祇, 從地湧出, 汝等昔所未見者。我於是娑婆世界, 得阿耨多羅三藐三菩提已, 敎化示導是諸菩薩, 調伏其心, 令發道意。

나) 온 곳에 대한 답변

"이 모든 보살들은 모두 사바세계 하방의 허공 가운데 머문다. 그들은 모든 경전을 유창하게 독송하고, 사유하고 분별하며, 바르게 억념한다.

아일다여, 이 모든 선남자들은 대중의 모임 가운데서 많이 설하는 것을 좋아하지 않으며, 그들은 항상 고요한 곳에서 부지런히 정진하기를 좋아하며 휴식하지 않는다. 또한 인간과 천상에 의지하여 머물지 않으며, 항상 깊은 지혜를 즐기며 장애가 없으며, 또한 항상 제불의 법 닦기를 좋아하여 일심으로 정진하면서 위없는 부처의 지혜를 구한다."

此諸菩薩, 皆於是娑婆世界下 · 此界虛空中住。於諸經典, 讀誦通利, 思惟分別, 正憶念。阿逸多。是諸善男子等, 不樂在衆, 多有所說, 常樂靜處, 勤行精進, 未曾休息。亦不依止人天而住。常樂深智, 無有障礙, 亦常樂於諸佛之法, 一心精進, 求無上慧。

개어시사바세계하(皆於是娑婆世界下) 차계허공중주(此界虛空中住) 땅에서 솟아나온 이 보살들은 사바세계의 아래쪽 허공 가운데 머문다고 한다. 범부로서는 이러한 경계를 알 길이 없다. 너희가 만약 오안(五眼)과 육신통을 얻으면, 너희가 보는 허공은 범부가 보는 허공과는 같지 않다. 갖가지의 궁전, 누각, 도량 등이 허공 속에 있으며, 모두 칠보로 장엄되어 있다. 각각의 궁전, 누각, 도량 속에는 부처님이 법을 설하고 있으며, 많은 대보살들이 그곳에서 법을 듣고 법을 수행하고 있다. 그래서 법계라고 부르는 것이다. 허공에 불법이 두루 충만한 곳이다.

그러므로 도의 눈을 얻지 못하면 이러한 경계를 알 수 없다. 도안이 열리면, 너희가 경을 읽기를 원하면 어느 곳이라도 경이 있으며, 법을 닦기를 원하면 어느 곳에서도 법을 닦을 수 있으며, 보살도를 닦으려고 하면 어느 곳이라도 보살도를 행할 수 있다. 따라서 이것은 묘한 경계이고 불가사의한 경계이다.

시제선남자등(是諸善男子等) 불락재중(不樂在衆) 다유소설(多有所說)• 그들은 대중이 많은 번잡한 곳을 좋아하지 않는다고 한다. 무엇이 대중이 많은 번잡한 곳인가? 바로 삼계 안과 삼계를 벗어난 곳이다. 삼계란 욕계, 색계, 무색계이다. 삼계 내와 삼계 밖에는 일종의 오음(五陰)이 있다. 이 오음이 재중(在衆)을 말한다. 이 보살들은 '오온이 모두 공한 것을 비춰 본[照見五蘊皆空]' 것이다. 그래서 "대중이 많은 곳을 좋아하지 않는다.[不樂在衆]"고 한다. 그들은 이미 삼계를 벗어났으며, 또한 "제법은 본래 설할 것이 없다."는 것을 요달하였다. 따라서 그들은 대중[오음(五陰)]이 모인 곳에서 많이 설하는 것을 좋아하지 않는 것이다.

상락정처(常樂靜處) 근행정진(懃行精進) 미증휴식(未曾休息)• 무엇을 고요한 곳[靜處]이라고 하는가? 바로 제일의제(第一義諦)를 뜻한다. 그들은 항상 제일의제의 법에서 부지런히 정진한다. 그들은 제일의제의 도리, 말할 수 없는 법문에 대하여 조금도 게으르지 않으며, 아직 휴식하지 않는다.

상락심지(常樂深智) 무유장애(無有障礙)• 그들이 좋아하는 것은 바로 심원한 대지혜이다. 그리고 일체의 장애가 없다. 왜 장애가 없는가? 바로 그들에게는 지혜가 있기 때문이다. 사람들이 왜 일을 만나 간파하지 못하고, 놓지 못하는가? 바로 장애가 있기 때문이다. 장애에는 소지장(所知障), 번뇌장(煩惱障), 업장(業障), 보장(報障)이 있다.

'아, 내가 아는 것은 그보다 많아!' 이렇게 생각하는 것은 하나의 장애가 있는 것이다. 소지장이다. '나는 당신보다 더 잘 이해해!' 이런 것도 소지장이다. 번뇌장은 밝게 드러나는 것이기 때문에 누구나 이해할 수 있는 것이다. 업장이 오면 자기가 마음대로 할 수 없으며, 혹은 정신병이 발작하거나 혹은 특별한 정황이 생긴다. 이 업장이 그를 재촉하고 핍박하면, 갖가지의 여법하지 않은 일이 생긴다. 보장은 과보를 받는 장애이다.

번뇌장, 업장, 보장은 모두 장애이다. 가장 나쁜 것은 바로 소지장이다. 너희가 만약 모르면 아직 장애가 없지만, 아는 것이 많으면 도리어 장애를 만들어 내고 자만심이 나온다. 불법을 배우기 전에는 장애가 없었는데, 불법을 몇 년 공부하다 보니 일종의 장애가 나온다. 본래 배움은 장애가 없음을 배우는 것인데, 배우면 도리어 장애를 내는 것을 배운다. 너희가 어떤 인연, 어떤 상황을 만나도 모두 즐거운 것이 장애가 없는 것이다.

다) 여래의 교화에 대한 게송

그때 세존께서는 이러한 뜻을 거듭 선설하시고자 게송을 설하셨다.

아일다여, 그대는 알아야 하네.
이 모든 대보살은 무수한 겁 이래로
부처의 지혜를 수습하였으며
모두 내가 교화하여
위없는 도심 발하게 하였으니
그들은 모두 나의 제자이네.

爾時世尊欲重宣此義。而說偈言。

阿逸汝當知　是諸大菩薩　從無數劫來　修習佛智慧

悉是我所化　令發大道心　此等是我子

이 세계를 의지하여 항상 두타행 닦으며
고요한 곳 머물기를 즐겨서
대중의 시끄러움 버리고, 말 많음 좋아하지 않네.
이와 같은 제자들은 나의 도법을 배우고 익혀서
주야로 항상 정진함은 불도를 구하기 위한 까닭이네.
사바세계 하방의 허공 가운데 머물고 있으며
뜻과 생각 견고하여 항상 부지런히 지혜 구하며
갖가지 묘법을 설하는데 그 마음에 두려움 없네.
依止是世界　常行頭陀事　志樂於靜處　捨大衆憒鬧
不樂多所說　如是諸子等　學習我道法　晝夜常精進
爲求佛道故　在娑婆世界　下方空中住　志念力堅固
常勤求智慧　說種種妙法　其心無所畏

나는 가야성 근처에 있는 보리수 아래에 앉아
최상의 정각을 이루고 위없는 법륜을 굴리며
그때 이들 교화하여 처음 도심을 발하게 하였으며
지금은 모두 불퇴지에 머물러 장차 성불할 것이네.
나는 지금 진실한 말 하니 그대들 일심으로 믿으라.
나는 오랜 무량 겁 이전부터 그들을 교화하였네.
我於伽耶城　菩提樹下坐　得成最正覺　轉無上法輪
爾乃敎化之　令初發道心　今皆住不退　悉當得成佛
我今說實語　汝等一心信　我從久遠來　敎化是等衆

◉ 석가모니 부처님은 단지 금생에 이 사바세계에서 성불한 것뿐 아니라 무량 겁 이전에 이미 성불하였다. 본래 남[生]이 없으나 남을 시현하였고, 본래 멸이 없으나 열반을 시현하는 것이다. 『범망경(梵網經)』에서 이르시기를 "나는 사바세계에 팔천 번을 왔다.[我來娑婆世界八千返]"라고 하였다. 만약 그대가 천안통을 얻어 도안으로 관찰하면 석가모니 부처님께서 이 세계에 팔천 번만이 아니라 팔만 번, 팔백만 번 이상 온 것을 알 수 있을 것이다. 무량하고 무수한 그렇게 많은 횟수가 될 것이다.

이러한 계산할 수 없을 정도의 무량한 대보살들이 삼천대천세계의 허공에 충만한데, 이 모두는 석가모니 부처님이 과거생에서 성불한 그때 교화한 제자라는 것이다. 미륵보살이 묻는다. "그들은 누구를 따라 발심하고, 누가 그들을 가르치고, 그들은 어떤 방법을 수행하며 어떤 경을 읽는가?" 그들이 닦는 것은 바로 법화의 법문이며, 그들이 읽는 것은 바로 『법화경』이다. 지금 부처님께서는 이 모든 대중이 모두 내가 교화하여 성취한 것이라고 하신다.

석가모니 부처님께서 이 게송을 설하신 후 미륵보살은 본래 무엇이든 다 이해하고 알지만, 지금은 모른다고 한다. 이 보살들은 이렇게 나이가 많은데, 부처님은 지금 칠십여 세이다. 이렇게 젊은데 어떻게 그렇게 늙은 보살들이 당신의 제자가 될 수 있는가? 어찌 이런 도리가 있을 수 있는가? 이것은 스물다섯 살의 젊은이가 백 세 노인을 만나 "이 노인이 나의 아들이다."라고 하며, 이 노인은 "그래 맞아. 그가 바로 나의 부친이야."라고 하는 것과 같다. 어찌 이럴 수가 있는가? 미륵보살과 일반의 보살들도 의문이 생기는 것이다.

◉ 우리는 지금 그들이 의문을 품든지 품지 않든지를 관여하지 않고,

집착에 관하여 이야기하려고 한다. 중생이 부처를 이루지 못하는 것은 망상과 집착 때문이라고 한다. 그래서 어떤 사람이 의심을 품었다. '이 말은 맞지 않아. 나는 이렇게 나이가 들도록 살지만 하나의 망상도 없으며, 아울러 집착도 없어! 나는 돈을 집착하지 않고, 집과 토지를 집착하지 않으며, 먹는 것 입는 것을 집착하지 않고, 아무것도 집착하지 않아.' 이렇게 생각한다면, 그는 '아무것도 집착하지 않는다'는 것을 아직 놓지 못하고 있는 것이다. 그래서 그는 부처를 이루지 못한다. 너희가 만약 너희에게 약간의 집착이 있다는 것을 안다면 아직 방법이 있다. 너희는 지금 너희에게 집착이 없다고 생각하기 때문에 방법이 없는 것이다. 근본적으로는 너희의 집착이 너무 많다!

어째서 너무 많다고 하는가?

첫째, 너희는 이 신체를 집착하면서 언제나 자기가 생긴 것이 괜찮다고 느끼는 것이다. 언제나 자기는 남들보다 잘생겼다고 느낀다. 총명한 사람도 집착이 있다. 그들은 이렇게 말한다. "나는 누구보다도 총명해. 경전을 배우면 나는 다 잘 기억하는데, 당신들은 그렇게 오래 배워도 기억하지 못하잖아!" 그에게도 총명함에 대한 집착이 있는 것이다. 총명한 사람은 총명함의 집착이 있고, 어리석은 사람은 어리석음의 집착이 있으며, 히피는 히피의 집착이 있다. 너희는 무엇이든 놓아버렸다고 말하는데, 사실은 아무것도 놓지 못하였다. 이것이 어리석은 사람이 아니면 무엇인가?

가난한 사람은 가난한 사람의 집착이 있고, 부자는 부자의 집착이 있다. 너희가 어떤 지위에 있어도 그러한 집착이 있다. 출가인은 출가인의 집착이 있고, 재가인은 재가인의 집착이 있다. 놓아버려라[放下]!

라. 여래의 교화에 대한 보살들의 의문

1) 미륵보살의 청문

그때 미륵보살마하살과 무수한 많은 보살들은 마음에 의혹이 생겨 이전에 없던 일이라고 이상하게 여기면서 이렇게 생각하였다. '세존께서는 어떻게 짧은 시간에 이렇게 무량하고 무변한 아승기의 많은 대보살을 교화하여 무상정등정각에 머물게 할 수 있는가?'

그리하여 즉시 부처님께 말하였다. "세존이시여! 여래께서는 태자였을 때 석가족의 왕궁을 벗어나 가야성에서 멀지 않은 도량에 앉아 무상정등정각을 이루었습니다. 이때로부터 비로소 사십여 년이 지났을 뿐인데, 세존께서는 어떻게 이 짧은 기간에 크게 불사를 지어, 부처님의 큰 세력과 부처님의 공덕으로 이러한 무량한 대보살을 교화하여 무상정등정각을 이루게 하였습니까?

세존이시여! 이 대보살들은 가령 어떤 사람이 천만억 겁 동안 세더라도 그 수를 다 셀 수 없으며, 그 끝을 알 수 없습니다. 이들은 너무나 오랜 이전부터 무량하고 무변한 제불의 처소에서 많은 선근을 심어 보살도를 성취하고 항상 청정한 행을 닦았을 것입니다.

세존이시여, 이러한 일을 세상 사람은 믿기 어렵습니다. 비유하면 잘생기고 검은 머리카락을 가진 이십오 세의 어떤 젊은이가 백 세의 사람에게 나의 아들이라고 말하며, 그 백 세의 사람은 또한 젊은이를 가리켜 나의 부친이고 나를 낳아 준 분이라고 말하는 것과 같아서 이러한 일은 믿기 어렵습니다."

爾時彌勒菩薩摩訶薩, 及無數諸菩薩等, 心生疑惑, 怪未曾有, 而作是念。云何世尊於少時間 · 教化如是無量無邊阿僧祇諸大菩薩, 令住阿耨多羅三藐三菩提。卽白佛言。世尊。如來爲太子時, 出於釋宮, 去伽耶城不遠, 坐於道場, 得成阿耨多羅三藐三菩提。從是已來, 始過四十餘年。世尊。云何於此少時大作佛事。以佛勢力 · 以佛功德, 教化如是無量大菩薩衆, 當成阿耨多羅三藐三菩提。世尊。此大菩薩衆, 假使有人, 於千萬億劫, 數不能盡, 不得其邊。斯等久遠已來, 於無量無邊諸佛所, 植諸善根, 成就菩薩道, 常修梵行。世尊。如此之事, 世所難信。譬如有人, 色美髮黑, 年二十五, 指百歲人, 言是我子。其百歲人, 亦指年少, 言是我父, 生育我等, 是事難信。

"부처님도 또한 이와 같아 무상정등정각의 도를 얻은 지 사실 오래되지 않았습니다. 그런데 이 모든 보살대중들은 이미 무량한 천만억 겁 이전에 불도를 구한 까닭으로 부지런히 정진하여 무량한 백천만억의 삼매에 잘 들어갔다 나오고 큰 신통을 얻었으며, 오랫동안 청정행을 닦아 점차적으로 모든 선법(善法)을 익혀서 문답에 뛰어나며, 사람 가운데의 보배로서 일체 세간에서 매우 희유합니다.

오늘 세존께서 비로소 말씀하시기를, 세존께서 불도를 얻었을 때 처음으로 그들을 발심하게 하고, 교화하고 가르치며 인도하여 무상정등정각으로 향하게 하였다고 하셨습니다. 세존께서는 성불하신 지 오래되지 않았는데, 어떻게 이런 큰 공덕의 일을 하실 수 있습니까?

비록 저희는 부처님의 근기에 따른 설법을 믿고, 부처님께서 하시는 말씀은 허망하지 않으며 부처님께서 아셔야 할 것은 모두 완전히 통달하셨음을 믿지만, 새로 발심하는 보살들은 부처님 열반 후 만약 이런 말씀을 들으면, 혹은 믿고 받아들이지 못해서 법을 파괴하는 죄업의 인연을 일으킬 것입니다.
이러한 까닭으로 세존이시여, 오직 원하오니 이런 도리를 해설하셔서 저희의 의혹을 제거하고, 아울러 미래세의 모든 선남자와 선여인이 이러한 일을 들은 후 의혹을 내지 않게 하시옵소서."

佛亦如是, 得道已來, 其實未久。而此大衆諸菩薩等, 已於無量千萬億劫, 爲佛道故, 勤行精進, 善入出住無量百千萬億三昧•, 得大神通, 久修梵行。善能次第習諸善法, 巧於問答。人中之寶, 一切世間甚爲希有。今日世尊方云, 得佛道時, 初令發心, 教化示導, 令向阿耨多羅三藐三菩提。世尊得佛未久, 乃能作此大功德事。我等雖復信佛隨宜所說, 佛所出言, 未曾虛妄, 佛所知者, 皆悉通達。然諸新發意菩薩, 於佛滅後, 若聞是語, 或不信受, 而起破法罪業因緣。唯然, 世尊。願爲解說, 除我等疑, 及未來世諸善男子, 聞此事已, 亦不生疑。

선입출주무량백천만억삼매(善入出住無量百千萬億三昧)•

무엇을 삼매에 잘 들어간다[善入三昧]고 하는가? 아홉 개의 차제정[九次第定]에 들어가는 것을 말한다. 그리고 무엇을 삼매에서 잘 나온다[善出三昧]고 하는가? 사자분신(師子奮迅)삼매를 얻는 것을 말한다. 또한 다시 모든 삼매를 초월하는 것을 삼매에 잘 머무른다[善住三昧]고 한다.

아홉 개의 차제정은 어떤 것인가? 초선, 이선, 삼선, 사선의 네 가지 선에 다시 네 가지 무색계의 공정[四空定]을 더하고, 다시 멸수상정(滅受想定)을 더한 것이다. 한걸음 한걸음씩 닦아 이루는 것이기 때문에 차제정이라고 말한다. 이것을 선입삼매(善入三昧)라고 하는 것은 장교(藏敎)와 통교(通敎)의 교리에 따라 설한 것이다.

만약 별교(別敎)의 교리에 따라 말하자면, 초지(初地)부터 십지(十地)에 이르는 것을 선입삼매(善入三昧)라고 한다. 십지로부터 현묘(玄妙)한 문으로 들어가 다시 자비의 배를 거꾸로 돌려[倒駕慈航] 범부가 닦는 일을 수행한다. 비록 십지보살을 증득하였지만, 다시 범부의 일을 지으면서 범부와 같은 것을 시현하는 것을 선출삼매(善出三昧)라고 한다. 묘각(妙覺)이 원만함으로부터 선주삼매(善住三昧)라고 한다.

만약 원교(圓敎)의 교리에 따라 설명하면, 필법성(畢法性)삼매를 선입삼매라고 하고, 수능엄(首楞嚴)삼매를 선출삼매라고 하며, 왕(王)삼매를 선주삼매라고 한다.

2) 게송으로 거듭 묻다

그때 미륵보살은 이러한 뜻을 거듭 선설하고자 게송을 설하였다.

부처님은 이전에 석가족에서 출가하여 가야성 부근의
보리수 아래에 앉아 성불하신 지 아직 오래되지 않았으나
이 모든 불자들은 그 수를 사량할 수 없을 정도로 많으며
이미 오래전부터 불도를 행하여 신통의 힘에 머물며
보살도를 잘 배우고 세간의 법에 물들지 않은 것은
마치 연꽃이 물에서 땅에서 솟아나오는 것과 같네.
모두 공경심을 일으켜 세존의 앞에 머물렀는데
이런 일은 사의하기 어려워 어떻게 믿을 수 있겠습니까?

부처님 성불하신 지 매우 가깝고 성취하신 일 매우 많으니
대중의 의혹 없애도록 진실하게 분별하여 설해 주소서.

爾時彌勒菩薩欲重宣此義, 而說偈言。

佛昔從釋種　出家近伽耶　坐於菩提樹　爾來尚未久
此諸佛子等　其數不可量　久已行佛道　住於神通力
善學菩薩道　不染世間法　如蓮華在水　從地而踊出
皆起恭敬心　住於世尊前　是事難思議　云何而可信
佛得道甚近　所成就甚多　願爲除衆疑　如實分別說

비유하면 나이 비로소 이십오 세인 어떤 젊은이가
머리카락이 희고 얼굴에 주름진 백 세 노인을 보고
내가 낳은 아들이라 하고, 노인도 젊은이를 아버지라고 말하니
아비는 젊고 아들은 늙으니, 세상이 믿지 못함과 같네.

譬如少壯人　年始二十五　示人百歲子　髮白而面皺
是等我所生　子亦說是父　父少而子老　擧世所不信

세존도 이와 같아 도를 얻은 지는 매우 가까우나
이 모든 보살들은 뜻이 견고하고 겁약함 없으며
무량겁 이래로 보살도를 행하여
어려운 문답에 뛰어나고 그 마음에 두려움 없고
인욕하는 마음 결정되며 단정하고 위덕이 있어
시방제불이 찬탄하고 일체법 잘 분별하여 설하며
사람 많은 곳 즐기지 않고 항상 선정에 있기 좋아하며
불도를 구하기 위해 사바세계 하방의 허공에 머무네.

世尊亦如是　得道來甚近　是諸菩薩等　志固無怯弱
從無量劫來　而行菩薩道　巧於難問答　其心無所畏
忍辱心決定　端正有威德　十方佛所讚　善能分別說
不樂在人衆　常好在禪定　爲求佛道故　於下空中住

저희들은 부처님으로부터 이 일 들어도 의혹 않으나
미래의 초발심보살 위해 이해하도록 설하여 주소서.
만약 이 경에 의혹을 내어 믿지 않는 자가 있으면
장래 악도에 떨어질 것이니 지금 해설해 주소서.
어떻게 짧은 시간에 이 무량한 보살들을
교화하여 발심케 하고 불퇴지에 머물게 하셨습니까?
我等從佛聞　於此事無疑　願佛爲未來　演說令開解
若有於此經　生疑不信者　卽當墮惡道　願今爲解說
是無量菩薩　云何於少時　教化令發心　而住不退地

十六

여래수량품

(如來壽量品)

여래의 수명

이제 「여래수량품」을 설명하려고 한다. 여래(如來)는 부처님의 열 가지 명호 중 하나이다. 불법을 이해하지 못하는 사람은 말할 것이다. "아, 그것은 여래불조(如來佛祖)다!" 그는 여래불조가 한 분의 부처님 이름이라고 생각한다. 사실 여래는 모든 부처님의 이름이다. 시방삼세 일체제불을 여래라고 부르며, 응공, 정변지, 명행족, 선서, 세간해, 무상사, 조어장부, 천인사, 불, 세존이라고 부른다.

그럼 여래란 무슨 뜻인가? 『금강경』에서 이르시기를 "여래란 오는 곳이 없고, 또한 가는 곳도 없다. 그러므로 여래라고 이름한다.[如來者 無所從來 亦無所去 故名如來]"고 했다. 또 다른 하나의 설명은 "여실한 도를 타고, 와서 정각을 이룬다.[乘如實之道 來成正覺]"이다. 여는 바로 여여(如如)한 지혜이며, 래는 여여한 경계다. 여여한 지혜로써 와서 여여한 경계를 관한다. 경계와 지혜 모두 여여하며, 경계도 없고 지혜도 없으며, 지혜와 경계가 합일(合一)하다. 도(道)는 원인이고, 각(覺)은 결과이다. 이것을 인원과만(因圓果滿)이라고 한다. 원인도 결과도 원만하여 여래라고 하는 것이다.

여래를 설명하려니 뜻이 너무 광범하다. 여(如) 자는 묘(妙)와 같은 뜻으로서 같지[如] 않으면 묘하지 않고, 묘하지 않으면 같지 않다. 너희가 같아져야 비로소 묘할 수 있으며, 묘해져야 비로소 같아질 수 있다. 따라서 여래는 또한 묘래(妙來)이다. 묘래란 우리 같은 사람이 이렇게 오는 것이 아니다. 우리는 어떻게 태어나는지도 모르고, 어떻게 죽는지도 모른다. 여래는 이미 생사가 자유롭고, 오고 감이 자여(自如)하다.

여래는 부처님 명호의 하나이다. 또한 이불(二佛)이 있고 삼불(三佛)이 있으며, 또한 본불(本佛)이 있고 적불(跡佛)이 있다. 이불은 무엇인가? 하나는 진신(眞身)의 부처이고, 하나는 응신(應身)의 부처이다. 진신이란 진여가 변하지 않으면서 인연을 따르는 것으로서, 본체로부터 이름을 세운 것이다. 응신이란 인연을 따르면서 변하지 않고, 변하지 않으면서 인연을 따르는 것이다.

다시 하나의 예를 들어 설명하자면, 진신은 마치 허공중의 밝은 달[明月]과 같고, 응신은 물속에 비친 달과 같다. 진정한 달이 있기 때문에 물속에 비춰서 달이 나타난다. 그러나 수중의 달이 하늘로 가는 것도 아니고, 하늘의 달이 물속으로 온 것도 아니다. 그래서 "천 개의 연못에 천 개의 달이 있다.[千潭有水千潭月]"고 한 것이다. 비록 천 개의 달이지만 결코 달의 본체가 물속으로 온 것이 아니며, 비록 연못의 달은 달의 본체가 아니지만 물속에 달이 있다. 그래서 "만리 하늘에 구름이 없으니 만리가 푸르다.[萬里無雲萬里天]"고 하였다.

여래도 이와 같다. 석가모니 부처님이 비록 이 세계에 오셔서 태어남을 나타내셨지만 태어남이 없다. 비록 열반을 보이셨지만 열반이 없다. 무엇 때문인가? 그의 본체는 움직임이 없기 때문이다. 이것은 "생하지 않아도 생을 나타내고, 멸하지 않아도 멸함을 보이다.[不生示生 不滅示滅]"는 경계로서, 석가모니 부처님의 본체인 법신, 즉 진신의 부처는 또한 움직임이 없는 것이다. 그러므로 너희는 부처님과 우리 중생이 같다고 생각하면 안 되며, 부처님이 이 세계에 오신 것은 우리처럼 그렇게 오는 것이 아니다. 석가모니 부처님은 모친의 뱃속에서 이미 천룡팔부, 인간, 천상인을 위하여 법을 설하셨다.

삼불(三佛)은 또한 삼신(三身)여래라고도 한다. 삼불은 과거불, 현재불, 미래불을 말한다. 삼신여래는 바로 청정법신 비로자나불, 원만보신 노사나불, 천백억화신 석가모니불을 말한다.

① 청정법신(淸淨法身) 비로자나불

비로자나불(毘盧遮那佛)은 번역하면 "모든 곳에 두루 가득한[遍滿一切處]" 부처라는 뜻이다. 부처의 법신은 있는 곳도 없고 없는 곳도 없다. 그럼 도대체 있는 것인가 없는 것인가? 또한 있기도 하고 없기도 하다. 이것은 그가 청정한 것이기 때문이다. 그럼 청정하지 않은 곳에는 없는 것인가? 아니다. 청정하고 청정하지 않다는 것은 범부의 분별이다. 부처의 경계에서는 청정하지 않은 것도 청정함으로 변한다. 앞에서 세 번 국토가 변한[三變土田] 것을 듣지 않았는가? 청정하지 않은 곳을 모두 청정하게 변화시켰다.

② 원만보신(圓滿報身) 노사나불

노사나(盧舍那)를 번역하면 정만(淨滿)이다. 이 또한 청정한 것이다. 석가모니 부처님께서 보리수 아래에서 처음으로 정각을 이루었을 때 천장(千丈)의 노사나 몸을 나타내셔서 법신대사와 대보살들을 위하여 『대방광불화엄경』을 설하셨다. 그러나 이승인은 보지도 못하고 듣지도 못하였다.

③ 천백억화신(千百億化身) 석가모니불

석가모니불을 번역하면 능인적묵(能仁寂黙)이 된다. 화신은 응신이라고도 부른다. 법신과 보신은 진신이고, 화신은 응신이다.

여래의 수량이란 바로 여래의 수명이 얼마인가를 말한다. 수명의 수(壽)는 받아들이다의 수(受)와 같은 것이다. 그래서 "수(壽)란 수(受)다.[壽者受也]"라고 하는 것이다. 양(量)이란 수량을 나타내는 것이다. 그럼 여래께서 받은 수명은 얼마인가? 수량이 없으며, 셀 수 없을 정도로 많은 수량이다.

가. 여래의 수명

1) 세존의 세 번 권고

그때 부처님께서 모든 보살과 일체 대중들에게 말씀하셨다. "선남자들이여! 그대들은 마땅히 여래의 진실한 진리의 말을 믿고 이해해야 한다." 다시 대중들에게 말씀하셨다. "그대들은 마땅히 여래의 진실한 진리의 말을 믿고 이해해야 한다." 또다시 많은 대중들에게 말씀하셨다. "그대들은 마땅히 여래의 진실한 진리의 말을 믿고 이해해야 한다."

爾時佛告諸菩薩及一切大衆。諸善男子, 汝等當信解如來誠諦之語。復告大衆。汝等當信解如來誠諦之語。又復告諸大衆。汝等當信解如來誠諦之語。

2) 보살대중의 세 번 청함

이때 보살대중을 대표하여 미륵보살이 합장하고 부처님께 말하였다. "세존이시여! 오직 설하여 주시기를 원하옵니다. 저희는 마땅히 부처님의 말씀을 믿고 받아들일 것입니다." 이와 같이 세 번을 말하였다. 그런 후에 다시 말하였다. "오직 설하여 주시기를 원하옵니다. 저희는 마땅히 부처님의 말씀을 믿고 받아들일 것입니다."

是時菩薩大衆, 彌勒爲首, 合掌白佛言。世尊。唯願說之, 我等當信受佛語。如是三白已。復言, 唯願說之, 我等當信受佛語。

3) 여래 수명의 양[壽量]

가) 부처를 이룬 지 무량무변하다

그때 세존께서는 많은 보살들이 세 번 청하고도 그치지 않는 것을 아시고 말씀하셨다. "그대들은 마음을 모아 잘 들으라. 여래의 비밀한 신통의 힘으로 일체 세간의 인간과 천상인과 아수라들은 모두 말하기를, 지금 석가모니불은 석씨의 궁전을 나와 가야성에서 멀지 않은 보리수 아래의 도량에 앉아 무상정등정각을 얻었다고 한다. 그러나 선남자들이여, 내가 진실로 부처를 이룬 지는 무량하고 무변한 백천만억 나유타 겁이 지났느니라."

爾時世尊知諸菩薩三請不止, 而告之言。汝等諦聽。如來祕密神通之力。一切世間天·人及阿修羅, 皆謂。今釋迦牟尼佛出釋氏宮, 去伽耶城不遠, 坐於道場, 得阿耨多羅三藐三菩提。然善男子。我實成佛已來, 無量無邊百千萬億那由他劫。

"비유하면 오백천만억 나유타 아승기의 수많은 삼천대천세계를 가령 어떤 사람이 미세한 먼지의 가루로 만들어 동방으로 오백천만억 나유타 아승기의 수많은 국토를 지나가면서 하나의 티끌을 놓고, 이렇게 모든 미진을 다 놓을 때까지 동방으로 간다면, 선남자들이여, 어떻게 생각하는가? 이 모든 세계의 수량을 사유하고 계산하여 알 수 있겠는가?"
미륵보살과 다른 보살들이 함께 부처님께 말하였다. "세존이시여! 이 모든 세계는 무량하고 무변하여 그 수를 계산하여 알 수 없으며, 또한 마음의 힘으로도 상상할 수 없습니다. 모든 성문과 벽지불이 무루(無漏)

의 지혜로 사유하여도 그 수의 한계를 알 수 없습니다. 저희는 불퇴지의 보살 지위에 머물지만, 이 일에 관해서는 또한 지혜가 미칠 수 없습니다. 세존이시여! 이와 같은 모든 세계는 무량하고 무변합니다."

譬如五百千萬億那由他阿僧祇三千大千世界, 假使有人末爲微塵, 過於東方五百千萬億那由他阿僧祇國, 乃下一塵。如是東行, 盡是微塵。諸善男子。於意云何。是諸世界, 可得思惟校計, 知其數不。彌勒菩薩等, 俱白佛言。世尊。是諸世界, 無量無邊, 非算數所知, 亦非心力所及。一切聲聞·辟支佛, 以無漏智, 不能思惟知其限數。我等住阿惟越致地, 於是事中, 亦所不達。世尊。如是諸世界, 無量無邊。

그때 석가모니불께서는 대보살들에게 말씀하셨다.

"선남자들이여! 지금 그대들에게 분명하게 말하려고 한다. 이 모든 세계에 만약 미진을 놓았거나 놓지 않았거나 막론하고 모두 갈아서 미진을 만들어 하나의 티끌을 일겁(一劫)으로 계산한다면, 내가 부처를 이룬지는 이 숫자보다 백천만억 나유타 아승기의 겁이 더 많다."

爾時佛告大菩薩衆。諸善男子。今當分明宣語汝等。是諸世界, 若著微塵及不著者, 盡以爲塵。一塵一劫, 我成佛已來, 復過於此百千萬億那由他阿僧祇劫。

나) 삼세의 중생을 교화하여 이롭게 하다

(1) 과거의 중생을 이롭게 하다

"이때로부터 시작하여 지금까지 나는 항상 이 사바세계에서 법을 설하여 일체중생을 교화하였으며, 또한 다른 세계의 백천만억 나유타 아승기의 수많은 국토에서도 중생을 인도하여 이롭게 하였다.
선남자들이여! 그 중간에 내가 연등불 등의 일을 설하고, 또한 다시 연등 부처님이 언제 열반에 들어갔는지의 일들을 말하였는데, 이와 같은 모든 것은 방편법문으로 설하였다.
선남자들이여, 만약 어떤 중생이 나의 처소에 오면, 나는 불안(佛眼)으로써 그의 믿음 등 모든 근기의 날카로움과 둔함을 관찰하여 마땅히 제도할 중생의 근기를 따라 곳곳에서 스스로 이름을 달리하고 수명도 다르게 하여 설하였다. 또한 다시 몸을 나타내어 언제 열반에 들 것인지를 말하였으며, 또한 갖가지 방편으로 미묘한 법을 설하여 일체중생에게 환희심을 내게 하였다."

自從是來, 我常在此娑婆世界, 說法教化。亦於餘處百千萬億那由他阿僧祇國, 導利衆生。諸善男子。於是中間, 我說然燈佛等, 又復言其入於涅槃, 如是皆以方便分別。諸善男子。若有衆生來至我所, 我以佛眼, 觀其信等諸根利鈍•, 隨所應度, 處處自說名字不同·年紀大小, 亦復現言當入涅槃。又以種種方便, 說微妙法, 能令衆生發歡喜心。

아이불안(我以佛眼) 관기신등제근이둔(觀其信等諸根利鈍)• 중생의 오근(五根)을 관찰하신다는 것이다. 오근은 신근(信根), 진근(進根), 염근(念根), 정근(定根), 혜근(慧根)을 말한다. 너희에게 지혜의 근(뿌리)이 없으면, 지혜의 싹이 자라나올 수 없다.

너희에게 신근이 있으면, 불법을 듣고 곧 이 법사가 설명하는 불법이 괜찮은 것이라고 느끼고 마땅히 믿게 되는 것이다. 사람은 마땅히 규칙을 지켜야 한다고 하면, 곧 믿고 매일 규칙을 지킨다. 하루 한 끼의 식사만 하는데, 그에게 음식을 훔쳐 먹게 하여도 그는 훔치지 않는다. 무엇 때문인가? 이것은 신심이 있기 때문이다.

비록 너희는 먹는 것이 작은 문제라고 생각할지 모르지만, 나는 큰 문제라고 생각한다. 먹는 것조차도 규칙을 지킬 수 없으면, 다른 것은 더욱 지킬 수 없을 것이다. 따라서 우리는 먼저 일상에서 실행해야 한다. 하루에 행해야 하는 것은 반드시 규칙이 있고 표준이 있어야 한다. 이 표준은 바로 나에게 목표가 있는 것이며, 내가 이렇게 행하면 반드시 나의 목표에 도달할 수 있을 것이다. 이것이 믿음이다.

불교강당에 와서 경의 강의를 듣고 귀를 스치는 바람처럼 남아 있지 않으면, 이 또한 믿지 않는 것이다. "내 친구들이 몇몇 있는데, 우리 가서 한 번 보자!" 이것은 법을 배우러 오는 것이 아니라, 법을 보러 오는 것이다. 너희는 믿은 연후에는 정진해야 한다. 단지 믿기만 하고 행하지 않는다면 소용이 없다. 이것은 단지 신근만 있고 진근-정진근이 없는 것이다. 불법을 들으면 반드시 앞을 향하여 정진해야 한다. 이것이 진근(進根)이다.

너희가 단지 진근만 있고 염근이 없으면, 즉 언제나 잊지 않고 수행하지 않으면, 그것도 소용이 없다. 너희는 오늘 하루 식사도 안 하고 잠도 자지 않고 부처님께 절을 하며 염불하고는 피곤함을 느껴 '아, 잠을 자면서 쉬어야겠다'고 하면서 한 번에 삼 일을 산다. 하루 정진하고 삼 일을 자면 이것도 소용없는 것이며, 바로 염근이 없는 것이다. 너희가 언제나 잊지 않고 정진하며, 금년에도 정진하고 내년에도 정진하며, 매년 정진하기를 잊지 않는 것이 바로 염근이 있는 것이다.

염근이 오래되면 곧 염이 물러나지 않게[不退] 된다. 염근이 물러나지 않으면 정근이 나온다. 너희에게 정근이 있으면, 비로소 지혜가 있게 된다. 왜 항상 일에 대하여 밝게 이해하지 못하는가? 바로 정력(定力)이 없고, 혜력(慧力)이 없기 때문이다. 정근이 없고 혜근도 없으므로 미혹하는 것이다.

부처님께서는 중생들이 오면 보고 그의 다섯 가지의 근을 관찰하신다. 다섯 가지의 근은 다시 오력(五力)으로 변한다. 그것에 힘이 있기 때문에 오력이라고 부르는 것이다. 부처님께서는 그의 이러한 인연을 관찰하셔서 영리한지 둔한지를 보시고 법을 설하신다. 왜 어리석은가? 덕행을 짓지 않고, 도덕이 없기 때문이다. 어째서 총명한가? 도덕이 있어 총명한 것이다.

◉ 석가모니 부처님은 셀 수 없을 정도의 많은 겁 이전에 이미 성불하셨다. 따라서 그분이 제도한 보살 제자들이 이렇게 많은 것이다. 삼천대천세계의 허공에 충만한 것이 모두 그분의 제자들이다.

석가모니 부처님께서 설하신 경전 가운데 가장 묘하며, 또한 내용이 가장 많은 것은 바로 『대방광불화엄경』이다. 이 경은 용수보살이 용궁에서 외워 온 것이며, 그리하여 우리는 비로소 이 경을 만날 수 있는 것이다. 만약 너희가 경전의 내용이 많은 것을 두려워하지 않고 이해하지 못할 것을 겁내지 않는다면, 이어서 『화엄경』을 강의할 것이다. 만약 많은 것을 겁내면 듣지 않아야 할 것이다. 보라! 석가모니 부처님께서는 그렇게 오랜 세월 전에 성불하셔서 그 오랜 시간을 겁내지 않고 법을 설하였다. 지금 나는 이 대도량이 바로 화엄대도량을 만들기 위하여 준비된 것이라고 믿는다.

지금 이 세계에서 『화엄경』을 강의하는 곳은 매우 적다고 말할 수 있다. 이 『화엄경』을 강의한다면 그것은 정말로 불가사의하다. 나는 『화엄경』 강의를 들은 적이 없다. 왜냐하면 강의할 줄 아는 사람이 없었기 때문이다. 그럼 들은 적도 없는데 어떻게 강의할 것인가? 들은 적이 없기 때문에 더욱 강의를 안 할 수 없다. 들은 적이 없다 해서 강의하지 않으면 영원히 할 수 없을 것이며, 돌과 같은 멍청한 사람으로 변할 것이기 때문이다. 너희가 만약 불법을 배우기를 원한다면, 불법을 배부르게 먹어야 한다. 너희가 만약 배부르게 먹고 싶다면, 바로 화엄의 불법을 먹어야 한다. 너희가 만약 화엄을 먹지 않고 화엄을 보지 않는다면, 그것은 부처님의 참된 부귀를 모르는 것이다. 『화엄경』은 부처님의 진정한 부귀함을 알게 한다. 우리의 대도량이 성취되면, 이 대법을 너희에게 전해줄 것이다.

내가 비록 『화엄경』을 들은 적이 없지만, 나는 여러 번 강의하였다. 내가 『화엄경』 강의를 좋아하는 것은 그 문장이 너무나 좋기 때문이다. 더욱이 청량(淸涼) 국사의 문장을 나는 가장 좋아한다. 이 문장은 나와는 매우 인연이 있으며, 한 번 읽으면 다시는 잊어버리지 않는다. 잊어버리지 않기 때문에 나는 책을 가지고 강의할 필요가 없다. 그러므로 여러분에게 강의하는 것이 가능한 것이다.

(2) 현재의 중생을 이롭게 하다

"선남자들이여, 여래가 모든 중생을 살펴보고, 소승법을 좋아하거나 도덕이 없고 업장이 중한 사람들에게는 '젊어서 출가하여 무상정등정각을 얻었다'고 말한다. 그러나 진실로 성불한 지는 아주 오랜 시간이 지났지만, 단지 방편법문으로 중생을 교화하여 불도에 들어가게 하기 위해 이렇게 말한 것이다.

선남자들이여, 여래가 설하는 경전은 모두 중생을 제도하기 위함이다. 그래서 혹은 자기의 몸을 말하거나 혹은 다른 사람의 몸을 말하며, 혹은 자기의 몸을 시현하여 모범을 보이거나 혹은 타인의 몸을 시현하며, 혹은 자기의 일로써 가르치거나 혹은 타인의 일로써 가르친다. 내가 설하는 모든 말은 진실하여 거짓이 없다.
무엇 때문인가? 여래는 진실한 지견으로 삼계의 모습을 비춰보니, 생사가 없으며, 삼계로 물러나거나 벗어남도 없으며, 또한 세상에 머물거나 열반하는 것도 없다. 진실하게 있는 것도 아니고 텅 빈 것도 아니며, 같은 것도 아니고 다른 것도 아니다.
여래는 삼계의 중생이 삼계를 보는 것과는 같지 않으며, 이러한 일을 밝게 보아 잘못이 없다. 모든 중생은 갖가지 본성, 갖가지 욕망, 갖가지 행위, 갖가지 기억·상상, 갖가지 분별을 가지고 있기 때문에, 그들이 모든 선근을 낼 수 있도록 약간의 인연, 비유, 언사로 갖가지 법을 설하여, 지어야 할 불사를 잠시라도 멈춘 적이 없느니라."

諸善男子。如來見諸衆生，樂於小法·德薄垢重者，爲是人說。我少出家，得阿耨多羅三藐三菩提。然我實成佛已來，久遠若斯。但以方便教化衆生，令入佛道，作如是說。諸善男子。如來所演經典，皆爲度脫衆生，或說己身·或說他身。或示己身·或示他身。或示己事·或示他事。諸所言說，皆實不虛。所以者何。如來如實知見三界之相，無有生死·若退若出，亦無在世及滅度者•。非實非虛•，非如非異。不如三界見於三界，如斯之事，如來明見，無有錯謬。以諸衆生有種種性·種種欲·種種行·種種憶想分別故。欲令生諸善根，以若干因緣·譬喩·言辭，種種說法，所作佛事，未曾暫廢。

약퇴약출(若退若出) 역무재세급멸도자(亦無在世及滅度者)• 퇴란 물러나 삼계 속으로 들어오는 것을 뜻하고, 출이란 삼계를 벗어나는 것이다. 세상에 없다[無在世]는 것은 생(生)이 없는 것이고, 멸도가 없다는 것은 바로 죽음이 없다는 것이다.

비실비허(非實非虛)• 범부는 무엇을 보면 모두 진실한 것으로 보며, 거짓된 것을 봐도 진실한 것으로 생각한다. 이승(二乘)은 일체의 제법을 공한 모습으로 관찰하며, 삼계를 허공의 꽃으로 본다. 즉 무엇이든 모두 공한 것으로 보는 것이 이승의 견해이다. 따라서 이승은 텅 빈 것으로 들어가고[入虛], 범부는 실재하는 것으로 들어간다[入實]. 그러나 부처의 분상에서는 실도 없고 허도 없다. 마치 태허공 속에는 삼라만상을 포함하여도 허공을 장애하지 않는 것과 같다. 허공도 삼라만상을 장애하지 않는다. 또한 진공(眞空)은 묘유(妙有)를 장애하지 않고, 묘유는 진공을 장애하지 않는다. 삼계 중생이 삼계를 보고 벗어날 수 있는 것으로 보는 것과는 같지 않으며, 여래는 삼계를 허공과 하나의 몸으로 본다.

⑶ 미래의 중생을 이롭게 하다

"이와 같이 내가 성불한 지는 매우 오래되었으며, 부처의 수명은 무량한 아승기겁으로 상주(常住)하며 멸하지 않는다. 선남자들이여, 내가 본래 보살도를 행하여 이룬 수명은 지금까지 아직 다하지 않았으며, 앞에서 말한 성불 이래의 겁수보다 다시 배가 된다. 그러나 지금 진실로 열반에 드는 것은 아니지만, 곧 방편으로 열반에 들 것이라고 말하는 것이며, 여래는 이러한 방편법문으로 중생을 교화하느니라.

무슨 까닭인가? 만약 부처가 세상에 오랫동안 머물면, 덕행이 없는 사람은 선근을 심지 않아 빈궁하고 하천하며, 오욕을 탐착하여 오욕을 기억하고 생각하는 망견의 그물 속으로 들어가기 때문이다. 만약 여래가 이 세계에 항상 머물고 열반에 들어가지 않는 것을 보면, 곧 교만하고 방자한 생각을 일으키며, 싫어하고 나태한 마음을 품어 부처님을 만나기 어렵다는 생각과 공경하는 마음을 내지 않는다. 이러한 까닭으로 여래는 방편법문으로 설하기를 '비구들이여, 제불이 세상에 나오시는 것은 매우 만나기 어렵다는 것을 마땅히 알아야 한다.'라고 말하는 것이다.

무슨 까닭인가? 덕행이 없는 많은 사람은 무량한 백천만억 겁이 지나도록 부처를 만나는 자도 있고 혹은 만나지 못하는 자도 있으며, 이러한 일 때문에 나는 이렇게 말하는 것이다. '모든 비구들이여, 여래는 만나기 어렵다.' 중생들은 부처의 이러한 말을 들으면, 반드시 만나기 어렵다는 생각을 내어 마음속으로 부처님을 연모하고 갈앙하여 곧 갖가지의 선근을 심을 것이다. 이러한 까닭으로 여래는 진실로 열반에 들지 않지만 열반에 든다고 말하는 것이다. 또한 선남자여, 제불여래의 법은 모두 이와 같이 중생을 제도하기 위한 것으로 모두 진실하고 허망하지 않느니라."

如是我成佛已來, 甚大久遠, 壽命無量阿僧祇劫, 常住不滅。諸善男子。我本行菩薩道, 所成壽命, 今猶未盡, 復倍上數。然今非實滅度, 而便唱言, 當取滅度。如來以是方便, 教化衆生。所以者何。若佛久住於世, 薄德之人, 不種善根•, 貧窮下賤, 貪著五欲•, 入於憶想妄見網中•。若見如來常在不滅, 便起憍恣, 而懷厭怠, 不能生難遭之想·恭敬之心。是故如來以方便說。比丘當知。諸佛出世, 難可値遇。所以者何。諸薄德人, 過無量百千萬億劫, 或有見佛, 或不見者, 以此事故, 我作是言。諸比丘。如來難可得見。斯衆生等聞如是語, 必當生於難遭之想, 心懷戀慕, 渴仰於佛, 便種善根。是故如來雖不實滅, 而言滅度。又善男子。諸佛如來, 法皆如是, 爲度衆生, 皆實不虛。

약불구주어세(若佛久住於世) 박덕지인(薄德之人) 부종선근(不種善根) 부처님은 본래 불생불멸하시는 분이다. 가령 부처님이 이 세상에 오래 머무시면서 열반에 들지 않으면, 덕행이 없는 사람, 즉 선근이 없거나 업장이 중한 사람은 선근을 심으려고 하지 않는다. 무엇 때문인가? 그는 의지하려는 마음을 내면서 이렇게 생각한다. '부처님이 이곳에 계시니, 잠시 선근을 심지 않아도 되겠지. 천천히 기다렸다가 선근을 심지!' 그는 즉시 선근을 심으려고 생각하지 않는다. 그래서 부처님께서는 열반을 시현하시려는 것이며, 그러면 사람들은 의지할 곳이 없을 것이라고 생각하여 곧 선근을 심으려고 한다. 이것은 매우 얕은 도리이다.

내가 동북지방에 있을 때의 일이 생각난다. 그 당시 나에게 귀의한 제자들이 많았는데, 나는 그들에게 수행하라고 하였지만 그들은 수행하지 않았다. 어떤 제자는 '천천히 하지'라고 말하고, 어떤 제자는 '지금은 시간이 없다'라고 말하였다. 내가 그곳을 떠난 후에 어떤 사람이 나에게 편지로 말하였다. "어떤 사람은 이전에는 수행하지 않다가 지금은 매우 열심히 수행합니다." 이와 같이 스승이 없기 때문에 비로소 수행하는 것이다. 만약 스승이 계속 있었으면, 그는 여전히 수행하지 않았을 것이다.

내가 홍콩에 도착한 후에도 귀의한 제자들이 약간 있었지만, 그들도 수행을 대충 하였다. 내가 홍콩을 떠나 미국에 온 후에야 그들은 스승이 없으면 매우 곤란하다는 것을 알게 되었다. 그래서 몇몇 제자들이 나에게 편지를 써서 돌아오기를 바란다고 썼지만, 나는 누구도 상대하지 않았다. 사람들은 바로 이러한 모습이다. 매일 만나면 중요함을 느끼지 못하다가, 만나지 못하면 달리 방법이 없으니 중요하다고 느낀다. 따라서 부처님께서 세상에 오랫동안 머무시지 않는 것은 바로 덕행이 부족한 사람이 선근을 심지 않을 것을 우려하시기 때문이다.

빈궁하천(貧窮下賤) 탐착오욕(貪著五欲)• 선근을 심지 않고, 삼보를 공양하지 않기 때문에 그는 빈궁하고 하천하게 된다. 그리하여 재물, 색욕, 명예, 음식, 수면, 이 다섯 가지를 탐착하게 된다. 세상의 일은 이렇게 이상한데, 자기가 바라는 것이 없을수록 더욱 탐하게 되며, 있을수록 놓으려고 한다. 보라. 석가모니 부처님은 이 오욕을 모두 구족하셨지만, 이후 모두 놓으셨다. 일부의 가난한 사람은 오욕이 모두 갖춰지지 못하여 탐하려고 한다.

이러한 경계, 즉 갖추고도 갖추지 못함과 가지고도 못 가지는 것은 모두 업보의 인연이 있기 때문이다. 너희에게 선근이 없고 또한 선한 일을 짓지 않으면, 좋은 과보를 얻을 수 없다. 그러면 어떻게 해야 좋은 과보를 얻을 수 있는가? 너희는 선근을 심고 선한 일을 해야 비로소 선한 과실을 맺을 수 있으며, 좋은 과보가 있게 된다.

그래서 다음과 같이 말한다.

> 선한 사람은 남을 원망하지 않고, 남을 원망하는 사람은 악인이며,
> 현명한 사람은 화를 내지 않고, 화를 내면 어리석은 사람이며,
> 부유한 사람은 잇속을 챙기지 않고, 잇속을 챙기면 가난한 사람이네.

입어억상망견망중(入於憶想妄見網中)• 그는 오욕을 탐착하기 때문에 언제나 오욕을 생각하게 된다. 마치 어떤 일이거나 무슨 귀중한 물건이거나를 막론하고, 그것을 얻지 못했을 때는 얻으려고 생각하는 것과 같다. 이미 얻게 되면 그는 또 잃을까를 걱정한다. 이러한 망견과 억념하는 생각도 마치 그물처럼 너희의 진정한 지혜를 덮어버린다.

여래난가득견(如來難可得見)• 여래는 쉽게 만날 수 없으며, 선근이 작거나 덕행이 박한 사람이 만나볼 수 있는 분이 아니다. 부처님을 만나보는 것은 쉬운 일이 아닐 뿐 아니라, 우리가 다시 사람으로 나는 것도 쉽지 않다.

석가모니 부처님께서 재세 시에 한 번은 땅에서 흙을 한 줌 집어들고 제자에게 물었다. "지금 내 손으로 잡은 흙이 많은가, 대지의 흙이 많은가?"

제자가 말하였다. "당연히 대지의 흙이 많지요. 부처님 손의 흙은 매우 적어 대지의 흙과는 비교할 수 없습니다."

부처님께서 말씀하셨다. "사람의 몸을 얻는 자는 손의 흙과 같으며, 사람의 몸을 잃는 자는 대지의 흙과 같다."

우리는 모른다. 사람이 되는 것은 천상에서 오거나, 지옥에서 오거나, 어떤 사람은 축생에서 오며, 혹은 귀도(鬼道)에서 온다. 너희는 사람이 되는 것이 쉬운 일이라고 여겨서는 안 될 것이다. 사람이 되는 것은 마치 손바닥 위의 흙과 같이 그렇게 적으며, 사람의 몸을 잃는 것은 대지의 흙과 같이 많다. 어째서 사람의 몸을 잃는가? 사람의 행위를 하지 않기 때문이다.

본래는 사람인데 힘써 개의 짓을 하며, 본래는 사람인데 힘써 지옥의 일을 하고 축생의 일을 한다. 그래서 다시 다른 세계로 이사를 가게 되는데, 인간에서 축생도로 가거나, 다시 축생도에서 인간으로 오기도 하는 것이다. 하지만 너희 자신은 집을 이사해도 그 집을 잊어버린다. 어떤 사람은 왜 사람이 되어 축생이 되려고 생각하는가? 바로 그가 축생의 종자이고, 축생의 종성(種性)을 가지고 있기 때문이다. 아울러 사람이 고기 먹는 것을 가지고 설명하자면, 무슨 고기를 먹으면 너희에게 그러한 맛이 생기게 되어 장래 그것과 하나로 합성된다. 그래서 사람이 되는 것도 쉽지 않은 것이다.

다) 훌륭한 의사의 비유

"비유하면 훌륭한 의사가 지혜롭고 총명하며 의술에 통달하여 온갖 병을 잘 치료하는 것과 같다. 그 사람에게 자식들이 많아서 열 명, 스무 명 또는 백 명에 달했는데, 어떤 일이 있어 멀리 다른 나라에 가게 되었다. 많은 자식들이 후에 독약을 잘못 마시고, 독약으로 인하여 마음이 발광하고 어지러워서 땅에 뒹굴었다.

이때 그들의 부친이 집으로 돌아왔는데, 많은 자식들이 독약을 마시고 어떤 자식은 본심을 잃었으며, 본심을 잃지 않은 자식들은 멀리서 부친이 돌아오신 것을 보고 모두 크게 기뻐하였으며 절하고 꿇어앉아 안부를 물은 후 말하였다. '아버지께서는 평안하게 잘 돌아오셨으나, 저희는 어리석어 독약을 잘못 마셨으니, 치료하여 더 오래 살게 해 주십시오.'

아버지는 자식들의 고뇌가 이러한 것을 보고, 모든 약방문에 의거하여 색깔과 향기와 맛을 모두 갖춘, 가장 좋은 약초를 구하여 찧고 체로 치고 여러 약을 혼합하여 자식들에게 주어 복용하게 하면서 이렇게 말하였다. '이것은 가장 좋은 약이며, 색깔과 향과 맛을 모두 갖춘 것이니, 너희가 이 약을 복용하면 빨리 고뇌를 제거하고 다시는 모든 근심이 없을 것이다.' 자식들 가운데 마음을 잃지 않은 자는 이 약이 색깔과 향과 맛이 모두 좋은 것을 보고, 즉시 그것을 복용하여 병이 완전히 치유되었다."

譬如良醫, 智慧聰達, 明練方藥, 善治衆病。其人多諸子息, 若十·二十乃至百數, 以有事緣, 遠至餘國。諸子於後, 飮他毒藥, 藥發悶亂, 宛轉於地。是時其父還來歸家, 諸子飮毒, 或失本心·或不失者, 遙見其父, 皆大歡喜, 拜跪問訊, 善安隱歸。我等愚癡, 誤服毒藥, 願見救療, 更賜壽命。父見子等苦惱如是, 依諸經方, 求好藥草, 色香美味, 皆悉具足, 擣篩和合, 與子令服。而作是言。此大良藥, 色香美味, 皆悉具足, 汝等可服, 速除苦惱, 無復衆患。其諸子中, 不失心者, 見此良藥·色香俱好, 卽便服之, 病盡除愈。

약십(若十) 이십내지백수(二十乃至百數) 십은 십지(十地)보살을 나타내고, 이십은 성문·연각의 이승(二乘)을 나타내며, 백수(百數)는 십법계(十法界)와 또한 십여시(十如是)를 나타낸다. 이 십법계가 백의 수로 변한 것이다.

아등우치(我等愚癡) 오복독약(誤服毒藥) 원견구료(願見救療) 갱사수명(更賜壽命) 본심을 잃지 않은 자식들이 말하였다. "저희는 너무 어리석어서 독약을 잘못 알고 마시게 되었습니다. 부친께서는 저희를 구제하여 이 병을 치료해서 더 오래 살게 해 주시기를 원합니다."라고 하였다.

이 훌륭한 의사는 누구인가? 부처님을 비유한 것이다. 그리고 자식들은 바로 일체중생이다. 이 세계에 부처님이 오시기 전이거나, 혹은 이미 오셔서 열반에 들어 다른 세계로 가셨을 때, 우리는 진정한 지혜가 없기 때문에 무엇을 함부로 먹게 된다. 중생은 먹는 것을 하늘로 여긴다. 이른바 먹는 것과 색욕은 본성이라고 하는 것이다. 어린아이는 태어나면 모유를 먹을 줄 알며, 다른 것은 이해하지 못하므로 주는 대로 먹는다. 손가락을 빨기도 하고 주먹을 빨기도 한다. 어쨌든 무엇이 있으면 그것을 먹는 것이 어린아이의 본성이다. 우리 중생도 어린아이와 같이 먹기를 좋아하며, 독약을 먹기도 한다.

무엇을 독약이라고 하는가? 방문외도(旁門外道)와 삿된 도, 도리가 철저하지 못하고 궁극적이지 못한 것은 모두 독약과 같다. 독약을 먹은 후 만약 이것이 독약이라는 것을 알면 아직은 약간 구할 방법이 있다. 그러나 독약을 너무 많이 먹으면 근본적으로 그것이 독약인 것을 모른다. 그는 그것을 장생불사의 단약(丹藥)이라고 여긴다. 그래서 그는 영원히 죽지 않을 것이라고 생각한다. 왜 독약을 먹고도 모르는가? 미혹함이 너무 깊고, 중독이 너무 깊기 때문이다. 이러한 독이 골수에 들어가면 본심을 잃는 것이다. 마음을 잃는다[失心]는 것은 바로 진리를 이해하지 못하는 것이다. 마음을 잃지 않은 사람은 아직 진리를 이해할 수 있다.

훌륭한 의사가 다른 나라에서 돌아왔다는 것은 부처님이 세상에 출현하신 것을 뜻한다. 부처님께서 다른 세계에서 중생을 교화하신 후 다시 이 세계로 중생을 교화하려고 오신 것을 비유한다. 부처님께서 보시니, 중생들이 외도의 독즙을 마시고 깊이 중독되어 치료하기가 쉽지 않은 것이다. 하지만 이들 중생 가운데서 아직 총명한 사람은 부처님을 보고 매우 기뻐하고 절을 하며, 안부를 묻고는 말한다. "저희 중생은 너무 어리석으니, 부처님께서는 자비로 저희에게 약간의 약을 주셔서 치료해 주시기를 청합니다. 이 독을 해독하여 저희의 수명을 연장하게 하시고, 죽지 않게 해주십시오!"

따라서 부처님은 중생을 가련하게 보시고, 갖가지의 약으로 중생의 독을 제거해 주신다. 해독약을 마시면 병이 좋아지고, 삿된 지견이 없어진다. 어떤 중생은 이 약을 먹으려고 하지 않으므로 해독할 수가 없다. 불법을 믿지 않는 사람은 바로 훌륭한 의사가 주는 해독약을 먹지 않는 것과 같다.

도사화합(擣篩和合) 여자영복(與子令服)• 약재를 찧고 체로 쳐서 혼합하여 자식들에게 먹였다. 이것은 갖가지의 법으로 이승(二乘)의 사람을 교화하는 것을 나타내며, 그들에게 아함(阿含)으로부터 방등(方等), 반야(般若)를 거치게 하는 것이다. 반야의 도리를 가르칠 때가 바로 약재를 찧고 체로 치는[擣篩] 시기와 같다.

견차양약(見此良藥) 색향구호(色香俱好) 즉변복지(卽便服之) 병진제유(病盡除愈)• 반야의 도리를 가르친 연후에 법화(法華)의 시기에 이르게 된다. 법화의 묘법을 양약(良藥)이라고 한다. 양약, 즉 법화의 묘법을 먹은 후 견혹(見惑), 사혹(思惑), 무명혹(無明惑)이 모두 타파되었다. 타파된 후 곧 깨달아, 무슨 병이든지 모두 좋아졌다.

"마음을 잃은 다른 자식은 그의 아버지가 돌아온 것을 보고 비록 또한 기뻐하고 안부를 물으며 병을 치료해 주실 것을 원하였지만, 그 약을 주어도 복용하려고 하지 않았다. 무슨 까닭인가? 그에게는 독기가 깊이 들어가 본심을 잃은 까닭으로 색깔과 향이 좋은 이 약을 좋지 않다고 여겼기 때문이다.

그래서 아버지는 이렇게 생각하였다. '이 자식들은 너무 가련하구나. 독에 깊이 중독되어 마음이 전도되었으니, 비록 나를 보고 기뻐하며 치료해 주기를 원하지만 이러한 좋은 약을 복용하려고 하지 않는구나. 나는 이제 마땅히 방편을 내어 그들이 이 약을 복용하도록 해야겠구나.' 그래서 즉시 이러한 말을 하였다. '너희는 마땅히 알아야 한다. 나는 지금 노쇠하여 죽을 때가 이미 이르렀다. 이 좋은 약을 이곳에 남겨둘 테니, 너희가 복용하여 병이 낫지 않을 것을 걱정하지 말라.' 이러한 가르침을 준 후에 다시 다른 나라로 떠났으며, 다른 사람을 보내어 '너희의 부친은 이미 죽었다.'고 자식들에게 말하게 하였다."

餘失心者, 見其父來, 雖亦歡喜問訊, 求索治病, 然與其藥, 而不肯服。所以者何。毒氣深入, 失本心故, 於此好色香藥, 而謂不美。父作是念。此子可愍, 爲毒所中, 心皆顚倒, 雖見我喜, 求索救療, 如是好藥, 而不肯服。我今當設方便, 令服此藥。卽作是言。汝等當知。我今衰老, 死時已至, 是好良藥, 今留在此, 汝可取服, 勿憂不差。作是敎已, 復至他國, 遣使還告, 汝父已死。

"이때 중독이 된 자식들은 부친이 죽었다는 소식을 듣고 마음이 크게 슬프고 괴로워 이렇게 생각하였다. '만약 아버지께서 계신다면 우리를 자애하고 불쌍히 여겨 구제해 주실 것인데, 지금 우리를 떠나 먼 타국에서 돌아가셨으니, 우리는 고독하게 되어 다시는 의지할 사람이 없게 되었구나.' 이렇게 슬픔의 감정을 품고 있다가 이윽고 정신을 차려 이 약이 색과 맛과 향이 좋은 것을 알게 되었으며, 즉시 그 약을 복용하여 독의 병이 완전히 치유되었다. 그들의 아버지는 자식들이 모두 병이 나았다는 소식을 듣고 곧 돌아왔으며, 자식들 모두 부친을 보게 되었다. 선남자들이여, 그대들의 생각은 어떠한가? 어느 누가 이 훌륭한 의사가 거짓말을 한 죄가 있다고 말할 수 있겠는가?"

"아닙니다. 세존이시여!"

부처님께서 말씀하셨다. "나도 이와 같다. 성불한 지는 무량하고 무변한 백천만억 나유타 아승기겁이 지났으나, 중생을 위하는 방편으로 열반에 들려 한다는 말을 한 데 대하여 또한 나에게 거짓을 말한 허물이 있다고 말할 수 있는 사람은 없을 것이다."

是時諸子聞父背喪, 心大憂惱, 而作是念。若父在者, 慈愍我等, 能見救護。今者捨我, 遠喪他國, 自惟孤露, 無復恃怙。常懷悲感, 心遂醒悟, 乃知此藥色味香美, 卽取服之, 毒病皆癒。其父聞子悉已得差, 尋便來歸, 咸使見之。諸善男子。於意云何。頗有人能說此良醫虛妄罪不。不也, 世尊。佛言。我亦如是。成佛已來 · 無量無邊百千萬億那由他阿僧祇劫, 爲衆生故, 以方便力 · 言當滅度, 亦無有能如法說我虛妄過者。

나. 여래의 수명에 대한 게송

1) 삼세의 중생 교화

그때 세존께서는 이러한 뜻을 거듭 선설하시고자 게송을 설하셨다.

　내가 불과를 증득한 이래 경과한 겁수는

무량한 백천만억 나유타 아승기겁이며

爾時世尊欲重宣此義, 而說偈言。

自我得佛來　所經諸劫數　無量百千萬　億載阿僧祇

가) 과거의 중생 교화

항상 법 설하여 무수한 억의 중생 교화해서

불도에 들게 하고 그렇게 하며 무량겁 동안

중생 제도하기 위해 방편으로 열반을 나투었지만

실제로는 멸도 하지 않고 이곳에 상주하며 설법하였네.

나는 항상 이곳에 머물면서 많은 신통의 힘으로

전도된 중생 비록 가까이 있으나 못 보게 하였네.

常說法教化　無數億衆生　令入於佛道　爾來無量劫

爲度衆生故　方便現涅槃　而實不滅度　常住此說法

我常住於此　以諸神通力　令顚倒衆生　雖近而不見

나) 현재의 중생 교화

중생은 내가 열반 든 것 보면 널리 사리 공양하며

모두 함께 부처님을 연모하고 갈앙하는 마음 내네.

중생이 이미 믿음 내면 바르고 곧고 뜻 유연하여

일심으로 부처님 뵈려 하며 신명 아끼지 않으면

그때 나와 승가 대중은 함께 영취산에 출현하여

나는 이때 중생에게 이곳에 상주하며 멸하지 않고

방편력으로 열반 나투지만 열반하지 않음을 말하네.

衆見我滅度　廣供養舍利　咸皆懷戀慕　而生渴仰心
衆生旣信伏　質直意柔軟　一心欲見佛　不自惜身命
時我及衆僧　俱出靈鷲山　我時語衆生　常在此不滅
以方便力故　現有滅不滅

다) 미래의 중생 교화

다른 국토의 중생 가운데 공경하고 믿는 자 있으면
나는 다시 그들 가운데서 위없는 법을 설하네.
그대들은 이를 듣지 못하여 내가 멸도한다고 하네.
내가 모든 중생 보니 오욕락의 고뇌에 빠져 있으니
나는 몸 나타내지 않고, 갈앙하는 마음 내게 하며
연모하는 마음 내기 때문에 곧 출현하여 법 설하네.

餘國有衆生　恭敬信樂者　我復於彼中　爲說無上法
汝等不聞此　但謂我滅度　我見諸衆生　沒在於苦惱
故不爲現身　令其生渴仰　因其心戀慕　乃出爲說法

나의 신통력은 이와 같아서 아승기의 겁 동안
항상 영취산과 다른 국토의 여러 거주처에 있었네.
중생은 겁이 다하여 큰불로 태워지는 것 볼 때에도
내가 머무는 국토는 안온하여 천인이 항상 충만하고
정원과 숲과 건물과 누각은 갖가지 보배로 장엄하며
보배 나무에는 꽃과 열매 많아 중생은 노닐고 즐기며

천상인들은 천상의 북을 치고 항상 기악을 연주하며
만다라의 꽃을 부처님과 대중들에게 뿌리네.

神通力如是• 於阿僧祇劫 常在靈鷲山 及餘諸住處
衆生見劫盡 大火所燒時 我此土安隱 天人常充滿
園林諸堂閣 種種寶莊嚴 寶樹多花果 衆生所遊樂•
諸天擊天鼓 常作衆伎樂 雨曼陀羅花 散佛及大衆

신통력여시(神通力如是)• 어떤 중생은 왜 부처님을 볼 수 있고, 어떤 중생은 왜 보지 못하는가? 왜 부처님은 열반에 드시면서 열반에 들지 않는다고 말씀하시는가? 또 열반에 들지 않으면서 열반에 든다고 말씀하시는가? 이 모두 부처님의 신통력으로 변하여 나타낸 것이다. 따라서 "나지만 나지 않고, 멸하지만 멸하지 않는다.[生而未生 滅而未滅]"라고 말하는 것이다. 부처님과 인연이 있는 중생은 언제라도 부처님을 볼 수 있으며, 부처님과 인연이 없는 중생은 부처님을 보지 못한다.

그럼 내가 만약 부처님과 인연이 없어서 부처님을 볼 수 없으면 어떻게 해야 하는가? 너희는 선근(善根)을 심고, 불연(佛緣)을 맺으며, 삼보(三寶)를 공양해야 한다. 너희는 삼보의 앞에서 공양을 닦아야 하며, 닦는 시간이 오래되면 자연히 불연이 있게 될 것이다. 너희가 만약 선근을 심지 않으면 시종 불연이 생길 수 없다.

보수다화과(寶樹多花果) 중생소유락(衆生所遊樂)• 보배 나무란 바로 보리수를 말한다. 착한 원인[善因]은 꽃이고, 착한 결과[善果]는 열매이다. 너희가 많은 착한 원인을 심으면, 많은 착한 결과를 얻을 수 있다.

너희 자성 속, 마음속에서 한 생각이 생하는 것은 하나의 중생이 생하는 것이고, 한 생각이 멸하는 것은 하나의 중생이 멸하는 것으로서 생각생각이 모두 중생이다. 따라서 중생에는 자성의 중생이 있고, 바깥의 중생이 있다. 자성의 중생과 바깥의 중생이 서로 중생이 되는 것이다. 그렇지 않으면 어떻게 "마음·부처·중생이 차별이 없다."고 말하겠는가?

나의 정토는 허물어지지 않으나 중생이 번뇌 불에 타는
것을 보고, 근심과 두려움의 갖가지 고뇌가 충만하네.
이러한 모든 죄업 중생들은 악업의 인연으로 인하여
아승기겁을 지나도 삼보의 이름을 듣지 못하네.
공덕을 닦는 모든 사람은 유화하며 바르고 곧으며
그들은 모두 나의 몸이 이곳에서 설법하는 것 보네.
어떤 때는 이들을 위해 부처 수명은 무량하다 말하며
오랜 세월이 지나 비로소 부처를 보는 자들에게는
그들을 위하여 부처님은 만나기 어렵다고 설하리.

我淨土不毁　而衆見燒盡　憂怖諸苦惱　如是悉充滿
是諸罪衆生　以惡業因緣　過阿僧祇劫　不聞三寶名
諸有修功德　柔和質直者　則皆見我身　在此而說法
或時爲此衆　說佛壽無量　久乃見佛者　爲說佛難値

나의 지혜의 힘은 이와 같아 지혜의 빛이 무량세계 비추고
무수한 겁의 수명은 오랫동안 선업을 닦아 얻은 것이네.
그대들 지혜 있는 사람은 나의 말에 의혹심 내지 말고
부처님의 말씀은 진실하고 거짓이 없기 때문에

마땅히 의혹심을 끊어 영원히 없어지게 해야 하네.

我智力如是 慧光照無量 壽命無數劫 久修業所得

汝等有智者 勿於此生疑 當斷令永盡 佛語實不虛

2) 훌륭한 의사의 방편

마치 의사가 좋은 방편으로 미친 자식 치료하기 위해

사실은 살아 있지만 죽었다고 말하는 것과 같아서

허망한 거짓말을 했다고 말할 수 없네.

나도 세간의 아버지 되어 모든 고뇌하는 자를 구하며

전도된 범부 위해 실제로 살아 있지만 멸도를 말하네.

중생이 항상 나를 볼 수 있으면 교만하고 방자한 마음을 품고

방일하고 오욕에 탐착하여 악도에 떨어지기 때문이네.

나는 항상 중생이 도를 행하거나 행하지 않음을 알며

마땅히 제도할 만한 몸을 따라 갖가지의 법을 설하네.

나는 매번 무슨 방법으로 중생이 위없는 지혜에 들어

빨리 부처의 법신 성취할 수 있을 것인지를 생각하네.

如醫善方便 爲治狂子故 實在而言死 無能說虛妄

我亦爲世父 救諸苦患者 爲凡夫顚倒 實在而言滅

以常見我故 而生憍恣心 放逸著五欲 墮於惡道中

我常知衆生 行道不行道 隨所應可度 爲說種種法

每自作是意 以何令衆生 得入無上慧 速成就佛身

十七

분별공덕품
(分別功德品)

여래의 수량(壽量)을 믿고 이해한 공덕

이 품은 공덕이 얼마나 되는지를 분별해서 설하는 「분별공덕품」이다. 무엇이 공(功)이고, 무엇이 덕(德)인가? 공은 바깥을 대하여 말하는 것이고, 덕은 안을 대하여 말하는 것이다. 너희가 밖에서 공을 세우면, 안에서 비로소 덕이 있게 된다. 공은 착한 일을 행하고 짓는 일이다. 본래 이러한 착한 일은 행할 수도 있고, 행하지 않을 수도 있다. 그러나 너희가 행하지 못할 상황에서도 이러한 착한 일을 행할 수 있으면, 이것이 바로 공이 있는 것이다. 공이 있은 후에 너희의 자성에는 일종의 즐거운 감각이 생기게 될 것이다. 이러한 즐거운 감각이 있으면, 이것은 덕이 생긴 것이다.

이 공덕은 하나의 일로 말미암아 성취되는 것이 아니다. 작은 것에서 큰 것으로, 적은 것에서 많은 것으로 갖가지의 착한 일이 쌓여서 이루어지는 것이다. 마치 산과 같이, 본래 산이 없는데 미진이 하루하루 많아져서 산이 높아지는 것과 같다. 산이 높은 것은 하루이틀에 높아진 것이 아니라, 매일 매월 매년 천천히 높아진 것이다. 그러므로 지금 우리가 보는 높은 산은 장구한 시간을 거치면서 이루어진 것이다. 산은 공에 비유하고, 바다는 덕에 비유한다. 바다도 얼마나 많은 대겁을 거치면서 바다로 형성되었는지 모른다. 모든 물은 바다로 흘러들어 가는데, 이것은 덕을 비유한다.

이 공덕은 마치 산과 바다가 이루어진 것과 같이 적은 것에서부터 모여서 많은 것이 이루어진 것이다. 밖으로는 공이 있고, 안으로는 덕이 있다. 공덕이 많으면 너희의 도업이 성취될 수 있다. 석가모니 부처님은 왜 성불하였는가? 이 또한 공덕이 많아지고 공덕이 원만해졌기 때문이다.

가. 「여래수량품」을 들은 공덕

1) 「여래수량품」을 들은 중생의 이익

그때 큰 법회의 대중들은 부처님께서 여래 수명의 겁수가 이렇게 장원하다고 하시는 말씀을 듣고, 무량하고 무변한 아승기수의 중생이 큰 이익을 얻었다.

이때 세존께서는 미륵보살마하살에게 말씀하셨다.

"아일다여! 내가 여래의 수명이 장원하다고 말할 때 육백팔십만억 나유타 항하사수의 중생이 무생법인을 얻었다. 그리고 이것의 일천배(一千倍)의 보살마하살이 다라니를 듣고 지니는 법문을 얻었으며, 다시 일(一) 세계 미진과 같은 수의 보살마하살이 요설(樂說)무애변재를 얻었다. 그리고 일 세계 미진과 같은 수의 보살마하살이 백천만억의 무량한 선(旋)다라니를 얻었으며, 다시 삼천대천세계의 미진과 같은 수의 보살마하살이 불퇴의 법륜을 굴릴 수 있게 되었으며, 다시 이천(二千)의 중천세계 미진과 같은 수의 보살마하살이 청정법륜을 굴릴 수 있게 되었다. 그리고 소천세계의 미진과 같은 수의 보살마하살이 팔(八) 생을 지나면 무상정등정각을 얻는 사지(四地)보살의 과위를 얻었으며, 다시 네 개의 사천하 미진과 같은 수의 보살마하살이 네 생을 지나면 무상정등정각을 얻는 팔지(八地)보살의 과위를 얻었으며, 다시 세 개의 사천하 미진과 같은 수의 보살마하살이 세 생을 지나면 무상정등정각을 얻는 구지(九地)보살의 과위를 얻었으며, 다시 두 개의 사천하 미진과 같은 수의 보살마하살이 두 생을 지나면 무상정등정각을 얻는 십지(十地)보살의 과위를 얻었으며, 다시 한 개의 사천하 미진과 같은 수의 보살마하살이 한 생을 지나면 무상정등정각을 얻는 등각(等覺)보살의 과위를 얻었다. 그리고 팔 세계의 미진과 같은 수의 중생은 모두 무상정등정각의 마음을 발하였느니라."

爾時大會聞佛說壽命劫數長遠如是, 無量無邊阿僧祇衆生, 得大饒益。於時世尊告彌勒菩薩摩訶薩。阿逸多。我說是如來壽命長遠時, 六百八十萬億那由他恒河沙衆生, 得無生法忍。復有千倍菩薩摩訶薩, 得聞持陀羅尼門。復有一世界微塵數菩薩摩訶薩, 得樂說無礙辯才。復有一世界微塵數菩薩摩訶薩, 得百千萬億無量旋陀羅尼。復有三千大千世界微塵數菩薩摩訶薩, 能轉不退法輪。復有二千中國土微塵數菩薩摩訶薩, 能轉淸淨法輪。復有小千國土微塵數菩薩摩訶薩, 八生當得阿耨多羅三藐三菩提。復有四四天下微塵數菩薩摩訶薩, 四生當得阿耨多羅三藐三菩提。復有三四天下微塵數菩薩摩訶薩, 三生當得阿耨多羅三藐三菩提。復有二四天下微塵數菩薩摩訶薩, 二生當得阿耨多羅三藐三菩提。復有一四天下微塵數菩薩摩訶薩, 一生當得阿耨多羅三藐三菩提。復有八世界微塵數衆生, 皆發阿耨多羅三藐三菩提心。

◉ 이 경문에서 "다라니를 듣고 지니는 법문을 얻었다.[得聞持陀羅尼門]"는 것은 바로 보살의 수행단계에서 십주(十住)의 보살을 말하는 것이다. 그리고 "요설무애변재를 얻었다.[得樂說無礙辯才]"는 것은 십행(十行)의 보살과위를 얻었다는 것이며, "백천만억의 무량한 선(旋)다라니를 얻었다.[得百千萬億無量旋陀羅尼]"는 것은 십회향(十廻向)의 보살과위를 얻었다는 뜻이다. 십회향을 증득하면 비로소 "하나가 무량이며, 무량이 하

나"라는 것을 얻으며 선다라니를 얻는다. 선(旋)이란 '돌리다'는 뜻으로 무량한 다라니를 듣고 수지하면서 돌릴 수 있다는 것이다.

"불퇴의 법륜을 굴릴 수 있게 되었다.[能轉不退法輪]"는 것은 세 가지의 불퇴(位不退, 行不退, 念不退)를 얻은 것이다. 바로 초지(初地)보살의 과위를 얻어야 비로소 이러한 불퇴의 법륜을 굴릴 수 있다. "청정법륜을 굴릴 수 있게 되었다.[能轉淸淨法輪]"는 것은 바로 이지(二地)보살의 과위를 증득한 것이다.

"팔 생을 지나면 무상정등정각을 얻는다.[八生當得阿耨多羅三藐三菩提]"는 것은 사지(四地)보살의 과위를 증득하는 것이다. 이것은 원교(圓敎)의 사지를 증득한 것으로서, 팔 생을 지나면 무상정등정각을 얻는다는 것을 "증도손생(增道損生)"이라고 부른다. 증도란 한 분량의 중도(中道)가 늘어난다, 즉 중도를 더 많이 이해한다는 뜻이다. 손생이란 무슨 생이 줄어든다는 것인가? 즉 한 번의 변역생사(變易生死)가 줄어든다는 것이다.

이지(二地) 이후의 과위에서는 모두 증도손생하는 이러한 공능을 가진다. 중도를 더 많이 이해하는 이러한 지혜가 늘어나면 변역생사가 감손(減損)하는 것이다. 이지를 증득하면 분단생사(分段生死)는 없고 단지 변역생사만 있다. 이 변역생사는 이지에서 시작된다. 그리고 사지를 증득하면 원증사지(圓證四地: 원교의 사지)가 되는데, 즉 통교나 별교의 사지가 아니다. 십지(十地)보살에서는 통교와 별교와 원교에서의 정도가 같지 않다.

원교의 사지를 증득하면 무명(無明)이 남는다. 본래 견혹은 88품이 있고, 사혹은 81품이 있으며, 마지막에 12품의 미세한 무명혹이 있는데, 사지에 이르면 아직 최후 8품의 미세한 무명혹이 남는 것이다. 이때

한 품의 무명을 끊으면, 즉 하나의 지(地)를 더 증득하면 변역생사의 생(生)이 감소된다. 따라서 사지에서부터 8품의 무명을 끊으면 묘각의 과위를 증득한다. 그러므로 팔생(八生)이라고 말한 것이다. 그리고 사생(四生)이라는 것은 팔지로부터 계산하여 구지, 십지, 등각, 묘각의 네 단계의 과위를 거쳐야 성불한다는 뜻이다.

팔지보살의 과위를 증득한 사람은 가령 그가 보리심을 발하여 이 세계로 와서 중생을 교화하려고 다시 태에 들 때 옷을 입고 온다. 옷을 입고 온다는 것은 어떠한 것인가? 마치 허운 선사와 같이 출생할 때 바로 아기로 태어나는 것이 아니라 살덩어리로 태어나는데, 그 살덩어리를 가르면 아기가 나온다. 그러나 이러한 팔지보살이 이 세계에 와도 다시 윤회에 들어가는 것은 매우 적다. 이른바 보살은 격음(隔陰)의 미혹이 있으며, 아라한은 태에 머무는 혼미함이 있다고 하는 것이다. 즉 팔지보살이 이 세계로 올 때 태장(胎藏)을 거치면서 미혹할 수 있다. 그래서 다시 닦아야 한다. 이러한 것 때문에 허운 선사는 56세에 이르러 비로소 정식으로 깨달은 것이다. 이 깨달음은 본래의 근원으로 되돌아온[返本還原] 것으로서, 부모가 낳기 전의 본래면목을 안 것이다.

◉ 우리 불법을 수습(修習)하는 사람은 반드시 보리심을 발해야 비로소 보리(깨달음)의 열매를 맺을 수 있을 것이다. 너희가 만약 보리심을 발하지 않으면 보리의 열매는 맺지 않을 것이다. "사람마다 모두 부처다."라고 말하는 것이 아니다. 사람마다 모두 부처지만, 너희가 읽기만 하고 발심하지 않으면 그것은 음식을 먹지 않고 말만 하는 것과 같고, 남의 보물을 세는 것과 같다. 음식의 이름을 말만 하면 배가 부르지 않으며, 남의 보물을 하루 종일 세어보았자 자기의 것은 아니다. 너희가 단

지 사람마다 모두 부처라고 말만 하고 조금도 수행하지 않으면, 남들이 너희를 이기적이라고 말할 때 너희는 참지 못할 것이며, "당신은 탐심이 크다."고 말할 때 너희는 '그대는 어째서 나를 욕하는가?'라고 느낄 것이다. 보리심을 발하지 않는 것은 바로 남의 보물을 세는 것과 같은 것이다.

2) 법의 이익을 설할 때의 서상(瑞相)

부처님께서 이 모든 보살마하살들이 큰 법의 이익을 얻은 것에 대하여 말씀하실 때, 허공에서 소백화(小白華)와 대백화(大白華)의 꽃들이 무량한 백천만억의 보배 나무 아래 사자좌에 앉아 계신 분신 제불들에게 뿌려졌으며, 아울러 칠보탑 안의 사자좌에 앉아 계신 석가모니불과 열반에 드신 지 오래된 다보여래께 뿌려졌다. 또한 일체의 모든 대보살과 사부대중들에게도 뿌려졌다.

그리고 가루향, 전단향, 침수향 등이 허공에서 비 내리듯이 내려왔으며, 천상의 북이 저절로 울리고 미묘한 소리가 아주 멀리까지 울려 퍼졌다. 또한 많은 영락, 즉 진주영락, 마니주영락, 여의주영락이 달린 천 가지 종류의 천상의 옷들이 내려와 아홉 방향에 두루 뿌려졌으며, 갖가지 보배로 만든 향로에서는 가치를 알 수 없는 향을 태워서 자연히 주변으로 퍼져 대법회의 대중들에게 공양하였다. 각각의 부처님 위에는 많은 보살들이 당번과 보개를 잡고 와서 차례대로 위로 올라가 범천에까지 이르렀다. 이 모든 보살들은 미묘한 음성으로 무량한 게송을 노래하며 제불의 공덕을 찬탄하였다.

佛說是諸菩薩摩訶薩得大法利時, 於虛空中, 雨曼陀羅華·摩訶曼陀羅華, 以散無量百千萬億衆寶樹下·師子座上諸佛, 幷散七寶塔中, 師子座上釋迦牟尼佛, 及久滅度多寶如來。亦散一切諸大菩薩及四部衆。又雨細末·栴檀·沉水香等, 於虛空中, 天鼓自鳴, 妙聲深遠。又雨千種天衣, 垂諸瓔珞·眞珠瓔珞·摩尼珠瓔珞·如意珠瓔珞, 遍於九方•, 衆寶香爐, 燒無價香•, 自然周至, 供養大會•。一一佛上, 有諸菩薩, 執持旛蓋, 次第而上, 至於梵天。是諸菩薩, 以妙音聲, 歌無量頌, 讚歎諸佛。

변어구방(遍於九方)• 꽃들이 위에서 아래로 내려오기 때문에 시방 가운데서 상방은 제외한 것이다. 이 구방은 불법계를 제외한 구법계를 나타낸다.

중보향로(衆寶香爐) 소무가향(燒無價香)• 가치를 알 수 없는 향이란 무슨 향인가? 이것은 심향(心香)이다. 즉 우리 각자의 심향을 태우는 것이다.

자연주지(自然周至) 공양대회(供養大會)• 저절로 주변에 퍼진다는 것은 조작을 가하지 않는다는 뜻이며, 또한 생각을 할 필요가 없다는 것이다. 왜 심향이라고 말하는가? 너희의 한 생각은 법계에 두루하기 때문이다. 그래서 저절로 주변에 퍼진다. 너희는 이 마음을 태워서 악을 훈습하여 선을 이룰 수 있다. 너희의 악의 습기를 훈습하여 선으로 변화시키는 것이다. 따라서 이 선, 일종의 성심(誠心)으로 대회를 공양하는 것이다.

3) 미륵보살의 찬탄 게송

그때 미륵보살이 자리에서 일어나 오른쪽 어깨를 드러내고 부처님을 향해 합장하며 게송을 설하였다.

부처님 설하신 희유한 법 이전엔 듣지 못했으며
세존은 큰 신통의 힘이 있고 수명도 셀 수 없네.
무수한 불제자는 세존께서 법의 이익 얻은 자를
분별하여 설하심 듣고 온몸에 기쁨이 충만하였네.

爾時彌勒菩薩從座而起, 偏袒右肩, 合掌向佛, 而說偈言。

佛說希有法　昔所未曾聞　世尊有大力　壽命不可量
無數諸佛子　聞世尊分別　說得法利者　歡喜充遍身

혹은 불퇴지에 머물고, 혹은 다라니를 얻었으며
무애요설의 변재 얻거나 만억의 선다라니 얻었네.
혹은 대천세계 미진과 같이 많은 수의 보살들은
각각 불퇴의 법륜을 굴릴 수 있는 보살 과위 얻고
다시 중천세계 미진과 같이 많은 수의 보살들은
각각 청정법륜을 굴릴 수 있는 보살 과위를 얻고
다시 소천세계 미진과 같이 많은 수의 보살들은
각각 남은 팔생 지나면 불도를 이룰 수 있게 되며
다시 넷, 셋, 두 개 사천하 미진같이 많은 보살들은
사생, 삼생, 이생을 따라 불과를 이루는 보살 과위 얻고
혹은 하나의 사천하 미진같이 많은 보살들은
남은 한 생 지나면 일체지 이루는 과위를 얻었네.

이러한 중생들은 부처님 수명의 장원함을 듣고
무량한 무루의 지혜와 청정한 과보를 얻었으며
다시 팔 세계 미진과 같이 많은 수의 중생들은
부처님 설하신 여래 수명 듣고 정각 마음 발했네.

或住不退地　或得陀羅尼　或無礙樂說　萬億旋總持
或有大千界　微塵數菩薩　各各皆能轉　不退之法輪
復有中千界　微塵數菩薩　各各皆能轉　淸淨之法輪
復有小千界　微塵數菩薩　餘各八生在　當得成佛道
復有四三二　如此四天下　微塵諸菩薩　隨數生成佛
或一四天下　微塵數菩薩　餘有一生在　當成一切智
如是等衆生　聞佛壽長遠　得無量無漏　淸淨之果報
復有八世界　微塵數衆生　聞佛說壽命　皆發無上心

세존께서 무량하고 불가사의한 법을 설하셔서
마치 허공이 무변한 것처럼 많이 요익하게 하시네.
천상에서 소백화와 대백화가 비 오듯이 뿌려지고
항하사 같은 제석과 범천은 무수한 불국토에서 왔네.
전단향과 침수향이 마치 새가 공중에서 내려오듯이
어지러이 떨어지면서 모든 부처님께 공양하였으며
천상의 북은 허공에서 저절로 미묘한 소리를 내고
천만 가지의 천상옷들은 선회하며 아래로 내려왔네.
갖가지 보배로 장식된 향로엔 가장 귀한 향 사르고
자연히 주변 법계로 퍼져 모든 세존을 공양하였네.

世尊說無量　不可思議法　多有所饒益　如虛空無邊

雨天曼陀羅　摩訶曼陀羅　釋梵如恒沙　無數佛土來
雨栴檀沈水　繽紛而亂墜　如鳥飛空下　供散於諸佛
天鼓虛空中　自然出妙聲　天衣千萬種　旋轉而來下
衆寶妙香爐　燒無價之香　自然悉周遍　供養諸世尊

땅에서 솟아온 대보살은 높고 미묘한 만억 종류의
칠보의 당번과 보개 잡고 차례로 범천에 이르렀네.
한 분 한 분의 부처님 앞에 보당과 수승한 번기 달고
천만의 게송으로 일체 제불을 노래로 찬탄하네.
이와 같은 갖가지의 일들은 이전에 없었던 것이며
부처님 수명의 무량함 듣고 모든 중생들 기뻐하네.
부처님 명호가 시방에 퍼져 널리 중생을 요익하며
모든 선근 갖춘 중생들이 보리심 발하게 도와주네.
其大菩薩衆　執七寶旛蓋　高妙萬億種　次第至梵天
一一諸佛前　寶幢懸勝旛　亦以千萬偈　歌詠諸如來
如是種種事　昔所未曾有　聞佛壽無量　一切皆歡喜
佛名聞十方　廣饒益衆生　一切具善根　以助無上心

나. 여래 수량의 신해(信解) 공덕

1) 일념(一念) 신해의 공덕

그때 부처님께서 미륵보살마하살에게 말씀하셨다.

"아일다여, 어떤 중생이 부처님의 수명이 이와 같이 장원함을 듣고 일념이라도 믿고 이해할 수 있으면, 그가 얻는 공덕은 한량이 없느니라. 만약 어떤 선남자, 선여인이 무상정등정각을 구하기 위해 팔십만억 나유타의 수많은 겁 동안 반야바라밀을 제외한 다섯 바라밀, 즉 보시바라밀, 지계바라밀, 인욕바라밀, 정진바라밀, 선정바라밀을 행한다면, 이러한 공덕은 앞의 공덕과 비교하여 백 분, 천 분, 백천만억 분의 일에도 미치지 못하며, 산수와 비유로도 알 수 없느니라. 만약 선남자와 선여인이 이러한 공덕이 있는데도 무상정등정각에서 물러나는 것은 절대로 있을 수 없는 일이다."

爾時佛告彌勒菩薩摩訶薩。阿逸多。其有衆生, 聞佛壽命長遠如是, 乃至能生一念信解, 所得功德, 無有限量。若有善男子·善女人, 爲阿耨多羅三藐三菩提故, 於八十萬億那由他劫, 行五波羅蜜。檀波羅蜜·尸羅波羅蜜·羼提波羅蜜·毘梨耶波羅蜜·禪波羅蜜, 除般若波羅蜜, 以是功德比前功德, 百分·千分·百千萬億分·不及其一, 乃至算數譬喩所不能知。若善男子·善女人, 有如是功德•, 於阿耨多羅三藐三菩提退者, 無有是處。

유여시공덕(有如是功德)• 이와 같은 공덕이란 앞의 「여래수량품」에서 설하신, 부처님의 수명이 한량 없이 장원하다는 것에 대하여 한 생각이라도 믿고 이해하는[信解] 마음을 내는 공덕을 가리킨다.

2) 신해한 공덕의 게송

그때 세존께서는 이러한 뜻을 거듭 선설하시려고 게송을 설하셨다.

만약 사람이 부처의 지혜 구하려고 팔십만억
나유타 겁의 시간 동안 다섯 바라밀 행한다면
이 모든 겁 동안 부처님께 보시하고 공양하며
성문, 연각 제자와 많은 보살들에게 공양하며
진기한 음식과 최상의 의복과 침구를 보시하고
전단향목으로 정사 세우고 원림으로 장엄하며
이러한 갖가지 모든 미묘한 공양구로 보시하기를
이 모든 겁수가 다하도록 불도에 회향하네.
만약 다시 금계를 지녀 청정하고 새는 것 없이
위없는 도를 구하면 제불의 찬탄을 받네.
만약 다시 인욕을 행해 조화롭고 유연함에 머물러
설령 온갖 악이 가해져도 마음이 움직이지 않으면
법을 얻었다고 하며 증상만을 품은 자들이
경시하고 괴롭게 하여도 또한 능히 참네.

爾時世尊欲重宣此義, 而說偈言。

若人求佛慧　於八十萬億　那由他劫數　行五波羅蜜
於是諸劫中　布施供養佛　及緣覺弟子　幷諸菩薩衆
珍異之飮食　上服與臥具　栴檀立精舍　以園林莊嚴
如是等布施　種種皆微妙　盡此諸劫數　以迴向佛道
若復持禁戒　淸淨無缺漏　求於無上道　諸佛之所歎
若復行忍辱　住於調柔地　設衆惡來加　其心不傾動

諸有得法者　懷於增上慢　爲斯所輕惱　如是亦能忍

만약 다시 부지런히 정진하여 의지가 항상 견고하여
무량한 억겁 동안 일심으로 게으르거나 쉬지 않으며
또한 무수한 겁 동안 고요한 곳에 머물며
좌선하거나 경행하면서 잠 없애고 항상 섭심하여
이와 같은 인연으로 모든 선정을 낼 수 있으며
팔십억만 겁 동안 편안히 머물며 마음 산란하지 않네.
이러한 일심의 복 지니고 위없는 도를 구하기 위해
내가 일체지 얻어 모든 선정삼매 성취하길 원하네.
이러한 사람은 백천만억 겁수의 시간 동안
이런 모든 공덕 행한 것이 위의 말과 같다고 하여도
어떤 선남자, 선여인이 내가 설한 여래수량품 듣고
일념이라도 믿는다면 그 복이 저것을 능가하네.
만약 어떤 사람이 조금도 의심과 후회의 마음 없이
깊은 마음으로 잠시라도 믿으면 그 복은 이와 같네.
若復勤精進　志念常堅固　於無量億劫　一心不懈息
又於無數劫　住於空閑處　若坐若經行　除睡常攝心
以是因緣故　能生諸禪定　八十億萬劫　安住心不亂
持此一心福　願求無上道　我得一切智　盡諸禪定際
是人於百千　萬億劫數中　行此諸功德　如上之所說
有善男女等　聞我說壽命　乃至一念信　其福過於彼
若人悉無有　一切諸疑悔　深心須臾信　其福爲如此

그 어떤 보살들이 무량겁 동안 불도를 수행하여야
내가 설한 여래의 수명 듣고 믿고 이해할 수 있네.
이런 모든 사람들은 이 경전 머리에 이고 수지하여
원컨대 나도 미래에 수명 무량하여 중생 제도함이
마치 지금 세존이 모든 석종 가운데의 법왕이 되어
도량에서 사자후로 두려움 없이 설법함과 같으며
우리 모든 보살도 미래세에 일체중생의 존경 받고
도량에 앉을 때 우리의 수명도 이와 같기 바라리라.
만약 깊은 마음 가진 사람이 청정하고 곧고 바르며
많이 듣고 언제나 지녀 뜻 따라 부처님 말씀 이해하면
이러한 사람들은 이 경전에 대해 의심하지 않으리라.

其有諸菩薩　無量劫行道　聞我說壽命　是則能信受
如是諸人等　頂受此經典　願我於未來　長壽度衆生
如今日世尊　諸釋中之王　道場師子吼　說法無所畏
我等未來世　一切所尊敬　坐於道場時　說壽亦如是
若有深心者　淸淨而質直　多聞能總持　隨義解佛語
如是諸人等　於此無有疑

3) 듣고 수지하며 공양한 공덕

"또한 아일다여, 만약 부처님의 수명이 장원하다는 법문을 듣고 그 말의 뜻을 이해하면, 이 사람이 얻는 공덕은 한량이 없으며 여래의 위없는 지혜를 일으킬 수 있다. 하물며 이 경을 널리 듣고 만약 다른 사람도 듣게 하거나, 스스로도 수지하고 다른 사람도 수지하게 하거나, 스스로도 서사하고 다른 사람도 서사하게 하거나, 만약 꽃과 향, 영락, 당번, 비단덮개, 향유와 소유의 등으로 이 법화경을 공양한다면 어떻겠는가? 이 사람의 공덕은 무량하고 무변하여 일체종지를 낼 수 있느니라."

又阿逸多。若有聞佛壽命長遠, 解其言趣, 是人所得功德, 無有限量, 能起如來無上之慧。何況廣聞是經, 若教人聞, 若自持·若教人持, 若自書·若教人書。若以華·香·瓔珞·幢旛·繒蓋·香油·酥燈, 供養經卷, 是人功德, 無量無邊, 能生一切種智。

4) 깊이 믿고 이해한 모습

"아일다여, 만약 선남자 선여인이 내가 말한 여래 수명의 장원함을 듣고 깊은 마음으로 믿고 이해하면, 부처님께서 항상 기사굴산에서 대보살들과 모든 성문대중들에게 둘러싸여 법 설하시는 것을 보게 될 것이다. 그리고 이 사바세계의 땅이 유리로 되어 평평하고 바르며, 염부단금으로 여덟 개의 길로 구분하고, 보배 나무가 줄을 지어 섰으며, 많은 정대(亭臺)와 누각들이 모두 보배로 이루어졌으며, 그 보살들은 모두 그 가운데 거주하는 모습을 보게 될 것이다. 만약 이와 같은 모습을 보는 자가 있다면, 마땅히 그것은 이 법화경을 깊이 믿고 이해하는 모습이라는 것을 알아야 한다."

阿逸多。若善男子·善女人, 聞我說壽命長遠, 深心信解, 則爲見佛常在耆闍崛山, 共大菩薩, 諸聲聞衆, 圍繞說法。又見此娑婆世界, 其地琉璃, 坦然平正, 閻浮檀金, 以界八道, 寶樹行列, 諸臺樓觀,皆悉寶成，其菩薩衆，咸處其中。若有能如是觀者，當知是爲深信解相。

다. 여래 열반 후의 『법화경』 공덕

1) 『법화경』을 듣고 수희(隨喜)하는 공덕

"그리고 다시 여래가 열반에 든 후 만약 이 경을 듣고 헐뜯거나 비방하지 않고 수희하는 마음을 일으킨다면, 이미 깊이 믿고 이해하는 모습이라는 것을 알아야 한다. 하물며 이 경을 독송하고 수지하는 사람이겠는가? 이 사람은 여래를 머리에 이듯이 공경해야 할 것이다. 아일다여, 이러한 선남자 선여인은 나를 위해 다시 탑과 절을 세우고 승방을 짓거나, 네 가지의 일로 스님들께 공양을 할 필요가 없다.
무슨 까닭인가? 이러한 선남자와 선여인이 이 경전을 수지하고 독송하는 것은 이미 탑을 세우고 승방을 건립하며 스님들을 공양하는 일이 되며, 부처님의 사리로써 칠보의 탑을 세워 높이와 넓이가 점점 작아져서 범천에까지 이르고, 많은 당번과 보개와 갖가지 보배 방울을 매달며, 꽃과 향, 영락, 가루향, 바르는 향, 태우는 향으로 공양하는 것이며, 갖가지 북과 기악, 퉁소 · 피리 · 공후, 갖가지 춤과 유희, 미묘한 음성으로 노래하여 부처님을 찬송하는 것이며, 무량한 천만억겁 동안 이러한 공양을 이미 한 것이 되기 때문이니라."

又復如來滅後, 若聞是經而不毀呰, 起隨喜心, 當知已爲深信解相。何況讀誦受持之者, 斯人則爲頂戴如來。阿逸多。是善男子·善女人。不須爲我復起塔寺, 及作僧坊, 以四事供養衆僧*。所以者何。是善男子·善女人, 受持讀誦是經典者, 爲已起塔, 造立僧坊, 供養衆僧。則爲以佛舍利起七寶塔, 高廣漸小至于梵天, 懸諸旛蓋及衆寶鈴, 華·香·瓔珞·末香·塗香·燒香·衆鼓·伎樂·簫·笛·箜篌, 種種舞戲, 以妙音聲, 歌唄讚頌, 則爲於無量千萬億劫, 作是供養已。

이사사공양중승(以四事供養衆僧)* 네 가지의 일이란 음식과 의복, 침구, 의약으로 삼보를 공양하는 일을 말한다.

2) 타인에게 수지하게 하는 공덕

"아일다여, 만약 내가 열반에 든 후 이 경전을 듣고 수지할 수 있으며, 혹은 스스로 서사하거나 남을 시켜 서사하는 것은 승방을 건립하되 붉은 전단목으로 32동의 많은 불전과 건물을 짓는 것과 같다. 그것의 높이는 팔 다라수만큼 높고 넓으며 매우 장엄하여 백천 비구들을 그 안에 거주하게 하고, 원림과 목욕지, 경행처, 좌선하는 동굴, 의복, 음식, 침구, 탕약 등 모든 필수품이 그 안에 가득 차 있으며, 이러한 승방과 전각이 백천만억으로 그 수가 무량하다. 이러한 것으로써 지금 현재 나와 비구승을 공양하는 것이 된다.
그러므로 나는 이렇게 말한 것이다. '여래가 열반에 든 후 만약 이 경을 수지하고 독송하고 다른 사람을 위하여 해설하거나, 스스로 서사하고 남을 시켜 서사하거나, 이 경전에 공양하면, 다시 탑과 절을 세우거나 승방을 짓거나 스님들을 공양할 필요가 없다.'"

阿逸多。若我滅後, 聞是經典, 有能受持, 若自書·若教人書, 則爲起立僧坊, 以赤栴檀作諸殿堂三十有二, 高八多羅樹, 高廣嚴好, 百千比丘於其中止。園林·浴池·經行·禪窟, 衣服·飮食·床褥·湯藥, 一切樂具, 充滿其中。如是僧坊·堂閣若干百千萬億, 其數無量。以此現前, 供養於我及比丘僧。是故我說, 如來滅後, 若有受持·讀誦·爲他人說, 若自書·若教人書, 供養經卷, 不須復起塔寺, 及造僧坊·供養衆僧。

즉위기립승방(則爲起立僧坊) 이적전단작제전당삼십유이(以赤栴檀作諸殿堂三十有二) 고팔다라수(高八多羅樹) 고광엄호(高廣嚴好) 백천비구어기중지(百千比丘於其中止) 이 『법화경』을 읽는 것이 어떻게 불전을 짓는 것과 같은가? 이것은 바로 너희 자성의 법신, 자성의 전각을 장엄하는 것이다. 팔 다라수의 높이는 오장(丈) 정도의 높이다.

3) 수지하면서 육바라밀을 행하는 공덕

"하물며 다시 어떤 사람이 이 경을 수지하면서 보시, 지계, 인욕, 정진, 선정, 지혜를 겸하여 수행함이겠는가? 그 덕은 가장 수승하고 무량무변하다. 비유하면 허공의 동서남북, 사유상하가 무량무변한 것과 같이 이 사람의 공덕도 역시 이와 같이 무량무변하여 속히 일체종지의 불과

(佛果)에 이를 것이다."

況復有人, 能持是經, 兼行布施·持戒·忍辱·精進·一心·智慧•, 其德最勝, 無量無邊。譬如虛空, 東西南北·四維上下, 無量無邊。是人功德, 亦復如是無量無邊, 疾至一切種智。

황부유인(況復有人) **능지시경**(能持是經) **겸행보시**(兼行布施) **지계**(持戒) **인욕**(忍辱) **정진**(精進) **일심**(一心) **지혜**(智慧)• 일심은 선정을 뜻한다. 이 경문은 자성삼보(自性三寶)를 장엄하는 것이다. 따라서 너희가 『법화경』을 보고 염송하고 서사하는 모든 것은 자성의 삼보를 장엄하는 것이다. 너희 자성의 삼보를 원만하게 장엄하면, 상주하는 삼보도 곧 현전하게 된다.

"만약 어떤 사람이 이 경을 독송하고 수지하며, 스스로 서사하거나 남을 시켜서 서사하며, 다시 탑을 세우고 승방을 지으며, 성문의 스님들을 공양하고 찬탄하며, 또한 백천만억의 찬탄하는 법으로써 보살의 공덕을 찬탄하거나, 다시 다른 사람을 위해 갖가지 인연으로 뜻에 따라 이 법화경을 해설하며, 다시 청정하게 계를 지니고, 부드럽고 화합하는 자와 공동으로 머물며, 인욕하고 화를 내지 않으며, 뜻과 생각이 견고하며, 항상 좌선을 귀하게 여겨서 깊은 선정을 얻으며, 용맹하게 정진하여 많은 선법(善法)을 수섭하며, 지혜가 날카로워 어려운 질문에 답을 잘한다고 하자.

아일다여, 만약 내가 열반에 든 후 많은 선남자 선여인이 이 경전을 수지하고 독송하면서 다시 이와 같은 모든 공덕을 가진다면, 이 사람은 이미 보리도량(菩提道場)에 이르러 무상정등정각에 가까워졌으며, 곧 보리수 아래 도량에 앉아 법륜을 굴릴 것이라고 알아야 한다. 아일다여, 이 선남자 선여인이 앉고 서고 경행하는 곳이라면, 마땅히 탑을 세워서 부처님의 탑과 같이 공양해야 할 것이다."

若人讀誦受持是經, 爲他人說, 若自書·若教人書, 復能起塔及造僧坊, 供養讚歎聲聞衆僧, 亦以百千萬億讚歎之法, 讚歎菩薩功德, 又爲他人種種因緣, 隨義解說此法華經。復能淸淨持戒, 與柔和者而共同止, 忍辱無瞋, 志念堅固, 常貴坐禪, 得諸深定, 精進勇猛, 攝諸善法•, 利根智慧, 善答問難。阿逸多。若我滅後, 諸善男子·善女人。受持讀誦是經典者, 復有如是諸善功德, 當知是人, 已趣道場, 近阿耨多羅三藐三菩提, 坐道樹下。阿逸多。是善男子·善女人。若坐·若立·若行處, 此中便應起塔, 一切天人皆應供養, 如佛之塔。

섭제선법(攝諸善法)• 선법을 수섭하는 것은 바로 망상을 짓지 않는 것이다. 너희가 만약 망상을 피운다면 바로 악법으로 변한다.

◉ 이번 선칠(禪七)의 기간에 몇 사람이 말을 하지 않기로 발원하였다. 이것은 가장 좋은 방법이다. 왜냐하면 너희가 말을 하면 망상이 많아지기 때문이다. 말을 하지 않으면 망상이 적어지는가? 그래도 망상이 아주 적어지는 것은 아니지만, 너희는 너희의 본전을 보전할 수 있다.

무엇이 본전인가? 장사를 할 때도 본진이 있어야 하는 것이다. 너희가 말을 하지 않으면 기(氣)가 흩어지지 않는다. 이른바 "입을 열면 정신과 기가 흩어지고, 혀를 움직이면 시비가 일어나네.[口開神氣散 舌動是非生]"라고 하는 것이다. 너희가 입을 열면 기가 밖으로 나간다. 너희는 정진하면서 마땅히 시비를 말하지 않아야 한다. 너희가 한마디의 말을 하다보면 옳고 그름이 생긴다.

어떤 사람이 말하였다. "스님, 당신이 경을 강의하실 때 시비를 말하는 것이 아닙니까?" 맞다! 나는 옳음을 이야기하고 그름을 이야기한다. 이러한 시비는 너희를 가르쳐 옳고 그름을 알게 하기 위함이다. 그러나 너희는 시비를 말할 때 자기 스스로 모른다. 너희는 단지 말하는 것만 알지, 무엇이 옳고 무엇이 그른지를 모른다.

경을 강의하는 것은 시비를 강의하는 것이 아니다. 이것은 부처님께서 설하신 법이다. 법에는 옳음도 없고, 그름도 없다. 따라서 너희는 경의 강의를 시비를 이야기하는 것으로 생각해서는 안 된다. 그것은 너희 관념의 잘못이다. 경을 강의하고 법을 설하는 것은 방법을 이야기하는 것으로서, 너희로 하여금 이러한 방법에 따라 수행하게 하는 것이다. 만약 내가 이러한 방법을 말하지 않으면, 너희는 어느 곳으로부터 수행해야 할지를 모른다. 그래서 선칠 기간에 말을 하지 않기로 발심한 것을 나는 가장 기뻐하는 것이다. 이것이 바로 용맹정진이다.

4) 여래 열반 후의 『법화경』 공덕 게송

가) 『법화경』을 수지하는 공덕

그때 세존께서는 이러한 뜻을 거듭 선설하시고자 게송을 설하셨다.

만약 내가 열반에 든 후 이 경 받들어 수지하면
이 사람의 복은 위에서 말한 것처럼 무량하며
이것은 곧 일체의 모든 공양을 구족한 것이네.

탑을 세워 부처님 사리 모시고 칠보로 장엄하며
이 탑은 매우 높고 넓으며 점점 작아져 범천에 이르고
천만억 개의 보배 방울은 바람 불면 미묘한 소리 내며
또한 무량겁 동안 이 탑을 공양하기를
꽃과 향, 많은 영락, 천상옷과 갖가지 기악 공양하고
향유, 소유로 불을 밝혀 주변을 항상 밝게 비추네.
장래 오탁악세 말법시대에 이 경을 수지하는 자는
위에서 말한 모든 공양을 이미 구족한 것이네.

爾時世尊欲重宣此義, 而說偈言.

若我滅度後　能奉持此經　斯人福無量　如上之所說
是則爲具足　一切諸供養　以舍利起塔　七寶而莊嚴
表刹甚高廣　漸小至梵天•　寶鈴千萬億　風動出妙音
又於無量劫　而供養此塔　華香諸瓔珞　天衣衆伎樂
燃香油酥燈　周匝常照明　惡世法末時　能持是經者
則爲已如上　具足諸供養

표찰심고광(表刹甚高廣) 점소지범천(漸小至梵天)• 이 탑과 도량은 높고 넓다. 높기로는 삼제(三際)를 다하고, 넓기로는 시방에 두루하다. 이 탑은 차례대로 높이 쌓아올리는데, 그래서 위로 갈수록 점점 작아져서 범천에까지 이른다.

이것도 수행을 나타내는데, 거친 행에서 미세한 행을 닦는 것이다. 무엇이 거친 행인가? 보시로 비유하면, 우선 다만 보시를 닦는 것이다. 보시의 행 가운데는 미세한 보시의 행이 매우 많은데, 우선은 단지 보시를 닦다가 이후 미세한 보시의 법을 알게 된다. 너희가 계를 지니는 것에도 먼저 삼귀의와 오계를 지닌다. 그 안에서도 미세한 계상(戒相)이 나뉘니, 따라서 이것도 점점 작아지는 것이다. 쉽게 볼 수 있고, 들을 수 있고 이해할 수 있는 것으로부터, 쉽게 보이지 않고 들리지 않고 이해하기 어려운 불가사의한 법을 닦는 데 이르게 된다. 이것을 점점 작아져서 범천에 이르는 것이라고 한다.

만약 이 경 수지하면 마치 부처님이 현재 계시는데
우두전단의 나무로 승방을 지어 공양하되
전각의 건물은 32동이고 높이 팔 다라수같이 높으며
좋은 음식과 미묘한 의복, 침상 등을 모두 갖추고
백천 비구 머무는 곳에 정원과 숲, 많은 목욕지와
경행, 좌선하는 곳 있고, 갖가지로 장엄함과 같네.
若能持此經　則如佛現在　以牛頭栴檀　起僧坊供養
堂有三十二　高八多羅樹•　上饌妙衣服　床臥皆具足
百千衆住處　園林諸浴池　經行及禪窟　種種皆嚴好

당유삼십이(堂有三十二) 고팔다라수(高八多羅樹)• 전각의 건물이 32동이라는 것은 삼십이상을 나타내며, 건물의 높이가 팔 다라수라는 것은 팔십종호(種好)를 나타낸다.

나) 수지하며 공양하는 공덕

만약 믿고 이해하는 마음 있고 수지, 독송, 서사하며
다시 남을 시켜서 서사하고 이 경전을 공양하되

꽃과 향과 가루향 뿌리고 칭의화(稱意華), 금색화와
호마(胡麻)와 훈화(薰華) 씨 기름으로 항상 불을 켜네.
이와 같이 공양하는 자는 무량한 공덕을 얻는 것이
마치 허공이 무변한 것처럼 그 복덕도 이와 같네.

若有信解心　受持讀誦書　若復教人書　及供養經卷
散華香末香　以須曼瞻蔔　阿提目多伽　薰油常燃之
如是供養者　得無量功德　如虛空無邊　其福亦如是

다) 수지하며 육바라밀 행하는 공덕

하물며 이 경 수지하면서 보시, 지계, 인욕 행하고
선정 즐기며 분노하지 않고 나쁜 말 하지 않음이랴.
탑과 절 보면 공경하고 모든 비구에게 겸손하며
자만심의 마음 멀리 떠나고 항상 지혜를 사유하며
난제를 물어도 화 내지 않고 수순하여 해설하는
이런 행 능히 수행하면 그 공덕 사량할 수 없으리.
만약 이 법사가 이와 같은 공덕 성취함을 보면
마땅히 천상꽃 뿌리고 천상옷으로 그의 몸 덮으며
엎드려 절하며 부처님 같다는 생각 내어야 하리.
또 생각하기를, 이 법사는 머지않아 도량에 이르러
무루와 무위를 얻어 널리 인간과 천상 이롭게 하리.
그가 머무는 곳, 경행하거나 좌선하고 잠자는 곳과
또는 하나의 게송 설하는 곳에는 응당 탑을 세워서
아름답게 장엄하여 갖가지로 공양해야 할 것이네.

불자가 머무는 이곳은 부처님이 수용하는 것 같으니
항상 그 안에서 경행하고 좌선하며 잠을 자리라.

況復持此經　兼布施持戒　忍辱樂禪定　不瞋不惡口
恭敬於塔廟　謙下諸比丘　遠離自高心　常思惟智慧
有問難不瞋　隨順爲解說　若能行是行　功德不可量
若見此法師　成就如是德　應以天華散　天衣覆其身
頭面接足禮　生心如佛想　又應作是念　不久詣道樹
得無漏無爲　廣利諸人天　其所住止處　經行若坐臥
乃至說一偈　是中應起塔　莊嚴令妙好　種種以供養
佛子住此地　則是佛受用　常在於其中　經行及坐臥

◉ 이 선칠(禪七)의 7일 기간 중에 좋은 변화가 있기를 바란다. 우리 사람은 이 세계에서 변하지 않으면 바꾸어야 하기 때문이다. 어떻게 변해야 하는가? 바로 나쁜 점을 좋은 점으로 변화시키는 것이다. 그러면 어째서 변하지 않으면 바꾸어야 한다고 말하는가? 너희가 만약 좋게 바뀌지 않는다면, 혹은 이 생명이 없어질 수 있다. 즉 다시 다른 몸으로 바꾸는 것을 말한다. 이 바꾸는 것은 어느 법계로 갈지 모른다. 혹은 보살법계로 바뀌어 가거나, 혹은 나한의 법계로 가거나, 혹은 천상·아수라·인간으로 바뀌어 가거나, 혹은 지옥·아귀·축생으로 바뀌어 갈 수도 있다. 따라서 우리는 지금 다겁 생에 심은 금강종자를 빌려 금생에 다시 보리(菩提)의 싹을 발아시켜야 한다. 7일간의 선칠 기간에 불과(佛果)를 성취하여 법왕(法王)의 가정 속으로 들어가야 할 것이다.

따라서 선칠에 참가하는 모든 사람은 시시각각 자기를 경책하고 자기를 관리해야 한다. 나는 규칙을 지키기를 좋아하며, 좌선에 참가하기를 좋아한다. 다리가 아파도 그것을 훈련시켜 금강불괴(金剛不壞)의 몸으로 바꾸기를 좋아한다. 다리는 언제나 나와 싸우고, 그러면 나는 두 다리를 한 대 때린다. 주먹을 쥐고 두 다리를 여러 차례 때리면 통증이 도망가며, 다시 정진할 수 있다. 이것이 정진하는 좋은 방법이다. 그리고 혹 잠이 오면 자기의 살을 꼬집는다. 너희가 이렇게 자기를 대할 수 있으면, 곧 성취가 있을 것이다.

이전에는 일요일에는 경을 강의하지 않고 계속 좌선을 하였다. 그러다 외부인들이 와서 경을 듣기 때문에 일요일에도 경을 강의하게 되었는데, 약 15분 정도 적게 강의하니 너희는 그동안 좌선을 할 수 있다. 15분의 시간이라도 깨달을 수 있다. 일각(一刻: 15분)의 짧은 시간에도 깨달을 수 있으며 일 분간에도 깨달을 수 있다. 일 분의 백 분의 일의 시간에도 깨달을 수 있다. 따라서 시간이 긴 것을 요구하지 않아야 한다. 너희가 단지 열심히 정진하여 상응하면, 가장 적은 시간인 일찰나에도 깨달을 수 있다.

나는 너희가 선칠을 하면서 사람마다 깨닫기를 원하며, 너희 모두가 너희에 대한 나의 이러한 희망을 저버리지 않기를 바란다. 너희는 마땅히 앉는 자세를 구부리거나 허리가 끊어진 것처럼 하지 말고, 단정한 자세를 유지해야 할 것이다. 병을 가진 사람의 모습을 해서는 안 되고, 언제나 단정하게 앉을 것이며, 다리가 약간 아파도 관여하지 말고 내버려두어야 한다. 다리 아픈 것과 나는 관계가 없다고 생각해야 한다. 지금 그것과 분가해야 한다. 다리가 좀 아프다고 해도 정진을 할 수 없을 정도가 되어서는 안 될 것이다.

妙法蓮華經卷第五

十八

수희공덕품
(隨喜功德品)

『법화경』을 듣고 수희한 공덕

『법화경』 강의가 제18품인 「수희공덕품」에 이르게 되었다. 이렇게 우리가 수행과 공부를 병행하는 방식을 해행병진(解行竝進: 이해와 수행이 함께 진보하는 것), 또는 해행상응(解行相應: 이해와 수행이 서로 상응하는 것)이라고 부른다.

너희가 만약 단지 이해만 하고 수행하지 않는다면, 이것은 마치 음식을 말하기만 하거나 남의 재물을 세는 것과 같다. 아무리 맛있는 음식이 있어도 진정으로 먹지 않으면 소용이 없는 것이다. 너희가 만약 수행을 하지만 이해하지 못하면, 맹목적인 수련이 된다. 그래서 수행을 하려고 생각하면 먼저 어떻게 수행해야 하는지를 이해해야 한다. 너희는 부처님께서 설하신 팔만사천의 법문을 다 배우지는 못해도, 응당 팔십사(八十四) 법문 정도는 배워야 한다. 그런 연후에 너희는 비로소 어떻게 수행해야 하는지를 알게 될 것이다. 만약 팔십사 법문 정도도 배우지 않거나, 심지어 하나도 배우지 않고 수행한다면, 너희는 어느 길로 가야 할지를 모른다.

이것은 마치 너희가 어느 지방으로 여행을 가려면 반드시 약간의 자량(資糧)을 준비해야 하는 것과 같다. 자량이란 바로 여행에 사용할 돈을 뜻한다. 너희가 이런 도리를 이해하는 것은 여행갈 돈을 준비하는 것과 같은 것이다. 그래야 비행기를 타고 가려면 비행기표를 사고, 기차를 타고 가려면 기차표를 살 수 있을 것이다.

이해[解]도 마치 표를 살 돈을 가지는 것과 같으며, 수행[行]은 바로 가고 싶은 곳으로 가는 것이다. 너희는 반드시 먼저 표를 산 연후에 그 교통수단을 이용하여 갈 수 있다. 너희가 지금 경을 듣고 이해하게 되면, 너희는 곧 그 방법에 따라 수행할 수 있으며, 수행을 하면 목적지에 도달할 수 있는 것이다. 이것이 바로 이해와 수행의 상응[解行相應]이다.

너희가 좌선을 하는 것은 수행이며, 이곳에서 경을 듣는 것도 수행이다. 이것은 바로 수행의 방법을 이해하려는 것이다. 수행의 방법은 하나가 아니라 팔만사천 가지나 된다. 따라서 너희는 반드시 수시로 경을 들어야 하며, 바로 불법을 들어야 한다. 경은 부처님께서 설하신 말씀이며 도리로서 우리가 반드시 알아야 한다. 어떤 사람은 이렇게 말할 것이다. "바로 수행이야! 부처님은 수행으로 이루신 것이다. 부처님이 무슨 경을 보셨지? 그분은 아무 경도 보지 않고 성불하셨어!"

보라. 이렇게 자기를 높이는 아만심이 나온다. 또한 방문외도(旁門外道)의 영향을 받아 "모든 사람이 부처다."라고 말하는 사람으로 변한다. 너희가 이렇게 부처[佛]라고 하면 이 부처를 그르치는 것이다. 이렇게 한 번 그르치게 되면 영원히 성불할 기회가 없다. 너희가 성불하려고 하면 반드시 아만심을 먼저 제거해야 한다. 너희는 자기의 도행이 수미산보다 크거나 바다보다도 깊다고 생각해서는 안 된다. 이렇게 자기를 높이는 아만의 마음을 가져서는 안 된다. 아만의 마음이 없이 불법을 공부하고 법에 따라 수행해야 비로소 이해와 수행이 상응하게 된다.

이 미국이라는 나라에는 불교가 매우 적으며, 이 속에서도 많은 찌꺼기들이 있다. 따라서 너희는 이후 어떤 것이 진정한 불교이고, 어떤 것이 불교를 사칭하는 것인지를 인식하고 알아야 한다. 그리고 어떤 사람이 정말로 불법을 선양하여 중생을 교화하는지, 어떤 사람이 불교를 빌려서 명예를 구하고 이익을 구하는지를 알아야 한다. 이것은 알아내기가 매우 어렵다. 명리(名利)를 구하고 명리를 구하지 않는 것의 경계선은 분별하기가 쉽지 않은 것이다. 명예를 구하지 않는 사람도 혹은 명예를 구하는 사람일 수도 있으며, 이익을 구하지 않는 사람도 혹은 정말로 이익을 구하는 사람일 수도 있기 때문이다. 어떤 것이 진짜고, 어떤 것이 가짜인지 구분할 수가 없다.

그러나 너희의 선근이 깊고 두터우면, 자연히 어떤 것이 진짜이고 가짜인지를 알게 된다. 선근이 천박한 사람은 명료하게 인식할 수 없다. 그래서 너희가 만약 어떤 것이 진짜이고 어떤 것이 가짜인지를 알려면 공덕을 많이 지어야 한다. 너희의 공덕이 많아지면 저절로 참된 사람을 만나게 된다. 너희가 짓는 공덕이 적으면 자연히 가짜를 만나게 된다. 그러므로 이 나라에서는 특별히 주의해야 하며, 이후 진심을 발하여 불교를 보호해야 할 것이다.

첫 번째 여름방학 연수반을 열었을 때 미국 조사(美國祖師)라는 사람이 이곳으로 와서, 자기는 깨달았으며 육조 혜능 대사와 같다고 말하였다. 내가 말하였다. "그대는 깨달아 조사가 되었으니, 나는 그대에게 예의를 차리지 않겠습니다. 그대는 가고 싶으면 가도 좋습니다. 그러나 나는 반드시 그대의 머리를 이곳에 남겨두겠습니다. 조사의 머리는 누구도 남겨둘 수 있으며, 육조 대사의 머리도 그분이 죽은 후 훔치려는 사람이 많았습니다."

나는 또 말하였다. "나는 지금 훔치려고 하지 않으며, 먼저 그대의 목을 남겨두려고 합니다."

그가 말하였다. "어떻게 남겨두려고 합니까?"

내가 말하였다. "칼을 가지고 와서 베려고 합니다."

그가 말하였다. "그건 안 됩니다."

내가 말하였다. "어째서 안 됩니까?"

그가 말하였다. "부처님은 당신에게 머리를 베라고 하지 않았습니다."

내가 말하였다. "나는 부처님의 머리를 베는 것이 아니라, 조사의 머리를 베려고 합니다."

그러자 그는 놀라서 즉시 일어나 도망을 갔으며 다시는 오지 않았다. 이 사람은 뉴욕에서 왔는데, 나에게 자기가 조사라는 것을 인정하게 하려고 준비한 것이다. 내가 자기의 머리를 베려고 하니, 놀라 도망간 것이다.

우리는 지금 「수희공덕품(隨喜功德品)」을 설명하고 있다. 어째서 수(隨)라고 하며, 무엇을 따른다는 것인가? 수는 일을 따르고[隨事], 이치를 따르고[隨理], 진실을 따르고[隨實], 방편을 따른다[隨權].

어째서 희(喜)라고 하며, 무엇을 기뻐한다는 것인가? 희는 자기를 기뻐하고[喜己], 남을 기뻐하며[喜人], 자기를 축하하고[慶己], 남을 축하한다[慶人]. 기쁜 일이 있으면 모두가 와서 너희를 경하하는 것을 말한다. 자기를 축하하고 남을 축하하는 것은 또한 원인을 축하하고[慶因] 결과를 축하하는[慶果] 것이다.

일을 따른다는 것은 바로 사상(事相)을 수순하는 것이다. 이(理)란 실상의 이체(理體)이며, 법계의 본성이다. 법계의 본성은 현전하는 일념(一念)의 마음을 벗어나지 않는다. 현전하는 일념의 마음은 또한 법계의 성품과 법계의 체를 포괄한다. 현전하는 일념의 마음으로 법계의 체를 따르고 법계의 공덕을 따르는 것을 수희공덕(隨喜功德)이라고 한다. 법계의 공덕을 따르는 것은 작은 방면의 공덕이 아니다.

부처님의 본체가 바로 이(理)이며, 부처님의 이(理)도 바로 법신이다. 부처님께서 세간에 출현하셔서 시방의 일체중생을 교화하시는데, 교화하고 교화에 응하는 것이 사(事)이다. 이치로부터 일을 따르며, 일로부터 이치를 따른다. 이것을 사리불이(事理不二: 일과 이치가 둘이 아니다)라고 한다. 일은 이치를 떠날 수 없고, 이치도 일을 떠날 수 없다. 일과 이치가 보기에는 둘인 것 같아도 사실은 하나이다. 하나인 것 같아도 또한 두 개라고 말할 수 있다. 따라서 "두 개이면서 둘이 아니고, 둘이 아니면서 두 개다."라고 말한다. 이러한 도리가 바로 중도의 도리다.

그러면 방편의 공덕도 수희하고, 진실의 공덕도 수희한다. 자기에게 이러한 착한 인[善因]이 있어야 비로소 이러한 묘법을 들을 수 있으며, 이것이 자기의 인(因)을 축하하는 것이다. 현재 이러한 묘법을 들을 수 있는 것은 '묘법을 만나는' 묘과(妙果)를 얻었다고 말할 수 있다. 이러한 묘과로써 장래 깨달음의 묘과를 얻을 수 있을 것이다.

가. 『법화경』을 듣고 수희한 공덕

1) 미륵보살의 청문

그때 미륵보살마하살이 부처님께 말하였다. "세존이시여! 만약 어떤 선남자 선여인이 이 법화경을 듣고 수희하면, 얼마의 복을 얻습니까?" 그리고 게송을 설하였다.

세존께서 열반에 드신 후 이 경을 듣고
만약 수희하는 자는 얼마의 복 얻습니까?

爾時彌勒菩薩摩訶薩白佛言。世尊。若有善男子, 善女人, 聞是法華經隨喜者, 得幾所福。而說偈言。

世尊滅度後　其有聞是經　若能隨喜者　爲得幾所福

2) 여래의 답변

가) 수희한 후 법을 설하는 공덕

그때 부처님께서는 미륵보살마하살에게 말씀하셨다.

"아일다여, 여래가 열반에 든 후 만약 어떤 비구, 비구니, 청신사, 청신녀와 다른 지혜로운 사람이, 나이가 들었든지 어리든지를 막론하고 이 경을 듣고 수희하였다면, 그런 후 법회에서 나와 다른 곳, 즉 절, 적정처, 도시, 작은 거리, 취락, 농경지 등으로 가서 그가 들은 것과 같이 부모, 친척, 친구, 지식인 등을 위하여 힘에 따라 연설하고, 이 사람들은 그의 말을 듣고 수희한 후 다시 그가 들은 가르침을 전하며, 다른 사람도 그것을 들은 후 또한 수희하여 가르침을 전하며, 이렇게 옮겨 전하기를 오십 번째에 이르렀다고 하자."

爾時佛告彌勒菩薩摩訶薩。阿逸多。如來滅後, 若比丘 · 比丘尼 · 優婆塞 · 優婆夷, 及餘智者, 若長若幼, 聞是經隨喜已, 從法會出, 至於餘處。若在僧坊, 若空閑地, 若城邑 · 巷陌 · 聚落 · 田里, 如其所聞, 爲父母 · 宗親 · 善友 · 知識, 隨力演說。是諸人等, 聞已隨喜, 復行轉教, 餘人聞已, 亦隨喜轉教。如是展轉, 至第五十。

"아일다여, 그렇게 가르침을 전하여 오십 번째의 선남자 선여인이 수희한 공덕을 나는 지금 설명하고자 하니, 그대는 마땅히 잘 들으라. 만약 사백만억 아승기 세계의 육도(六道) 사생(四生)의 중생, 즉 난생 · 태생 · 습생 · 화생과, 유형 · 무형 · 유상 · 무상 · 비유상 · 비무상과, 무족(無足) · 이족(二足) · 사족(四足) · 다족(多足) 등 이러한 중생들이 중생의 수에 포함되는데, 복을 구하는 어떤 사람이 중생들이 좋아하고 즐길 도구들을 모두 그들에게 보시하며, 하나하나의 모든 중생에게 염부제에 가득한 금, 은, 유리, 자거, 마노, 산호, 호박 등 갖가지 미묘하고 진기한 보석과 코끼리, 말, 수레, 칠보로 만든 궁전, 누각 등을 보시한다고 하자.

이 대시주는 이렇게 보시하기를 팔십 년을 채운 후 이렇게 생각한다.

'나는 이미 중생들이 원하는 대로 즐길 도구를 중생들에게 보시하였다. 그러나 이 중생들 모두 이미 늙어서 나이가 팔십 세를 넘었으며, 머리카락이 희고 얼굴에 주름이 져서 장차 얼마 지나지 않으면 죽을 것이다. 나는 마땅히 불법으로써 그들을 가르치고 인도해야겠다.'

그리하여 즉시 그 중생들을 모아 불법을 가르치고 교화하여 그들이 법의 이익과 즐거움을 얻게 하였으며, 일시에 모두 수다원도, 사다함도, 아나함도, 아라한도를 얻게 하였으며, 모든 새는 것이 다하고 깊은 선정삼매를 얻어 모두 자재함을 얻고 팔해탈을 갖추게 하였다면, 그대의 생각은 어떠한가? 이 대시주가 얻는 공덕은 많지 않겠는가?"

阿逸多。其第五十善男子·善女人, 隨喜功德, 我今說之, 汝當善聽。若四百萬億阿僧祇世界, 六趣四生衆生, 卵生·胎生·濕生·化生•, 若有形·無形, 有想·無想, 非有想·非無想•, 無足·二足·四足·多足, 如是等在衆生數者, 有人求福, 隨其所欲娛樂之具, 皆給與之。一一衆生, 與滿閻浮提金·銀·琉璃·硨磲·瑪瑙·珊瑚·琥珀, 諸妙珍寶, 及象·馬車乘, 七寶所成宮殿, 樓閣等。是大施主, 如是布施, 滿八十年已, 而作是念。我已施衆生娛樂之具, 隨意所欲。然此衆生皆已衰老, 年過八十, 髮白面皺, 將死不久, 我當以佛法而訓導之。卽集此衆生, 宣布法化, 示教利喜, 一時皆得須陀洹道·斯陀含道·阿那含道·阿羅漢道, 盡諸有漏, 於深禪定皆得自在, 具八解脫。於汝意云何。是大施主所得功德, 寧爲多不。

난생(卵生) 태생(胎生) 습생(濕生) 화생(化生)• 어째서 난생이 있는가? 하나의 생각[想]이 있기 때문이다. 난생의 중생은 오늘은 이것을 생각하고 내일은 저것을 생각하는 것이 아니라, 매일 이것을 생각하면서 성공하기를 바란다. 마치 닭이 알을 품으면서 매일 병아리가 나오기를 생각하는 것과 같다. 어째서 태생이 있는가? 정욕이 있기 때문이다. 그리고 습생은 서로 하나로 합하게 되어 생긴다. 화생은 마치 벌레가 변하여 나비가 되는 것과 같다. 저절로 없던 것이 생기고 저절로 있던 것이 없어지는 것이다.

난생, 태생, 습생, 화생 안에는 또한 사람도 있다. 사람도 난생이 있고, 습생도 있고, 화생도 있다. 너희는 사람은 반드시 태생으로 난다고만 생각해서는 안 된다. 아수라도 네 가지의 생이 모두 있다. 귀(鬼)도 네 가지의 생이 모두 다 있다.

약유형(若有形) 무형(無形) 유상(有想) 무상(無想) 비유상(非有想) 비무상(非無想)• 난생, 태생, 습생, 화생은 욕계천의 중생이다. 유형은 색계천의 중생이며, 무형은 무색계천의 중생이다.

(아래의 내용은 『능엄경』의 내용에서 발췌했다. - 편역자 주)

① 난생(卵生)

아난아! 이 세계로 인하여 어떤 중생은 허망하게 윤회하는데, 움직이면서 전도되기 때문에 허망하게 화합하여 업이 이루어져서 팔만사천의 날고 가라앉는 어지러운 생각이 있게 된다. 이와 같은 까닭으로 알의 갈라람(羯邏藍 : 태아가 모태 속에서 잉태된 후 첫 7일간의 응혈의 단계)이 생기며, 난생의 중생이 국토에 유전한다. 물고기·새·거북·뱀 등의 종류가 국토에 충만하다.

② 태생(胎生)

이 세계로 인하여 어떤 중생은 섞여 오염되어 윤회하는데, 애욕의 마음으로 전도되기 때문에 서로 화합하여 조성하는데, 팔만사천의 종횡으로 어지러운 생각이 있게 된다. 이와 같은 까닭으로 태의 갈포담(羯蒲曇)이 생기며, 태생의 중생이 국토에 유전한다. 사람과 축생·용·신선 등의 종류가 국토에 충만하다.

③ 습생(濕生)

이 세계로 인하여 어떤 중생은 강한 집착으로 윤회하는데, 취향하는 전도됨으로 화합하여 따뜻한 업이 팔만사천의 뒤집고 덮는 어지러운 생각을 이룬다. 이와 같은 까닭으로 꿈틀거리는 벌레가 생겨 국토에 유전한다. 어리석은 영성을 가지고 꿈틀거리며 움직이는 종류가 국토에 충만하다.

④ 화생(化生)

이 세계로 인하여 어떤 중생은 변이하며 윤회하는데, 빌려서 전도됨으로 화합하여 접촉하면서 팔만사천의 새롭고 오래된 어지러운 생각을 이룬다. 이와 같은 까닭으로 화생하는 단단한 살이 생겨 국토에 유전한다. 허물을 벗어 날아다니는 종류가 국토에 충만하다.

⑤ 유색(有色) (『법화경』의 유형(有形)과 같음)

이 세계로 인하여 어떤 중생은 체류하고 장애하면서 윤회하는데, 장애하는 전도됨으로 화합하여 집착하는 업이 팔만사천의 정명한 어지러운 생각을 이룬다. 이와 같은 까닭으로 색상의 갈남(羯南 : 살이 굳어지는 4번째 7일간의 단계)이 생겨 국토에 유전한다. 길상하고 길상하지 못한 정명한 종류가 국토세계에 충만하다.

⑥ 무색(無色) (『법화경』의 무형(無形)과 같음)

이 세계로 인하여 어떤 중생은 소멸하고 흩어지면서 윤회하는데, 미혹의 전도됨으로 화합하여 어두운 업이 팔만사천의 잘 보이지 않고 매우 미세한 어지러운 생각을 이룬다. 이와 같은 까닭으로 무색의 갈남이 생겨 국토에 유전한다. 공하고 흩어지며 사라지고 가라앉는 네 공처천[四空處天]의 종류가 국토에 충만하다.

⑦ 유상(有想)

이 세계로 인하여 어떤 중생은 상상으로 윤회하는데, 영상에 집착하는 전도됨으로 화합하여 상상함으로써 팔만사천의 잠복되고 결집된 어지러운 생각을 이룬다. 이와 같은 까닭으로 유상의 갈남이 생겨 국토에 유전한다. 귀신과 정령(精靈)의 종류가 국토에 충만하다.

⑧ 무상(無想)

이 세계로 인하여 어떤 중생은 어리석고 암둔한 관계로 윤회하는데 어리석음의 전도됨으로 화합하여 완고하게 팔만사천의 마른 생각을 이룬다. 이와 같은 까닭으로 무상의 갈남이 생겨 국토에 유전한다. 정신이 변화하여 흙·나무·쇠·돌로 되며, 그러한 종류가 국토에 충만하다.

⑨ 비유색(非有色)

이 세계로 인하여 어떤 중생은 서로 상대하면서 윤회하는데, 허위의 전도됨으로 화합하여 오염되어 팔만사천의 서로 의지하는 어지러운 생각을 이룬다. 이와 같은 까닭으로 비유색상이 생기며, 또한 유색의 갈남을 이루어 국토에 유전한다. 모든 해파리 등은 새우로써 눈을 삼는데, 그러한 종류가 국토에 충만하다.

⑩ 비무색(非無色)

이 세계로 인하여 서로 당기면서 윤회하는데, 본성의 전도됨으로 화합하여 다라니로써 팔만사천의 부르는 어지러운 생각을 이룬다. 이와 같은 까닭으로 비무색상의 귀신, 호법, 혹은 삿된 신이 생기며, 무색의 갈남을 이루어 국토에 유전한다. 주(呪)로써 저주하고 생을 싫어하는 이러한 종류의 중생이 국토에 충만하다.

⑪ 비유상(非有想)

이 세계로 인하여 어떤 중생은 두 가지의 허망함이 서로 합하여 전전하면서 서로를 취하며 윤회하는데, 이러한 허망한 전도됨으로 화합하여 두 가지의 이질적인 상이 팔만사천의 서로에게 돌아가는 어지러운 생각을 이룬다. 이와 같은 까닭으로 비유상의 모습이 생기며, 이러한 상이 생각의 갈남을 이루어 국토에 유전한다. 저 나나니벌 등은 이질적인 모습을 이루는데, 그러한 종류가 국토에 충만하다.

⑫ 비무상(非無想)

이 세계로 인하여 어떤 중생은 서로 원한을 가지며 윤회하는데, 따라서 살업의 전도됨으로 이러한 죽이는 업(殺業)이 서로 화합하여 원한의 독이 충만하다. 따라서 괴이하게 팔만사천의 부모를 잡아먹는 생각을 이룬다. 이와 같은 까닭으로 비무상의 모습이 생기며, 무상의 갈남을 이루어 국토에 유전한다. 마치 올빼미가 돌멩이를 품고 자기의 아들로 생각하며, 파경수가 독나무의 열매를 자기의 아들로 품는 것과 같이, 새끼가 자라면 부모는 모두 그에게 잡아먹힌다. 그러한 종류가 국토에 충만하다.

이것을 중생의 열두 종류라고 이름한다.

미륵보살이 부처님께 말하였다. "세존이시여! 이 사람의 공덕은 매우 많으며 무량하고 무변합니다. 만약 이 시주가 단지 중생에게 모든 즐길 도구만을 보시해도 공덕이 무량한데, 하물며 그들이 아라한과를 얻게 한 것이겠습니까?"
부처님께서 미륵보살에게 말씀하셨다. "나는 지금 그대에게 분명하게 말하겠다. 이 사람이 모든 즐길 도구를 사백만억 아승기 세계의 육도중생에게 보시하고 또한 그들이 아라한과를 얻게 한 공덕은, 오십 번째의 사람이 법화경 한 구절을 듣고 수희한 공덕에 비하면 백 분, 천 분, 백천만억 분의 일에도 미치지 못하며, 나아가 산수와 비유로도 알 수 없느니라."
彌勒白佛言。世尊。是人功德甚多，無量無邊。若是施主，但施衆生一切樂具，功德無量，何況令得阿羅漢果。佛告彌勒。我今分明語汝。是人以一切樂具，施於四百萬億阿僧祇世界，六趣衆生。又令得阿羅漢果，所得功德，不如是第五十人聞法華經一偈隨喜功德，百分·千分·百千萬億分·不及其一，乃至算數譬喩所不能知。

"아일다여, 이렇게 오십 번째의 사람이 법화경을 전하여 듣고 수희한 공덕도 오히려 무량하고 무변한 아승기인데, 하물며 최초에 법회에서 법화경을 듣고 수희한 사람의 공덕은 어떻겠는가? 그의 복은 무량하고 무변한 아승기보다 더욱 수승하여 비교할 수가 없다."

阿逸多。如是第五十人, 展轉聞法華經隨喜功德, 尙無量無邊阿僧祇, 何況最初於會中聞而隨喜者, 其福復勝無量無邊阿僧祇, 不可得比。

나) 법을 듣고 타인에게 권하는 공덕

"또한 아일다여, 만약 어떤 사람이 이 경을 위한 까닭으로 스님이 거주하는 곳에 가서 앉거나 서서 잠시라도 법화경을 듣고 받아들인다면, 이 사람은 이러한 공덕으로 인해 몸을 바꿔 태어나는 곳에서 가장 좋고 미묘한 코끼리, 말, 수레와 진기한 보배로 만든 수레를 얻고, 아울러 천상의 궁전에 타게 될 것이다.

만약 다시 어떤 사람이 법화경을 강의하는 곳에서 앉아 있다가 다른 사람이 오면, 그에게 권하여 그 강의를 듣도록 하면서 자기의 자리를 나누어 앉게 한다면, 이 사람의 공덕은 몸을 바꿔 제석천왕의 자리를 얻거나, 혹은 범천왕의 자리를 얻거나, 혹은 전륜성왕의 자리를 얻게 될 것이다."

又阿逸多。若人爲是經故, 往詣僧坊, 若坐·若立, 須臾聽受。緣是功德, 轉身所生, 得好上妙象·馬車乘·珍寶輦輿, 及乘天宮。若復有人於講法處坐, 更有人來, 勸令坐聽, 若分座令坐。是人功德, 轉身得帝釋坐處, 若梵王坐處, 若轉輪聖王所坐之處。

◉ 절을 하는 사람이든지, 경을 듣는 사람이든지 너희들은 불교강당에 어떤 사람이 오면, 응당 그를 청하여 자리에 앉게 해야 할 것이다. 비어 있는 좌석이 있으면 그곳에 앉게 하고, 만약 비어 있는 자리가 없으면 자기 좌석의 반을 그에게 양보하여 함께 앉게 해야 할 것이다. 너희가 이렇게 그에게 자리를 양보하여 경을 듣게 하는 공덕을 짓는다면 내생에 도리천의 천주가 될 수 있다.

너희가 이곳에서 절을 하고 있는데 새로운 사람이 오면 어떻게 절을 하는지를 알려주어야 한다. 혹은 절을 할 좌석이 없으면 자기의 자리를 양보하고 자기는 한쪽으로 간다. 왜냐하면 자기는 이곳에 익숙한 사람이기 때문에 새로 온 사람에게 절할 곳을 마련해 주는 것이다. 만약 그러지 않고 너희에게는 절을 할 좌석이 있는데 새로 온 사람에게는 자리가 없다면 그는 이렇게 생각할 것이다. '당신들은 이렇게 이기적이군! 오로지 자기만 알고 남을 배려할 줄 모르는군!' 그러면 그는 다시는 오지 않을 것이다.

내가 홍콩에 있을 때 법회가 있었는데, 혹은 절을 하고, 혹은 경을 강의하였다. 그런데 그곳의 어떤 거사가 다른 사람의 방석을 빼앗아 절을 하는 것이다. 그에게 방석을 빼앗긴 사람은 이후 절하러 오지 않았다. 무엇 때문인가? 응당 기분이 상했기 때문이다. 미국에서는 그러한 모습을 아직 보지 못했는데, 너희가 남의 방석을 빼앗는다 해도 나는 관여하지 않겠지만, 그러면 절대로 공덕이 있을 수 없다는 것을 믿는다. 왜냐하면 그렇게 하는 것은 강도와 같기 때문이다.

따라서 우리는 이곳에서 새로 오는 사람이 있으면, 응당 자리를 양보해 주어야 할 것이다. 새로 오는 사람은 사람마다 잘 알지 못한다. 혹은 그가 보살이거나, 아라한이 와서 경을 들을지도 모른다. 너희가 만약 그를 잘 대하지 않으면 너희에게 공덕이 없을 것이다. 아라한이나 보살이 아니고 보통의 범부라도, 응당 그를 잘 대해야 할 것이다. 그러므로 자리를 나눠서 그에게 앉게 하여 경을 듣게 하면, 내생에는 천주(天主)가 될 수 있을 것이다.

"아일다여, 만약 다시 어떤 사람이 다른 사람에 말하기를 '법화경이라는 경이 있는데 함께 가서 들읍시다.'라고 하자, 그 사람이 즉시 가서 그 가르침을 잠시라도 들었다면, 이 사람의 공덕은 몸을 바꾸어 내생에 다라니를 갖춘 보살과 한 곳에 같이 태어나며, 근기가 예리하여 지혜를 얻을 것이다.

그리고 백천만 생 동안에 벙어리가 되지 않을 것이며, 입에서 냄새가 나지 않고, 항상 혀에 병이 없으며, 입도 역시 병이 없을 것이다. 치아는 때 묻어 검거나 누렇거나 성글지 않을 것이며, 또한 부족하지 않고 가지런하며 곧을 것이다.

입술은 아래로 처지거나 또한 오므라들거나 거칠지 않으며, 종기가 나지 않고, 또한 입술이 갈라지지 않을 것이다. 또한 입이 비뚤어지지 않으며, 입술은 두껍지도 않고 크지도 않으며 또한 검지도 않을 것이며, 남들이 싫어할 어떤 모습도 없을 것이다.

코는 납작하거나 또한 굽지 않으며, 얼굴의 색은 검지 않으며, 좁고 길지도 않으며, 또한 움푹 파이거나 비뚤어지지 않고, 남들이 좋아하지 않을 어떠한 모습도 없을 것이다.

입술과 혀와 치아 모두 아름답고, 코는 길고 높고 곧으며, 얼굴은 원만하고, 눈썹은 높고 길며, 이마는 넓고 반듯하여 원만한 모습을 갖추어서, 세세생생 나는 곳마다 부처님을 만나고 불법을 들으며, 가르침을 믿고 받아들일 것이다.

아일다여, 그대는 보아라. 한 사람에게 권하여 가서 법을 듣게 한 공덕이 이와 같은데, 하물며 일심으로 불법을 듣고 경전을 독송하며, 대중 속에서 남들을 위해 분별하여 해설하고 말씀과 같이 수행하면, 그 공덕이 어떻겠는가?"

阿逸多。若復有人, 語餘人言, 有經名法華, 可共往聽。卽受其教, 乃至須臾間聞。是人功德, 轉身得與陀羅尼菩薩, 共生一處, 利根智慧。百千萬世, 終不瘖啞, 口氣不臭, 舌常無病, 口亦無病, 齒不垢黑·不黃不疏, 亦不缺落, 不差·不曲。脣不下垂, 亦不褰縮·不麤澀, 不瘡胗, 亦不缺壞。亦不喎斜, 不厚不大, 亦不黧黑, 無諸可惡。鼻不匾㔸, 亦不曲戾, 面色不黑, 亦不狹長, 亦不窊曲, 無有一切不可喜相。脣舌牙齒, 悉皆嚴好, 鼻修高直, 面貌圓滿, 眉高而長, 額廣平正, 人相具足, 世世所生, 見佛聞法, 信受教誨。阿逸多。汝且觀是勸於一人令往聽法, 功德如此, 何況一心聽說讀誦, 而於大衆爲人分別如說修行。

나. 수희한 공덕의 게송

1) 수희한 후 법을 설하는 공덕

그때 세존께서는 이러한 뜻을 거듭 선설하시고자 게송을 설하셨다.

만약 어떤 사람이 법회에서 이 경전을 듣고

하나의 게송이라도 수희하여 남에게 설하며
이렇게 가르침을 전달하여 오십 번째에 이르러
최후의 사람 얻을 복을 지금 분별해 설하리라.
마치 어떤 대시주가 무량 중생에게 보시하며
팔십 세까지 뜻에 따라 수많은 물건을 보시한 후
그들이 노쇠한 모습으로 백발에 얼굴 주름지며
이빨은 빠지고 모습이 초췌한 형상을 보고
그들은 오래 지나지 않아 죽을 것으로 생각하여
나는 지금 저들을 가르쳐 도과를 얻도록 하고자
즉시 방편법문으로 열반의 진실한 법 설하기를
세상은 견고치 못함이 물거품과 아지랑이 같으니
그대들은 속히 싫어하고 떠나려는 마음 내어라.
모든 사람이 이 법문 듣고 모두 아라한 얻으며
육신통과 삼명과 팔해탈을 구족하게 하였다 해도
최후의 오십 번째 사람이 하나의 게송 듣고 수희한
이 사람 복이 시주 복보다 뛰어나 비유할 수 없네.
이렇게 전달하여 들은 그 복도 오히려 무량하거늘
하물며 법회에서 최초로 듣고 수희한 사람이겠는가.

爾時世尊欲重宣此義, 而說偈言。

若人於法會　得聞是經典　乃至於一偈　隨喜爲他說
如是展轉教　至于第五十　最後人獲福　今當分別之
如有大施主　供給無量衆　具滿八十歲　隨意之所欲
見彼衰老相　髮白而面皺　齒疏形枯竭　念其死不久
我今應當教　令得於道果　卽爲方便說　涅槃眞實法

世皆不牢固　如水沫泡焰　汝等咸應當　疾生厭離心
諸人聞是法　皆得阿羅漢　具足六神通　三明八解脫
最後第五十　聞一偈隨喜　是人福勝彼　不可爲譬喻
如是展轉聞　其福尙無量　何況於法會　初聞隨喜者

◉ 첫 번째와 두 번째의 여름방학 연수반에서 모두 능엄주(楞嚴呪)를 외울 수 있는지 없는지를 시험했다. 첫 번째에서는 과일(果逸)과 과전(果前) 두 사람이 한 달 만에 능엄주를 외울 수 있었다. 올해에는 능엄주를 외울 수 있는 사람이 있는지 모르겠다. 너희가 만약 사람마다 모두 능엄주를 외울 수 있으면, 이것은 가장 좋은 수확이며 진정으로 법보(法寶)를 얻었다고 말할 수 있다.

너희가 매일 한 번, 혹은 일곱 번, 혹은 백팔 번을 독송할 수 있으면, 팔만사천의 금강장보살들이 모두 너희를 보호할 것이다. 너희는 배우고 나서 읽지 않으면 안 될 것이며, 읽지 않으면 아무 소용이 없다. 너희가 게을러서 읽지 않으면 금강장보살도 너희를 따르지 않을 것이며, 너희에게 무슨 재난이 있어도 그들은 관여치 않을 것이다. 너희가 만약 매일 능엄주를 독송하면, 아무런 재난도 없을 것이다. 이것은 가장 묘하고 가장 좋으며 가장 귀중한 법보이다. 누가 만약 염송할 수 있으면 절대로 그것을 잊어버리지 않도록 해야 한다. 이것이 가장 중요하고 중요한 것이다.

이 세계에서는 부처와 마(魔)가 대립하고 있기 때문에, 만약 불법이 없어지면 마의 법[魔法]이 출현할 것이다. 이 세계에 만약 능엄주를 읽는 사람이 없으면, 모든 마왕이 세상에 출현할 것이다. 왜냐하면 그들은 무섭고 두려워할 것이 없기 때문이다. 우리가 만약 한 사람이라도 더 능엄주를 독송하면, 단지 세간의 마(魔)뿐만 아니라, 천상의 마, 다른 세계의 마 등 많은 마왕들이 감히 출현하지 못한다.

지금은 전쟁이 한 번 일어나면 얼마나 많은 사람들이 죽을지 모른다. 그들이 만약 출현하면 이 세계의 사람들은 즉시 모두 죽을 수 있으며, 그들은 모두 이러한 신통을 가지고 있다. 따라서 지금 한 사람이라도 더 능엄주를 독송해야 마왕이 감히 출현하지 못한다. 이러한 중요성을 가지고 있기 때문에, 내가 지금 이곳 서방국가 미국에 와서 가장 중요시하는 것이 바로 사람들이 능엄주를 능숙하게 독송하도록 제창하는 것이다. 이것은 인류와 가장 중대한 관계가 있다.

2) 법을 듣고 타인에게 권하는 공덕

만약 한 사람에게 권하여 이끌어 법화경 듣게 하며
이 경은 심묘하여 천만겁에도 만나기 어렵다고 말하면
그 사람은 즉시 가르침 받고 가서 잠시라도 듣는다면
이 사람의 복의 과보에 대해 지금 분별하여 설하리라.
세세생생 입병 없고, 치아는 성글거나 누렇거나 검지 않으며
입술은 두텁거나 짧지 않고, 싫어할 만한 모습이 없으며
혀는 건조하지도 검지도 짧지도 않고, 코는 높고 곧으며
이마는 넓고 평평하고 바르며 얼굴은 모두 단엄하여
사람마다 보기 좋아하고, 입에는 나쁜 냄새 나지 않고
우담바라 꽃의 향기가 항상 그의 입에서 나오리라.

若有勸一人　將引聽法華　言此經深妙　千萬劫難遇

卽受敎往聽　乃至須臾聞　斯人之福報　今當分別說
世世無口患　齒不疏黃黑　脣不厚褰缺　無有可惡相
舌不乾黑短　鼻高修且直　額廣而平正　面目悉端嚴
爲人所喜見　口氣無臭穢　優鉢華之香　常從其口出

만약 어떤 사람이 법화경을 듣고자 짐짓 승방에 이르러
잠시라도 듣고 기뻐하면 지금 그 사람의 복을 말하리라.
후에 천상·인간에 태어나 묘한 코끼리·말의 수레 얻고
진기한 보물로 만든 수레를 얻고 천상의 궁전을 타네.
만약 설법하는 곳에서 남에게 권해 앉아 경을 듣게 하면
이 복의 인연으로 제석, 범천, 전륜왕의 자리 얻으리니
하물며 일심으로 듣고 그 뜻을 해설하여 주며
설하는 도리에 따라 수행하면 그 복은 셀 수 없으리.

若故詣僧坊　欲聽法華經　須臾聞歡喜　今當說其福
後生天人中　得妙象馬車　珍寶之輦輿　及乘天宮殿
若於講法處　勸人坐聽經　是福因緣得　釋梵轉輪座
何況一心聽　解說其義趣　如說而修行　其福不可量

十九

법사공덕품
(法師功德品)

『법화경』을 수행하는 법사의 공덕

앞의 「수희공덕품」에서 수희한 공덕은 무량하고 무변하게 많다고 하였다. 이 품은 「법사공덕품」이다. 법사가 강설하고 서사하고 수지하며 『법화경』을 독송하는 공덕은 앞의 수희공덕보다 더욱 크다.

법사란 어떤 뜻인가? 법이란 불법이며, 사란 사승(師承)이란 뜻이다. 즉 불법을 우리의 스승으로 받들고 승인한다는 뜻이다. 또한 불법을 일체 중생에게 보시하는 사람을 법사라고 부른다. 법사에는 다섯 종류가 있다.

① 강설하는[說] 법사 : 경을 강의하고 법을 설할 줄 알며, 중생을 위하여 경의 뜻을 해석하고 도리를 설명한다.

② 경을 읽는[讀] 법사 : 경전을 보고 읽는 법사를 말한다.

③ 경을 외우는[誦] 법사 : 경전을 보지 않고 기억하여 경을 외울 수 있는 법사다.

④ 경을 수지(受持)하는 법사 : 경의 도리에 따라 행하는 법사로서, 마음으로 받아들여[受之於心] 몸에 지니는[持之於身] 법사이다.

⑤ 경을 서사(書寫)하는 법사 : 사경하는 법사를 말한다. 즉 경전을 사경하여 보탑 가운데 모시거나, 혹은 인쇄하여 책으로 만들어 세상에 유통시킨다. 너희가 경전을 친히 사경하여 보탑 속에 안치하면 사람들이 예배하고 공양하는데, 이러한 공덕은 불가사의하다. 너희가 만약 사경하여 세상에 유통시키면, 이 공덕도 영원히 존재한다.

가. 『법화경』을 수행하는 법사의 공덕

1) 육근의 청정

그때 부처님께서 상정진 보살마하살에게 말씀하셨다. "만약 선남자 선여인이 이 법화경을 수지하며 읽거나 외우거나 해설하거나 서사하면, 이 사람은 팔백의 눈[眼] 공덕, 천이백의 귀[耳] 공덕, 팔백의 코[鼻] 공덕, 천이백의 혀[舌] 공덕, 팔백의 몸[身] 공덕, 천이백의 뜻[意] 공덕을 얻을 것이다. 이러한 공덕으로 육근을 장엄하여 모두 청정하게 할 것이다."
爾時佛告常精進菩薩摩訶薩。若善男子, 善女人, 受持是法華經, 若讀, 若誦, 若解說, 若書寫, 是人當得八百眼功德, 千二百耳功德, 八百鼻功德, 千二百舌功德, 八百身功德, 千二百意功德。以是功德, 莊嚴六根, 皆令清淨。

가) 안근(眼根) 공덕

"이 선남자 선여인은 부모가 낳은 청정한 육안으로 삼천대천세계 안과 밖의 모든 산, 숲, 강, 바다를 볼 수 있으며, 아래로는 아비지옥에 이르고 위로는 비상비비상처천에 이르기까지 볼 수 있으며, 또한 그 가운데의 모든 중생을 보고, 그들의 업의 인연과 과보로 나는 곳을 모두 볼 수 있고 모두 알 수 있다."
是善男子, 善女人, 父母所生清淨肉眼, 見於三千大千世界, 內外所有山林河海•, 下至阿鼻地獄, 上至有頂•。亦見其中一切衆生, 及業因緣果報生處, 悉見悉知。

견어삼천대천세계(見於三千大千世界) 내외소유산림하해(內外所有山林河海)• 이것을 비유로 설명하면, 우리의 이 신체가 바로 산이며, 모공(毛孔)은 숲이고, 우리의 피는 강이며, 오장육부는 바다이다. 그는 부모가 낳은 청정한 육안으로 삼천대천세계를 볼 수 있다. 사과(四果)의 아라한도 삼천대천세계를 볼 수 있다. 초지(初地) 보살은 일백 개의 불세계(佛世界)를 볼 수 있고, 이지(二地) 보살은 초지 보살보다 배를 더 볼 수 있다.

상지유정(上至有頂)• 유정천은 삼계에서 가장 높은 하늘이며, 또한 비상비비상처천(非想非非想處天)을 가리킨다.

◉ 우리의 육근은 하나의 근마다 응당 1,200의 공덕을 가지고 있다. 이것은 삼세(과거, 현재, 미래)와 사방(동, 서, 남, 북)으로 나누어 설명하는 것이다. 앞면에 300공덕, 뒷면에 300공덕, 왼편에 300공덕, 오른편에 300공덕이 있으며, 이것을 합하면 1,200공덕이 된다.

그러면 왜 눈은 단지 800공덕만 가지는가? 눈이 보는 것은 완전하지 않기 때문이다. 즉 앞은 보지만 뒤는 보지 못하며, 왼쪽을 보면 오른쪽은 보지 못한다. 눈은 본래 응당 1,200의 공덕을 가져야 하지만, 원만하지 못하여 단지 앞쪽을 보면 뒤쪽은 보이지 않는다. 좌우도 볼 수는 있지만, 왼쪽은 단지 250의 공덕만 보이고, 오른쪽도 250의 공덕만 보인다. 그래서 좌우 각각 50의 공덕은 보이지 않는다. 양쪽을 보지만 또한 완전하게 다 볼 수 없다. 너희가 완전하게 보려면 머리를 돌려야 한다. 그래서 이것을 원만하지 못하다고 말하는 것이다. 눈은 완전한 능력을 가지지 못하므로 합하여 800의 공덕을 가지는 것이다.

귀는 전후와 좌우, 상하와 사방을 막론하고, 소리가 나면 모두 들을 수 있다. 그래서 원만하고 구족하며 장애가 없다. 따라서 귀는 1,200의 공덕을 가진다.

코는 나가고 들어오는 호흡이 있다. 이것도 400공덕으로 나누어 설명하자면, 한 번 들어가면 400, 나가면 400의 공덕이 있으므로 한 호흡에 800의 공덕으로 계산할 수 있다. 그러나 한 호흡의 사이에 멈추는 곳이 있어 코도 원만하지 못하기 때문에 800의 공덕을 가진다. 즉 1,200 공덕에서 멈추는 곳의 공덕 400을 제외하면 800의 공덕이 된다.

혀는 맛을 보는 것으로서 무슨 맛이든지 한 번 혀에 닿으면 모두 안다. 그래서 혀는 1,200의 공덕을 가진다.

몸은 어째서 800의 공덕을 가지는가? 몸은 감촉을 가지고 있다. 감촉에는 순(順)과 역(逆)의 두 가지 연(緣: 조건)이 있다. 순은 너희가 좋아하는 촉진(觸塵)이며, 역은 너희가 좋아하지 않는 촉진이다. 이 순과 역의 사이에서 순의 감촉은 400의 공덕을 가지고, 역의 감촉도 400의 공덕을 가진다. 그리고 이러한 순과 역의 촉진을 떠나서 다시 400의 공덕을 가지는데, 우리는 몸에서 단지 순과 역 두 종류의 촉진만을 안다. 그래서 800의 공덕을 가지는 것이다. 감촉을 떠나면 그것은 모르며 촉각이 없다. 따라서 감촉을 떠난 400공덕이 부족한 것이다.

뜻은 제6식에 있으며, 아직 제8식에는 이르지 못하였다. 이 의식은 생각이 있는 것에 속한다. 그것은 한 번 생각하면 곧 무엇이든 모두 안다. 따라서 구족한 것이고 원만한 것이다. 그래서 뜻은 1,200의 공덕을 가진다.

『법화경』을 수지하고 독송하고 서사하고 해설하는 사람은 이렇게 많은 공덕을 가지며, 육근으로 6천의 공덕을 가진다는 것이다. 이 6천의 공덕으로 자기의 육근을 장엄하여 이 육근이 모두 청정해진다.

그때 세존께서는 이러한 뜻을 거듭 선설하시고자 게송을 설하셨다.

만약 대중 가운데서 두려움이 없는 마음으로
이 법화경 해설하면 그 공덕을 그대는 들어보라.
이 사람은 팔백 공덕의 수승한 눈을 얻으며
이것으로 장엄하므로 그의 눈은 매우 청정해져서
부모가 낳은 육안으로 삼천대천세계 안과 밖의
광명산, 묘고산과 철위산을 모두 볼 수 있으며
아울러 다른 산림, 대해, 강의 물을 볼 수 있으며
아래로는 아비지옥, 위로는 유정천에 이르기까지
그 가운데의 일체중생을 완전히 볼 수 있으며
아직 천안통 얻지 못했어도 육안의 힘 이러하네.

爾時世尊欲重宣此義, 而說偈言。

若於大衆中　以無所畏心　說是法華經　汝聽其功德
是人得八百　功德殊勝眼　以是莊嚴故　其目甚清淨
父母所生眼　悉見三千界　內外彌樓山　須彌及鐵圍
幷諸餘山林　大海江河水　下至阿鼻獄　上至有頂處
其中諸衆生　一切皆悉見　雖未得天眼　肉眼力如是

나) 이근(耳根) 공덕

“그리고 상정진 보살이여, 만약 선남자 선여인이 이 경을 수지하고 독송하며 해설하고 서사하면, 천이백의 귀 공덕을 얻는다. 이러한 청정한 귀로 삼천대천세계에서 아래로는 아비지옥에 이르고 위로는 유정천에 이르기까지 그 가운데 안과 밖의 갖가지 언어와 음성을 들을 수 있다. 코끼리의 소리, 말의 소리, 소의 소리, 수레의 소리, 우는 소리, 걱정하고 탄식하는 소리, 소라나팔의 소리, 북소리, 종소리, 방울소리, 웃는 소리, 말하는 소리, 남자의 소리, 여자의 소리, 남자아이 소리, 여자아이 소리, 법을 설하는 소리, 법이 아닌 소리, 괴로운 소리, 즐거운 소리, 범부의 소리, 성인의 소리, 기쁜 소리, 기쁘지 않은 소리, 천신의 소리, 용의 소리, 야차의 소리, 건달바의 소리, 아수라의 소리, 가루라의 소리, 긴나라의 소리, 마후라가의 소리, 불타는 소리, 물소리, 바람소리, 지옥의 소리, 축생의 소리, 아귀의 소리, 비구의 소리, 비구니의 소리, 성문의 소리, 벽지불의 소리, 보살의 소리, 부처님의 소리를 모두 들을 수 있다. 요약해 말하자면, 삼천대천세계 가운데 안과 밖의 모든 소리를 들을 수 있으며, 비록 천이통을 얻지 못했어도, 부모가 낳은 청정한 보통의 귀로써 모두 듣고 알 수 있다. 이와 같이 갖가지 음성을 분별하여 들을 수 있어도, 이근(耳根)이 파괴되지 않는다."

復次常精進。若善男子, 善女人, 受持此經, 若讀·若誦·若解說·若書寫, 得千二百耳功德。以是清淨耳, 聞三千大千世界, 下至阿鼻地獄, 上至有頂, 其中內外種種語言音聲。象聲·馬聲·牛聲·車聲, 啼哭聲, 愁歎聲, 螺聲·鼓聲·鍾聲·鈴聲·笑聲·語聲·男聲·女聲·童子聲·童女聲·法聲·非法聲, 苦聲·樂聲·凡夫聲·聖人聲, 喜聲·不喜聲。天聲·龍聲·夜叉聲·乾闥婆聲·阿修羅聲· 迦樓羅聲·緊那羅聲·摩睺羅伽聲, 火聲·水聲·風聲·地獄聲·畜生聲·餓鬼聲, 比丘聲·比丘尼聲, 聲聞聲·辟支佛聲, 菩薩聲·佛聲。以要言之, 三千大千世界中, 一切內外所有諸聲, 雖未得天耳, 以父母所生清淨常耳, 皆悉聞知, 如是分別種種音聲, 而不壞耳根。

그때 세존께서는 이러한 뜻을 거듭 선설하시고자 게송을 설하셨다.

부모가 낳은 귀는 청정하고 오염됨이 없어
이런 보통의 귀로 삼천대천세계의 소리를 듣네.
코끼리, 말, 수레, 소의 소리, 종, 방울, 나팔, 북의 소리
금슬과 공후의 소리, 퉁소와 피리의 소리
청정하고 아름다운 노랫소리 듣고도 집착하지 않고
무수한 종류의 사람 소리를 듣고 모두 이해하네.
또한 모든 천상의 미묘한 노랫소리를 듣거나
남자, 여자, 남자아이, 여자아이 소리 들으며
산과 하천의 험한 계곡 속의 가릉빈가 새의 소리
공명조(共命鳥) 등 모든 새의 소리를 듣거나
지옥의 많은 고통과 갖가지 고초를 받는 소리
아귀가 기갈에 핍박되어 음식 구하고 찾는 소리
모든 아수라 등이 큰 바닷가에 거주하면서
서로 대화할 때 내는 큰 소리를 들을 수 있네.
이렇게 법화경 강설하는 사람은 이곳에 안주하여
이런 온갖 소리 멀리서 들어도 이근이 파괴되지 않네.
시방세계 가운데 금수들이 서로 울고 부르는 소리를
설법인은 이곳에서 그것을 모두 들을 수 있네.

爾時世尊欲重宣此義, 而說偈言。

父母所生耳　清淨無濁穢　以此常耳聞　三千世界聲

象馬車牛聲　鍾鈴螺鼓聲　琴瑟箜篌聲　簫笛之音聲
清淨好歌聲　聽之而不著　無數種人聲　聞悉能解了
又聞諸天聲　微妙之歌音　及聞男女聲　童子童女聲
山川嶮谷中　迦陵頻伽聲　命命等諸鳥　悉聞其音聲
地獄衆苦痛　種種楚毒聲　餓鬼飢渴逼　求索飮食聲
諸阿修羅等　居在大海邊　自共語言時　出於大音聲
如是說法者　安住於此間•　遙聞是衆聲　而不壞耳根
十方世界中　禽獸鳴相呼　其說法之人　於此悉聞之

안주어차간(安住於此間)• 이곳이란 어떤 곳인가? 바로 자비(慈悲)이다. 그는 자비에 안온하게 머문다. 자비는 반드시 많아야 하며 적어서는 안 된다. 수도하는 사람은 절대로 자비가 없어져서는 안 된다. 만약 자비가 없으면 매우 위험하며, 아수라가 곧 너희를 찾아올 것이다. 너희가 만약 자비로우면 아수라는 너희를 어떻게 할 방법이 없다.

모든 범천들 위의 광음천과 변정천에서
나아가 유정천에까지 그들이 말하는 소리를
법사는 이곳에 머물면서 모두 들을 수 있으며
일체의 비구들과 비구니들이
만약 법화경을 독송하고 남을 위해 해설하면
법사는 이곳에 머물면서 모두 들을 수 있으며
다시 모든 보살들이 법화경을 독송하고
남을 위해 설하고 저술하여 그 뜻을 해설하면
이와 같은 모든 음성을 다 들을 수 있으며

중생을 교화하시는 대성존이신 모든 부처님은
모든 법회 가운데서 미묘한 법을 연설하시는데
법화경 수지하는 자 그 소리 모두 들을 수 있네.

其諸梵天上　光音及遍淨　乃至有頂天　言語之音聲
法師住於此　悉皆得聞之
一切比丘衆　及諸比丘尼　若讀誦經典　若爲他人說
法師住於此　悉皆得聞之
復有諸菩薩　讀誦於經法　若爲他人說　撰集解其義
如是諸音聲　悉皆得聞之
諸佛大聖尊　敎化衆生者　於諸大會中　演說微妙法
持此法華者　悉皆得聞之

삼천대천세계 안과 밖의 모든 소리
아래로 아비지옥과 위로 유정천에 이르기까지
그 음성 모두 들어도 이근이 파괴되지 않으며
그 귀는 총명하고 예리하여 모두 분별하여 아네.
법화경 수지하는 자는 비록 천이통 얻지 못해도
부모가 낳은 귀로 일체 음성을 들을 수 있으니
그의 모든 공덕은 이미 위에서 말한 것과 같네.

三千大千界　內外諸音聲　下至阿鼻獄　上至有頂天
皆聞其音聲　而不壞耳根　其耳聰利故　悉能分別知
持是法花者　雖未得天耳　但用所生耳　功德已如是

다) 비근(鼻根) 공덕

"그리고 상정진 보살이여, 만약 선남자 선여인이 이 경을 수지하고 독송하며 해설하고 서사하면, 팔백의 비근 공덕을 성취한다. 이 청정한 비근으로 삼천대천세계 위와 아래, 안과 밖의 갖가지 모든 향을 맡을 수 있다.

즉 칭의화(稱意華)의 향, 금전화(金錢華)의 향, 말리화의 향, 금색화(金色華)의 향, 중생화(重生華)의 향, 붉은 연꽃의 향, 푸른 연꽃의 향, 흰 연꽃의 향, 꽃이 핀 나무의 향, 열매가 달린 나무의 향, 전단향, 침수향, 곽향(藿香)의 향, 나무뿌리의 향과 천만 종류의 섞어 만든 향, 즉 가루의 향이거나 환으로 된 향이거나 바르는 향을, 이 경을 수지하는 사람은 이곳에 머물면서 모두 분별할 수 있다.

또한 다시 모든 중생들이 내는 냄새를 특별하게 알 수 있다. 즉 코끼리 냄새, 말의 냄새, 소와 양 등의 냄새, 남자의 냄새, 여자의 냄새, 남자아이의 냄새, 여자아이의 냄새를 맡을 수 있으며, 아울러 초목과 숲이 내는 향, 가깝거나 먼 모든 냄새를 다 맡고 틀리지 않게 분별할 수 있다."

復次常精進。若善男子, 善女人, 受持是經, 若讀·若誦·若解說·若書寫, 成就八百鼻功德。以是清淨鼻根, 聞於三千大千世界上下內外種種諸香。須曼那華香·闍提華香·末利華香·薝蔔華香·波羅羅華香·赤蓮華香·青蓮華香·白蓮華香·華樹香·果樹香·栴檀香·沉水香·多摩羅跋香·多伽羅香, 及千萬種和香。若末·若丸·若塗香, 持是經者, 於此間住, 悉能分別。又復別知衆生之香, 象香·馬香·牛羊等香·男香·女香·童子香·童女香, 及草木叢林香。若近, 若遠, 所有諸香, 悉皆得聞, 分別不錯。

우부별지중생지향(又復別知衆生之香)• 무엇을 향이라고 하는가? 향은 바로 선(善)이다. 그러나 악은 나쁜 냄새를 말한다. 향기와 악취는 선과 악의 두 가지 맛을 대표한다.

"이 경을 수지하는 사람은 비록 이곳에 머물지라도, 또한 천상의 모든 향기를 맡을 수 있다. 즉 천수왕(天樹王)의 향, 대유희수(大遊戱樹)의 향, 소백화(小白花)의 향, 대백화(大白花)의 향, 소홍화(小紅花)의 향, 대홍화(大紅花)의 향과 전단향, 침수향과 갖가지 가루향과 모든 잡화(雜華)의 향, 이러한 천상의 향과 향들이 화합하여 내는 향기를 맡아서 알지 못하는 것이 없다.
또한 모든 천상인의 몸에서 나오는 향기도 맡을 수 있다. 즉 제석천왕이 수승한 전각에서 오욕을 즐기고 유희할 때의 향기, 혹은 묘법당에서 도리천의 천상인을 위해 법을 설할 때의 향기, 혹은 모든 정원에서 유희할 때의 향기, 아울러 다른 천상인의 남자와 여자의 몸에서 나오는 향기를 멀리서 모두 맡을 수 있다.
이와 같이 전전하여 색계의 대범천에 이르고, 위로는 유정천에 이르기까지 모든 천상인의 몸에서 나오는 향기도 모두 맡을 수 있으며, 아울러 모든 천상인이 사르는 향과 성문의 향기, 벽지불의 향기, 보살의 향기, 모든 부처님의 몸에서 나오는 향기를 모두 멀리서 맡고 그 향기가 나오는 곳을 알 수 있다.
비록 이러한 향기를 맡지만 비근(鼻根)이 손상되거나 잘못되지 않는다. 만약 다른 사람을 위해 분별하여 해설하려고 한다면, 그의 기억과 생각이 조금도 틀리지 않을 것이다."

持是經者, 雖住於此, 亦聞天上諸天之香, 波利質多羅·拘鞞陀羅樹香, 及曼陀羅華香·摩訶曼陀羅華香·曼殊沙華香·摩訶曼殊沙華香·栴檀·沉水·種種末香, 諸雜華香。如是等天香和合所出之香, 無不聞知。又聞諸天身香, 釋提桓因在勝殿上, 五欲娛樂嬉戱時香, 若在妙法堂上, 爲忉利諸天說法時香, 若於諸園遊戱時香, 及餘天等男女身香, 皆悉遙聞。如是展轉, 乃至梵世, 上至有頂, 諸天身香, 亦皆聞之。幷聞諸天所燒之香, 及聲聞香·辟支佛香·菩薩香·諸佛身香, 亦皆遙聞, 知其所在。雖聞此香, 然於鼻根不壞不錯。若欲分別爲他人說, 憶念不謬。

우문제천신향(又聞諸天身香) 천상인의 몸에서는 항상 향기가 나온다. 어떤 향인가? 어떤 사람의 몸에서는 향분을 바르거나 향수를 뿌리거나 하면 향기가 나온다. 그러나 천상인은 향수를 뿌릴 필요가 없으며, 화장품을 사용할 필요도 없다. 천상인에게서 나오는 향기는 천연의 향이다.

어째서 향기가 나오는가? 계율을 청정하게 지니기 때문이다. 사람도 계율을 청정하게 지니면 몸에서 향기가 나올 수 있다. 만약 계를 지니지 않는 사람이라면, 몸에서 냄새가 나올 것이다. 향기는 선을 짓는 것이 많음을 나타내며, 냄새가 나는 것은 악을 짓는 것이 많음을 나타낸다. 천상인의 몸에 향기가 없으면 그는 곧 죽을 것이다. 너희는 천상인이 영원히 살 것이라고 생각해서는 안 된다. 천상인은 다섯 가지의 쇠하는 모습이 나타나면 자기가 곧 죽을 것을 안다. 다섯 가지의 쇠하는 모습은 다음과 같다.

① 화관이 마르고 시든다[花冠萎謝]

천상인이 쓰는 모자는 화관인데, 마치 한 떨기의 꽃과 같은 모자이나.

평소에 이 꽃은 항상 신선하고 어떤 먼지도 없다. 그러나 쇠하는 모습이 나타날 때 그의 화관은 저절로 떨어지고, 또한 신선하지 않다. 신선하지 않을 뿐 아니라 꽃이 시든다.

② 옷에 먼지가 붙는다[衣著塵埃]

천상인이 입는 의복은 우리 인간의 옷과는 같지 않다. 인간의 옷은 시간이 오래되면 더러워져서 세탁해야 하지만, 천상인의 옷은 매우 청결하며 세탁할 필요가 없다. 천상에는 먼지가 없고 깨끗하기 때문이다. 그러나 쇠하는 모습이 나타날 때 그의 옷은 먼지가 붙어 더러워진다.

③ 양쪽 겨드랑이에서 땀이 난다[兩腋汗出]

천상인은 땀을 흘리지 않는다. 날씨가 아무리 더워도 땀이 나지 않으며, 심지어 그들이 머무는 곳에는 근본적으로 더울 때가 없고 언제나 청량하다. 그래서 그의 몸은 언제나 땀이 나지 않고 청결하다. 그러나 쇠하는 모습이 나타날 때 그의 두 겨드랑이에서 저절로 땀이 나온다.

④ 천상인의 몸에서는 언제나 향기가 나온다. 선(善)이 크면 향기가 많으며, 선이 적으면 향기도 적다. 그러나 쇠하는 모습이 나타날 때 그의 몸에서는 냄새가 난다. 물론 이 냄새는 우리 인간의 고약한 냄새와는 같지 않아서 땀 냄새와 비슷한 정도에 불과하다. 그러나 천상에는 근본적으로 그런 냄새가 없기 때문에 다른 천상인들은 그 냄새도 참지 못하고 도망간다.

⑤ 본래의 자리를 좋아하지 않는다[不樂本座]

천상인은 항상 앉아 지내며, 밖으로 나갈 때도 앉아서 간다. 그가 궁전 속 의자에 앉아 있으면 궁전이 저절로 날아간다. 원하는 곳이 어디든지 뜻에 따라 갈 수 있다. 이것은 무슨 도리인가? 신통이 있기 때문이다. 천상인은 모두 신통을 가지고 있으므로 의자에 앉아 마음대로 갈 수 있는 것이다. 그러나 쇠하는 모습이 나타날 때 그는 앉아 있지 못한다. 앉아 있어도 안락하지 못해서 다시 섰다가 앉았다를 반복한다. 이때 그는 타락하여 인간으로 가거나 다른 육도의 세계로 간다. 천상에 가면 무조건 안전하다고 생각해서는 안 된다. 천상도 마찬가지로 타락한다.

그때 세존께서는 이러한 뜻을 거듭 선설하시고자 게송을 설하셨다.

이 사람은 코의 청정을 얻어 이 세계 가운데서
향기와 냄새나는 갖가지 물건 모두 맡아 아네.
칭의화의 향과 금전화의 향, 전단향
침수향과 계화향 등 갖가지의 꽃과 과일의 향
그리고 모든 중생의 냄새와 남자와 여자의 냄새를
설법하는 자는 멀리 머물러도 냄새나는 곳을 아네.
큰 세력의 전륜성왕과 작은 전륜왕 및 그 아들과
많은 신하와 궁인의 향기를 맡아 그 있는 곳을 알며
몸에 걸친 진기한 보배와 땅속에 감춰진 보물과
전륜성왕의 보녀도 향기를 맡아 그 있는 곳 알며
모든 사람들의 장신구와 의복과 영락과
갖가지 바르는 향을 맡아 그 몸의 장엄구를 알며
모든 천상인의 경행과 좌선, 유희와 신통변화도
법화경 수지하는 자는 향기 맡아 모두 알 수 있네.

모든 나무, 꽃, 과실과 소유(酥油)의 향기도
경 수지하는 자는 이곳에서 그 있는 곳 알며
모든 산의 깊고 험한 곳에 핀 전단나무의 꽃과
그곳에 있는 중생까지 향기 맡아 모두 알 수 있네.

爾時世尊欲重宣此義, 而說偈言.

是人鼻清淨　於此世界中　若香若臭物　種種悉聞知
須曼那闍提　多摩羅栴檀　沈水及桂香　種種華果香
及知衆生香　男子女人香　說法者遠住　聞香知所在
大勢轉輪王　小轉輪及子　群臣諸宮人　聞香知所在
身所著珍寶　及地中寶藏　轉輪王寶女　聞香知所在
諸人嚴身具　衣服及瓔珞　種種所塗香　聞香知其身
諸天若行坐　遊戲及神變　持是法華者　聞香悉能知
諸樹華果實　及酥油香氣　持經者住此　悉知其所在
諸山深嶮處　栴檀樹花敷　衆生在中者　聞香皆能知

철위산과 대해와 땅속의 모든 중생들 냄새를
경 수지하는 자는 맡아서 그들 있는 곳 알며
아수라의 남녀와 그들의 모든 권속들이
투쟁하며 유희할 때 냄새를 맡아 모두 알며
광야의 험한 곳의 사자, 코끼리, 호랑이, 이리와
야생소와 물소 등의 냄새를 맡아 그 있는 곳을 아네.
만약 임신한 여인이 아이 성별과 무근인지 혹은 비인인지
판별되지 않으면 그 냄새를 맡아서 모두 아네.
냄새 맡는 능력으로 인하여 처음 임신한 것을

낳고 못 낳을지, 안락하게 복된 자식 낳을지를 알며
향기 맡는 능력으로 인해 남녀가 생각하는 것과
오염된 욕망과 어리석음과 분노의 마음을 알고
또한 선을 닦는 사람이 누구인지를 아네.

鐵圍山大海　地中諸衆生　持經者聞香　悉知其所在
阿修羅男女　及其諸眷屬　鬥諍遊戲時　聞香皆能知
曠野險隘處　師子象虎狼　野牛水牛等　聞香知所在
若有懷妊者　未辯其男女　無根及非人　聞香悉能知
以聞香力故　知其初懷妊　成就不成就　安樂產福子
以聞香力故　知男女所念　染欲癡恚心　亦知修善者

땅속에 묻힌 보물이 금, 은, 여러 진기한 보배인지
동으로 만든 기물에 담긴 것 향기 맡아 모두 알며
갖가지 모든 영락의 가치를 알 수 없어도
그 향기를 맡아 귀천과 출처와 그 있는 곳 아네.
천상의 모든 꽃, 작은 백화(白花)와 큰 백화와
천수왕 나무 등의 향기를 맡아 모두 알 수 있고
천상의 모든 궁전의 상, 중, 하의 차별 있음과
갖가지 보배와 꽃의 장엄함도 향기를 맡아 알며
천상의 원림, 수승한 전각과 모든 묘법당 관하여
그 안에서 오락을 즐기는 것도 향기를 맡아 알며
모든 천인들이 법을 듣거나 혹은 오욕을 누릴 때
오고 가며 앉고 눕는 것도 향기 맡아 능히 알며
천녀가 입은 옷에 좋은 꽃과 향으로 장엄하여

두루 노닐면서 유희 즐길 때도 향기 맡아 아네.
이와 같이 전전하여 위로는 대범천에 이르러
선정에 들고 나오는 자도 향기 맡아 모두 알며
광음천과 변정천에서 또는 유정천에 이르기까지
최초에 나서 죽을 때까지 향기 맡아 모두 아네.

地中衆伏藏　金銀諸珍寶　銅器之所盛　聞香悉能知
種種諸瓔珞　無能識其價　聞香知貴賤　出處及所在
天上諸華等　曼陀曼殊沙　波利質多樹　聞香悉能知
天上諸宮殿　上中下差別　衆寶華莊嚴　聞香悉能知
天園林勝殿　諸觀妙法堂　在中而娛樂　聞香悉能知
諸天若聽法　或受五欲時　來往行坐臥　聞香悉能知
天女所著衣　好華香莊嚴　周旋遊戲時　聞香悉能知
如是展轉上　乃至於梵世　入禪出禪者　聞香悉能知
光音遍淨天　乃至于有頂　初生及退沒　聞香悉能知

◉ 사람들은 단지 눈으로는 보고, 귀로는 들으며, 코로는 냄새를 맡고, 혀로는 맛을 보며, 몸으로는 감촉을 느끼며, 뜻으로는 법을 반연한다고만 알고 있다. 너희가 만약 그에게 '육근호용(六根互用)'의 도리를 설명하면, 그는 어떻게 해도 믿지 않을 것이다. 그러나 너희가 만약 이러한 경계에 이르러 이러한 공덕을 얻는다면, 너희 자신은 곧 불법의 불가사의한 경계를 알게 될 것이다. '아, 원래 이렇게 묘한 경계가 있었구나!'

그러면 어떤 사람은 이렇게 말할 것이다. "나는 이러한 것을 원하지 않아! 너무 귀찮아! 천상의 소리도 듣고, 천상인도 보고, 보는 것이 이렇게 많은데, 어떻게 잠을 잘 수 있겠는가? 그러면 망상이 더 많아지는 것이 아닌가? 그래서 나는 이러한 경계를 얻기를 좋아하지 않아!" 너희는 좋아하지 않는다고 말하지 말라. 좋아한다고 반드시 얻을 수 있는 것이 아니다. 망상이 없어져야 비로소 이런 경계가 있을 수 있다.

너희가 만약 이런 경계를 얻는다면, 보아도 보지 않으며, 들어도 듣지 않으며, 냄새를 맡아도 맡지 않으며, 맛을 보아도 맛보지 않으며, 감촉을 느껴도 느끼지 않으며, 반연을 해도 반연하지 않는다. 경계에 움직이지 않을 수 있어야 비로소 이러한 경계를 가질 수 있다. 너희는 잠을 자고 싶으면 잠을 잘 수 있고, 잠자고 싶지 않으면 그렇게 할 수 있다. 따라서 이것이 묘한 것이다.

어떻게 해도 이 묘(妙) 자를 다 설명할 수 없다. 『법화경』의 매 경문마다, 매 글자마다 묘함으로 설명하고 해석하면, 그것은 옳다. 그러면 너희는 『법화경』을 이해한 것이다. 방금 이런 경계를 원하지 않은 사람은 마음속으로 이렇게 생각할 것이다. '아, 어떻게 내가 짓는 망상을 저 분이 알았나?' 너희는 왜 이런 망상을 지을 수 있는가? 너희가 이렇게 망상을 지을 줄 아니, 나는 어떻게 알 수 없을 것인가? 너희가 이런 망상을 지을 수 있으면, 나는 너희의 망상을 알 수 있다. 따라서 너희가 만약 너희의 망상을 내가 아는 것이 두려우면, 너희는 망상을 짓지 않아야 하며, 그것이 가장 좋다.

모든 비구, 비구니들은 불법을 항상 정진하며
좌선하거나 경행하거나 경전을 독송하거나
혹은 숲속 나무 아래서 전심으로 좌선하는 것도
경을 수지하는 자는 향기를 맡아 그 있는 곳 알며
보살의 뜻은 견고하여 좌선하거나 경전 독송하며

혹은 남에게 설법하는 것도 향기 맡아 모두 알며
모든 곳에서 세존은 일체중생의 공경을 받으며
중생을 연민하여 설법하는 것도 향기 맡아 알며
중생이 부처님 앞에서 경 듣고 모두 즐거워하며
법에 따라 수행하는 것도 향기를 맡아 모두 아네.
비록 보살의 무루법이 내는 비근을 얻지 못했지만
경 수지하는 사람은 먼저 이런 비근의 모습 얻네.

諸比丘衆等　於法常精進　若坐若經行　及讀誦經典
或在林樹下　專精而坐禪　持經者聞香　悉知其所在
菩薩志堅固　坐禪若讀誦　或爲人說法　聞香悉能知
在在方世尊　一切所恭敬　愍衆而說法　聞香悉能知
衆生在佛前　聞經皆歡喜　如法而修行　聞香悉能知
雖未得菩薩　無漏法生鼻　而是持經者　先得此鼻相

라) 설근(舌根) 공덕

"그리고 다시 상정진 보살이여, 만약 선남자 선여인이 이 경을 수지하고 독송하며 해설하고 서사하면, 천이백의 설근의 공덕을 얻는다. 맛이 좋거나 안 좋거나, 맛이 있거나 없거나, 아울러 맛이 쓰고 떫은 모든 것이 혀에 닿으면, 모두 가장 좋은 맛으로 변하여 마치 천상의 감로와 같이 맛없는 것이 없을 것이다. 만약 혀로 대중 가운데서 불법을 연설하면, 깊고 미묘한 소리를 내어 그들의 마음으로 들어가 모두 기뻐하고 즐거워할 것이다.

또한 여러 천상의 천자와 천녀, 제석천왕과 대범천왕과 다른 모든 천왕들도 이러한 심묘한 음성을 들을 수 있으며, 연설하는 것이 전후의 차제가 있고 조리가 있어 천상인들이 모두 와서 들을 것이다. 아울러 많은 용과 용녀, 야차와 야차녀, 건달바와 건달바녀, 아수라와 아수라녀, 가루라와 가루라녀, 긴나라와 긴나라녀, 마후라가와 마후라가녀도 법을 듣기 위해 모두 와서 법사를 친근하고 공경하며 공양할 것이다."

復次常精進。若善男子, 善女人, 受持是經, 若讀·若誦·若解說·若書寫, 得千二百舌功德。若好·若醜, 若美·不美, 及諸苦澀物, 在其舌根, 皆變成上味。如天甘露, 無不美者。若以舌根, 於大衆中, 有所演說, 出深妙聲, 能入其心, 皆令歡喜快樂。又諸天子·天女, 釋梵諸天, 聞是深妙音聲, 有所演說, 言論次第, 皆悉來聽。及諸龍·龍女·夜叉·夜叉女·乾闥婆·乾闥婆女, 阿修羅·阿修羅女, 迦樓羅·迦樓羅女, 緊那羅·緊那羅女。摩睺羅伽·摩睺羅伽女, 爲聽法故, 皆來親近, 恭敬供養。

"또한 비구, 비구니, 청신사, 청신녀와 국왕, 왕자, 여러 신하들과 권속들, 작은 전륜성왕과 큰 전륜성왕, 일곱 가지 보배와 천 명의 아들, 안팎의 권속들도 그들의 궁전을 타고 함께 와서 법을 들을 것이다. 이 보살은 법을 잘 설하는 까닭으로 바라문, 거사, 나라의 백성들은 그들의 목숨이 다하도록 그 보살을 따라 모시고 공양할 것이다.

또한 여러 성문, 벽지불, 보살, 제불께서도 항상 그를 보기 좋아하시며, 이 사람이 머무는 곳에서 모든 부처님께서 그에게 법을 설하실 것이며, 그리하여 그는 일체의 불법을 완전히 수지할 수 있고, 또한 깊고 미묘한 법음을 낼 수 있느니라."

及比丘·比丘尼, 優婆塞·優婆夷, 國王·王子·群臣·眷屬, 小轉輪王·大轉輪王, 七寶, 千子, 內外眷屬, 乘其宮殿, 俱來聽法。以是菩薩善說法故, 婆羅門·居士·國內人民·盡其形壽, 隨侍供養。又諸聲聞, 辟支佛·菩薩·諸佛, 常樂見之。是人所在方面, 諸佛皆向其處說法•, 悉能受持一切佛法, 又能出於深妙法音。

제불개향기처설법(諸佛皆向其處說法)• 어떤 것을 시방제불이 그에게 법을 설하시는 것이라고 하는가? 『법화경』은 시방제불께서 설하신 법이므로, 이 법사가 『법화경』을 수지하는 것이 바로 시방제불께서 그가 머무는 곳으로 와서 그에게 법을 설하시는 것이다.

그때 세존께서는 이러한 뜻을 거듭 선설하시고자 게송을 설하셨다.

이 사람의 설근 청정하여 끝내 나쁜 맛 받지 않고
그가 먹고 마시는 것은 모두 감로 맛으로 변하네.
깊고 청정하며 미묘한 음성으로 대중에게 설법하되
갖가지 인연과 비유로써 중생의 마음을 인도하니
듣는 자 모두 기뻐하며 최상의 갖가지 공양 하네.

爾時世尊欲重宣此義, 而說偈言。

是人舌根淨　終不受惡味　其有所食噉　悉皆成甘露
以深淨妙聲　於大衆說法　以諸因緣喩　引導衆生心
聞者皆歡喜　設諸上供養

모든 천상인, 용, 야차와 아수라 등 천룡팔부는
모두 공경하는 마음으로 함께 와서 법을 들으며
법을 설하는 이 사람이 만약 미묘한 음성으로

삼천세계 두루 채우고자 하면 뜻대로 즉시 이르며
크고 작은 전륜성왕과 천 명의 아들과 권속들은
합장하고 공경심으로 항상 와서 법 듣고 수지하며
여러 천상인과 용, 야차, 나찰, 정기 먹는 귀신도
또한 기뻐하는 마음으로 항상 즐겨 와서 공양하고
범천왕과 마왕, 자재천과 대자재천의 천신 등
이런 모든 천상 대중들 항상 설법하는 곳에 오네.
여러 부처님과 제자들은 그의 설법하는 소리 듣고
항상 호념하고 수호하며 때때로 몸을 나투시리라.

諸天龍夜叉　及阿修羅等　皆以恭敬心　而共來聽法
是說法之人　若欲以妙音　遍滿三千界　隨意卽能至
大小轉輪王　及千子眷屬　合掌恭敬心　常來聽受法
諸天龍夜叉　羅刹毘舍闍　亦以歡喜心　常樂來供養
梵天王魔王　自在大自在　如是諸天衆　常來至其所
諸佛及弟子　聞其說法音　常念而守護　或時爲現身

마) 신근(身根) 공덕

"그리고 다시 상정진 보살이여, 만약 선남자 선여인이 이 경을 수지하고 독송하며 해설하고 서사하면, 팔백의 신근의 공덕을 얻는다. 마치 깨끗한 유리와 같은 청정한 몸을 얻으며 중생이 보기를 좋아한다. 그 몸이 청정한 까닭으로 삼천대천세계 중생의 나는 때와 죽는 때, 위로 오르고 아래로 떨어지며, 모습이 아름답고 추하며, 선도와 악도에 나는 모습이 모두 그 가운데에 나타난다.

또한 철위산과 대철위산, 광명산과 대광명산 등 모든 산과 그 안의 중생들도 그의 몸 가운데 나타나며, 아래로는 아비지옥에서부터 위로는 유정천에 이르기까지 그 가운데의 모든 중생이 그의 몸 안에 나타난다. 만약 성문, 벽지불, 보살, 제불이 법을 설하시면, 모두 그의 몸 가운데 그들의 색상이 나타날 것이다."

復次常精進。若善男子·善女人, 受持是經, 若讀·若誦·若解說·若書寫, 得八百身功德。得淸淨身·如淨琉璃, 衆生喜見。其身淨故, 三千大千世界衆生, 生時死時, 上下好醜, 生善處惡處, 悉於中現。及鐵圍山·大鐵圍山·彌樓山, 摩訶彌樓山等諸山, 及其中衆生, 悉於中現。下至阿鼻地獄, 上至有頂, 所有及衆生, 悉於中現。若聲聞·辟支佛·菩薩·諸佛·說法, 皆於身中, 現其色像。

그때 세존께서는 이러한 뜻을 거듭 선설하시고자 게송을 설하셨다.

　만약 법화경 수지하는 사람의 몸은 매우 청정하기가
　마치 깨끗한 유리 같아 중생들 모두 보기 좋아하며
　또한 맑고 밝은 거울에서 모든 색상을 조견하듯이
　보살은 청정한 몸에서 세간의 모든 색상 다 보며
　오직 자기 홀로 이해하며 다른 사람 볼 수 없으리.

爾時世尊欲重宣此義, 而說偈言。

　若持法華者　其身甚淸淨　如彼淨琉璃　衆生皆喜見
　又如淨明鏡　悉見諸色像　菩薩於淨身　皆見世所有
　唯獨自明了　餘人所不見

　삼천대천세계 가운데 일체의 모든 중생들

천상인, 인간, 아수라, 지옥, 아귀, 축생 등
이와 같은 모든 색상이 그의 몸 가운데 나타나네.
모든 천상의 궁전과 나아가 유정천에 이르기까지
철위산과 대철위산, 광명산과 대광명산
모든 대해의 물 등도 모두 그 몸에 나타나네.
三千世界中　一切諸群萌　天人阿修羅　地獄鬼畜生
如是諸色像　皆於身中現　諸天等宮殿　乃至於有頂
鐵圍及彌樓　摩訶彌樓山　諸大海水等　皆於身中現

모든 부처님과 성문, 불제자와 보살들이
홀로 있거나 대중에서 설법하거나 모두 나타나며
비록 무루의 법성의 묘한 몸 얻지 못했을지라도
청정한 보통의 몸 가운데 모든 것이 나타나리라.
諸佛及聲聞　佛子菩薩等　若獨若在衆　說法悉皆現
雖未得無漏　法性之妙身　以淸淨常體　一切於中現

바) 의근(意根) 공덕

"그리고 다시 상정진 보살이여, 만약 선남자 선여인이 여래가 열반하신 후 이 경을 수지하고 독송하며 해설하고 서사하면, 천이백의 의근의 공덕을 얻는다. 청정한 의근으로써 나아가 한 게송이나 한 구절만 듣고도 무량하고 무변한 뜻을 통달할 것이다. 그 뜻을 이해한 후 한 구절이나 한 게송을 해설하여 한 달이나 넉 달을 강설하거나, 또는 일 년을 강설할 수 있다.

그가 설하는 모든 법은 뜻의 취지를 수순하며, 모두 실상의 도리와 위배되지 않는다. 만약 세속의 경서, 치세의 언어, 생업을 돕는 언어 등을 설하여도 모두 정법을 수순할 것이다. 삼천대천세계 육도중생의 마음이 하려는 것, 마음이 움직이는 것, 마음이 짓는 희론을 모두 알 것이다. 비록 무루의 지혜를 얻지 못했지만, 그의 의근의 청정함은 이와 같아서 이 사람이 사유하고 사량하는 것을 말로 하게 되면, 그것은 모두 불법이어서 진실하지 않음이 없으며, 또한 과거의 부처님께서 경전 가운데 설하신 도리이다."

復次常精進。若善男子·善女人, 如來滅後·受持是經, 若讀·若誦·若解說·若書寫, 得千二百意功德。以是清淨意根, 乃至聞一偈一句, 通達無量無邊之義。解是義已, 能演說一句一偈, 至於一月, 四月, 乃至一歲•, 諸所說法, 隨其義趣, 皆與實相不相違背。若說俗間經書, 治世語言, 資生業等, 皆順正法。三千大千世界六趣衆生, 心之所行·心所動作·心所戲論•, 皆悉知之。雖未得無漏智慧, 而其意根·清淨如此。是人有所思惟·籌量言說, 皆是佛法, 無不眞實, 亦是先佛經中所說。

지어일월(至於一月) 사월(四月) 내지일세(乃至一歲)• 1개월은 일승의 실상법을 나타내며, 4개월은 사제법(四諦法)을 나타내고, 일 년은 12개월로서 십이인연법을 나타낸다.

심지소행(心之所行) 심소동작(心所動作) 심소희론(心所戲論)• 심지소행(心之所行)은 중생의 마음속에서 하고자 하는 일이라는 뜻이고, 심소동작(心所動作)이란 마음속에서 최초로 망상을 일으키면 곧 하나의 동작이 있게 된다는 뜻이다. 심소희론(心所戱論)이란 마음속에서 아직 발휘되지 못한 어지러운 생각이다. 무엇을 생각하는가? 내가 만약 황제가 된다면 좋겠어! 혹은 내가 대통령 선거에 나간다면 나를 옹호하는 사람이 있을까? 나에게 표를 던지는 사람이 있을까? 이렇게 마음껏 망상을 짓는 것을 마음속의 희론이라고 한다.

그때 세존께서는 이러한 뜻을 거듭 선설하시고자 게송을 설하셨다.

이 사람 의근은 청정하고 밝고 오염됨이 없으며
이 승묘(勝妙)한 의근으로 상중하의 불법 알며
나아가 한 게송을 들어도 무량한 뜻을 통달하며
조리 있고 여법하게 설하길 한 달 혹은 일 년에 이르네.
이 세계 안과 밖의 일체의 모든 중생들
천상인과 용과 인간, 야차, 귀신 등이
육도세계 있으면서 생각하는 갖가지 종류를
법화경을 수지하는 과보로 일시에 모두 아네.

爾時世尊欲重宣此義, 而說偈言。

是人意淸淨　明利無濁穢　以此妙意根 知上中下法
乃至聞一偈　通達無量義　次第如法說　月四月至歲
是世界內外　一切諸衆生　若天龍及人　夜叉鬼神等
其在六趣中　所念若干種　持法華之報　一時皆悉知

시방의 무수한 제불은 백복으로 장엄한 모습으로
중생을 위해 법을 설하는 것도 모두 듣고 수지하네.
그는 무량한 뜻 사유하여 설법하는 것도 무량하며

시종 잊거나 틀리지 않음은 법화경 수지한 까닭이네.
그는 제법의 실상 모두 알고 뜻에 따라 순서를 알며
이름과 언어를 통달하여 아는 도리에 따라 강설하네.
이 사람이 설하는 것은 모두 이전의 불법과 부합하며
이 묘법 연설하는 까닭으로 대중 속에서 두려움 없네.

十方無數佛　百福莊嚴相　爲衆生說法　悉聞能受持
思惟無量義　說法亦無量　終始不忘錯　以持法華故
悉知諸法相　隨義識次第　達名字語言　如所知演說
此人有所說　皆是先佛法　以演此法故　於衆無所畏

법화경 수지하는 사람의 의근은 이와 같이 청정하며
비록 무루 얻지 못하여도 먼저 이러한 모습 있으리.
이 사람은 이 경을 수지하여 희유한 경지에 안주하여
일체중생들이 그를 보면 기뻐하고 애호하고 공경하리.
그가 천만 가지 선교방편의 언어와 비유로 분별하여
법을 설하는 것은 법화경을 수지한 까닭이로다.

持法華經者　意根淨若斯　雖未得無漏　先有如是相
是人持此經　安住希有地　爲一切衆生　歡喜而愛敬
能以千萬種　善巧之語言　分別而說法　持法華經故

二二十

상불경보살품
(常不輕菩薩品)

상불경보살의 인연과 교화

어째서 상불경(常不輕)이라고 하는가? 이것은 보살의 이름이다. 보살의 진짜 이름인가? 아니다. 이것은 그의 별명 – 특별한 이름이다. 이 보살은 사람을 만나면 곧 절을 하였기 때문에 아만심이 높은 비구, 비구니, 청신사, 청신녀들이 그에게 이러한 이름을 지어준 것이다. 따라서 너희는 상불경보살이 곧 그의 진짜 이름이라고 생각해서는 안 된다.

너희가 만약 이런 점을 알지 못하고 "이 보살은 상불경보살이라 부른다."라고 하면, 근본적으로 이러한 이름은 없는 것이다. 석가모니 부처님께서 과거생 가운데 보살도를 행할 때 사람을 만나면 곧 절을 하며 이렇게 말하였다. "나는 그대들을 감히 경시하지 않으며, 그대들은 모두 부처가 될 것이다." 그러면 아만심이 높은 사람들이 그를 조소하며 말하였다. "아유, 상불경이 왔네! 당신들은 아는가? 그는 상불경이야!" 이렇게 이 이름은 본래 그를 조소한 것으로서 그에게 좋지 않은 뜻이지만 그는 이 이름을 받아들였으며, 그래서 상불경보살이라고 부른다.

이곳에서 네 가지의 실단(悉檀)으로 상불경을 설명할 수 있다. 그는 안으로 일종의 가볍지 않은 견해, 가볍지 않은 지혜를 품고 있다. 밖으로는 공경하는 행문을 행하는데, 일체의 경계에 대하여 그는 모두 공경한다. 따라서 이 경계가 이른바 '모든 것은 시험이며, 그대가 어떻게 하는지를 보네. 경계를 만나서 만약 알아차리지 못하면, 다시 처음부터 수련해야 하네.'의 경계이다.

상불경보살은 (경계를) 만나면 알아차렸다. 그래서 그는 이렇게 수행한 것이다. 즉 사람을 만나면 곧 절을 한 것은 세계실단(世界悉檀)에 속한다. 몸으로 남을 업신여기지 않는 행을 실천한 것이다. 타인을 경만(輕慢)하지 않는 행문을 닦는 것은 위인실단(爲人悉檀)이라고 한다. 입으로 남을 업신여기지 않는 가르침을 선설한 것이다. 입으로 하는 말은 모두 남을 경만하지 않는 일종의 교화이다.

그는 항상 말하였다. "나는 감히 그대들을 경시하지 않으며, 그대들은 모두 부처가 될 것이다." 이러한 것을 대치실단(對治悉檀)이라고 한다. 즉 아만심을 대치하는 것이다. 그러면 그는 사람을 대하여 남을 경시하지 않는 생각을 가지고 있는 것이다. 이것은 바로 제일의실단(第一義悉檀)이다. 이 상불경이라는 말에 네 가지 실단의 뜻이 포함되어 있는 것이다.

가. 상불경보살의 숙세 인연

1) 위음왕불의 교화

그때 부처님께서 득대세보살마하살에게 말씀하셨다. "그대는 지금 마땅히 알아야 한다. 만약 법화경을 수지하는 비구, 비구니, 청신사, 청신녀를 어떤 사람이 나쁜 말로 욕하고 비방하면, 앞에서 말한 것과 같이 큰 죄의 과보를 얻게 되고, 법화경을 수지하는 자가 얻는 공덕은 앞에서 설한 것과 같이 안이비설신의(眼耳鼻舌身意) 육근이 청정해질 것이다."

爾時佛告得大勢菩薩摩訶薩˙。汝今當知。若比丘·比丘尼·優婆塞·優婆夷, 持法華經者, 若有惡口·罵詈·誹謗, 獲大罪報, 如前所說。其所得功德, 如向所說, 眼·耳·鼻·舌·身·意清淨。

이시불고득대세보살마하살(爾時佛告得大勢菩薩摩訶薩)•

득대세보살은 바로 대세지(大勢至) 보살을 말한다. 이 보살은 만약 움직이지 않으면 무슨 일이 없지만, 그가 단지 한 번 움직이면, 즉 손을 들거나 발을 옮기거나 혹은 앞으로 한 걸음을 가면, 이 대지가 여섯 가지로 진동한다. 무엇 때문인가? 이 보살의 위세가 너무나 크기 때문이다.

"득대세보살이여, 과거로 무량하고 무변한 불가사의한 아승기의 겁을 지난 때에 위음왕여래, 응공, 정변지, 명행족, 선서, 세간해, 무상사, 조어장부, 천인사, 불, 세존이라고 하는 부처님이 계셨으며, 겁의 이름은 이쇠이고, 나라의 이름은 대성이라고 하였다.

위음왕불께서는 그 세상에서 천상인과 인간, 아수라에게 법을 설하였으며, 성문을 구하는 사람에게는 마땅히 사제법(四諦法)을 설하여 생로병사를 건너 마침내 열반을 얻게 하였으며, 벽지불을 구하는 사람에게는 십이인연의 법을 설하였으며, 모든 보살을 위해서는 무상정등정각을 얻게 하기 위한 까닭으로 육바라밀의 법을 설하여 궁극의 부처 지혜를 얻게 하였느니라."

得大勢。乃往古昔, 過無量無邊不可思議阿僧祇劫, 有佛名威音王如來·應供·正遍知·明行足·善逝·世間解·無上士·調御丈夫·天人師·佛·世尊, 劫名離衰, 國名大成。其威音王佛, 於彼世中, 爲天·人·阿修羅說法, 爲求聲聞者, 說應四諦法, 度生老病死, 究竟涅槃。爲求辟支佛者, 說應十二因緣法。爲諸菩薩, 因阿耨多羅三藐三菩提, 說應六波羅蜜法, 究竟佛慧。

"득대세보살이여, 이 위음왕불의 수명은 40만억 나유타 항하사 겁이었고, 정법이 세상에 머문 겁 수는 한[一] 염부제의 미진수와 같았으며, 상법이 세상에 머문 겁 수는 네 천하의 미진수와 같았다. 그 부처님께서는 중생을 요익하신 연후에 열반에 들었으며, 정법과 상법이 다한 후에 그 국토에 다시 부처님께서 세상에 출현하셨는데, 명호는 또한 위음왕여래, 응공, 정변지, 명행족, 선서, 세간해, 무상사, 조어장부, 천인사, 불, 세존이라고 하였다. 이와 같이 차례로 2만억의 부처님이 출현하셨으며, 모두 동일한 명호를 가지셨다."

得大勢。是威音王佛, 壽四十萬億那由他恒河沙劫, 正法住世劫數, 如一閻浮提微塵, 像法住世劫數, 如四天下微塵, 其佛饒益衆生已, 然後滅度。正法·像法滅盡之後, 於此國土, 復有佛出, 亦號威音王如來·應供·正遍知·明行足·善逝·世間解·無上士·調御丈夫·天人師·佛·世尊。如是次第有二萬億佛, 皆同一號。

2) 상불경보살 이름의 유래

"최초의 위음왕여래께서 이미 열반에 드시고 정법이 소멸한 후 상법시대에 증상만의 비구들이 큰 세력을 가지고 있었는데, 그때 한 분의 보살비구가 있었으며 상불경이라고 이름하였다.

득대세보살이여, 무슨 인연으로 상불경이라고 이름하였는가? 이 비구는 무릇 만나는 사람, 즉 비구, 비구니, 청신사, 청신녀 등을 만나면, 모두 예배하고 찬탄하면서 이렇게 말하였다. '나는 그대들을 깊이 공경하며 감히 경시하지 않습니다. 무엇 때문인가? 그대들은 모두 보살도를 행하여 장차 부처가 될 것이기 때문입니다.'

그리고 이 상불경 비구는 오로지 경전을 독송하지는 않고 단지 사부대중에게 예배만 행하며, 나아가 그들을 멀리서 보면 또한 다시 가까이 가서 예배하고 찬탄하면서 이렇게 말하였다. '나는 감히 그대들을 경시하지 않으며, 그대들은 모두 장차 부처가 될 것입니다.'"

最初威音王如來, 旣已滅度, 正法滅後, 於像法中, 增上慢比丘有大勢力。爾時有一菩薩比丘, 名常不輕。得大勢。以何因緣, 名常不輕。是比丘凡有所見, 若比丘·比丘尼·優婆塞·優婆夷, 皆悉禮拜讚歎•, 而作是言。我深敬汝等, 不敢輕慢。所以者何。汝等皆行菩薩道, 當得作佛。而是比丘不專讀誦經典, 但行禮拜, 乃至遠見四衆, 亦復故往禮拜讚歎, 而作是言。我不敢輕於汝等, 汝等皆當作佛。

개실예배찬탄(皆悉禮拜讚歎)• 본래 비구는 비구니에게 예배를 하지 않으며 재가인에게도 절하지 않는데, 이 상불경보살은 왜 이런 사람에게 절을 하였는가? 그는 보살도를 행하려고 하였기 때문이다. 이 보살은 아상(我相)이 없었다. 그는 남과 내가 한몸이라고 생각했고, 아상, 인상, 중생상, 수자상이 없었다. 그런 관념이 없는 그가 절하는 것은 어찌 상이 있는 것이 아닌가? 그의 이런 상이 있는[有相] 것은 실제로는 상이 없는 것이다. 무엇 때문인가? 그가 만약 상이 있다면, 절을 하지 않을 것이다. 증상만의 비구는 왜 이러한 예배의 행문을 닦지 않는가? 아상이 있기 때문이다. 상불경보살은 아상이 없으며, 나[我]를 공하게 없애버렸다. 그래서 그는 다른 비구, 비구니, 우바새, 우바이에게 예배한 것이다.

"사부대중 가운데 성내어 마음이 청정하지 못한 자는 그에게 나쁜 말로 욕을 하였다. '이 어리석은 비구는 어디에서 와서 스스로 나는 그대를 경시하지 않는다고 말하면서 우리에게 부처가 될 것이라는 수기를 주는가. 우리는 이러한 허망한 수기는 필요하지 않다.'

그는 이렇게 여러 해를 보내면서 항상 욕을 먹어도 화를 내지 않고, 항상 그대는 부처가 될 것이라는 말을 하였다. 이 말을 할 때 많은 사람들은 그를 몽둥이로 때리거나 기와나 돌을 던졌으며, 그는 그것을 피하여 멀리 가면서도 오히려 큰 소리로 말하였다. '나는 감히 그대들을 경시하지 않으며, 그대들은 모두 부처가 될 것입니다.' 그가 항상 이러한 말을 하였기 때문에 증상만의 비구, 비구니, 청신사, 청신녀는 그를 상불경이라고 불렀던 것이다."

四衆之中, 有生瞋恚·心不淨者, 惡口罵詈言。是無智比丘, 從何所來, 自言我不輕汝, 而與我等授記, 當得作佛。我等不用如是虛妄授記。如此經歷多年, 常被罵詈, 不生瞋恚, 常作是言。汝當作佛。說是語時, 衆人或以杖木瓦石而打擲之, 避走遠住, 猶高聲唱言。我不敢輕於汝等, 汝等皆當作佛。以其常作是語故, 增上慢比丘·比丘尼·優婆塞·優婆夷, 號之爲常不輕。

나. 상불경보살의 교화

1) 믿은 자의 공덕

"이 비구가 임종에 이르렀을 때 허공에서 위음왕불께서 이전에 설하였던 법화경의 이십천만억의 게송이 온전히 들려와 모두 수지할 수 있게 되자, 즉시 앞에서 말한 안근(眼根)의 청정과 이근, 비근, 설근, 신근, 의근의 청정을 얻게 되었다.

이 육근의 청정을 얻은 후 더욱 수명이 증가하여 이백만억 나유타 해 동안 널리 사람들을 위하여 이 법화경을 강설하였다. 이때 증상만의 비구, 비구니, 청신사, 청신녀 등 이 비구를 경시하여 상불경이라는 이름을 지었던 사부대중은 그가 큰 신통의 힘과 요설변재의 능력, 큰 선적(善寂)의 힘을 얻은 것을 보고, 그의 설법을 듣고 모두 믿고 따르게 되었다."

是比丘臨欲終時, 於虛空中, 具聞威音王佛, 先所說法華經二十千萬億偈, 悉能受持, 卽得如上眼根淸淨 · 耳鼻舌身意根淸淨。得是六根淸淨已, 更增壽命二百萬億那由他歲, 廣爲人說是法華經。於時增上慢四衆, 比丘 · 比丘尼 · 優婆塞 · 優婆夷, 輕賤是人爲作不輕名者, 見其得大神通力 · 樂說辯力 · 大善寂力, 聞其所說, 皆信伏隨從。

◉ 매일 많은 귀찮은 일들이 발생하고 있다. 국가와 국가 간의 전쟁이 일어나 많은 사람이 죽거나, 화재가 발생하여 많은 사람들이 타죽거나, 혹은 수재가 발생하여 물에 잠겨 죽거나, 혹은 모종의 독기가 방출되어 많은 사람이 죽는다. 혹은 비행기가 추락하거나, 기차가 의외의 사고로 전복되거나, 버스와 자동차의 사고로 많은 사람들이 죽는다. 매일 얼마나 많은 사람들이 죽는지 모른다. 이 세계는 서로 투쟁하면서 하루도 편안한 날이 없다.

왜 이러한가? 사람마다 투쟁의 마음이 견고하기 때문이다. 너희는 나와 다투고, 나는 너희와 다툰다. 인내와 양보가 없다. 따라서 세계는 평화롭지 못하다. 또한 사람의 마음이 악을 고쳐 선으로 향하지 않는다. 너희가 나쁘면 나는 너희보다 더욱 나쁘게 되려고 생각한다. 너희가 악하면 나는 너희보다 더욱 악하게 되려고 한다. 어떻게 나쁘게 되고 어떻게 악하게 되는가를 경쟁하므로, 이 세계는 하루하루 나쁘고 악한 곳이 되어간다.

눈을 똑바로 뜨고 보라. 전 세계에 어느 곳이 가장 안전한 곳인가? 안전한 곳이 없다. 그래서 우리는 지금 세계평화기도회를 열려고 준비하고 있다. 모두는 공동으로 한마음이 되어 세계평화를 구하기를 바라며, 그러면 반드시 감응이 있을 것이다.

"이 보살은 다시 천만억의 중생을 교화하여 무상정등정각에 머물게 하였으며, 목숨을 마친 후에는 명호를 모두 일월등명이라고 하는 이천억의 부처님을 뵙고, 그 모든 부처님 법 가운데서 이 법화경을 설하였다. 이러한 인연으로 다시 명호를 운자재등왕이라고 하는 이천억의 부처님을 만나 뵙고, 이 모든 부처님의 법 가운데서 이 경전을 수지하고 독송하였으며, 모든 사부대중을 위해 해설한 까닭으로 항상 안근의 청정과 이근, 비근, 설근, 신근, 의근의 청정을 얻었으며, 사부대중 가운데서 법을 설하여도 마음에 두려움이 없었다.
득대세보살이여, 이 상불경보살마하살은 이렇게 많은 제불을 공양하고 공경하며 존중하고 찬탄하여 많은 선근을 심었다. 그 후 다시 천만억의 부처님을 만나 뵙고 제불의 법 가운데서 이 경전을 연설하여 공덕을 성취하여 마땅히 부처를 이루게 되었느니라."

是菩薩復化千萬億衆, 令住阿耨多羅三藐三菩提。命終之後, 得値二千億佛, 皆號日月燈明, 於其法中, 說是法華經。以是因緣, 復値二千億佛, 同號雲自在燈王, 於此諸佛法中, 受持讀誦, 爲諸四衆說此經典故，得是常眼清淨，耳·鼻·舌·身·意諸根清淨，於四衆中說法，心無所畏。得大勢。是常不輕菩薩摩訶薩，供養如是若干諸佛，恭敬·尊重·讚歎·種諸善根。於後復値千萬億佛，亦於諸佛法中，說是經典，功德成就，當得作佛。

"득대세보살이여, 그대의 생각은 어떠한가? 그때의 상불경보살이 어찌 다른 사람이겠는가? 그가 바로 나의 몸이었다. 만약 내가 숙세에 이 경을 수지하고 독송하여 남을 위해 해설하지 않았으면, 무상정등정각을 빨리 얻을 수 없었을 것이다. 나는 이전 제불의 처소에서 이 경을 수지하고 독송하며 남을 위해 해설하였기 때문에 빨리 무상정등정각을 얻게 되었다."

得大勢。於意云何。爾時常不輕菩薩，豈異人乎。則我身是。若我於宿世，不受持讀誦此經·爲他人說者，不能疾得阿耨多羅三藐三菩提。我於先佛所，受持讀誦此經·爲人說故，疾得阿耨多羅三藐三菩提。

2) 비방한 자의 과보

"득대세보살이여, 그때의 사부대중인 비구, 비구니, 청신사, 청신녀들이 성내는 마음으로 나를 경시하였기 때문에 이백억 겁 동안 부처님을 만나지 못하고 불법을 듣지 못하였으며 스님을 만나지 못하였고, 천 겁 동안 아비지옥에서 큰 괴로움을 받았다. 이 죄보를 마친 후 다시 상불경보살을 만나 교화를 받아 무상정등정각의 마음을 발하게 되었다."

得大勢。彼時四衆, 比丘·比丘尼·優婆塞·優婆夷, 以瞋恚意, 輕賤我故, 二百億劫常不値佛·不聞法·不見僧, 千劫於阿鼻地獄受大苦惱。畢是罪已, 復遇常不輕菩薩, 敎化阿耨多羅三藐三菩提。

"득대세보살이여, 그대의 생각은 어떠한가? 그때 이 보살을 항상 경시한 사부대중이 어찌 다른 사람이겠는가? 지금 이 법회 가운데의 발타바라 등 오백 명의 보살과 사자월 등 오백 명의 비구와 니사불 등 오백 명의 청신사들이며, 이들은 모두 무상정등정각의 마음에서 물러나지 않는 사람들이다.

득대세보살이여, 이 법화경은 모든 보살마하살을 크게 이롭게 하여 무상정등정각에 이르게 할 수 있음을 알아야 한다. 그러므로 모든 보살마하살은 여래의 열반 후 항상 마땅히 이 경을 수지하고 독송하며 해설하고 서사해야 한다."

得大勢。於汝意云何。爾時四衆常輕是菩薩者, 豈異人乎。今此會中, 跋陀婆羅等五百菩薩·師子月等五百比丘·尼思佛等五百優婆塞, 皆於阿耨多羅三藐三菩提不退轉者是。得大勢。當知是法華經, 大饒益諸菩薩摩訶薩, 能令至於阿耨多羅三藐三菩提。是故諸菩薩摩訶薩, 於如來滅後, 常應受持·讀誦·解說·書寫是經。

◉ 우리는 경을 들으면 들을수록 즐거워하고, 즐거울수록 더욱 들어야 한다. 불법을 배우는 것은 사탕을 먹는 것보다 더욱 즐겁다. 불법은 바로 감로이며, 감로는 천상의 불사약(不死藥)이다. 우리가 불법을 들으면 미혹을 깨달음으로 바꿀 수 있으며, 이해하지 못한 것을 이해할 수 있다.

부처님은 왜 불법을 설하셨는가? 바로 중생에게 불법을 이해시키기 위한 까닭이다. 불법은 그렇게 쉽게 이해할 수 있는 것이 아니다. 무엇 때문인가? 불법이 너무 묘하기 때문이다. 그것은 일종의 불가사의한 경계를 가지고 있다. 이해하기가 쉽지 않기 때문에 반드시 이해할 방법을 생각해야 한다. 이해하지 못해서 배우지 않으려는 것이 아니라, 이해하지 못할수록 더욱 배워야 한다. 우리는 이해한 후에야 비로소 배우지 않을 수 있다.

사과(四果)의 아라한에 이르러야 비로소 무학위(無學位)에 다다른다. 비록 무학위라고 말하지만, 무학위를 증득했기 때문에 그는 소승의 과위를 배우는 것이 아니다. 하지만 만약 대승에 따라 말하자면, 그는 여전히 배워야 한다. 아직 궁극에 이른 것이 아니기 때문이다. 무엇을 배우는가? 보살도를 행하고 육도만행을 닦아야 한다.

따라서 우리는 아라한을 증득하지 못했으면 반드시 배워야 한다. 이해하지 못하면 배워야 하고, 이해하였으면 더욱 더 배워야 한다. "나는 이미 이해했는데, 아직도 그것을 배워 무엇 하는가?"라고 말하지만, 너희는 아직 이해하지 못한 것이 있기 때문에, 그것을 배워야 한다.

비유하면, 너희가 『법화경』을 이해하였으나 『능엄경』은 아직 완전히 이해하지 못한 것과 같다. 『능엄경』을 완전히 이해해도 『화엄경』은 이해하지 못하였다. 불법은 마치 대해와 같은 것이다. 우리 중생은 대해와 같은 불법을 배우고 있다. 그러면 어떻게 불법을 배워야 하는가? 우리는 먼저 보시를 배워야 한다. 보시는 다른 사람으로 하여금 나에게 보시하게 하는 것이 아니라, 내가 남에게 보시하는 것이며, 너희가 보시를 해야 하는 것이다. 두 번째는 계를 지녀야 하며, 그 다음에는 인욕, 정진, 선정, 지혜를 닦아야 한다.

다. 상불경보살에 대한 게송

1) 상불경이라는 이름의 유래

그때 세존께서는 이러한 뜻을 거듭 선설하시고자 게송을 설하셨다.

과거에 위음왕이라는 부처님이 계셨는데
신통과 지혜 무량하여 일체중생 인도하셨으며
천상과 인간, 천룡팔부 신들이 함께 공양하였네.
이 부처님 열반하신 후 상법이 멸하려 할 때에
상불경이라고 이름하는 한 보살이 있었는데
그때 많은 사부대중 법에 계교하고 집착하였네.

爾時世尊欲重宣此義, 而說偈言。

過去有佛 號威音王 神智無量 將導一切
天人龍神 所共供養 是佛滅後 法欲盡時
有一菩薩 名常不輕 時諸四衆 計著於法

상불경보살은 그들의 처소에 가서 말하기를
내가 그대들을 경시하지 않는 것은
그대들은 보살도 행하여 성불할 수 있기 때문이니네.
많은 사람들은 그런 말을 듣고 경시하고 욕했으나
상불경보살은 그런 말을 모두 참고 받아들였네.

不輕菩薩 往到其所 而語之言 我不輕汝
汝等行道 皆當作佛 諸人聞已 輕毁罵詈

不輕菩薩　能忍受之

2) 상불경보살의 교화

그가 숙세 죄업 마치고서 목숨 마치려 할 때
이 법화경을 듣고 육근의 청정함을 얻었으며
신통의 힘으로 인하여 수명이 늘어나서
다시 많은 사람을 위해 널리 이 경을 설하였네.
법에 집착한 모든 대중들은 보살의 교화 받고
수행하여 불도를 성취하고 머물렀네.
상불경보살은 목숨 마친 후 무수한 부처님 만나
이 경을 설한 까닭으로 무량한 복을 얻었으며
점차 보살도 공덕 구족하여 빨리 불도를 이루었네.
其罪畢已　臨命終時　得聞此經　六根淸淨
神通力故　增益壽命　復爲諸人　廣說是經
諸著法衆　皆蒙菩薩　敎化成就　令住佛道
不輕命終　値無數佛　說是經故　得無量福
漸具功德　疾成佛道

3) 고금(古今)의 인연

그때의 상불경보살은 바로 나의 몸이며
당시 법에 집착한 비구 등 사부대중은
그대 장차 성불하리라는 보살의 말을 듣고
이러한 인연으로 무수한 부처님을 만났으며
이 법회의 오백의 보살들과 아울러
사부대중인 비구, 비구니, 청신사, 청신녀 등
지금 내 앞에서 법을 듣는 사람들이 그들이네.
彼時不輕　則我身是　時四部衆　著法之者
聞不輕言　汝當作佛　以是因緣　值無數佛
此會菩薩　五百之衆　幷及四部　淸信士女
今於我前　聽法者是

4) 법화경 권유

나는 전생에 이 모든 사람들을 권하여
제일의 법인 법화경을 듣고 수지하게 하고
남에게 설하고 가르쳐 열반에 머물게 하고
세세생생 이러한 법화경을 수지하게 하였네.
억억만 겁 또는 불가사의한 억만 겁의
시간 동안 이 법화경 들을 수 있었으며
억억만 겁 또는 불가사의한 억만 겁 동안

제불 세존께서는 항상 이 경을 설하셨네.
그러므로 수행하는 자는 부처님 열반 후에
이러한 법화경을 듣고 의혹심을 내지 말고
응당 일심으로 널리 이 법화경을 해설해야
세세생생 부처님 뵙고 속히 불도를 이루리라.

我於前世 勸是諸人 聽受斯經 第一之法
開示教人 令住涅槃 世世受持 如是經典
億億萬劫 至不可議 時乃得聞 是法華經
億億萬劫 至不可議 諸佛世尊 時說是經
是故行者 於佛滅後 聞如是經 勿生疑惑
應當一心 廣說此經 世世値佛 疾成佛道

二十二

여래신력품
(如來神力品)

여래의 신통력

여래는 부처님의 열 가지 명호 중 하나이다. 여(如)는 바로 정(靜)이고, 래(來)는 동(動)이다. 여는 또한 적묵(寂默)이며, 래는 능인(能仁)이다. 능인은 부처님의 인자한 일을 할 수 있는 것이며, 적묵은 부처를 이룰 수 있는 자재한 신력(神力)이다.

어째서 신(神)이라고 하는가? 신은 자연(自然)이라는 뜻으로서, 매우 자연적이며 조작을 빌리지 않는 것이다. 신(神)은 안에 속하고, 역(力)은 역용(力用)으로서 밖에 속한다. 안으로 신이 있기 때문에 바깥에 힘이 있는 것이다. 만약 신이 없으면 이러한 역량도 없다. 여래의 신력은 또한 부처님의 불가사의한 신통묘용이며, 일종의 불가사의한 경계이다.

이 신력을 어떤 사람은 이해하지 못한다. 앞에서 말한 시방의 분신 석가모니 부처님은 어떻게 나뉜 분신인가? 바로 이러한 신력으로 나눈 것이다. 다보여래께서 법회에 오셔서 『법화경』을 증명하신 것도 여래의 신력이며, 땅에서 솟아나온 보살들도 모두 여래의 신력이고, 「법사공덕품」의 육근호용(六根互用)도 모두 여래의 신력이다. 그러므로 여래의 신력은 무량무변한 것이다. 만약 넓게 설명한다면, 일체의 모든 것은 여래의 신력으로 성취한 것이다.

가. 여래의 신통력으로 『법화경』을 부촉하다

1) 보살들의 『법화경』 홍양 발원

그때 천세계의 미진수같이 많은 수의 보살마하살들이 땅에서 솟아나와 모두 부처님 앞에서 일심으로 합장하고 부처님의 상호를 우러러보면서 말하였다. "세존이시여, 저희는 부처님께서 열반에 드신 후 세존의 분신불이 계신 국토와 열반에 드신 곳에서 마땅히 널리 이 경을 설하겠습니다. 무엇 때문인가 하면 저희는 또한 스스로 진실하고 청정한 큰 법을 얻으려고 하기 때문이며, 이 법화경을 수지하고 독송하고 해설하고 서사하며 공양하기를 원하기 때문입니다."

爾時千世界微塵等菩薩摩訶薩, 從地踊出者, 皆於佛前, 一心合掌, 瞻仰尊顏, 而白佛言。世尊。我等於佛滅後, 世尊分身所在國土滅度之處, 當廣說此經。所以者何。我等亦自欲得是眞淨大法, 受持·讀誦·解說·書寫, 而供養之。

2) 여래의 신통력으로 『법화경』을 부촉하다

가) 여래께서 신통력을 나타내다

그때 세존께서는 문수사리보살 등 이전부터 사바세계에 머물렀던 무량한 백천만억의 보살마하살들과 모든 비구, 비구니, 청신사, 청신녀와 천신, 용, 야차, 건달바, 아수라, 가루라, 긴나라, 마후라가, 사람과 사람 아닌 중생 등 일체의 대중들 앞에서 큰 신통력을 나타내셨다. 넓고 긴 혀를 내시어 대범천에까지 이르게 하셨고, 일체의 모공에서 무량하고 무수한 색의 광명을 놓아 시방세계를 두루 비추셨다.

많은 보배 나무 아래 사자좌에 앉아 계신 제불께서도 또한 이와 같이 넓고 긴 혀를 내시고 무량한 광명을 비추셨다. 석가모니불과 보배 나무 아래의 제불들께서 신통력을 나타내실 때 백천 년의 시간을 채운 연후에 다시 넓고 긴 혀를 거두시고, 일시에 기침하는 소리를 내시며 함께 동시에 손가락을 튕기시니, 이 두 소리가 시방의 제불세계에 두루 이르고, 땅이 모두 여섯 종류로 진동하였다.

爾時世尊於文殊師利等, 無量百千萬億舊住娑婆世界菩薩摩訶薩, 及諸比丘·比丘尼·優婆塞·優婆夷, 天·龍·夜叉·乾闥婆·阿修羅·迦樓羅·緊那羅·摩睺羅伽·人非人等, 一切衆前, 現大神力, 出廣長舌, 上至梵世。一切毛孔, 放於無量無數色光, 皆悉遍照十方世界。衆寶樹下·師子座上諸佛, 亦復如是, 出廣長舌, 放無量光。釋迦牟尼佛, 及寶樹下諸佛, 現神力時, 滿百千歲, 然後還攝舌相。一時謦欬·俱共彈指•,是二音聲, 遍至十方諸佛世界, 地皆六種震動•。

일시경해(一時謦欬) 구공탄지(俱共彈指)• 기침하는 소리는 가르침이 하나라는[教一] 것을 나타내고, 손가락을 튕기는 소리는 사람이 하나라는[人一] 것을 나타낸다.

지개육종진동(地皆六種震動)• 육종진동은 또한 육근호용(六根互用)의 경계를 나타낸다.

나) 대중들이 다보여래와 분신제불을 보다

그 안의 모든 중생인 천신, 용, 야차, 건달바, 아수라, 가루라, 긴나라, 마후라가, 사람과 사람 아닌 중생 등은 부처님의 신력으로 인하여 모두 이 사바세계 가운데 무량하고 무변한 백천만억의 보배 나무 아래 사자좌 위에 앉아 계신 분신 제불을 보았으며, 아울러 석가모니불과 다보여래께서 보탑 안의 사자좌에 앉아 계신 것을 보았으며, 또한 무량하고 무변한 백천만억의 보살마하살과 모든 사부대중들이 석가모니불을 공경하게 둘러싸고 있는 모습도 보았다. 이러한 모습을 본 후에 이전에 없었던 일을 얻었다며 모두 크게 기뻐하였다.

其中衆生, 天·龍·夜叉·乾闥婆·阿修羅·迦樓羅·緊那羅·摩睺羅伽·人非人等, 以佛神力故, 皆見此娑婆世界, 無量無邊百千萬億衆寶樹下·師子座上諸佛。及見釋迦牟尼佛共多寶如來, 在寶塔中·坐師子座。又見無量無邊百千萬億菩薩摩訶薩, 及諸四衆, 恭敬圍繞釋迦牟尼佛。旣見是已, 皆大歡喜, 得未曾有。

다) 제천들이 수희, 공양을 권하다

즉시 모든 천인은 허공에서 큰 소리로 말하였다. "무량하고 무변한 백천만억의 아승기 세계를 지나면 사바라는 국토가 있는데, 그 가운데 석가모니라는 부처님이 계셔서 지금 모든 보살마하살을 위하여 묘법연화경이라는 대승의 경전을 설하고 계십니다. 그 경은 보살을 가르치는 법이며 부처님께서 호념하시는 경입니다. 그대들은 마땅히 깊은 마음으로 수희할 것이니, 또한 석가모니불을 예배하고 공양해야 합니다."

卽時諸天·於虛空中·高聲唱言。過此無量無邊百千萬億阿僧祇世界, 有國名娑婆, 是中有佛, 名釋迦牟尼。今爲諸菩薩摩訶薩說大乘經, 名妙法蓮華, 敎菩薩法, 佛所護念。汝等當深心隨喜, 亦當禮拜供養釋迦牟尼佛。

라) 중생들이 귀의하고 공양하다

저 모든 중생들은 허공에서 나는 소리를 듣고 사바세계를 향해 합장하며 이와 같이 말하였다. "나무석가모니불, 나무석가모니불…."

그리고 갖가지 꽃과 향, 영락, 당번과 보개, 아울러 장신구와 진기한 보물과 묘한 물건을 모두 함께 멀리서 사바세계를 향해 뿌렸다. 뿌려진 모든 물건들은 시방세계로부터 마치 구름이 모이듯이 와서 보배 장막으로 변하여 이 세계에 계신 모든 부처님 위를 두루 덮었다. 이때 시방세계는 마치 하나의 불국토와 같이 통하여 막힘이 없었다.

彼諸衆生, 聞虛空中聲已, 合掌向娑婆世界, 作如是言。南無釋迦牟尼佛。南無釋迦牟尼佛。以種種華·香·瓔珞·旛蓋, 及諸嚴身之具·珍寶妙物, 皆共遙散娑婆世界。所散諸物, 從十方來, 譬如雲集, 變成寶帳, 遍覆此間諸佛之上。於時十方世界通達無礙。如一佛土。

3) 『법화경』을 부촉하다

그때 부처님께서는 상행보살 등 보살 대중들에게 말씀하셨다. "제불의 신력은 이와 같이 무량하고 무변하며 불가사의하다. 만약 내가 이러한 신력으로 무량하고 무변한 백천만억의 아승기겁 동안 중생들에게 부촉하기 위해 이 경의 공덕을 설하려고 해도 다 설할 수 없다.

요약하여 말하자면, 여래의 모든 법, 여래의 일체 자재한 신력, 여래의 일체 비밀한 법장, 여래의 일체 매우 깊은 일들을 모두 이 경에서 가르치고 밝게 드러내어 설하였다."

爾時佛告上行等菩薩大衆。諸佛神力, 如是無量無邊·不可思議。若我以是神力, 於無量無邊百千萬億阿僧祇劫, 爲囑累故, 說此經功德, 猶不能盡。以要言之, 如來一切所有之法·如來一切自在神力·如來一切祕要之藏·如來一切甚深之事, 皆於此經宣示顯說。

"그러므로 그대들은 여래가 열반에 든 후 응당 일심으로 수지하고 독송하며 해설하고 서사하며, 경의 가르침에 따라 수행해야 한다. 소재하는 국토에서 만약 법화경을 수지하고 독송하며 해설하고 서사하며, 경의 가르침에 따라 수행하거나, 만약 경전이 머무는 곳이 정원이거나, 숲속이거나, 나무 아래거나, 승방이거나, 재가불자의 집이거나, 불전이거나, 산의 계곡이거나 광야이거나, 그곳에는 모두 탑을 세워 공양해야 한다. 무엇 때문인가? 마땅히 알아야 한다. 이곳은 바로 여래가 도를 이룬 도량이며, 제불께서는 이 법화경으로부터 무상정등정각을 얻었으며, 제불께서는 이 법화경으로 인하여 큰 법륜을 굴리셨으며, 제불께서는 이 법화경에서 열반에 들어가기 때문이다."

是故汝等於如來滅後, 應一心受持•·讀誦·解說·書寫·如說修行。所在國土, 若有受持·讀誦·解說·書寫·如說修行, 若經卷所住之處, 若於園中·若於林中·若於樹下·若於僧坊·若白衣舍·若在殿堂·若山谷曠野, 是中皆應起塔供養。所以者何。當知是處·卽是道場。諸佛於此, 得阿耨多羅三藐三菩提。諸佛於此, 轉於法輪。諸佛於此, 而般涅槃。

응일심수지(應一心受持)• 가장 중요한 것은 일심을 유지하는 것이다. 우리는 수행을 하든지 무슨 일을 하든지를 막론하고, 일심을 가져야 한다. 두 개의 마음을 가져서는 안 된다. 너희가 만약 두 개의 마음을 가지고 전일(專一)하지 못하면, 감응이 생기지 않는다.

따라서 우리는 일심으로 불교를 믿어야 하며 의심을 품어서는 안 된다. '나는 불교를 믿지만, 부처님이 있는지 모르겠어. 천주교를 믿는 것이 불교를 믿는 것보다 더 좋은 것 같아!' 혹은 '예수교를 믿는 것도 비슷할 거야!' 이렇게 생각하는 것은 세 마음과 두 뜻을 가진 것이다. 그러면 너희는 무엇을 하든지 공덕이 없을 것이며, 성취도 없을 것이다. 따라서 반드시 그 마음을 하나로 모아야 한다.

우리가 지금 관음기도법회[觀音七]를 거행하고 있는데, 이것은 백천만겁에 만나기 어려운 법이라고 말할 수 있다. 너희는 '나무관세음보살'을 염하는 것이 매우 간단한 일이라고 생각해서는 안 될 것이다. 너희가 '나무관세음보살' 한 소리를 염하면 곧 한 소리의 이점이 있다.「관세음보살보문품」에서 말하지 않는가? "욕망이 많은 사람도 항상 관세음보살을 공경하면 곧 욕심을 떠나게 된다. 분노가 많은 사람도 항상 관세음보살을 공경하면 곧 분노를 떠나게 된다. 어리석음이 많은 사람도 항상 관세음보살을 공경하면 곧 어리석음을 떠나게 된다." 이러한 이점은 무엇보다도 더 크다.

너희가 탐욕이 있고 이러한 욕심이 있으면 마음속이 안락하지 못하다. 그러면 어떻게 해야 비로소 욕심을 떠날 수 있는가? 바로 관세음보살을 염하는 것이다. 만약 당신이 항상 화를 내고 무명의 불을 가지고 있다면, 이 무명의 불은 바로 호랑이와 같아서 가장 무서운 것이다. 어째서 무명의 불을 가지게 되는가? 바로 너희의 전생에 죄업이 있기 때문이다. 그래서 너희가 만약 관세음보살을 공경하면, 너희의 성미는 없어질 것이다.

나는 어렸을 때 성미가 누구보다도 컸다. 사람들에게 화도 내고 욕도 했다. 어떤 사람을 막론하고 내가 관리해야 직성이 풀리고, 만약 나의 말을 듣지 않으면 때리기도 했다. 그러나 지금은 누구에게도 그러지 않는다. 이러한 성미가 언제 없어졌는지는 모른다. 물론 이렇게 말하는 사람도 있을 것이다. "성미가 없어졌다고? 이 스님 성미는 여전히 크네!" 너희가 내 성미가 컸던 때를 보았다면 놀라 까무러칠 것이다. 그래서 관세음보살을 염하면 성미가 없어진다는 것이다.

그러므로 우리는 지금 관음기도법회 기간 동안 출가인이든 재가인이든 어떤 사람을 막론하고, 관세음보살을 염하는 것을 수희하지 않으면 안 된다. 특별히 바쁘거나 중요한 일이 있다면 할 수 없지만, 그렇지 않다면 참가하여 관세음보살을 염해야 할 것이다. 너희가 한 구의 염불을 하면 하루 100달러를 버는 것보다 좋으며 공덕이 있다. 너희는 관세음보살을 염하는 것이 무슨 소용이 있을까라고 생각해서는 안 된다. 그것의 용처는 매우 크다. 이렇게 말하는 사람이 있다. "내가 100달러를 벌면 쌀도 사고 다른 먹을 것도 살 수 있는데, 관음보살을 염해서 밥을 먹지 못하면 배가 부르지 않아!" 이렇게 생각하는 것은 진심이 없는 것이다.

너희에게 진심이 있으면 자연히 배가 부를 것이다. 배가 부를 뿐만 아니라 관세음보살이 너희에게 감로의 관정(灌頂)을 해 주실 것이다. 그러면 한편으로 염불하고 한편으로는 입속이 사탕을 먹는 것보다도 더 달콤할 것이다. 너희가 염하지 않으면 당연히 이러한 경계를 얻을 수 없다. 너희가 만약 정성스런 마음을 가지고 염한다면 자연히 그런 경계가 생길 것이다. 이것은 절대로 너희를 속이는 것이 아니다.

너희는 이러한 이점을 모르고 게으름을 피울 곳을 찾는다. 혹은 전화를 걸거나, 혹은 다른 일을 하러 간다. 이것은 정말로 귀중한 시간을 헛되이 보내는 것이다. 그것이 바로 전일하지 못한 것이다. 너희가 그 마음을 전일하게 하여 다른 일은 잊어버리고 관세음보살을 염할 수 있다면 관세음보살께서 감로의 관정으로, 손으로 너희의 정수리를 만져 주시고 수기를 해 주실 것이다. "그대는 정말로 좋은 아이로구나! 선남자인 그대는 큰 보리심을 발하였으니 내가 그대를 도와줄 것이다!"

이른바 "수행하는 것이 참되면 희망이 있으며, 도(道)로 나아가는데 마의 장애가 없네."라는 말이 있다. 너희가 수행하면 곧 성공할 것이다. 이것은 너희에게 정성스런 마음이 있어야 비로소 가능한 것이다.

나. 여래의 신통력에 대한 게송

1) 여래의 신통력

그때 세존께서는 이러한 뜻을 거듭 선설하시고자 게송을 설하셨다.

세상을 구제하시는 제불은 큰 신통에 머무셔서
중생을 즐겁게 하기 위해 무량한 신력 나투시네.
광장설상 범천에 이르고 몸에서 무수한 광명 놓으며
불도 구하는 자 위해 이러한 희유한 일 나타내시네.
제불의 기침하시는 소리와 손가락 튕기는 소리는
시방국토에 두루 들리고 땅은 여섯 가지로 진동하네.
부처님 열반 후 이 경을 수지할 수 있는 까닭으로

제불은 모두 기뻐하여 무량한 신력을 나타내시네.

爾時世尊欲重宣此義, 而說偈言。

諸佛救世者　住於大神通　爲悅衆生故　現無量神力
舌相至梵天　身放無數光　爲求佛道者　現此希有事
諸佛謦欬聲　及彈指之聲　周聞十方國　地皆六種動
以佛滅度後　能持是經故　諸佛皆歡喜　現無量神力

2) 법화경 찬탄과 부촉

이 경을 부촉하시려고 수지하는 자를 찬미하시며
무량겁 동안 찬탄하여도 여전히 다할 수 없으니
이 사람의 공덕은 무변하고 다함이 없어서
시방의 허공과 같이 그 끝을 찾을 수 없네.

囑累是經故　讚美受持者　於無量劫中　猶故不能盡
是人之功德　無邊無有窮　如十方虛空　不可得邊際

이 경을 수지하는 자는 이미 나를 본 것이고
또한 다보불과 나의 분신 제불을 보는 것이며
또한 내가 오늘 교화한 보살들도 보는 것이네.
이 경을 수지하는 자는 나와 분신 제불과
열반에 드신 다보불 등 모두 기쁘게 하며
시방의 현재불과 아울러 과거불, 미래불을
보고 공양하며 또한 기쁘게 하는 것이네.

能持是經者　則爲已見我　亦見多寶佛　及諸分身者
又見我今日　教化諸菩薩　能持是經者　令我及分身
滅度多寶佛　一切皆歡喜　十方現在佛　幷過去未來
亦見亦供養　亦令得歡喜

제불께서 도량에 앉아 얻으신 비밀한 법장을
이 경 수지하는 자는 머지않아 얻을 것이네.
이 경을 수지하는 자는 제법의 뜻과
경 중의 명칭과 언사로 설하는 변재가 무궁함이
마치 바람이 허공에서 일체에 걸림 없는 듯하네.
諸佛坐道場　所得祕要法　能持是經者　不久亦當得
能持是經者　於諸法之義　名字及言辭　樂說無窮盡
如風於空中　一切無障礙

여래가 열반에 드신 후 부처님이 설하신 경의
인연과 차제를 알고 뜻에 따라 여실하게 설함이
마치 일월의 광명이 모든 어둠을 제거하듯이
이 사람 세간에서 도를 행하여 중생의 어리석음 멸하며
무량한 보살을 교화하여 필경 일승에 머물게 하네.
그러므로 지혜 있는 자는 이러한 공덕의 이익 듣고
내가 열반에 든 후 마땅히 이 경을 수지할 것이니
이 사람이 불도를 성취함은 결정코 의심의 여지없네.
於如來滅後　知佛所說經　因緣及次第　隨義如實說
如日月光明　能除諸幽冥　斯人行世間　能滅衆生闇

敎無量菩薩　畢竟住一乘　是故有智者　聞此功德利
於我滅度後　應受持斯經　是人於佛道　決定無有疑

二二十二

촉루품
(囑累品)

『법화경』의 유통을 부촉하다

왜 「촉루품」이 있는가? 부처님께서 설하신 경은 중생을 교화하는 법이기 때문에 반드시 누군가가 선전하고 유통시켜야 한다. 그래서 석가모니 부처님께서는 일체의 보살, 아라한, 비구, 비구니, 우바새, 우바이들에게 하나의 임무를 준 것이다. 무슨 임무인가? 바로 그들에게 이 『법화경』을 유통시키는 것을 자기의 책임과 업무로 삼도록 한 것이다. 촉(囑)은 부탁하는 것이고, 루(累)는 힘들고 피곤한 것이다. 즉 나는 너희를 힘들게 하고 피곤하게 한다는 뜻이다.

왜 『법화경』을 유통시키려고 하는가? 이 경은 가장 중요한 경전이기 때문이다. 선근을 심지 않은 모든 중생은 『법화경』의 한 글자, 혹은 한 구절, 한 게송을 들어도 선근을 심을 수 있다. 이미 선근을 심은 중생은 『묘법연화경』의 한 글자, 혹은 한 구절, 한 게송, 혹은 한 품을 들어도 선근을 증장시킬 수 있다.

이미 선근이 증장된 중생은 『법화경』의 한 글자, 혹은 한 구절, 한 게송, 혹은 한 품을 들어도, 그의 선근은 성숙한 공덕을 얻을 수 있다. 이미 성숙한 정도에 이르렀으면, 『법화경』의 한 글자, 혹은 한 구절, 한 게송, 한 품, 혹은 전체를 들으면 해탈을 얻을 수 있을 것이다. 그러나 만약 『법화경』을 듣지 못하면 해탈을 얻을 수 없다. 『법화경』을 묘법이라고 하는 까닭이 이 때문이다. 어떤 중생이 『법화경』의 도리를 얻으면 이러한 이익과 공덕을 얻을 수 있다.

어째서 유통(流通)이라고 하는가? 유(流)는 이곳에서 저곳으로 흘러간다는 뜻이고, 통(通)은 본래 통하지 않은 것을 이제 통하게 하는 것을 뜻한다. 마치 물이 단지 앞으로 흘러가서 바다로 들어가는 도리와 같다. 이 『법화경』을 어떻게 유통시키는가? 너희에게 없던 한 부의 경을 사면, 너희에게 그 경전이 생기게 되므로 이것이 바로 경전을 유통하는 것이다. 그리고 이곳에 없는 경전을 너희가 다른 곳에서 청하여 가져오면, 이것도 유통하는 것이다. 근본적으로 없는 경전을 모두가 발심하여 인쇄하는 것도 유통이다.

경전을 인쇄하는 공덕은 가장 큰 것이다. 그것은 또한 너희가 본래 갖춘 지혜를 열게 한다. 너희가 한 부의 경전을 인쇄하여 사용하면 자기의 지혜를 여는 것이다. 또 10부, 20부, 50부, 100부를 인쇄해 친구와 지인들에게 보낼 수 있다. 너희는 갖가지의 방편으로 한 부의 경의 이점을 소개하였는데, 그가 정말로 지혜를 열고 이해하여 미혹을 되돌려 깨달음으로 돌아가게 하면, 너희가 이 사람을 제도한 것이다. 만약 너희가 나중에 성불하면, 제도한 그들은 장차 너희의 호법이 되고 제자가 될 것이다. 무엇 때문인가? 그에게 이익을 주었기 때문이다. 따라서 경전을 유통하는 것이 이러하므로 갖가지 방법으로 유통해야 할 것이다.

이 품의 내용은 석가모니 부처님께서 경을 설하시고 모든 보살과 제자들에게 이 경전을 유통시킬 것을 분부하는 것이다. "그대는 장래 마땅히 『법화경』을 수지하고 독송해야 한다. 너희 각각의 보살은 마땅히 서사하고 남을 위해 해설해야 한다. 내가 열반에 든 후 그대들은 최대한 이 경을 홍양하고 선전해야 할 것이다." 따라서 이 품을 촉루(囑累)라고 하는 것이다.

◉ 나는 홍콩에 있을 때 힘써 인경(印經: 경전 인쇄)을 제창하였다. 내가 처음 홍콩에 왔을 때는 한 부의 경서도 없었다. 한 부의 경서 찾기가 매우 어려웠는데, 종래로 인경하는 사람이 매우 적었기 때문이다. 그때 나는 먼저 『법화경』을 인쇄하였다. 우리가 이곳에서 사용하는 『능엄경』도 홍콩에서 강의할 때 인쇄한 것이다. 내가 그렇게 인경을 제창하

자, 이후 다른 불교단체에서도 인경을 발기하였다. 지금 홍콩에 불경이 많은 것은 모두 그때의 영향이다. 이곳(미국)에 왔을 때도 불경이 매우 적었다. 그래서 먼저 인경을 발기하였다. 인경에 참여한다면 그것이 바로 불법을 홍양하는 방법이다.

너희가 인경을 하는 것은 너희 자신의 지혜를 여는 것이다. 너희의 지혜가 왜 열리지 않는가? 너희는 왜 이렇게 미혹한가? 그것은 바로 공덕이 아직 부족해 지혜가 적기 때문이다. 너희에게 만약 공덕이 커지면 지혜가 생기게 되며, 어리석음이 없어지고 미혹하지도 않고 곧 깨닫게 된다. 그러면 너희는 이렇게 말할 것이다. "방생도 공덕을 짓는 것이고, 인경도 공덕을 짓는 것이며, 삼보를 공양하는 것도 공덕을 짓는 것입니다. 나는 많은 공덕을 지었는데, 어째서 아직 이렇게 미혹한가요?" 너희는 공덕을 많이 지었다고 생각하겠지만, 사실 너희가 지은 공덕은 매우 적은 것이다.

스스로 자문해 보라. 너희는 공덕을 짓는 데 사용한 돈이 많은가, 아니면 음식을 먹는 데 사용한 돈이 많은가? 공덕을 짓는 데 쓴 돈이 많은가, 아니면 옷을 입는 데 쓴 돈이 많은가? 공덕을 짓는 데 쓴 돈이 많은가, 아니면 머물 집을 사는 데 쓴 돈이 많은가?

나는 며칠 전 "세 가지 괴로운 일[三煩事]"이라는 게송을 지은 적이 있다.

> 옷감 없으면 옷 만들기 어려워 한랭함의 괴로움 있고
> 쌀이 없으면 밥하기 어려워 배고픔의 괴로움 있으며
> 집이 없으면 머물기 어려워 비바람의 괴로움 있으니
> 종일 헛되이 없어서 어려운 괴로움을 호소하네.

의, 식, 주 세 가지의 괴로운 일에 너희가 사용하는 돈이 얼마인가? 한 번 비교해 보라. 너희 자신의 의식주에 사용하는 돈이 공덕을 짓는 데 사용하는 돈보다 적은가, 많은가? 먹고 입고 머무는 데 쓰는 것이 자기는 많다고 느끼지 않을 것이다. 약간의 경을 인쇄하고 약간의 방생을 하는 공덕은 많다고 느낄 것이다. 만약 도박을 좋아하는 사람이라면, 도박에서 잃는 돈이 많은가, 공덕의 돈이 많은가? 자동차를 사고 여행을 하고 놀러 다니는 데 쓰는 돈과 공덕을 짓는 데 쓰는 것을 비교하면 자기의 공덕이 얼마인지 알 수 있을 것이다.

가. 여래의 마정(摩頂) 부촉

그때 석가모니 부처님께서 법좌에서 일어나 큰 신력을 나타내어 오른손으로 무량한 보살마하살의 정수리를 만지면서 이렇게 말씀하셨다.
"나는 무량한 백천만억 아승기겁 동안 얻기 어려운 무상정등정각의 이 법을 수습하였으며, 이제 그대들에게 부촉하노라. 그대들은 응당 일심으로 이 법을 유포하여 일체중생에게 널리 법의 이익이 늘어나도록 해야 할 것이다."
이와 같이 세 번 보살마하살의 정수리를 만지면서 이렇게 말씀하셨다.
"나는 무량한 백천만억 아승기겁 동안 얻기 어려운 무상정등정각의 이 법을 수습하였으며, 이제 그대들에게 부촉하노라. 그대들은 응당 이 법을 수지하고 독송하고 널리 선양하여 일체중생이 두루 듣고 알게 해야 할 것이다."

爾時釋迦牟尼佛從法座起, 現大神力, 以右手摩無量菩薩摩訶薩頂, 而作是言。我於無量百千萬億阿僧祇劫, 修習是難得阿耨多羅三藐三菩提法, 今以付囑汝等。汝等應當一心流布此法, 廣令增益。如是三摩諸菩薩摩訶薩頂, 而作是言。我於無量百千萬億阿僧祇劫, 修習是難得阿耨多羅三藐三菩提法, 今以付囑汝等。汝等當受持·讀誦·廣宣此法, 令一切衆生, 普得聞知。

"무엇 때문인가? 여래는 대자비를 가지고 있으며, 모든 간탐과 인색함이 없고 또한 두려움이 없어 중생에게 부처의 지혜, 여래의 지혜, 자연의 지혜를 줄 수 있으니, 여래는 일체중생의 큰 시주이므로, 그대들도 응당 여래의 법을 따르고 배워서 간탐과 인색함을 내어서는 안 되기 때문이다. 미래세에 만약 선남자 선여인으로서 여래의 지혜를 믿는 사람이 있으면, 마땅히 이 법화경을 연설하여 듣고 알게 해야 한다. 그 사람으로 하여금 부처의 지혜를 얻게 하기 위한 까닭이다. 만약 법화경을 믿고 받아들이지 않는 중생이 있으면, 마땅히 여래의 다른 깊은 법 중에서 가르치고 교화하여 이익과 즐거움을 얻도록 해야 한다. 그대들이 만약 이와 같이 할 수 있으면, 곧 이미 모든 부처님의 은혜를 보답한 것이 된다."

所以者何。如來有大慈悲, 無諸慳吝, 亦無所畏。能與衆生佛之智慧·如來智慧·自然智慧•, 如來是一切衆生之大施主。汝等亦應隨學如來之法, 勿生慳吝。於未來世, 若有善男子·善女人, 信如來智慧者, 當爲演說此法華經, 使得聞知, 爲令其人得佛慧故。若有衆生不信受者, 當於如來餘深法中, 示教利喜, 汝等若能如是, 則爲已報諸佛之恩。

능여중생불지지혜(能與衆生佛之智慧) **여래지혜**(如來智慧) **자연지혜**(自然智慧)• 부처의 지혜는 바로 대각(大覺)의 지혜이다. 그러면 부처의 지혜와 여래의 지혜는 어떤 차이가 있는가? 부처가 바로 여래이며, 여래가 바로 부처이다. 부처는 대원만의 깨달음을 얻으며, 여래도 대원만의 깨달음을 얻는다. 이러한 지혜는 다함이 없는 것이다. 자연지혜는 자성 속에 본래 가진 지혜를 뜻한다.

나. 보살들의 응답

당시 모든 보살마하살들은 부처님의 이러한 말씀을 들은 후 모두 크게 기뻐하였으며, 그 몸에 가득 기쁨이 충만하여 더욱 부처님을 공경하며 몸을 굽히고 머리를 숙여 부처님을 향하여 합장하면서 동시에 말하였다. "세존의 분부에 따라 반드시 봉행하겠습니다. 그렇게 하겠으니 세존께서는 염려하지 마십시오!"
모든 보살마하살들은 이와 같이 세 번을 함께 소리 내어 말하였다. "세존의 분부에 따라 반드시 봉행하겠습니다. 그렇게 하겠으니 세존께서는 염려하지 마십시오!"
時諸菩薩摩訶薩, 聞佛作是說已, 皆大歡喜, 遍滿其身, 益加恭敬, 曲躬·低頭·合掌向佛, 俱發聲言。如世尊敕, 當具奉行。唯然世尊。願不有慮。諸菩薩摩訶薩衆, 如是三反, 俱發聲言。如世尊敕, 當具奉行。唯然世尊。願不有慮。

다. 분신 제불과 다보불탑의 본처로 돌아감

그때 석가모니 부처님은 시방에서 온 모든 분신불에게 각자 본래의 국토로 돌아가게 하시고자 이렇게 말씀하셨다. "모든 분신불은 각자 안주하시던 국토로 돌아가시고, 다보불탑도 본래의 곳으로 돌아가셔도 되겠습니다."

이런 말씀을 하실 때 보배 나무 아래 사자좌 위에 앉아 계시던 시방의 무량한 분신 제불과 다보불, 아울러 상행 등 무변한 아승기 수의 보살대중과 사리불 등 성문과 사부대중, 일체 세간의 천인, 인간, 아수라 등은 부처님의 말씀을 듣고 모두 크게 기뻐하였다.

爾時釋迦牟尼佛令十方來諸分身佛, 各還本土, 而作是言。諸佛各隨所安, 多寶佛塔還可如故。說是語時, 十方無量分身諸佛, 坐寶樹下, 師子座上者, 及多寶佛, 幷上行等無邊阿僧祇菩薩大衆, 舍利弗等聲聞四衆, 及一切世間天·人·阿修羅等, 聞佛所說, 皆大歡喜。

二十三

약왕보살본사품
(藥王菩薩本事品)

약왕보살의 중생교화 인연

이 품은 약왕보살이 수행한 난행(難行)의 고행을 설명한다. 이러한 고행은 아무나 할 수 없는 것이다. 이 보살은 이미 과를 증득하여 보살을 이루었다. 이전에는 약왕보살이라고 부르지 않고, 일체중생희견보살(一切衆生喜見菩薩)이라고 불렀다. 모든 중생이 이 보살을 보기 좋아하였다. 이 보살을 보면 눈도 즐겁고, 귀도 즐겁고, 코·입·몸도 즐거우며, 뜻은 더욱 말할 필요도 없이 즐거움이 충만하였다. 무엇 때문인가? 이 보살은 일체중생과 인연을 맺었기 때문이다. 불교를 믿든지 안 믿든지 모든 중생이 그를 보기 좋아했기 때문에 일체중생희견보살이라고 하였다.

이 보살은 몸으로 당시의 부처님께 공양하였다. 몸으로 어떻게 공양하였는가? 몸의 살을 떼어내 부처님께 공양한 것이 아니라, 그는 향유를 많이 먹은 연후에 면화의 솜으로 향유를 적셔서 몸을 감은 후 불을 붙여 몸을 태워 공양한 것이다. 그곳에 앉은 모습이 마치 촛불과 같이 부처님께 공양한 것이다.

어떤 사람은 이렇게 묻는다. "그러면 아프지 않습니까?" 나는 그가 아플 것이라고 믿는다. 그러나 그는 참을 수 있으며, 몸을 부처님께 바칠 수 있었다. 나는 또 그는 아프지 않을 것이라고 믿는다. 무엇 때문인가? 그는 이미 자기의 신체를 잊었으며, 자성의 광명과 자성의 지혜가 나타나 이 신체는 지·수·화·풍 사대(四大)가 임시로 화합한 것을 알기 때문이다. 그래서 그는 고통을 알지 못한다. 어쨌든 아픔을 알든지 모르든지, 그는 자기의 신체를 버려서 부처님께 공양할 수 있었다. 이것이 진정한 공양이며, 조금의 거짓도 없는 것이다. 따라서 경문에서 말하기를 "이것이 참된 정진이다.[是眞精進]"라고 하였다.

이렇듯 그는 온몸을 태워서 부처님께 공양하였는데, 우리는 하나의 팔을 태워도 참을 수 없으며 또한 버릴 수 없다고 말해서는 안 될 것이다. 그러나 어떤 사람은 손가락 하나 또는 둘, 또는 여섯 개를 태워 공양하였으나, 팔을 태워 공양한 사람은 없다. 그러면 이렇게 말할 사람이 있을지 모른다. "그럼 내가 한 번 시험삼아 팔을 태워봐야지!" 너희는 먼저 시험할 필요가 없다. 먼저 너희의 인욕을 닦아야 한다. 이것은 진정으로 정력(定力)이 있어야 비로소 가능하다. 정력이 없으면 여전히 아프고, 여전히 버릴 수 없다.

지금 이 품은 약왕보살이 닦은, 행하기 어려운 고행을 말하고 있다. 어째서 약왕(藥王)이라고 하는가? 약왕보살은 일체중생의 병의 고통을 제거하기를 발원하였다. 무슨 병이 있든지 그는 도와서 병이 없어지기를 원하였다. 이 약왕보살은 가장 자비로운 분이며, 그래서 그의 본래의 일[本事], 즉 그가 이전에 수행한 일과 행한 고행을 설명한다.

가. 약왕보살의 중생교화 인연

1) 수왕화보살의 청문

그때 수왕화보살이 부처님께 말하였다. "세존이시여, 약왕보살은 어찌하여 사바세계에서 노니는 것입니까? 이 약왕보살에게 여러 백천만억 나유타의 난행과 고행이 있었던 것입니까? 정말 훌륭하십니다. 세존이시여! 조금이라도 해설해 주시기 바랍니다. 모든 천상인과 용신, 야차, 건달바, 아수라, 가루라, 긴나라, 마후라가, 사람과 사람 아닌 중생들,

그리고 다른 국토에서 온 모든 보살, 아울러 이 법회의 성문 대중들이 듣고 모두 기뻐할 것입니다."

爾時宿王華菩薩白佛言。世尊。藥王菩薩云何遊於娑婆世界。世尊。是藥王菩薩, 有若干百千萬億那由他難行苦行。善哉, 世尊。願少解說。諸天·龍神·夜叉·乾闥婆·阿修羅·迦樓羅·緊那羅·摩睺羅伽·人非人等, 又他國土諸來菩薩, 及此聲聞衆, 聞皆歡喜。

2) 여래의 답변

가) 일월정명덕여래

그때 부처님께서 수왕화보살에게 말씀하셨다. "지나간 과거 무량한 항하사수의 겁 이전에 부처님이 계셨는데, 명호를 일월정명덕여래, 응공, 정변지, 명행족, 선서, 세간해, 무상사, 조어장부, 천인사, 불, 세존이라고 하였다. 그 부처님에게는 팔십억의 대보살마하살과 칠십이 항하사수의 대성문들이 있었으며, 부처님의 수명은 사만 이천 겁이었고, 보살의 수명도 부처님과 같았다. 저 나라에는 여인과 지옥, 아귀, 축생, 아수라 등과 모든 어려움이 없었다.

땅은 손바닥처럼 평탄하고 유리로 이루어졌으며, 보배 나무가 국토를 장엄하고 나무 위에는 보배 장막이 덮였으며, 보배 나무에는 보배 꽃의 당번이 드리우고, 보배 병과 향로가 국토의 전체에 두루 가득하였다. 칠보로 이루어진 누대가 보배 나무 한 그루에 하나씩 있었고, 나무와 누대 사이의 거리는 하나의 화살이 날아가는 정도로 떨어져 있었다. 이 모든 보배 나무 아래에는 모두 보살과 성문이 앉아 있었으며, 모든 보배의 누대 위쪽에는 각각 백억의 제천들이 기악을 연주하고 노래하며 부처님을 찬탄하면서 부처님에 대한 공양으로 삼았다."

爾時佛告宿王華菩薩, 乃往過去無量恒河沙劫, 有佛號日月淨明德如來·應供·正遍知·明行足·善逝·世間解·無上士·調御丈夫·天人師·佛·世尊。其佛有八十億大菩薩摩訶薩, 七十二恒河沙大聲聞衆, 佛壽四萬二千劫, 菩薩壽命亦等。彼國無有女人·地獄·餓鬼·畜生·阿修羅等, 及以諸難。地平如掌, 琉璃所成, 寶樹莊嚴, 寶帳覆上, 垂寶華旛, 寶甁香爐, 周遍國界。七寶爲臺, 一樹一臺, 其樹去臺, 盡一箭道。此諸寶樹, 皆有菩薩·聲聞, 而坐其下。諸寶臺上, 各有百億諸天, 作天伎樂, 歌歎於佛, 以爲供養。

나) 일체중생희견보살

그때 저 부처님은 일체중생희견보살과 모든 보살과 성문들을 위하여 법화경을 설하셨다. 이 일체중생희견보살은 고행을 즐겨 수습하고 일월정명덕불의 법 가운데서 정진하고 경행하며 일심으로 불도를 구하기를 만 이천 년 채운 후 현일체색신삼매를 얻었다.

爾時彼佛爲一切衆生喜見菩薩, 及衆菩薩·諸聲聞衆, 說法華經。是一切衆生喜見菩薩, 樂習苦行, 於日月淨明德佛法中, 精進經行, 一心求佛, 滿萬二千歲已, 得現一切色身三昧•。

득현일체색신삼매(得現一切色身三昧)• 현일체색신삼매는 어떠한 것인가? 그의 몸을 어떤 몸으로도 변화시켜 모든 중생을 교화하러 갈 수 있는 것이다. 사람을 만나면 사람의 몸으로 변하고, 개를 만나면 개의 몸으로 변해 그를 제도할 수 있다. 어떤 중생의 몸으로도 변할 수 있는 것이다. 악인을 만나면 악인으로 변하여 그를 제도하고, 선인을 만나면 선인으로 변하여 그를 제도할 수 있다. 그래서 만약 중국인이 미국인을 제도하려고 생각하면, 미국인으로 태어나서 제도해야 하는 것이다. 너희 대다수는 이러하지만, 그러나 너희는 지금 모른다.

다) 현일체색신삼매에 대한 보은

(1) 부처님께 공양

이 삼매를 얻은 후 마음이 크게 기뻐서 즉시 이렇게 생각하였다. '내가 현일체색신삼매를 얻은 것은 모두 법화경을 들은 힘 때문이니, 나는 이제 마땅히 일월정명덕불과 법화경에 공양하리라.'

그리하여 즉시 이 삼매에 들어가 허공에서 흰색의 작은 꽃 흰색의 큰 꽃, 단단하고 검은 전단향의 가루를 허공에 가득 뿌리니 마치 구름처럼 아래로 내려왔으며, 또한 이 향 여섯 주(銖)의 가치가 사바세계만큼의 값이 되는 해차안전단의 향을 뿌려 부처님께 공양하였다.

得此三昧已, 心大歡喜, 卽作念言。我得現一切色身三昧, 皆是得聞法華經力, 我今當供養日月淨明德佛, 及法華經。卽時入是三昧, 於虛空中, 雨曼陀羅華 · 摩訶曼陀羅華 · 細末堅黑栴檀, 滿虛空中, 如雲而下。又雨海此岸栴檀•之香, 此香六銖, 價直娑婆世界, 以供養佛。

해차안전단(海此岸栴檀)• 남염부제의 바다 이쪽 언덕에서 나는 전단.

◉ 삼보에 귀의하는 것은 매우 어렵고 힘든 일이나 지금 너희는 선근이 있기에 삼보에 귀의할 수 있다. 삼보에 귀의한 후부터는 바로 부처님의 제자이다. 너희의 스승은 본사 석가모니 부처님이다. 나는 너희를 도와 너희가 어떻게 수행해야 하는지를 가르치는 사람이다. 불교는 다른 외도와 같지 않다. 외도는 모두 자기가 어떻게 좋으며, 무엇이든 좋다고 말한다.

불교의 좋은 점은 너희 자신으로부터 오는 것이다. 너희가 잘 행하면 좋은 것이고, 나쁘게 행하면 나쁜 것이다. 부처님은 너희가 자기를 바꾸는 것을 도울 수 없으며, 자기 스스로 바꾸기를 원해야 좋게 변할 수 있다. 지금 너희는 삼보에 귀의하기를 원하여 나의 귀의제자가 되었다. 이것은 곧 미미한 각성(覺醒), 미미한 깨달음[覺悟]이 있게 된다. 너희는 미미한 깨달음을 따라 가면 큰 깨달음을 얻을 수 있다.

큰 깨달음이란 바로 부처이고, 미미한 깨달음은 바로 우리다. 너희가 귀의하기 전에는 조금의 미미한 깨달음도 없었으나, 지금은 약간의 깨달음이 있으며, 이후 더욱 큰 깨달음이 생기게 될 것이다. 너희는 단지 이러한 작은 깨달음을 보호하고 유지하여야 하며, 아울러 나날이 많아지고 커지게 해야 하며, 그러면 마침내 불도를 성취할 수 있을 것이다. 불도를 성취하면 너희 자신이 가고 싶은 곳으로 갈 수 있다. 너희를 대신할 어떤 부처님도 없을 것이다. 너희는 이 점을 이해해야 한다.

나는 너희를 교화하여 너희가 좋은 방향으로 가기를 원하며, 나쁜 방향으로 가기를 원하지 않는다. 만약 너희가 나쁜 방향으로 가면 나의 마음이 아플 것이다. 너희는 다시는 아편을 피우거나 술을 마시거나 정신을 미혹하게 하는 약을 먹지 말아야 하며, 너희의 자성을 청정하게 해야 할 것이다. 너희의 자성이 청정해지면 이것이 바로 불성이며, 너희는 다시 그것을 되찾아온 것이다. 너희는 이전에 가진 것을 단지 잃어버렸을 따름이다. 그러나 실제로는 결코 진정으로 잃어버린 것이 아니다. 너희가 만약 정말로 그것을 잃어버렸다면 다시는 되찾을 수 없을 것이다.

이 불성(佛性)은 마치 너희 옷 속의 보배와 같다. 이 보배가 어느 곳에 있는지 몰라 그것을 잊은 것뿐이다. 지금 나는 너희에게 그 보주(寶珠)를 찾도록 가르친다. 만약 찾기를 원하지 않으면 찾도록 도울 수 있는 사람은 없다. 너희가 각성하고 깨닫기를 원해야 비로소 가능한 것이다. 이 세계는 마치 암흑의 세계와 같으며, 지금 부처님께서 이 세계로 오셔서 대광명이 있게 된 것이다. 지금 너희가 삼보에 귀의하여 이 광명이 너희를 비추는 것이니 너희로 하여금 청정하게 하려는 것이다.

너희는 귀의한 후 좋은 방향으로 행해야 하며, 다른 사람은 너희를 도울 수 없다. 지금 나는 너희에게 가장 중요한 말을 하는 것이다. 바로 귀의한 후 하루하루 좋아지고, 나빠져서는 안 된다. 내가 아편을 피우지 못하게 하고, 술을 마시지 못하게 하고, 정신을 흐리게 하는 약을 먹지 못하게 하는 말을 반드시 들어야 한다. 만약 너희가 이 말을 듣지 않으면 장래 너희에게는 힘든 일이 있을 것이며, 그때는 나도 너희를 어찌할 수 없다.

나는 너희가 좋은 제자가 될 것을 믿는다. 나에게 많은 번거로움을 주지 않을 것이다. 너희가 만약 좋은 제자가 되지 못하면, 그것이 바로 나를 힘들게 하는 것이다. 왜냐하면 나는 귀의제자를 받아들일 때 장래 그를 성불하게 하려는 까닭이다. 예전에 어떤 사람은 내가 나의 제자는 모두 부처를 이루어야 된다고 말했더니, 그는 도저히 부처를 이룰 수 없다며 도망을 가버렸다. 그렇게 도망가 버리면 그에게는 성불의 기회가 없다. 그러나 나는 발원하였기 때문에, 내가 거둔 귀의제자는 모두 내가 성불하기 이전에 성불하게 하려고 한다.

(2) 소신(燒身)공양

이러한 공양을 마친 후 삼매에서 일어나 스스로 이렇게 생각하였다. '내가 비록 신력으로 부처님께 공양하였지만, 몸으로 공양하는 것보다는 못하다.' 그리하여 즉시 많은 향, 즉 전단향, 훈육향, 도루바향, 정향(丁香), 침수향, 송향(松香)을 복용하고, 또한 황색의 꽃으로 만든 향유를 마시면서 천이백 년을 경과하였다.

그런 후 향유를 몸에 바르고, 일월정명덕불의 앞에서 천상의 보배 옷으로 자신의 몸을 두르고 갖가지의 향유를 옷에 부어 신통력과 원력으로 스스로 불을 붙여 자기의 몸을 태우니, 그 광명이 팔십억 항하사수의 세계를 두루 비추었다.

作是供養已, 從三昧起, 而自念言。我雖以神力供養於佛, 不如以身供養。卽服諸香, 栴檀·薰陸·兜樓婆·畢力迦·沉水·膠香, 又飮瞻蔔諸華香油, 滿千二百歲已。香油塗身, 於日月淨明德佛前, 以天寶衣而自纏身, 灌諸香油, 以神通力願而自然身, 光明遍照八十億恒河沙世界。

(3) 제불의 찬탄

그러자 그 가운데의 제불께서 동시에 찬탄하여 말씀하셨다. "훌륭하고 훌륭하구나! 선남자여! 이것이 진정한 정진이며, 이것이 여래에 대한 진정한 법공양이라고 한다. 만약 꽃과 향, 영락, 태우는 향, 가루향, 바르는 향, 천상의 비단옷과 번개, 그리고 해차안(海此岸)전단향 등 이와 같은 갖가지의 물건으로 공양하는 것은 분신공양에 미칠 수 없으며, 가령 나라의 성과 처자로 보시하는 것도 역시 미칠 수 없다. 선남자여! 이것이 제일의 보시라고 하며, 모든 보시 가운데 가장 존귀하고 가장 최상이니, 이러한 법공양으로 모든 여래를 공양하기 때문이다." 이렇게 말씀하신 후 각각의 부처님은 말없이 계셨다. 그의 몸에 붙은 불은 천이백 년 동안 타다가 이를 지난 후 마침내 그의 몸은 다 하였다.

其中諸佛同時讚言。善哉, 善哉。善男子。是眞精進, 是名眞法供養如來•。若以華·香·瓔珞·燒香·末香·塗香·天繒·旛蓋, 及海此岸栴檀之香。如是等種種諸物供養, 所不能及。假使國城·妻子布施, 亦所不及。善男子。是名第一之施, 於諸施中, 最尊最上, 以法供養諸如來故。作是語已, 而各默然。其身火然千二百歲, 過是已後, 其身乃盡。

시진정진(是眞精進) 시명진법공양여래(是名眞法供養如來)• 수나라 시기의 천태 지자(智者) 대사는 어느 날 『법화경』을 독송하다가 이 두 구절의 경문에 이르렀을 때 홀연히 선정에 들어갔다. 정에 들어가 일선다라니(一旋陀羅尼)를 얻었다. 어떠한 것을 일선다라니라고 하는가? 바로 경전을 단기간에 모두 이해하는 것이다. 그는 이때 영취산의 법화회상이 엄연히 아직 흩어지지 않고, 석가모니 부처님께서 여전히 영산회상에서 『법화경』을 설하시고 계심을 보았다.

어떤 사람은 말할 것이다. "이 몸을 공양하는 것이 어째서 진정한 정진이고, 진정한 법공양이라고 말할 수 있는가? 비록 많은 향을 먹고 많은 향유를 마시고, 또한 많은 향유를 몸에 발랐지만, 그러나 이 색신은 육신으로서 아무리 많은 향유를 몸에 스며들게 하여 불을 붙여도 그것은 여전히 냄새나는 것이다. 그런데 제불께서는 어째서 이러한 냄새를 좋아하시는가? 어째서 제불께서는 그를 찬탄하시는가?"

제불은 이러한 냄새를 좋아하는 것이 아니라, 그의 이러한 진심을 좋아하는 것이다. 공양을 하려면 반드시 진심을 가져야 하며, 또한 정말로 내려놓고 이 몸을 공한 것으로 보아야 장애가 없음을 얻는다. 이렇게 공한 것으로 볼 수 있고, 이러한 공(空)도 공하면, 이것은 대해탈을 얻은 것이다. 이미 대해탈을 얻으면, 이것이 궁극의 공양이다. 그러므로 이것을 참된 정진, 참된 법공양이라고 한다.

우리는 오해하지 않아야 한다. 부처님께서는 남들이 자기의 몸을 태워 공양하는 것을 좋아하신다고 말해서는 안 될 것이다. 부처님께서는 그가 내려놓고, 간파할 수 있으며, 버릴 수 없는 신체를 버려서 부처님께 공양하는 것을 찬탄하시는 것이다. 그래서 이것이 부처님에 대한 참된 법공양이라고 하는 것이다.

(4) 현일체색신삼매의 증득과 화생

일체중생희견보살은 이러한 법공양을 마치고 목숨이 다한 후 다시 일월정명덕불의 나라 가운데 정덕왕의 집에 결가부좌로 홀연히 화생하였다. 화생한 후 즉시 그의 부친을 위하여 게송을 설하였다.

대왕이시여, 이제 아셔야 합니다.
저는 부처님 계신 곳에서 수행하여
즉시 현일체색신삼매를 얻었으며
대정진의 법문 부지런히 수행하여
아끼는 몸 버려 세존께 공양한 것은
위없는 지혜를 구하기 위함이었네.

一切衆生喜見菩薩作如是法供養已, 命終之後, 復生日月淨明德佛國中, 於淨德王家, 結跏趺坐, 忽然化生。卽爲其父而說偈言。

大王今當知　我經行彼處　卽時得一切　現諸身三昧
勤行大精進　捨所愛之身　供養於世尊　爲求無上慧

이러한 게송을 설한 후 부친에게 말하였다. "일월정명덕불께서는 지금도 여전히 세상에 계시며, 저는 이전에 부처님께 공양하여 일체중생의 언어다라니를 얻었으며, 다시 법화경의 팔백천만억 나유타, 견가라, 빈바라, 아촉파 등의 게송을 들었습니다. 대왕이시여, 저는 지금 다시 돌아가서 이 부처님께 공양해야 합니다."

說是偈已, 而白父言。日月淨明德佛, 今故現在, 我先供養佛已, 得解一切衆生語言陀羅尼, 復聞是法華經八百千萬億那由他, 甄迦羅·頻婆羅·阿閦婆等偈•。大王。我今當還供養此佛。

나유타(那由他) 견가라(甄迦羅) 빈바라(頻婆羅) 아촉파등게(阿閦婆等偈)• 이것은 모두 숫자의 이름이다. 견가라는 제16위의 큰 숫자이고, 빈바라는 제18위의 큰 숫자이며, 아촉파는 제20위의 큰 숫자이다. 인도에는 52위의 큰 숫자가 있는데, 이 구절은 다른 30여 위의 숫자를 포괄한다.

말을 마친 후 즉시 칠보의 좌대에 앉아 일곱 개의 다라수 높이만큼 허공으로 올라, 부처님 계신 곳에 이르러 오체투지로 예배한 후, 합장하고 게송으로 부처님을 찬탄하였다.

용안은 매우 기이하고 묘하며
광명은 시방을 비추십니다.
저는 전생에 일찍이 공양하였으며
지금 다시 돌아와 친견합니다.

그때 일체중생희견보살은 이러한 게송을 설한 후 부처님께 말하였다. "세존이시여! 세존께서는 여전히 세상에 계시군요."

白已, 卽坐七寶之臺, 上昇虛空, 高七多羅樹, 往到佛所, 頭面禮足, 合十指爪, 以偈讚佛。

容顏甚奇妙　光明照十方　我適曾供養　今復還親覲

爾時一切衆生喜見菩薩說是偈已, 而白佛言。世尊。世尊猶故在世。

⑸ 일월정명덕불의 부촉과 열반

그때 일월정명덕불께서 일체중생희견보살에게 말씀하셨다.

"선남자여, 나는 열반에 들 때에 이르렀으며 멸진할 때가 되었으니, 그대는 자리를 준비하여라. 나는 오늘 밤에 열반에 들려고 한다."

그리고 일체중생희견보살에게 분부하셨다.

"선남자여, 나는 그대에게 불법을 부촉하노니, 모든 보살과 대제자, 아울러 그들이 수지하는 무상정등정각의 법, 또한 삼천대천 칠보세계의 모든 보수(寶樹)와 보대(寶臺), 부처님을 모시고 시중을 드는 모든 천인을 그대에게 부촉한다. 내가 열반에 든 후 모든 사리도 그대에게 부촉하니, 너는 응당 유포하여 수천 개의 탑을 세워 널리 공양해야 할 것이다." 일월정명덕불이 일체중생희견보살에게 이렇게 분부하시고 나서 밤 후반에 열반에 드셨다.

爾時日月淨明德佛告一切衆生喜見菩薩。善男子。我涅槃時到·滅盡時至, 汝可安施床座, 我於今夜, 當般涅槃。又勅一切衆生喜見菩薩。善男子。我以佛法, 囑累於汝, 及諸菩薩大弟子, 幷阿耨多羅三4三菩提法, 亦以三千大千七寶世界, 諸寶樹·寶臺, 及給侍諸天, 悉付於汝。我滅度後, 所有舍利, 亦付囑汝。當令流布, 廣設供養, 應起若干千塔。如是日月淨明德佛, 勅一切衆生喜見菩薩已, 於夜後分, 入於涅槃。

제보수(諸寶樹) 보대(寶臺)• 보수는 원왕(願王)을 나타내고, 보대는 제법이 공함을 비유한다.

(6) 부처님 사리탑 건립

그때 일체중생희견보살은 부처님께서 열반에 드신 것을 보고 슬픔으로 괴로워하면서 부처님을 연모하였다. 즉시 해차안전단향을 한곳에 모아 부처님의 몸을 공양하고 다비(荼毘)하였으며, 불이 다 꺼진 후 사리를 수습하여 팔만사천 개의 보배 병을 만든 다음, 팔만사천 개의 탑을 세우니 그 높이가 세 개의 세계만큼이나 높았다. 외관은 아름답게 장엄하였으며 모든 당번과 보개를 드리우고 많은 보배 방울을 달았다.

爾時一切衆生喜見菩薩見佛滅度, 悲感·懊惱, 戀慕於佛, 卽以海此岸栴檀爲積, 供養佛身, 而以燒之。火滅已後, 收取舍利, 作八萬四千寶甁, 以起八萬四千塔。高三世界, 表刹莊嚴, 垂諸旛蓋, 懸衆寶鈴。

(7) 소비(燒臂)공양

그때 일체중생희견보살은 다시 스스로 이렇게 생각하였다. '내가 비록 이러한 공양을 하였지만, 마음은 아직 만족하지 못한다. 나는 이제 다시 사리에 공양해야겠다.' 그래서 곧 모든 보살과 대제자, 아울러 천상인, 용, 야차 등 일체의 대중들에게 말하였다. "그대들은 일심으로 부처님을 염하거라. 나는 지금 일월정명덕 부처님의 사리를 공양하려고 한다."
이 말을 한 후 그는 즉시 팔만사천의 탑 앞에서 백 가지 복으로 장엄된 팔을 태웠으며, 칠만 이천 년 동안 공양하였다. 그리하여 성문승을 구하는 무수한 사람과 무량한 아승기의 사람으로 하여금 무상정등정각의 마음을 발하게 하여, 모두 현일체색신삼매를 얻어 머물게 하였다.

爾時一切衆生喜見菩薩復自念言。我雖作是供養, 心猶未足, 我今當更供養舍利。便語諸菩薩, 大弟子, 及天·龍·夜叉等一切大衆。汝等當一心念, 我今供養日月淨明德佛舍利。作是語已, 卽於八萬四千塔前, 然百福莊嚴臂, 七萬二千歲, 而以供養。令無數求聲聞衆·無量阿僧祇人, 發阿耨多羅三藐三菩提心, 皆使得住現一切色身三昧。

◉ 이 구절을 설명하다 보니 한 가지 이야기가 생각났다. 중국 소주(蘇州) 영암산사(靈巖山寺)에서 인광(印光) 노스님께서 원적하였을 때 단향목으로 시신을 태웠다. 원적한 후 화장하는 것을 다비(茶毘)라고 한다. 당시 영암산은 산 아래에서 산 정상까지 대략 3리 정도의 거리였는데, 온 산과 땅에 모두 사람들이었으며 얼마나 되는지 모를 정도였다. 인광 노스님의 시신을 다비한 후 사리를 수습하였는데, 심지어 재를 체로 걸러서 사리를 수습했기 때문에 남은 재에는 아무것도 없었다.

이때 인광 노스님의 귀의제자 한 분이 늦게 왔는데, 노스님의 사리가 많이 나왔다는 말을 듣고 남은 재에서 다시 사리를 찾았으나 찾을 수 없었다. 그러자 그분은 그곳에서 깊이 통곡하였다. 그렇게 이틀간을 울다가 가장 큰 사리를 찾게 되어 집에 모시고 가서 공양하였다.

불법에는 일종의 불가사의한 경계가 있다. 정성스런 마음, 참된 마음을 가지면 누구나 감응을 얻을 수 있다. 그 귀의제자는 노스님에 대하여 특별히 믿고 존경하였기 때문에 언제나 노스님을 친견하려고 생각하였다. 그러나 노스님이 열반하려고 할 때 그는 그곳을 떠나 있어 열반을 볼 수 없었다. 그래서 그는 너무 상심이 되어 심하게 통곡한 것이며, 그 결과 노스님의 사리를 얻게 된 것이다.

인광 노스님은 학문이 매우 좋았다. 보타산의 불정산(佛頂山)에서 18년 동안 머무르면서 대장경을 정독하여 여러 번을 읽었다고 한다. 대장경을 볼 때에는 매우 공경하였는데, 항상 단정하게 앉아 경을 읽었다. 만약 화장실에 가게 되면 반드시 옷과 신발, 양말을 모두 바꾸어 입거나 신고 가서 다시 돌아와서는 원래의 옷과 신발 등으로 갈아입거나 신었다. 그는 이렇게 공경하였기 때문에 깨달은 것이다. 깨달은 후 그는 오로지 '나무아미타불' 여섯 자의 홍명(洪名)을 염하였다. 나중에 소주의 영암산에 염불도량을 세웠으며, 그곳에서 매일 염불했다.

그때 많은 보살, 천상인, 인간, 아수라 등은 그에게 팔이 없는 것을 보고 걱정하며 괴로워하고 슬퍼하다가 이렇게 말하였다. "이 일체중생희견보살은 우리의 스승이며 우리를 교화하시는 분으로서, 지금 팔이 없어 신체를 원만히 다 갖추지 못하게 되셨구나."
이때 일체중생희견보살은 대중 가운데서 이러한 서원을 세워 말하였다. "나는 비록 두 팔을 버렸으나 장래 반드시 부처님의 금색 몸을 얻을 것이니, 만약 이것이 진실하고 거짓이 아니라면 나의 두 팔이 다시 원래대로 회복되게 하소서."
이러한 서원을 하자 저절로 다시 회복되었으니, 이것은 보살의 복덕과 지혜가 순후한 까닭이었다. 그 당시 삼천대천세계가 여섯 가지로 진동하고 하늘에서 보배의 꽃이 내렸으며, 모든 인간과 천상인은 이전에 보지 못한 경계를 얻었다.
爾時諸菩薩·天·人·阿修羅等, 見其無臂, 憂惱悲哀, 而作是言。此一切衆生喜見菩薩, 是我等師, 教化我者, 而今燒臂, 身不具足。於時一切衆生喜見菩薩, 於大衆中, 立此誓言。我捨兩臂, 必當得佛金色之身。若實不虛，令我兩臂還復如故。作是誓已，自然還復，由斯菩薩福德智慧淳厚所致。當爾之時，三千大千世界六種震動，天雨寶華，一切人·天得未曾有。

석가모니 부처님께서 수왕화보살에게 말씀하셨다. "그대의 생각은 어떠한가? 일체중생희견보살이 어찌 다른 사람이겠는가? 그가 바로 지금의 약왕보살이다. 그가 몸을 버려 보시한 것은 이와 같이 무량한 백천만억 나유타수에 달한다."
佛告宿王華菩薩。於汝意云何。一切衆生喜見菩薩，豈異人乎。今藥王菩薩是也。其所捨身布施，如是無量百千萬億那由他數。

나. 『법화경』 공덕의 찬탄

1) 『법화경』을 수지하는 공덕

"수왕화보살이여, 만약 발심하여 무상정등정각을 얻으려는 마음을 내는 자가 손가락이나 또는 발기락 하나라도 태워 불탑에 공양하면, 그 공덕은 국가와 성, 처자를 보시한 공덕보다 뛰어나며, 아울러 삼천대천국토 가운데 산림과 하천, 연못, 모든 진기한 보물을 공양하는 것보다도 뛰어나다. 만약 다시 어떤 사람이 칠보로 삼천대천세계를 가득 채워서 부처님과 대보살, 벽지불, 아라한에게 공양한다면, 이 사람이 얻는 공덕은 이 법화경 또는 하나의 사구게(四句偈)를 수지하는 것만 못하며, 그 복덕이 가장 많으니라."

宿王華。若有發心欲得阿耨多羅三藐三菩提者，能然手指，乃至足一指，供養佛塔，勝以國城·妻子，及三千大千國土，山林河池·諸珍寶物·而供養者。若復有人，以七寶滿三千大千世界，供養於佛，及大菩薩·辟支佛·阿羅漢，是人所得功德，不如受持此法華經，乃至一四句偈，其福最多。

2)『법화경』의 공덕

"수왕화보살이여, 비유하면 흐르는 강과 하천 등의 모든 물 중에서 바다가 제일이듯이, 이 법화경도 모든 여래께서 설하신 경 가운데 가장 깊고 크다. 그리고 마치 토산, 흑산, 소철위산, 대철위산과 열 개의 보산 등 모든 수많은 산 가운데 수미산이 제일이듯이, 이 법화경도 모든 경 가운데 가장 최상이다. 또한 마치 모든 별 가운데 달이 가장 제일이듯이 이 경도 천만억 종류의 모든 경법 가운데 가장 밝게 비춘다. 또한 마치 태양이 모든 어둠을 제거하듯이 이 경도 일체의 선하지 못한 어둠을 깨트린다. 또한 마치 모든 작은 왕 가운데 전륜성왕이 가장 제일이듯이 이 경도 모든 경 가운데 가장 존귀하다. 또한 마치 제석천왕이 삼십삼천의 왕이듯이 이 경도 모든 경 가운데 왕이다. 또한 마치 대범천왕이 일체중생의 아버지이듯이 이 경도 일체 현성인 유학과 무학, 아울러 보리심을 발한 자의 아버지이다."

宿王華。譬如一切川流江河諸水之中，海爲第一。此法華經亦復如是，於諸如來所說經中，最爲深大。又如土山·黑山·小鐵圍山·大鐵圍山，及十寶山，衆山之中，須彌山爲第一。此法華經亦復如是，於諸經中最爲其上。又如衆星之中，月天子最爲第一。此法華經亦復如是，於千萬億種諸經法中，最爲照明。又如日天子，能除諸闇。此經亦復如是，能破一切不善之闇。又如諸小王中，轉輪聖王最爲第一。此經亦復如是，於衆經中最爲其尊。又如帝釋·於三十三天中王。此經亦復如是，諸經中王。又如大梵天王，一切衆生之父•。此經亦復如是，一切賢聖學·無學，及發菩薩心者之父。

우여대범천왕(又如大梵天王) 일체중생지부(一切衆生之父)• 대범천왕이 일체중생의 아버지라는 것은 사실 일종의 상상이다. 어째서 그를 일체중생의 아버지라고 말하는가? 이 세계가 무너져 사라지고 공겁(空劫)이 시작될 때, 즉 성주괴공(成住壞空)의 순환 가운데 공의 시기에, 불법을 신앙하고 수행하는 중생들은 자연히 이선천(二禪天)에 난다. 이선천은 바로 광음천(光音天)이다. 이 천상의 중생이 수명을 다하고 타락할 때 이 세계는 이미 공겁이 다하고 다시 이루어지려고 한다. 그래서 광음천의 천인은 대범천으로 온다.

최초에 대범천으로 온 천인은 이렇게 생각한다. '이곳에는 어째서 나 한 사람만 있고 다른 사람은 없는가?' 광음천의 다른 중생의 수명이 다하여 타락하여 대범천으로 온다. 그래서 범중천, 범보천이 있게 되고 이렇게 많아졌다. 먼저 온 천인은 바로 대범천왕이 되어 말한다. "아, 당신들이 지금 오는구나! 나는 바로 그대들의 부친이다." 그래서 그는 일체중생의 아버지가 된 것이다. 사실 그가 아버지라고 생각하는 것은 가상(假想)이며, 진실한 것이 아니다.

"또한 마치 모든 범부의 사람 가운데 수다원, 사다함, 아나함, 아라한, 벽지불이 제일이듯이 이 경도 모든 여래와 보살, 성문이 설한 모든 경법 가운데 가장 제일이다. 이 경전을 수지할 수 있는 사람도 또한 이와 같이 일체중생 가운데 제일이다. 모든 성문, 벽지불 가운데 보살이 제일이듯이 이 경도 모든 경법 가운데 가장 제일이다. 마치 부처님이 제법의 왕이듯이 이 경도 모든 경 가운데 왕이다."

又如一切凡夫人中, 須陀洹·斯陀含·阿那含·阿羅漢·辟支佛爲第一。此經亦復如是, 一切如來所說·若菩薩所說·若聲聞所說, 諸經法中, 最爲第一。有能受持是經典者, 亦復如是, 於一切衆生中·亦爲第一。一切聲聞·辟支佛中, 菩薩爲第一。此經亦復如是, 於一切諸經法中·最爲第一。如佛爲諸法王, 此經亦復如是, 諸經中王。

◉ 우리 불교강당과 중미불교총회, 금강보리해(金剛菩提海)의 호법 거사, 혹은 우바새, 우바이 여러분은 이곳 불교강당에 와서는 모두 마땅히 그 마음을 전일하게 해야 한다. 중국어를 배우는 데도 일심으로 배우고, 영어를 배우는 데도 일심으로 배워야 한다. 좌선을 배우는 것에도 일심으로 하고, 염불을 배우는 것에도 일심으로 하며, 경을 듣는 것에도 일심으로 해야 한다.

이 불교강당에 와서는 많은 그룹으로 많은 회의를 열어서는 안 될 것이다. 혹은 세 사람, 혹은 다섯 사람, 열 사람이 끼리끼리 모여 이야기하면서 팔만 대겁 이전의 일을 가지고 와서 이야기하거나, 혹은 팔만 대겁 이후의 계획을 꺼내어 이야기하는데, 이것은 잘못된 것이다. 불교강당에 와서는 모두 수행해야 하며, 그렇게 많은 말을 해서는 안 될 것이다. 강당 안에 있는 사람도 바깥의 사람에 대하여 많은 말을 하지 말고, 바깥의 사람도 안의 사람에 대하여 많은 말을 하지 않아야 한다. 여러분이 서로 대화하는 것은 다른 사람의 수도를 장애하기 때문이다.

예를 들면 어떤 사람은 좌선하기를 원하는데 너희가 이곳에서 이야기하면, 그는 앉아서 망상을 일으키게 된다. 수도하는 사람에게 망상을 일으키게 하면 너희에게 허물이 생기게 된다. 그래서 이곳에 오면 함부로 대화해서는 안 될 것이다. 만약 정식으로 일이 있으면 간단하게 말을 하면 그만이다. 또 이곳에 와서 언제나 회의를 열어서는 안 될 것이다. 정식으로 일이 있을 때만 회의를 열어도 된다. 쓸데없이 몇 사람씩 모여 의의가 없는 말을 하지 않아야 할 것이다. 말을 많이 하는 것보다는 염불을 더 많이 하는 것이 좋을 것이다.

그래서 이른바 말하기를 "한마디의 말을 적게 하고 염불 일성을 더 많이 하며, 염불하여 염하는 생각이 죽으면 그대의 법신이 살아날 것이네."라고 하는 것이다. 너희의 이 망념의 생각이 죽으면 너희의 공부가 비로소 성취될 수 있다. 우리 모두는 공부하고 수행하는 사람이므로 입을 그렇게 닦지 않아야 한다. 어떤 사람이 나에게 말하기를, 이 강당에 오고 싶지 않다고 하였다. 모두가 어지럽게 대화하기 때문에 정진을 할 수 없다는 것이었다. 그래서 우리 모두는 이런 점을 주의해서 이러한 규율을 지켜야 할 것이다.

"수왕화보살이여, 이 경은 일체중생을 구할 수 있으며, 이 경은 일체중생이 모든 고뇌를 떠날 수 있게 하며, 이 경은 일체중생을 크게 이롭게 하여 그들의 소원을 만족시킬 수 있다.
마치 청량한 연못이 일체의 갈증을 해소할 수 있듯이, 마치 추운 자가 따뜻한 불을 얻듯이, 입을 옷이 없는 자가 옷을 얻듯이, 상인이 고객을 얻듯이, 자식이 어머니를 만나듯이, 바다를 건너는 데 배를 얻듯이, 병자가 의사를 만나듯이, 어두운 곳에서 등불을 얻듯이, 가난한 사람이 보물을 얻듯이, 백성이 왕을 얻듯이, 보석을 파는 상인이 바다에서 보물을 얻듯이, 횃불이 어둠을 제거하듯이, 이 법화경도 이와 같이 중생에게 일체의 괴로움과 모든 병의 고통에서 벗어나게 하며, 모든 생사의 속박에서 해탈할 수 있게 하느니라."

宿王華。此經能救一切衆生者, 此經能令一切衆生離諸苦惱, 此經能大饒益一切衆生, 充滿其願。如淸涼池, 能滿一切諸渴乏者。如寒者得火, 如裸者得衣, 如商人得主, 如子得母, 如渡得船, 如病得醫, 如暗得燈, 如貧得寶, 如民得王, 如賈客得海, 如炬除暗。此法華經亦復如是, 能令衆生離一切苦 · 一切病痛, 能解一切生死之縛。

3) 『법화경』을 서사(書寫)하는 공덕

"만약 어떤 사람이 이 법화경을 듣고 스스로 서사하거나 남을 시켜 서사하게 하면, 얻는 공덕이 얼마나 되는지 부처의 지혜로 사량하여도 그 끝을 알 수 없다. 만약 이 경을 서사하여 꽃과 향, 영락, 태우는 향, 가루향, 바르는 향, 당번과 보개, 의복과 갖가지 등, 소등, 유등, 모든 향유등, 담복화(薝蔔花)기름등, 칭의화(稱意華)기름등, 중생화(重生華)기름등, 하생화(夏生華)기름등, 잡색의 말리화(茉莉華)기름등으로 공양하면, 얻는 공덕은 또한 무량하다."

若人得聞此法華經, 若自書 · 若使人書, 所得功德, 以佛智慧, 籌量多少, 不得其邊。若書是經卷, 華 · 香 · 瓔珞 · 燒香 · 末香 · 塗香, 旛蓋

·衣服, 種種之燈, 酥燈·油燈·諸香油燈·薝蔔油燈·須曼那油燈·波羅羅油燈·婆利師迦油燈·那婆摩利油燈供養, 所得功德, 亦復無量。

다. 「약왕보살본사품」의 공덕

"수왕화보살이여, 만약 어떤 사람이 이 약왕보살본사품을 들어도 역시 무량하고 무변한 공덕을 얻는다. 만약 어떤 여인이 이 약왕보살본사품을 듣고 수지할 수 있으면, 여자의 몸이 다한 후 다시 여자의 몸을 받지 않는다.
만약 여래가 열반에 드신 후 후오백세 가운데 어떤 여인이 이 경전을 듣고 가르침에 따라 수행하면, 이 목숨을 마친 후 즉시 서방극락세계에 왕생하여 아미타불께서 대보살들에게 둘러싸여 머무는 곳에서 연꽃 가운데 보배의 좌석 위에 화생할 것이며, 다시는 탐욕으로 인한 괴로움을 받지 않고, 또한 분노와 우치로 인한 괴로움을 받지 않으며, 또한 교만과 질투 등의 모든 번뇌로 인한 괴로움을 받지 않고, 보살의 신통과 무생법인(無生法忍)을 얻을 것이다. 무생법인을 얻은 후 안근(眼根)이 청정해질 것이며, 안근의 청정함으로 인하여 칠백만 이천억 나유타 항하사수의 제불여래를 볼 것이다."

宿王華。若有人聞是藥王菩薩本事品者, 亦得無量無邊功德。若有女人, 聞是藥王菩薩本事品, 能受持者, 盡是女身, 後不復受。若如來滅後, 後五百歲中, 若有女人, 聞是經典, 如說修行, 於此命終,卽往安樂世界, 阿彌陀佛·大菩薩衆, 圍繞住處, 生蓮華中, 寶座之上。不復爲貪欲所惱•, 亦復不爲瞋恚, 愚癡所惱, 亦復不爲憍慢, 嫉妒諸垢所惱•, 得菩薩神通·無生法忍。得是忍已, 眼根淸淨, 以是淸淨眼根, 見七百萬二千億那由他恒河沙等諸佛如來。

불부위탐욕소뇌(不復爲貪欲所惱)• 부처님은 우리 중생의 생각을 가장 잘 이해하신다. 부처님은 여인이 탐욕에 대하여 마음을 열지 못하고, 탐욕이 총명한 여인을 어리석게 한다는 것을 아신다. 이 탐욕이 가장 위험한 것이다.

먹는 것을 탐하면 시시각각 맛있는 것을 먹으려고 생각한다. 이러한 마음이 나면 몰래 음식을 훔쳐 먹으려고 한다. 옷을 탐하면 가장 아름다운 옷을 사서 입고 자기의 신체를 장엄하려고 한다. 혹은 가장 좋은 집에 머물기를 탐한다. 의식주에 대한 탐심은 사람마다 모두 있을 것이다.

의식주보다도 더욱 대단한 것은 무엇인가? 이것은 태어나면서부터 함께 가지고 온 깨끗하지 못한 생각이다. 의식주를 탐하는 것은 아주 작은 문제이며, 가장 큰 문제는 음욕을 탐하는 것이다. 이러한 마음은 정지시키기가 쉽지 않다. 그러나 너희가 만약 그것을 정지시킬 수 있으면, 바로 성인이고 현인이다. 아라한이고 보살이라야 비로소 행할 수 있다. 너희가 만약 성인, 현인, 아라한, 보살이 아니라면, 이러한 음욕을 탐하는 마음을 정지시킬 수 없으며, 자기가 자기를 통제할 수 없다.

자기가 자기의 탐욕을 관리할 수 없으니, 이것은 곧 번뇌로 변하여 아무런 이유도 없이 화를 내게 된다. 왜 화를 내는가? 바로 이러한 탐욕에 미혹되었기 때문이다. 미혹되어 화를 내고 괴로워하며 즐겁지가 않다. 하루 종일 즐겁지 않다고 느낀다. 어떤 사람을 만나도 기쁘지 않고, 남의 말을 들어도 기쁘지 않다. 그것은 바로 이 탐욕의 번뇌로 인한 것이다.

분노가 일어나면 곧 어리석으며, 조금의 지혜도 없다. 탐욕의 문제가 해결되지 않으면 분노와 어리석음도 따라오는 것이다.

역부불위교만(亦復不爲憍慢) 질투제구소뇌(嫉妒諸垢所惱) 만약 『법화경』의 도리를 이해하면, 교만과 질투의 모든 때로 인한 번뇌에 지배되지 않을 것이다. 교만과 질투를 때라고 한다. 때란 바로 깨끗하지 못하고 더러운 것이다. 너희는 왜 깨닫지 못하는가? 왜 지혜가 없는가? 바로 교만과 질투의 때가 많기 때문이다. 너희가 이러한 탐욕과 교만과 질투와 친구가 되기를 원하면, 그것이 바로 일종의 오염된 법으로서 청정하지 못한 것이다. 너희가 교만하고 질투하면 결국에는 무명의 번뇌를 내게 될 것이다.

단지 여인만을 말하는 것이 아니다. 남자도 어떤 때는 대단한 질투심이 있고 교만이 있다. 남자가 만약 이러한 결점이 있으면 마땅히 고쳐야 한다. 더욱이 지금 「약왕보살본사품」을 듣고 있는데, 너희는 응당 신체를 놓아버리고 생각해야 할 것이다. '아, 약왕보살은 신체를 불태워 부처님께 공양하였으며, 두 팔을 태워서 공양하였다. 나는 교만할 만한 무엇을 가지고 있는가?' 이러한 교만을 없애야 한다.

교만심이 없으면 청정을 얻으며, 곧 진정한 지혜를 내게 된다. 진정한 지혜가 나오면 곧 탐욕으로 인한 번뇌에 지배되지 않을 것이며, 분노와 어리석음으로 인한 번뇌에 지배되지 않을 것이며, 교만과 질투 등 갖가지의 깨끗하지 못한 생각으로 인하여 번뇌를 내지 않을 것이다. 너희가 「약왕보살본사품」을 수지하고 독송하면, 마음속의 모든 때로 인한 번뇌를 내지 않을 것이다.

이때 제불께서 멀리서 함께 찬탄하여 말씀하실 것이다. "매우 좋고 좋구나. 선남자여! 그대는 석가모니불의 법 가운데서 이 경을 수지하고 독송하며 사유하여 다른 사람을 위하여 설했으니, 그대가 얻는 복덕은 무량하고 무변하며, 불도 그대를 태우지 못하고 물도 그대를 빠트리지 못할 것이다. 그대의 공덕은 천 분의 부처님이 함께 말씀하여도 다 말할 수 없을 것이다.
그대는 이미 모든 마의 적을 깨뜨렸고, 생사의 군대를 무너뜨렸으며, 다른 모든 원한의 적을 완전히 소멸하였다. 선남자여, 백천의 제불께서 신통력으로 함께 그대를 수호할 것이며, 모든 세간의 천인과 인간 가운데서 그대와 같은 사람은 없을 것이다. 오직 부처님을 제외하고 모든 성문과 벽지불, 또는 보살의 지혜와 선정도 그대와 같은 자는 없을 것이다."

是時諸佛遙共讚言。善哉, 善哉。善男子。汝能於釋迦牟尼佛法中, 受持讀誦, 思惟是經, 爲他人說, 所得福德, 無量無邊, 火不能燒, 水不能漂。汝之功德, 千佛共說, 不能令盡。汝今已能破諸魔賊, 壞生死軍, 諸餘怨敵, 皆悉摧滅。善男子。百千諸佛, 以神通力, 共守護汝, 於一切世間, 天·人之中, 無如汝者, 唯除如來, 其諸聲聞·辟支佛·乃至菩薩智慧禪定, 無有與汝等者。

"수왕화보살이여, 이 보살은 이러한 공덕과 지혜의 힘을 성취한다. 만약 어떤 사람이 이 약왕보살본사품을 듣고 수희하고 찬탄한다면, 이 사람은 현세에 입 가운데서 항상 푸른 연꽃의 향이 나올 것이며, 몸의 털구멍에서는 항상 우두전단의 향이 나올 것이며, 그가 얻는 공덕은 앞에서 말한 것과 같을 것이다."

宿王華。此菩薩成就如是功德智慧之力。若有人聞是藥王菩薩本事品，能隨喜讚善者，是人現世口中，常出靑蓮華香，身毛孔中，常出牛頭栴檀之香，所得功德，如上所說。

차보살성취여시공덕지혜지력(此菩薩成就如是功德智慧之力) 이 보살은 『법화경』을 수지하고 독송하며 해설하고 서사하는 보살을 가리킨다.

라. 「약왕보살본사품」의 부촉

"이러한 까닭으로 수왕화보살이여, 이 약왕보살본사품을 그대에게 부촉하노니, 내가 열반에 든 후 후오백세 가운데 염부제에 널리 선전하고 유통하여 끊어지지 않게 하고, 악마와 마의 백성, 모든 천상, 용, 야차, 염매귀(魘魅鬼) 등이 그 틈을 얻지 못하도록 해야 한다.
수왕화보살이여, 그대는 마땅히 신통의 힘으로 이 경을 수호해야 한다. 무엇 때문인가? 이 경은 염부제 사람들의 병에 대한 양약이니, 만약 병이 있는 사람이 이 경을 들으면 병이 즉시 소멸되고, 늙지 않고 죽지 않을 것이다."
是故宿王華。以此藥王菩薩本事品，囑累於汝。我滅度後，後五百歲中，廣宣流布於閻浮提，無令斷絶，惡魔·魔民·諸天·龍·夜叉·鳩槃茶等，得其便也。宿王華。汝當以神通之力，守護是經。所以者何。此經則爲閻浮提人病之良藥。若人有病，得聞是經，病卽消滅，不老不死。

악마(惡魔) 마민(魔民) 제천(諸天) 용(龍) 야차(夜叉) 구반다등(鳩槃茶等) 득기편야(得其便也)• 만약 「약왕보살본사품」이 없으면, 이 악마 등이 세력을 얻을 것이다. 그러면 그들은 구속하는 사람이 없을 것이다. 구반다는 번역하면 염매귀(魘魅鬼)가 된다. 단지 구반다만을 말하는 것이 아니라 부단나, 가타부단나 등 많은 귀(鬼)의 무리를 포함한다.

사람들은 귀신이 모두 한 종류라고 생각하는데, 귀에도 많은 종류가 있다. 어떤 류의 중생이든지 천만 종류나 그렇게 많다. 다른 것은 말할 필요도 없이 개미를 말해보자. 이 개미에는 얼마의 종류가 있는가? 수도 없이 많다. 모기도 검은 모기, 황모기, 붉은 모기, 푸른 모기 등 많은 종류가 있다. 따라서 신(神)도 많은 신이 있다.

"수왕화보살이여, 그대가 만약 이 경을 수지하는 사람을 보면, 응당 청색의 연꽃 모양 그릇에 가루향을 가득 채워 그 사람의 위에 뿌려 공양해야 하며, 뿌린 후에는 이렇게 생각해야 할 것이다. '이 사람은 머지않아 반드시 길상초(吉祥草)의 풀을 가지고 보리수 아래의 보리도량에 앉아 모든 마군을 타파하고, 법의 나팔을 불며 큰 법고를 쳐서, 일체중생을 생로병사의 고해에서 벗어나게 할 것이다.' 그러므로 불도를 구하는 자는 이 경전을 수지하는 사람을 보면 이렇게 공경하는 마음을 내야 하느니라."

이 약왕보살본사품을 설하실 때 팔만사천의 보살들은 일체중생의 언어를 이해하는 다라니를 얻었다.

宿王華。汝若見有受持是經者，應以青蓮華盛滿末香，供散其上，散已，作是念言。此人不久，必當取草坐於道場，破諸魔軍，當吹法螺·擊大法鼓，度脫一切衆生老病死海。是故求佛道者·見有受持是經典人，應當如是生恭敬心。說是藥王菩薩本事品時，八萬四千菩薩，得解一切衆生語言陀羅尼。

다보여래께서는 보탑 안에서 수왕화보살을 찬탄하여 말씀하셨다. "훌륭하고 훌륭하도다. 수왕화보살이여! 그대는 불가사의한 공덕을 성취하였으니, 바로 석가모니 부처님께 이러한 일을 물어서 무량한 일체 중생에게 이익을 주었기 때문이다."

多寶如來於寶塔中，讚宿王華菩薩言。善哉，善哉。宿王華。汝成就不可思議功德，乃能問釋迦牟尼佛如此之事，利益無量一切衆生。

妙法蓮華經卷第六

二十四

묘음보살품
(妙音菩薩品)

묘음보살의 중생교화 인연

묘음은 보살의 이름이다. 그의 소리는 미묘하고 불가사의하다. 그가 법을 설하는 소리는 영원히 중생의 이근(耳根)에 남을 수 있다. 왜냐하면 중생의 이근에 이러한 묘음이 있기 때문이다. 그러므로 영원히 묘음보살이 설한 묘법을 잊지 않는다. 이러한 까닭으로 묘음보살이라고 부르는 것이다.

가. 묘음보살의 인연

1) 석가세존의 방광

그때 석가모니불은 대인상의 하나인 육계에서 광명을 놓으시고, 또 미간의 백호상에서도 광명을 놓으셔서 동방으로 백팔만억 나유타 항하사수의 제불세계를 두루 비추었다. 이러한 수많은 세계를 지나가면 정광장엄이라는 세계가 있으며, 그 국토에 부처님이 계시는데 명호를 정화수왕지여래, 응공, 정변지, 명행족, 선서, 세간해, 무상사, 조어장부, 천인사, 불, 세존이라고 하였다. 이 부처님께서는 무량하고 무변한 보살대중들에 공경하게 둘러싸여 법을 설하고 계셨으며, 석가모니불의 백호 광명이 그 국토를 두루 비추었다.

爾時釋迦牟尼佛放大人相肉髻光明, 及放眉間白毫相光•, 遍照東方百八萬億那由他恒河沙等諸佛世界。過是數已, 有世界名淨光莊嚴, 其國有佛, 號淨華宿王智如來 · 應供 · 正遍知 · 明行足 · 善逝 · 世間解·無上士·調御丈夫·天人師·佛·世尊。爲無量無邊菩薩大衆, 恭敬圍繞, 而爲說法。釋迦牟尼佛白毫光明, 遍照其國。

방대인상육계광명(放大人相肉髻光明) 급방미간백호상광(及放眉間白毫相光)* 육계는 원만한 깨달음의 과(果)를 나타내고, 백호상광은 원만한 인(因)을 나타낸다. 인도 원만하고 과도 원만하여 인과가 둘이 아니다.[因果不二] 바로 인이고 과이며, 과이면서 인이다. 이러한 도리는 이 백호상광이 중도의 묘인(妙因)임을 뜻한다.

2) 묘음보살이 사바세계로 온 인연

그때 모든 정광장엄의 국토 가운데 묘음이라는 한 보살이 있었는데, 이미 오래 전부터 많은 선근을 심었으며, 무량한 백천만억의 제불을 공양하고 친근하면서 불법을 배워 매우 깊은 지혜를 성취하였다. 그리하여 묘당상삼매, 법화삼매, 정덕삼매, 수왕희삼매, 무연삼매, 지인삼매, 중생의 모든 언어를 이해하는 삼매, 일체의 공덕을 모으는 삼매, 청정삼매, 신통유희삼매, 지혜의 횃불삼매, 장엄왕삼매, 정광명삼매, 정장삼매, 불공삼매, 일선삼매 등 이와 같은 백천만억 항하사수의 모든 대삼매를 얻었다.

爾時一切淨光莊嚴國中, 有一菩薩, 名曰妙音, 久已植衆德本, 供養親近無量百千萬億諸佛, 而悉成就甚深智慧, 得妙幢相三昧*·法華三昧*·淨德三昧*·宿王戱三昧*·無緣三昧*·智印三昧*·解一切衆生語言三昧*·集一切功德三昧*·淸淨三昧*·神通遊戱三昧*·慧炬三昧*·莊嚴王三昧*·淨光明三昧*·淨藏三昧*·不共三昧*·日旋三昧*, 得如是等百千萬億恒河沙等諸大三昧。

묘당상삼매(妙幢相三昧)* 묘당상은 또한 실상(實相)이다. 실상의 본체는 일체를 초과한다. 비록 일체를 초과하지만 그것은 상이 없다. 상이 없으나 또한 상이 아닌 것도 없다. 그래서 이것을 묘당상삼매라고 한다.

법화삼매(法華三昧)* 법화삼매는 바로 인과가 둘이 아니고, 방편과 진실[權實]이 둘이 아니며, 과거와 현재[本迹]가 둘이 아니다. 인과가 둘이 아니라는 것은 인이 바로 과이며, 과가 바로 인이며, 인이면서 과이며, 과이면서 인이며, 인과 과가 동시[因果同時]라는 것이다. 어째서 그것을 연꽃에 비유하는가? 연꽃은 바로 꽃과 열매가 동시다. 연꽃이 피면서 연자(蓮子)가 이루어진다. 꽃이 피자 연(蓮)이 나타나고, 연이 나타나자 열매가 이루어진다.

권실(權實)이 둘이 아니라는 것은 권은 권교방편이고, 실은 진실하여 허망하지 않은 것이다. 진실한 법을 위하여 방편의 법을 사용하고, 방편을 열어 진실을 드러낸다. 또한 방편이 바로 진실이며, 방편과 진실이 하나이고 둘이 아니다. 본적(本迹)이 둘이 아니라는 것은 본은 오랜 이전의 일이고, 적은 현재에 또 종적을 나타내는 것이다. 금생 혹은 본생을 적이라고 하며, 이전을 본이라고 한다. 본적도 둘이 아니다.

정덕삼매(淨德三昧)* 정덕이란 세 가지 혹의 때를 떠난 것이다. 세 가지 혹이란 거친 혹, 미세한 혹, 무명혹(無明惑)을 말하며, 또한 견혹(見惑), 사혹(思惑), 진사혹(塵沙惑)이기도 하다. 혹이란 너희로 하여금 미혹하게 하는 것이다. 경계를 보고 미혹하며, 사상(思想)에도 미혹한다. 생각도 생각할 방법이 없고, 보는 것도 볼 방법이 없는 것을 무명이라고 하며, 이것이 바로 무명혹이다.

견혹이란 경계를 대하여 탐애를 일으키는 것이다. 사혹은 이치에 미혹하여 분별을 일으키는 것으로, 이러한 이론에 대하여 이해하지 못하고 일종의 분별심을 내며, 분별할수록 더욱 멀어지고, 멀어질수록 더욱 분별하여 근본의 지혜로부터 멀어지는 것이다. 이것을 사혹이라고 한다.

무명이란 이해하지 못하는 일이다. 또한 왜 화를 내는지 모르고, 왜 전도된 일을 하는지 모르며, 왜 정신을 흐리게 하는 약을 먹는지 모르는 이러한 것을 무명이라고 한다. 갖가지의 무명이 바로 고통의 뿌리이다.

이 세 가지 혹은 일종의 청정하지 못한 것이며, 그래서 때[垢]라고 한다. 세 가지의 혹을 떠나면 본래 청정한 자성을 증득한다. 이것을 정덕삼매라고 한다.

수왕희삼매(宿王戱三昧)• 월광유희(月光遊戱)삼매를 말한다. 이 삼매는 놀이를 하는 것으로서, 마치 요즘 천도를 하거나 법을 강의하는 것과 같은 것이다. 또한 조를 나누어 무대에 올라가 연극을 하는 것이다. 연극을 하는 사람이 있으면 연극을 보는 사람이 있다. 이것은 일종의 방편지혜이다. 연극(놀이)을 하는 것은 바로 권교방편의 지혜를 사용하는 것을 말한다.

중생의 근기를 비추려면 반드시 권교방편의 지혜로 비추어야 한다. 너희가 만약 진실한 지혜로 비추면 부합되지 않는다. 진실한 지혜는 이치를 비추는 것으로서 근기를 비출 수 없다. 근기를 비춘다[照機]는 것은 마치 달과 같은데, 달은 둥글 때도 있고 이지러질 때도 있다. 응당 둥글 때는 둥글고, 이지러질 때는 이지러진다. 이것은 매우 교묘한 것이다. 일종의 교묘한 지혜가 있어야 이러한 일을 할 수 있다. 너희가 만약 교묘하지 못하고 어눌하면 근기를 맞추지 못한다.

어눌하다는 것은 어떤 것인가? 마치 너희가 사람들에게 법을 설명하면서 화를 내는 것이다. 법을 강의하는 것은 본래 즐거운 것이다. 마땅히 화를 내어서는 안 될 것이다. 말이 잘 통하지 않는 사람에게 화를 내는 것은 방편지혜가 없는 것이다. 방편의 지혜가 없을 뿐 아니라 조금의 지혜도 없는 것이다.

무연삼매(無緣三昧)• 너희가 만약 화를 내면 그것은 정말로 인연이 없는 것이다. 인연이 없을 뿐 아니라 지혜도 없는 것이다. 이 무연은 평등하고 큰 자비로서 모든 사람에 대하여 평등한 것이다. 인연이 있든지 없든지를 막론하고 모두 평등하게 자비로 대하는 것이다. 이러한 평등한 자비는 바로 '무연대자(無緣大慈), 동체대비(同體大悲)'이며, 이것을 무연삼매라고 한다.

지인삼매(智印三昧)• 지인이란 일심의 세 가지 지혜를 뜻한다. 일념 가운데 일체지, 도종지(道種智), 일체종지를 구족한 것이다. 이러한 세 가지의 지혜로써 일체법을 인증(印證)하는 것을 지인삼매라고 한다.

해일체중생어언삼매(解一切衆生語言三昧)• 이 삼매는 일체중생과 합하여 하나가 되었다. 일체중생은 인류의 언어뿐만 아니라 말, 소, 양, 닭, 개, 돼지 등의 언어도 모두 이해한다. 한 나라의 언어뿐 아니라 세계의 모든 다른 나라의 언어도 이해한다. 열 가지의 법계에서 아홉 가지 법계의 모든 중생의 언어를 이해한다. 하나의 언어가 일체의 언어이며, 일체의 언어가 하나의 언어이다. 바로 하나를 통하면 일체를 통한다는 것이다. 또한 일체를 통하려면 먼저 하나를 통해야 한다. 너희가 만약 하나를 이해하면 일체를 이해하게 된다.

일체의 언어는 또한 인연이 낸 법을 벗어나지 않는다. 인연이 낸 법 속에서 모든 것은 공(空)·가(假)·중(中)의 도리를 벗어나지 않으며, 모든 것이 공이고 가이며 중이라는 것을 이해한다. 공·가·중의 세 가지 관문을 이해하기 때문에 일체중생의 언어를 이해하는 것이다.

집일체공덕삼매(集一切功德三昧)• 하나의 삼매에 머물면 일체 삼매의 공덕이 그 하나의 삼매 속으로 완전히 들어가는 것을 뜻한다. 하나의 삼매에서 일체의 삼매를 통달하는 것이다.

청정삼매(淸淨三昧)• 청정은 바로 육근이 청정함을 말한다. 안근, 이근, 비근, 설근, 신근, 의근이 청정하면 곧 육근호용의 자재한 공능을 얻게 되는데, 이것을 청정삼매라고 한다.

신통유희삼매(神通遊戲三昧)• 신통이란 일종의 자재한 묘용(妙用)이다. 자재한 신통을 사용하여 일체중생을 교화하면서 삼천대천세계를 유희한다. 마치 환상과 같이, 마치 연극을 하는 것과 같이 인간세계를 유희한다. 내가 말하는 연극을 한다[作戲]는 것은 너희가 생각하는 그러한 연극이 아니다. 신통이 있어야 비로소 연극을 할 수 있다. 이러한 환화(幻化)의 신통을 사용하여 단막극을 한다. 인간으로 환하여 일체를 널리 거두어들인다. 즉 일체중생을 널리 제도하는 것이다.

혜거삼매(慧炬三昧)• 지혜는 마치 횃불과 같다. 횃불은 광명을 가지고 있다. 평등한 대지혜를 사용하여 널리 어둠을 비춘다. 일체의 어둠을 비춰서 없어지게 하는 것이다. 이것을 혜거삼매라고 한다.

장엄왕삼매(莊嚴王三昧)• 무슨 왕을 장엄하는가? 성품의 왕을 장엄한다. 이 자성(自性)은 마치 하나의 왕과 같아서 너희는 그것을 장엄하고 또한 닦아야 한다. 본래 자성은 만덕을 구족하고 있으며, 일체가 원융무애한 것이다. 너희가 마음대로 하나의 법을 제기하면, 곧 일체의 법을 다스릴 수 있다. 이것 또한 하나의 법을 드는 것이 법계 아님이 없다[隨拈一法 無非法界]는 것이다.

정광명삼매(淨光明三昧)• 정이란 바로 일체지, 도종지, 일체종지를 말한다. 이 세 가지의 지혜는 원만하고 청정하여 일체법을 비추며, 비추지 않는 것이 없다. 이것을 정광명삼매라고 한다.

정장삼매(淨藏三昧)• 일념 가운데 이 마음이 청정함을 얻고 또한 만덕을 널리 거두어들이는 것을 정장삼매라고 한다.

불공삼매(不共三昧)• 무엇과 함께하지[共] 않는다는 것인가? 바로 삼승(성문승, 연각승, 보살승)과 함께하지 않으며, 일승(一乘)과 같이 한다. 불공삼매는 바로 부처의 삼매이다.

일선삼매(日旋三昧)• 진실한 지혜로써 이러한 이치를 비추며, 또한 이치를 비추는 이러한 경계에 머물지 않는다. 마치 태양이 도는 것과 같이 머무는 바가 없는 것을 일선삼매라고 한다.

석가모니불의 광명이 그의 몸을 비추니, 곧 정화수왕지불께 말하였다. "세존이시여, 저는 사바세계로 가서 석가모니불을 예배하고 친근하며 공양하고, 문수사리법왕자보살과 약왕보살, 용시보살, 수왕화보살, 상행의보살, 장엄왕보살, 약상보살을 만나보려고 합니다."
釋迦牟尼佛光照其身, 卽白淨華宿王智佛言。世尊。我當往詣娑婆世界, 禮拜·親近·供養釋迦牟尼佛, 及見文殊師利法王子菩薩·藥王菩薩·勇施菩薩·宿王華菩薩·上行意菩薩·莊嚴王菩薩·藥上菩薩。

그때 정화수왕지불은 묘음보살에게 말씀하셨다.
"그대는 저 나라를 경시하여 하열하다는 생각을 내지 말라. 선남자여, 저 사바세계는 높고 낮은 곳이 있어 평탄하지 않고 토석으로 된 산이 많으며, 나쁜 죄악이 충만하다. 부처님의 몸은 작으며 모든 보살들의 형체도 작다. 그러나 그대의 몸은 사만 이천 유순이고, 나의 몸은 육백팔십만 유순이니, 그대의 몸은 제일 단정하고 백천만의 복으로 원만하며 광명이 특별히 수승하고 아름답다. 그러므로 그대는 저곳으로 가서 저 세계를 경시하지 말 것이며, 저 세계의 부처와 보살, 그리고 국토에 대하여 하열하다는 생각을 내지 말라."
묘음보살이 그 부처님께 말하였다. "세존이시여! 제가 지금 사바세계에 가는 것은 모두 여래의 힘과 여래의 신통유희, 여래의 공덕과 지혜의 장엄으로 성취된 것입니다."
그리하여 묘음보살은 자리에서 일어나지 않고 몸을 움직이지 않으면서 삼매에 들어갔으며, 삼매의 힘으로 기사굴산의 부처님 법좌에서 멀지 않은 곳에 팔만 사천의 보배 연꽃을 변화로 만들었으며, 염부단금으로 줄기가 되고, 백은으로 잎이 되며, 금강으로 꽃술이 되고, 견숙가(甄叔迦: 붉은색 꽃)의 보배로 연꽃의 대(臺)가 되었다.

爾時, 淨華宿王智佛告妙音菩薩。汝莫輕彼國, 生下劣想。善男子。彼娑婆世界, 高下不平, 土石諸山, 穢惡充滿, 佛身卑小, 諸菩薩衆, 其形亦小。而汝身四萬二千由旬, 我身六百八十萬由旬, 汝身第一端正, 百千萬福, 光明殊妙。是故汝往·莫輕彼國, 若佛·菩薩及國土, 生下劣想。妙音菩薩白其佛言。世尊。我今詣娑婆世界, 皆是如來之力, 如來神通遊戲, 如來功德智慧莊嚴。於是妙音菩薩不起於座, 身不動搖, 而入三昧。以三昧力, 於耆闍崛山, 去法座不遠, 化作八萬四千衆寶蓮華, 閻浮檀金爲莖, 白銀爲葉, 金剛爲鬚, 甄叔迦寶以爲其臺。

3) 묘음보살이 사바세계로 오는 목적

그때 문수사리법왕자는 이러한 연꽃을 보고 부처님께 말하였다. "세존이시여! 어떠한 인연으로 먼저 이러한 서상이 나타납니까? 수천만의 연꽃이 있어 염부단금으로 줄기가 되고 백은으로 잎이 되며, 금강으로 꽃술이 되고 견숙가 보배로 대가 되었습니다."

이때 석가모니불께서 문수사리보살에게 말씀하셨다.

"이 묘음보살마하살은 정화수왕지불의 국토에서 팔만 사천의 보살에 둘러싸여 이 사바세계로 와서 나에게 공양하고 친근하며 예배하려고 하며, 또한 법화경을 공양하고 들으려고 하는 것이다."

爾時, 文殊師利法王子見是蓮華, 而白佛言。世尊。是何因緣, 先現此瑞, 有若干千萬蓮華, 閻浮檀金爲莖, 白銀爲葉, 金剛爲鬚, 甄叔迦寶以爲其臺。爾時釋迦牟尼佛告文殊師利。是妙音菩薩摩訶薩, 欲從淨華宿王智佛國, 與八萬四千菩薩圍繞而來, 至此娑婆世界, 供養·親近·禮拜於我, 亦欲供養·聽法華經。

문수사리보살이 부처님께 말하였다. "세존이시여! 이 보살은 어떠한 선근을 심고 어떠한 공덕을 닦아서 이러한 큰 신통력을 가질 수 있으며, 어떤 삼매를 수행하였습니까? 저희를 위하여 이 삼매의 이름을 말씀해 주시기를 원하며, 저희도 그 삼매를 부지런히 수행하려고 합니다. 이 삼매를 수행하면 곧 이 보살의 신체의 크기와 위의(威儀)의 나아감과 멈춤을 볼 수 있을 것입니다. 세존께서는 신통력으로 저 보살을 오게 하여 저희가 볼 수 있게 해주시기 바랍니다."

그때 석가모니 부처님께서 문수사리보살에게 말씀하셨다.

"오래전에 열반하신 이 다보여래께서 그대들을 위해 묘음보살의 모습을 나타나게 하실 것이다."

그때 다보불께서 저 묘음보살에게 말씀하셨다. "선남자여, 오시오. 문수사리법왕자가 그대의 몸을 보고 싶어 합니다."

文殊師利白佛言。世尊。是菩薩種何善本, 修何功德, 而能有是大神通力, 行何三昧。願爲我等說是三昧名字, 我等亦欲勤修行之。行此三昧, 乃能見是菩薩色相大小, 威儀進止, 唯願世尊以神通力, 彼菩薩來, 令我得見. 爾時釋迦牟尼佛告文殊師利。此久滅度多寶如來, 當爲汝等而現其相。時多寶佛告彼菩薩。善男子來。文殊師利法王子欲見汝身。

4) 묘음보살의 모습

이때 묘음보살은 저 국토에서 사라져 팔만 사천의 보살들과 함께 오는데, 그들이 지나는 모든 국토는 여섯 가지로 진동하였으며, 모두 칠보의 연꽃이 하늘에서 비 오듯이 내려왔으며, 백천의 천상 음악이 연주하지 않아도 저절로 울렸다. 이 보살의 눈은 광대한 청련화의 잎과 같았고, 바로 백천만의 달이 하나로 합친 것처럼 밝았으며, 그 얼굴은 단정하여 이것보다 더욱 밝았다. 그의 몸은 진금색으로서 무량한 백천의 공덕으로 장엄되어 위덕이 치성하고 광명이 밝게 비췄다. 모든 상호를 원만히 구족함이 마치 금강역사의 견고한 몸과 같았다.

묘음보살이 칠보의 대에 앉아 일곱 다라수의 높이만큼 허공으로 올라서 같이 데리고 온 모든 보살들에게 공경하게 둘러싸여 이 사바세계의 기사굴산에 이르렀다.

於時妙音菩薩於彼國沒, 與八萬四千菩薩, 俱共發來。所經諸國, 六種震動, 皆悉雨於七寶蓮華, 百千天樂, 不鼓自鳴。是菩薩目如廣大青蓮華葉, 正使和合百千萬月, 其面貌端正, 復過於此。身眞金色, 無量百千功德莊嚴, 威德熾盛, 光明照曜, 諸相具足, 如那羅延堅固之身。入七寶臺, 上昇虛空, 去地七多羅樹, 諸菩薩衆恭敬圍繞, 而來詣此娑婆世界耆闍崛山。

5) 석가세존에 대한 문안과 다보불 친견

묘음보살은 영취산에 도착한 후 칠보의 연화대에서 내려와 백천 금의 가치가 있는 영락을 가지고 석가모니불이 계신 곳에 이르러, 오체투지로 절을 하고 영락을 바친 다음 말하였다.

"세존이시여! 정화수왕지 부처님께서 세존에게 안부를 물으십니다. 병이 없으시고 번뇌가 없으시며, 기거하심이 경안하고 안락하십니까? 사대(四大)는 조화롭습니까? 세상의 일은 참을 만하십니까? 중생은 제도하기가 쉽습니까? 중생들은 탐욕, 분노, 어리석음, 질투, 간탐, 교만이 없습니까? 부모에 불효하거나, 출가한 사문에게 불경하거나, 사견과 착하지 않은 마음을 가지거나, 다섯 가지의 정을 잘 거두지 않는 사람은 없습니까? 세존이시여! 중생은 모든 마의 원한을 항복시킬 수 있습니까? 오래전에 열반에 드신 칠보탑 안에 계신 다보여래께서는 법화경을 들으려 오셨습니까?"

또한 다보여래께도 안부를 물었다. "여래께서는 안온하고 괴로움이 없으시며, 이 세간에 오래 머무르심이 참을 만하십니까?"

묘음보살은 다시 석가모니 부처님께 말하였다. "세존이시여! 저는 지금 다보불의 몸을 친견하려고 하오니, 세존께서는 제가 친견할 수 있도록 해주십시오."

그때 석가모니불이 다보불에게 말씀하셨다.

"이 묘음보살이 뵙기를 원합니다."

그때 다보불이 묘음보살에게 말씀하셨다.

"매우 훌륭하고 훌륭하구나. 그대는 석가모니불을 공양하고 법화경을 듣기 위하여, 아울러 문수사리보살 등을 만나기 위하여 이곳에 왔구나!"

到已下七寶臺, 以價值百千瓔珞, 持至釋迦牟尼佛所, 頭面禮足, 奉上瓔珞, 而白佛言。世尊。淨華宿王智佛問訊世尊。少病·少惱, 起居輕利, 安樂行不。四大調和不。世事可忍不。衆生易度不。無多貪欲·瞋恚·愚癡·嫉妒·慳慢不。無不孝父母·不敬沙門·邪見·不善心·不攝五情不•。世尊。衆生能降伏諸魔怨不。久滅度多寶如來在七寶塔中, 來聽法不。又問訊多寶如來。安隱·少惱, 堪忍久住不。世尊。我今欲見多寶佛身, 唯願世尊, 示我令見。爾時釋迦牟尼佛語多寶佛, 是妙音菩薩欲得相見。時多寶佛告妙音言。善哉, 善哉。汝能爲供養釋迦牟尼佛, 及聽法華經, 幷見文殊師利等, 故來至此。

부섭오정부(不攝五情不)• 오정이란 희(喜), 노(怒), 애(愛), 오(惡), 욕(欲)을 말한다. 희는 좋아하는 것이고, 노는 화를 내는 것이다. 애는 사랑하는 마음을 내는 것이고, 오는 미워하는 것이며, 욕은 일종의 탐욕이다. 이 다섯 가지의 정은 수섭(修攝)하기가 쉽지 않다. 즉 그것을 통제하기가 쉽지 않은 것이다. 중생은 자기가 원하는 것을 마음대로 하기를 원한다. 이것을 자유라고 여기지만, 사실은 잘못된 생각이다.

나. 묘음보살의 선근과 중생교화

1) 묘음보살의 선근과 공덕

그때 화덕보살이 부처님께 말하였다. "세존이시여! 이 묘음보살은 어떤 선근을 심었으며, 어떤 공덕을 닦아서 이러한 신통력이 있습니까?"
석가모니 부처님이 화덕보살에게 말씀하셨다.
"과거에 부처님이 계셨는데, 명호를 운뢰음왕여래, 응공, 정등정각이라고 하였으며, 그 국토의 이름은 현일체세간이고, 겁의 이름은 희견이라고 하였다. 묘음보살은 일만 이천 년 동안 십만 가지의 기악으로써 운뢰음왕불에게 공양하였으며, 아울러 팔만 사천 개의 보배 발우를 바쳤다. 이러한 인연의 과보로 금생에 정화수왕지불의 국토에 태어나서 이러한 신통력을 가지게 되었다.

화덕보살이여, 그대는 어떻게 생각하는가? 그때 운뢰음왕불이 계신 곳에서 기악을 공양하고 보배 발우를 바친 사람이 어찌 다른 사람이겠는가? 지금 바로 이 묘음보살마하살이다. 화덕보살이여, 이 묘음보살은 이미 일찍이 무량한 제불을 공양하고 친근하면서 오랫동안 덕의 근본을 심었으며, 또한 항하사수 백천만억 나유타의 제불을 만났다."

爾時華德菩薩白佛言。世尊。是妙音菩薩, 種何善根, 修何功德, 有是神力。佛告華德菩薩。過去有佛, 名雲雷音王, 多陀阿伽度·阿羅訶·三藐三佛陀•, 國名現一切世間, 劫名喜見。妙音菩薩於萬二千歲, 以十萬種伎樂, 供養雲雷音王佛, 幷奉上八萬四千七寶鉢, 以是因緣果報, 今生淨華宿王智佛國, 有是神力。華德。於汝意云何。爾時雲雷音王佛所, 妙音菩薩伎樂供養·奉上寶器者, 豈異人乎。今此妙音菩薩摩訶薩是。華德。是妙音菩薩, 已曾供養親近無量諸佛, 久植德本, 又值恒河沙等百千萬億那由他佛。

다타아가도(多陀阿伽度) **아라하**(阿羅訶) **삼먁삼불타**(三藐三佛陀)• 다타아가도는 여래라는 뜻이고, 아라하는 응공이며, 삼먁삼불타는 정등정각(正等正覺)이라는 뜻이다.

2) 묘음보살의 신통력과 중생교화

"화덕보살이여, 그대는 단지 묘음보살의 몸을 이곳에서만 보겠지만, 이 보살은 갖가지의 몸을 나타내어 곳곳에서 모든 중생을 위하여 이 법화경을 설한다. 혹은 범왕의 몸을 나타내고, 혹은 제석천왕의 몸을 나타내며, 혹은 자재천의 몸을 나타내고, 혹은 대자재천의 몸을 나타내며, 혹은 천상의 대장군 몸을 나타내고, 혹은 비사문천왕의 몸을 나타내며, 혹은 전륜성왕의 몸을 나타내고, 혹은 많은 소왕의 몸을 나타내며, 혹은 장자의 몸을 나타내고, 혹은 거사의 몸을 나타내며, 혹은 재상이나 관리의 몸을 나타내고, 혹은 바라문의 몸을 나타내며, 혹은 비구, 비구니, 청신사, 청신녀의 몸을 나타내고, 혹은 장자나 거사 부녀의 몸을 나타내며, 혹은 재관부녀의 몸을 나타내고, 혹은 바라문 부녀의 몸을 나타내며, 혹은 동남이나 동녀의 몸을 나타낸다. 혹은 천신, 용, 야차, 건달바, 아수라, 가루라, 긴나라, 마후라가, 사람과 사람 아닌 중생의 몸을 나타내어 이 경을 설한다. 모든 지옥, 아귀, 축생과 많은 고난이 있는 곳의 중생을 모두 구제하며, 나아가 왕의 후궁에서 여자의 몸으로 변하기까지 하여 이 경을 설한다."

華德。汝但見妙音菩薩其身在此, 而是菩薩現種種身, 處處爲諸衆生說是經典, 或現梵王身, 或現帝釋身, 或現自在天身, 或現大自在天身, 或現天大將軍身, 或現毘沙門天王身, 或現轉輪聖王身, 或現諸小王身, 或現長者身, 或現居士身, 或現宰官身, 或現婆羅門身, 或現比丘·比丘尼·優婆塞·優婆夷身, 或現長者居士婦女身, 或現宰官婦女身, 或現婆羅門婦女身, 或現童男·童女身, 或現天·龍·夜叉·乾闥婆·阿修羅·迦樓羅·緊那羅·摩睺羅伽·人非人等身, 而說是經。諸有地獄·餓鬼·畜生, 及衆難處, 皆能救濟, 乃至於王後宮, 變爲女身, 而說是經。

"화덕보살이여, 이 묘음보살은 사바세계 모든 중생의 고난을 구호할 수 있다. 이 묘음보살은 이와 같은 갖가지의 변화로 몸을 나타내어 이 사바세계에서 모든 중생을 위해 이 경전을 설하지만, 신통변화와 지혜는 조금도 감소되지 않는다. 이 보살은 갖가지의 지혜로 사바세계를 밝게 비추어 일체중생으로 하여금 각자가 알아야 하는 불법을 얻게 하며, 시방의 항하사수같이 많은 세계 가운데서도 또한 이와 같다.

만약 마땅히 성문의 형상으로 제도될 수 있는 자라면 성문의 형상을 나타내어 법을 설하고, 마땅히 벽지불의 형상으로 제도될 수 있는 자라면 벽지불의 형상을 나타내어 법을 설하며, 마땅히 보살의 형상으로 제도될 수 있는 자라면 보살의 형상을 나타내어 법을 설하고, 마땅히 부처의 형상으로 제도될 수 있는 자라면 부처의 형상을 나타내어 법을 설한다.

이와 같이 많은 중생들에게 마땅히 제도될 수 있는 모습을 따라 그 형상을 나타내며, 나아가 마땅히 열반에 들어가는 모습으로 제도될 수 있는 자에게는 열반의 모습을 나타낸다. 화덕보살이여, 묘음보살마하살이 대신통과 지혜의 힘을 성취한 일은 이와 같으니라."

華德。是妙音菩薩, 能救護娑婆世界諸衆生者。是妙音菩薩如是種種變化現身, 在此娑婆國土, 爲諸衆生說是經典, 於神通·變化·智慧無所損減。是菩薩。以若干智慧, 明照娑婆世界, 令一切衆生, 各得所知。於十方恒河沙世界中, 亦復如是。若應以聲聞形得度者, 現聲聞形而爲說法。應以辟支佛形得度者, 現辟支佛形而爲說法。應以菩薩形得度者, 現菩薩形而爲說法。應以佛形得度者, 即現佛形而爲說法。如是種種, 隨所應度而爲現形, 乃至應以滅度而得度者, 示現滅度。華德。妙音菩薩摩訶薩, 成就大神通智慧之力, 其事如是。

3) 묘음보살의 삼매

그때 화덕보살이 부처님께 말하였다. "세존이시여! 이 묘음보살은 선근을 깊이 심었습니다. 세존이시여! 이 보살은 어떤 삼매에 머물러 이와 같이 갖가지 몸으로 나타나 중생을 제도할 수 있습니까?"

부처님께서 화덕보살에게 말씀하셨다.

"선남자여, 그 삼매는 현일체색신삼매라고 이름하며, 묘음보살은 이 삼매에 머물러 이렇게 무량한 중생을 이롭게 할 수 있다."

이 묘음보살품을 설하실 때 묘음보살과 함께 온 팔만 사천의 보살들은 모두 현일체색신삼매를 얻었으며, 이 사바세계의 무량한 보살들도 역시 이 삼매와 다라니를 얻었다.

爾時華德菩薩白佛言。世尊。是妙音菩薩深種善根。世尊。是菩薩住何三昧, 而能如是在所變現, 度脫衆生。佛告華德菩薩。善男子。其三昧名現一切色身, 妙音菩薩住是三昧中, 能如是饒益無量衆生。說是妙音菩薩品時, 與妙音菩薩俱來者, 八萬四千人, 皆得現一切色身三昧。此娑婆世界無量菩薩, 亦得是三昧及陀羅尼。

4) 묘음보살의 본토귀환

그때 묘음보살마하살은 석가모니불과 다보불탑에 공양한 후 다시 본래의 국토로 돌아갔으며, 지나가는 모든 국토가 여섯 가지로 진동하고 보배 연꽃이 하늘에서 내렸으며, 백천만억의 갖가지 기악이 연주되었다. 본국에 이미 도착하여 팔만사천의 보살들에게 둘러싸여 정화수왕지 부처님 계신 곳에 이르러 말하였다.

"세존이시여! 저는 사바세계에 가서 많은 중생을 이롭게 하였습니다. 석가모니불을 뵙고 아울러 다보불탑을 보고 예배하고 공양하였으며, 또한 문수사리법왕자보살과 약왕보살, 득근정진력보살, 용시보살 등도 보았으며, 또한 함께 간 팔만사천의 보살들이 현일체색신삼매를 얻도록 하였습니다."

爾時妙音菩薩摩訶薩, 供養釋迦牟尼佛及多寶佛塔已, 還歸本土, 所經諸國, 六種震動, 雨寶蓮華, 作百千萬億種種伎樂。旣到本國, 與八萬四千菩薩·圍繞, 至淨華宿王智佛所, 白佛言。世尊。我到娑婆世界, 饒益衆生, 見釋迦牟尼佛, 及見多寶佛塔, 禮拜·供養。又見文殊師利法王子菩薩, 及見藥王菩薩·得勤精進力菩薩·勇施菩薩等, 亦令是八萬四千菩薩, 得現一切色身三昧。

5) 「묘음보살품」의 이익

이 묘음보살품을 설하실 때 사만 이천의 천자들은 무생법인을 얻고, 화덕보살은 법화 삼매를 얻었다.

說是妙音菩薩來往品時, 四萬二千天子得無生法忍, 華德菩薩得法華三昧。

二十五

관세음보살보문품
(觀世音菩薩普門品)

관세음보살의 보문시현(普門示現)

(편집자 주 : 1968년 9월 22일 96일간의 하계 능엄경 연수반을 마치고, 선화 상인께서는 2주간의 휴식을 선포하신 후 계속해서 『법화경』「관세음보살보문품」을 강의하였다. 10월 6일(음력 8월 15일) 달이 가장 둥근 그날 상인께서는 계속해서 「관세음보살보문품」을 강의하여 11월 9일(음력 9월 9일) 관세음보살의 출가일을 기념하여 전 품을 원만하게 마쳤다. 이 두 주간의 휴식 기간 상인께서는 일찍이 관세음보살의 신통묘용과 감응사례를 간단하게 소개하여 제자들이 알게 하였다. 지금 상인의 그동안 강의 내용을 이곳에 수록하여 당년의 순서와 부합되도록 하였으며, 또한 독자들이 관세음보살에 대하여 더욱 많은 인식과 신심을 가지도록 도와서 관세음보살을 가까이하고 관세음보살을 향하여 더 많이 배우도록 하였다.)

관세음보살은 불교에서 매우 중요한 지위를 점하고 있다. 어떤 사람은 관세음보살을 중국 출신이라고 하며, 어떤 사람은 외국인이라고 말한다. 어떤 사람은 남자라고 말하며, 어떤 사람은 여자라고 말한다. 지금 나는 여러분에게 알리노니, 관세음보살은 중국인도 아니고 외국인도 아니다.

그러면 그분은 어디에서 오신 분인가? 그는 허공을 다하고 법계에 두루한 모든 곳에서 오신 분이며, 또한 어느 곳에서도 오신 분이 아니다. 그분은 중생의 종류에 따라 응하여 나타나신다. 중생이 마땅히 어떤 몸으로 제도될 것인지에 따라 그러한 몸을 나타내어 법을 설하신다. 그래서 관세음보살은 정해진 일정함이 없는 분이다.

관세음보살은 부처의 몸으로도 시현하여 마땅히 부처를 이룰 모든 중생을 제도하며, 보살의 몸이나 천상의 천왕 몸으로도 나타나 중생을 제도한다. 이 중생이 어떤 몸으로 제도될 것인지를 보고 그 몸으로 시현하여 그 중생을 위하여 법을 설하는 것이다.

불교에서 관세음보살은 도처에 가서 중생을 교화한다. 그분은 일체중생을 제도하여 보리심을 발하게 하려고, 먼저 이 중생이 무엇을 좋아하는지 보고 그에 맞는 법을 설한다. 그래서 관세음보살은 반드시 남자의 몸이 아니고 또한 반드시 여자의 몸도 아니며, 남자의 몸이기도 하고 여자의 몸이기도 하다. 하지만 모두 변화한다. 관세음보살의 본체는 여여부동(如如不動)하여 부처님과 같다. 아울러 관세음보살은 오랜 이전에 이미 성불하였으며, 명호는 정법명(正法明)여래였다.

현재 그 부처님은 보살의 몸으로 변화하여 중생을 교화하신다. 그분은 외도의 몸으로 나타나기도 한다. 자주 백의(白衣)를 입은 분으로 나타나는데 가톨릭에서는 성모(聖母)라고 한다. 이 성모가 바로 관세음보살이다. 관세음보살의 이러한 묘용(妙用)은 무궁하며 경계가 불가사의하다.

관세음보살(觀世音菩薩)에서 관(觀)은 일종의 관하는 지혜[觀智]로서 능관(能觀)의 지혜이며, 세음(世音)은 소관(所觀: 관하는 대상)의 경계다. 능관의 지혜로 소관의 경계를 관하며, 세간의 모든 경계, 일체의 소리를 관한다. 이 소리에는 괴로운 소리와 즐거운 소리가 있으며, 착한 소리와 악한 소리가 있고, 좋은 소리와 나쁜 소리가 있는데, 관세음보살은 세계의 갖가지 소리를 관하여 그 중생의 마음을 따라 그 소원을 만족시킨다. 중생이 무엇을 구하든지 간에 관세음보살을 향하여 기도하여 구하면, 반드시 마음에 따라 원하는 것을 만족시킨다.

이른바 "일체중생의 갖가지 소리를 보살은 모두 알고 보네."라고 하듯이, 무슨 소리든지 이 보살은 모두 안다. 무엇 때문인가? 그분은 하루 종일 세계의 소리를 다 관하며, 이곳에 무슨 소리가 없는지, 저곳에 무슨 소리가 없는지를 관하기 때문이다. 본래 소리는 듣는 것인데 이제서 그분은 본다고 말하는가? 너희는 음성을 볼 수 있는가? 너희는 보지 못하지만, 관세음보살은 마치 레이더의 경계와 같이 볼 수 있다. 관세음보살에게는 레이더가 있으며, 각각의 중생들에게는 모두 전파가 있는 것과 같다. 이것이 하나의 설명이다.

다른 하나의 설명은 관세음보살의 눈은 볼 수 있을 뿐만 아니라 들을 수도 있기 때문이다. 왜 이렇게 할 수 있는가? 그분은 육근호용(六根互用)의 신통을 가지고 있기 때문이다. 사람들이 만약 『법화경』을 닦아서 법화삼매를 얻거나 혹은 육근청정의 경계를 얻으면 모두 육근을 호용할 수 있다. 하물며 관세음보살이야 말할 것도 없다. 따라서 관세음보살의 귀도 볼 수 있고 말할 수도 있고 먹을 수도 있다. 또 그의 눈은 들을 수 있고 무엇을 생각할 수도 있다. 관세음보살은 육근호용의 경계를 매우 일찍부터 얻었으며, 그래서 그는 세상의 소리를 관할 수 있는 것이다.

세(世)에는 과거세, 현재세, 미래세가 있다. 관세음보살은 일체중생의 과거세 인연, 현재세 인연, 미래세의 인연을 관한 연후에 마땅히 무슨 방법으로 제도하고 교화하는 것이 좋을지를 관하여 그가 수행하여 성취한 이러한 신통으로 중생을 구하고 제도한다. 그래서 관세음이라고 부르는 것이다.

그분은 왜 이렇게 많은 일을 관장하려고 하는가? 하루 종일 세상의 소리를 관하는 것이 무슨 소용이 있는가? 왜냐하면 관세음보살은 놓지 못하기 때문이다. 너희를 놓지 못하고, 나를 놓지 못하고, 그를 놓지 못하고, 일체중생을 놓지 못한다. 그분은 일체중생을 마치 그의 어린아이처럼 보기 때문에 하루 종일 그들을 품으려고 한다. 이 아이가 우는지, 저 아이는 웃는지, 저 아이가 춥지는 않은지, 우유는 먹었는지, 하루 종일 우리와 같은 어린아이를 돌보는 것이다. "그럼 그분은 보모가 아닌가요?" 그러한 상황과 비슷하지만, 그분에게 수고비를 주는 사람은 없다. 이것이 관세음보살이 가장 손해 보는 것이다.

그분은 중생을 놓지 못하기 때문에 모든 세상의 소리를 관하려고 한다. 어떤 중생에게 무슨 고통이 있는가를 보고 그 중생의 고통을 해결해 주려고 한다. 어떤 중생에게 재난이 있는가를 보고 중생의 재난을 없애주려고 한다. 이른바 "소리를 찾아서 괴로움을 구제한다.[尋聲救苦]"라고 하는 것이다. 너희에게 만약 괴로움이 있다면 단지 '나무관세음보살'이라고 염하기만 해도, 흉함을 만나면 길함으로 변하고, 재난을 만나면 길상함을 드러낸다. 일체가 모두 마음에 따라 여의하게 된다.

그러나 이러한 묘법을 사람들은 모른다. 그래서 가장 위험한 시기에도 관세음보살 염하는 것을 생각하지 못한다. 너희가 만약 위험한 때에 관세음보살을 염할 수 있으면, 불속에서도 불이 너희를 태우지 못하고, 물속에서도 물이 너희를 빠져죽게 하지 못한다. 너희가 수영을 할 줄 몰라도 저절로 얕은 곳으로 이르게 할 수 있다. 이것이 관세음보살의 감응이다. 위험한 시기에 너희가 관세음보살을 염할 수 있으면 모두 감응이 있게 되며, 반드시 너희를 구제하러 올 것이다.

하지만 너희가 반드시 믿는 마음을 가져야 한다. 반신반의(半信半疑)해서는 안 된다. 예를 들면 너희가 불무더기 속에 있으면서 비록 관세음보살을 염할지라도, 또 한편으로 관세음보살을 믿지 않고 의혹심을 내면 관세음보살은 너희를 구하러 오지 않을 것이다. '지금 관세음보살을 염하지만 나를 구하러 오실까? 의지할 수 없어! 그런 영험한 일이 생길까?' 이렇게 의혹하면 너희를 구하러 오지 않을 것이다. 왜냐하면 너희가 믿지 않기 때문이다. 그러나 너희가 일심으로 믿으면서 '내가 이곳에서 관세음보살을 염하면 반드시 나의 위험을 풀어주실 거야!'

심지어 너희가 호랑이를 만나 이 호랑이가 입을 벌리고 너희를 잡아먹으려고 할 때, 눈을 감고 '나무관세음보살, 나무관세음보살…'을 염하면, 호랑이는 입도 벌릴 수 없을 것이다. 관세음보살은 이러한 힘이 있기 때문에 호랑이는 너희를 잡아먹을 수 없을 것이다.

마지막으로 보살이란, 보리살타(菩提薩埵)의 약칭이다. 보리란 깨달음[覺]이며, 살타는 바로 유정(有情)이다. 그래서 보리살타란 유정을 깨닫게 한다[覺有情]는 뜻이다. 무릇 너희는 정이 있는 자이므로 보살은 너희가 깨달음을 얻게 할 수 있다. 또 다른 하나의 설명은 유정각(有情覺)으로서, 즉 유정 가운데 깨달은 자라는 뜻이다. 유정이란 일체의 지각성을 가진 자이고, 감각을 가진 자이며, 기혈을 가진 자이다. 생명이 있는 것을 모두 유정이라고 한다. 관세음보살은 이전에 우리와 같이 왔으며, 그는 고난을 두려워하지 않고 수행하여 깨달았기 때문에 유정의 중생 속에서 깨달은 분이다. 또한 그러한 깨달은 지혜로써 다시 와서 우리 중생을 깨닫게 한다. 그래서 보살이라고 하는 것이다.

보살은 또 다른 명칭이 있는데, 대도심(大道心)의 중생이라고 한다. 대도심이란 도의 마음이 가장 크다는 것이다. 대도심이 있는 중생이 바로 보살이다. 또 하나의 명칭이 있는데, 개사(開士)라고 하며, 또한 유상사(有上士)라고도 한다. 이름은 매우 많다. 관세음보살도 또한 이러한 류의 중생이다. 성불하기 이전의 모든 보살은 중생이라고 부른다. 하지만 그는 중생 속에서 깨달은 중생이다. 미혹하고 어리석은 중생이 아니다.

미혹하고 어리석은 중생은 일체의 경계를 만나면 미혹함을 집착하여 깨닫지 못하고, 일체의 일을 만나 간파하지 못하고 놓지 못한다. 관세음보살은 일체의 일에 대하여 간파하고 놓을 수 있으며 집착함이 없다. 그래서 그는 깨달은 것이다. 자기가 깨달았을 뿐 아니라 또한 다른 일체의 깨닫지 못한 중생을 깨닫게 할 수 있다. 그러므로 관세음보살이라고 한다. 이것이 관세음보살의 대략적인 뜻이다.

관세음보살을 찬탄하는 한 수의 게송이 있는데, 관세음보살에 대한 간략한 뜻을 설하고 있다.

> 관세음보살의 묘함은 설하기 어렵고
> 청정하고 장엄한 상호는 누겁에 닦은 것이네.
> 늘어진 홍련 위에 선 모습에
> 가을달같이 굽은 눈썹을 하고
> 병 속의 감로수를 항상 두루 뿌리며
> 버들가지 손에 드신 세월 셀 수 없네.
> 천 곳에서 기도해도 천 곳에서 감응하며
> 고해에서 항상 사람을 건너는 배가 되네.
> 觀音菩薩妙難酬　清淨莊嚴累劫修
> 朵朵紅蓮安足下　彎彎秋月鎖眉頭
> 瓶中甘露常遍灑　手內楊枝不計秋
> 千處祈求千處應　苦海常作渡人舟

관음보살묘난수(觀音菩薩妙難酬) : 관세음보살의 신통, 지혜, 방편 등 모든 것은 불가사의하다. 이러한 불가사의한 경계는 다 말할 방법이 없고, 또 다 설명할 방법이 없다.

청정장엄누겁수(清淨莊嚴累劫修) : 관세음보살의 청정하고 장엄한 상호는 누겁 동안 닦아온 것으로서, 한 생에 닦은 것이 아니고 세세생생 복을 닦고 지혜를 닦은 것이다. 많은 대겁 이전부터 복과 지혜를 닦아서 비로소 이러한 청정하고 장엄한 상호와 원만한 모습을 가질 수 있는 것이다.

타타홍련안족하(朵朵紅蓮安足下): 관세음보살이 붉은 연꽃 위에 서 있는 모습이 매우 묘하다.

만만추월쇄미두(彎彎秋月鎖眉頭): 눈썹은 마치 약간 굽은 가을달의 월아(月牙)와 같다. 그의 모습은 매우 아름답고 매우 원만하다.

병중감로상편쇄(甁中甘露常遍灑): 그는 손에 정수의 병을 쥐고 있으며, 정수의 병 속에 담긴 것은 감로수다. 이 감로수를 우리 각자의 머리를 향하여 뿌리면, 각 사람은 청량함을 얻고 재난을 소멸하고 죄를 소멸하며 병을 낫게 한다. 그리하여 복이 나오게 한다. 편쇄(遍灑)는 보편적인 것으로 어떠한 사람에게 무슨 재난이 있어도 보살은 모두 가서 구제한다.

수내양지불계추(手內楊枝不計秋): 보살의 손에 버들가지를 들고 감로수를 적셔서 뿌리면, 어떤 마장(魔障)도 없어지고 어떤 번뇌도 없어져서 일체가 청정해진다. 단지 관음보살이 와서 버들가지를 사용하여 감로수를 적셔서 한 번 뿌리면, 이곳은 평안무사하다. 손에 버들가지를 든 것이 얼마의 세월인지 모른다.

천처기구천처응(千處祈求千處應): 보살은 한 곳 두 곳이 아니라 백천만의 수많은 곳에서 기도하여 구하면 모두 그 원을 만족시키며, 이렇게 많은 중생을 도와 괴로움을 떠나 즐거움을 얻게 한다.

고해상작도인주(苦海常作渡人舟): 망망한 고해에서 우리의 이 세계는 마치 고통의 바다와 같으며, 관세음보살은 항상 사람을 건너게 하는 배가 된다.

관세음보살의 이러한 신통묘용과 상호장엄은 설명하려고 해도 다 설명할 수 없다. 하지만 우리는 대략적인 개념을 알아야 관세음보살에 대하여 약간의 인식이 생길 수 있으며, 그분의 자비와 보문시현(普門示現)으로 중생을 교화하는 것을 많이 배울 수 있을 것이다.

이 품을 설명하다 보니 하나의 이야기가 생각난다. 중국 상유현(上楡縣)에서 장사를 하는 상인이 있었는데, 그는 관세음보살을 믿으며 매우 정성스럽게 염하고 절하며 또한 「관세음보살보문품」을 염송하였다.

어느 날 밤 이 상인의 꿈에 관세음보살이 나타나 그에게 말하였다. "그대는 장래 재난이 있을 것이다. 이제 그대에게 몇 구의 게송을 알려주니, 이를 기억하면 이후 영험이 있을 것이다."

> 다리를 만나면 배를 멈추지 말고
> 기름을 보면 즉시 머리에 바르고
> 한 말의 곡식에 석 되 쌀이 남고
> 파리가 붓의 머리를 받드네.
> 逢橋莫停舟 遇油卽抹頭
> 斗穀三升米 蒼蠅捧筆頭

이윽고 관세음보살은 보이지 않았으며, 그 후 이 상인은 이 네 구절의 게송을 명료히게 기억하게 되었다.

어느 날 그는 많은 화물을 배에 싣고 다른 도시로 가서 팔려고 준비하였다. 이 배가 운행을 하다가 강의 중간에서 큰 비를 만났는데, 마침 하나의 큰 교량을 지나가려는 참이었다. 배를 운행하던 사람은 화물이 비에 젖지 않게 하기 위해 교량 밑에서 잠시 범추려고 하였다. 그러나

이 상인은 게송의 첫 구절 "봉교막정주(逢橋莫停舟: 다리를 만나면 배를 멈추지 말고)"가 생각나서 배를 멈추지 못하게 하였다. 재빨리 배를 운행하는 사람에게 말하였다. "빨리 배를 모시오! 이곳에서 멈추면 안 됩니다!" 그래서 배를 계속 몰아 다리를 막 지나가니, 펑! 하고 교량이 붕괴되는 게 아닌가! 만약 배를 교량 아래에 멈추었으면, 사람조차도 물건들과 함께 모두 강물 속으로 사라질 뻔하였다. 그는 관세음보살이 참으로 신령하다고 생각하였다. 교량 밑에 배를 멈추지 않아서 하나의 큰 재난을 넘기게 된 것이다.

그리하여 집으로 돌아와서 관세음보살을 향하여 더욱 많은 절을 하였다. 그렇게 절을 하는데, 갑자기 불전의 기름등이 바닥에 넘어져 기름이 바닥에 흥건하게 되었다. 그때 그는 꿈속의 게송이 생각났다. 이것은 게송의 "우유즉말두(遇油卽抹頭: 기름을 보면 즉시 머리에 바르고)"가 아닌가? 그래서 그는 바닥에 뿌려진 기름을 자기의 머리에 발랐다. 그날 밤 잠을 자다가 피 냄새가 나서 잠을 깨어 살펴보니, 놀랍게도 그의 부인의 목이 베어져서 많은 피가 흘러 침대가 붉게 물들어 있었다.

그는 한밤중에 재빨리 부인의 친정부모에게 연락해 "오늘 밤 어찌 된 일인지는 모르겠지만 당신의 딸이 죽었으며, 누구에게 피살되었는지 모르겠다."고 말하였다. 그의 장인과 장모는 말하였다. "누가 살해한 것인가? 자네가 재물을 도모하기 위하여 해친 것 아닌가! 자네는 부처를 믿고 자네 부인은 부처를 믿지 않으니, 두 사람 사이에 의견이 서로 맞지 않았을 것이다. 그래서 이것을 기회로 삼아 부인을 죽이고서는 이렇게 와서 우리에게 알리는 것 아닌가." 그리고 장인과 장모는 현(縣)정부에 그를 고발하였다.

현의 관리가 그를 심문하여도 살해한 까닭을 찾아낼 수 없었으나,

그럼에도 상인은 부인 살해죄로 구속되었다. 현 관리가 붓을 들고 그의 죄를 판결하여 쓰려고 할 때, 많은 파리들이 몰려들어 붓 머리에 가득 앉았다. 이 상인은 곧 말하였다. "아, 정말로 이상하다! 이것은 창승봉필두(蒼蠅捧筆頭: 파리가 붓의 머리를 받드네)가 아닌가."

현 관리가 그에게 물었다. "당신은 무엇이 그렇게 이상하다고 말하는가?"

그가 말하였다. "저는 관음보살을 믿는데, 얼마 전 꿈에서 관음보살이 저에게 네 구절의 게송을 알려주었습니다. 지금까지 세 구절이 모두 영험이 있었기 때문에 이상하다고 생각하는 것입니다." 현 관리가 물었다. "그 세 구절은 무엇인가?"

상인이 말하였다. "관음보살이 알려주시기를 봉교막정주(逢橋莫停舟)라고 하였는데, 내가 장사를 다니다가 배가 막 교량 밑을 지날 때 마침 비가 와서 배가 멈추려고 하였으나, 내가 멈추지 말게 해서 교량 밑을 지나가자 교량이 무너졌습니다. 만약 그곳에 배를 멈추었으면 배는 교량에 깔려서 사람조차도 없어질 뻔하였습니다. 이것이 첫 번째입니다. 그리고 다음 구절은 우유즉말두(遇油卽抹頭)인데, 그래서 기름을 보고는 즉시 머리에 발랐습니다. 세 번째는 창승봉필두(蒼蠅捧筆頭)로서, 지금 당신이 나의 죄명을 쓰려고 하는데 파리들이 붓 머리에 달려드니, 이것이 어찌 영험한 일이 아니겠습니까? 그런데 마지막 남은 두곡삼승미(斗穀三升米: 한 말의 곡식에 세 되 쌀이 남고)라는 구절은 나도 무슨 뜻인지 모르겠습니다."

이 이야기를 들은 현 관리는 기이하게 여겨 그의 참모들과 연구하기 시작하였다. "두곡삼승미(斗穀三升米)에서 한 말의 곡식에 석 되의 쌀이 있으면, 그것은 일곱 되의 겨[糠: 겨, 강]가 남은 것이 아닌가? 일곱 되의 강(糠)이라, 아! 이것은 반드시 성이 미(米)이거나, 혹은 상(康)일 것이다. 혹은 미삼(米三: 미씨 집안의 셋째)이거나, 혹은 강칠(康七: 강씨 집안의 일곱째)일 것이다. 이런 사람을 찾아보자, 만약 있으면 그를 잡아와서 심문하자."

그리하여 몰래 마을에 사람을 파견하여 조사를 해보니, 과연 강칠(康七)이 있었다. 그 사람을 잡아와서 심문해 보니, 그가 상인의 부인과 내연관계라는 사실을 발견하였다. 그들 두 사람은 이 상인을 죽이려고 계획을 세웠는데, 그날 밤 강칠이 상인을 죽이려고 손으로 머리카락을 만지다가 머리에 기름이 묻은 것을 알고 생각하였다. '기름을 머리에 바르는 것은 여인이 하는 것이며, 남자는 머리에 기름을 바를 리가 없을 것이야.' 그래서 기름을 바른 머리는 지나가고 기름이 없는 머리를 베게 된 것이다. 현 관리가 심문하여 명백하게 그의 죄상이 밝혀졌다.

그런 후 이 상인은 생각하였다. '아, 세상의 일은 인과가 무섭구나.' 이후 그는 출가하여 도를 닦았으며, 세간의 모든 일을 놓아버렸다. 이러한 이야기로부터 보면, 너희가 단지 관세음보살에 대하여 진실한 마음을 가지면 무슨 재난이 있든지 간에 너희를 도울 것이며, 감응되는 일이 생길 것이다.

이 품은 여러분 각자 모두 익숙할 것이며, 모두 관세음보살을 잘 알 것이라고 믿는다. 관세음보살은 대자대비하신 보살이며, 우리 모든 중생과는 매우 인연이 깊다. 「관세음보살보문품」을 설하는 데는 열 가지의 인연이 있다.

① 약의 구슬[藥珠]

첫 번째의 인연은 약주(藥珠)이다. 무엇을 약(藥)이라고 하는가? 바로 약왕수(藥王樹)이다. 무엇을 또 약왕나무라고 하는가? 아주 오래 전에 어떤 사람이 산에 가서 땔나무를 한 짐 해서 시장에 가서 팔려고 하다가 한 의사를 만났다. 의사는 그의 나뭇짐에서 광명이 나오는 것을 보고 그것을 사서 집으로 돌아왔다. 집에 와서 그 나뭇짐을 풀어 열어보니, 그 속에 한 그루의 약왕나무가 있었다. 의사는 약왕나무를 얻은 후 어떠한 병이든 단지 그 나무를 병자의 몸에 대거나 혹은 가볍게 두드리면, 모든 병이 좋아졌다. 그래서 그가 세상에서 얼마나 많은 사람을 구했는지 모른다. 이러한 이유로 인하여 약왕나무라고 부르는 것이다.

주(珠)는 여의보주(如意寶珠)라고 한다. 여의란 마음대로 된다는 뜻이다. 마음대로 된다는 것은 너희로 하여금 즐겁게 하고 뜻을 만족시킨다는 뜻이다. 이 여의주는 너희가 필요로 하는 것을 만족시키고, 너희의 욕망을 이루게 한다. 너희가 맛있는 것을 먹고 싶으면, 여의주는 맛있는 것을 나타나게 해 먹게 한다. 너희가 가장 아름답고 가장 희귀한 옷을 입고 싶으면, 단지 여의보주를 대하고 그렇게 생각하기만 하면 너희가 바라는 것이 나타난다. 심지어 너희가 가장 아름다운 집에 머물고 싶으면 그러한 집이 나타나는 것이다. 모든 것은 너희가 필요로 하는 만큼, 모자라지도 않고 남지도 않게 나타난다. 그래서 여의라고 하는 것이다.

여의주는 얼마나 큰가? 매우 작은 구슬로서 몸에 지니고 어디로든 갈 수 있다. 또 무겁지도 않고 마음이 원하는 대로 나타나니 그 묘함이 극에 달하였다. 그래서 여의주라고 한다. 여의주가 이렇게 좋다면, 예를 들어 남자가 아름다운 여인을 원하면 나타날 수 있는가? 여인이 멋진 남자를 원한다고 말하면 나타날 수 있는가? 이것은 말할 수 없다. 너희의 질문은 나를 멈추게 하는구나. 나는 그러한 묘한 작용이 있는지 없는지는 모른다.

이 「관세음보살보문품」은 약왕나무와 같으며 또한 여의주와 같다.

너희가 단지 이 품을 염송하기만 하면, 구하는 일이 이루어지고 너희의 요구를 만족시킨다. 그러나 오늘 읽고 내일 바로 효과가 있다는 것은 아니다. 반드시 먼저 기초를 잘 다져야 한다. 마치 건물을 지으려면 먼저 기초를 잘 다지는 것과 같다. 땅의 기초가 부실하면 건물도 잘 지을 방법이 없다. 「관세음보살보문품」이 비록 약왕나무와 여의주와 같이 신령한 감응이 있고 묘함이 불가사의하지만, 너희는 먼저 이 품을 매일 독송하여 너희에게 진실한 마음이 있다고 관세음보살이 여기도록 해야 한다. 그런 연후에야 너희는 구하는 바를 뜻에 따라 이룰 수 있을 것이다. 평소에는 독송하지 않다가 때가 되어 감응을 구하려고 하면 안 된다. 너희가 평소에 부지런히 수행하면 때가 되어 약왕나무와 여의주와 같이 묘함이 불가사의한 경계가 생길 것이다. 너희는 우선 「관세음보살보문품」을 독송해야 한다.

그러면 어떤 사람은 말할 것이다. "불교에는 배워야 할 것이 너무 많습니다. 능엄주도 외워야 하고, 대비주도 독송해야 하며, 지금은 「관세음보살보문품」도 독송해야 한다고 말합니다. 이렇게 많은 과제를 할 시간이 어디에 있습니까?" 너희는 많은 시간이 필요하지 않다. 단지 하루 한 시간 정도 적게 잠자고, 쓸데없는 말을 조금 적게 하면 된다. 불교에서는 쓸데없는 말을 하는 것을 "곡식을 찧는다.[舂穀子]"고 말한다. 이것은 바로 쌀 찧는 도구를 사용하여 쓸모없는 껍질을 찧어서 버리는 것이다. 너희가 조금도 쓸모없는 한가한 말을 적게 말하면, 이러한 독송의 과제를 할 수 있을 것이다.

만약 너희가 마음의 소원을 이루려고 생각하지 않고 말하기를 "나는 구하는 바가 없으며, 탐하는 마음도 없고 분노하는 마음도 없고 어리석은 마음도 없으니, 이러한 생각이 필요하지 않다." 그러면 너희에게는 근본적으로 「관세음보살보문품」이나 관세음보살을 염할 필요가 없을 것이다. 그러나 너희가 만약 장래 혹은 무슨 일을 만나 관세음보살이나 부처님께 기도하여 도움이 필요할 때는 마땅히 더 많은 불법을 배워야 할 것이다. 불법은 마치 바다와 같은데, 너희는 어찌 한 방울의 바닷물조차도 마시지 못하고, 많다고 싫어하는가? 그러면 장래 이렇게 많은 바닷물을 다 마시지 못할 것이다. 하지만 다 마시지 못하더라도 응당 너희의 역량을 다해야, 얼마가 필요하면 얼마를 쓸 수 있을 것이다. 불법은 취하여도 다 취하지 못하고, 써도 다 쓰지 못한다. 그래서 응당 너희의 힘을 다해 불법을 이용해야 한다. 이러한 약주(藥珠)의 인연으로 인하여 「관세음보살보문품」을 설하는 것이다.

② 현밀(顯密)

두 번째의 인연은 현밀(顯密)이다. 현은 밝게 드러난 것이고, 밀은 비밀이란 뜻이다. 너희가 「관세음보살보문품」을 독송하는데, 어떤 때는 밝게 드러나는 감응을 얻고, 어떤 때는 비밀한 감응을 얻는다.

밝게 드러난 감응이란 바로 사람마다 볼 수 있고 알 수 있는 것이다. 예를 들면 「관세음보살보문품」에 이르기를 "설령 큰불에 들어가도 불이 태우지 못한다.[設入大火 火不能燒]"라고 하였으며, 『능엄경』에서 관세음보살이 이근원통을 설명할 때 말씀하시길 "불이 태울 수 없다.[火不能燒]" 또한 "성품의 불은 진공이며, 성품의 공은 진화이다.[性火眞空 性空眞火]"라고 하였다.

예를 들어 너희가 마침 집에 있는데, 집 밖에서 알지 못하는 가운데 불이 일어나거나 혹은 이웃집에서 불이 일어날 때, 단지 너희가 일심으로 관세음보살을 믿고 성심으로 관세음보살을 염하면, 이웃집이 설령 불에 타더라도 너희의 집은 불에 타지 않을 것이다. 그러나 이는 고의가 아니라야 한다. 만약 너희가 고의로 불을 내고 이 집이 타는지 타지 않는지를 시험한다면, 너희의 집은 반드시 불에 탈 것이다. 무엇 때문인가? 너희가 관세음보살을 시험했기 때문이다.

왜 너희는 시험하려고 하는가? 바로 너희의 믿음이 진실하지 못하기 때문이다. 마치 너희가 친구를 사귀면서, 이 친구가 너희에 대하여 진심이 있는지를 알려고 하거나, 혹은 재물을 주워 자기 것으로 삼는지 아닌지를 알려고 하는 것과 같다. 그래서 이 친구가 올 때 고의로 돈을 땅에 떨어뜨려 놓고 그가 주워가는지를 보려는 것이다. 그가 만약 좋은 사람이라면 돈을 주워가지 않을 것이다. 그러나 너희는 왜 친구를 시험하려고 하는가? 바로 너희가 이 친구에 대하여 진정한 인식이 없어서 아직 그가 진정으로 좋은 사람이라는 것을 모르기 때문이다.

경에서 말하는 "관세음보살을 염하면 설령 큰불에 들어가도 불이 태우지 못한다."라는 말을 너희가 믿지 못하여 시험하려 한다면 너희는 관세음보살에 대하여 근본적으로 믿는 마음이 없는 것이다. 이미 믿는 마음이 없는데 관세음보살도 너희의 이러한 쓸데없는 일을 도우려고 오지는 않을 것이다. 너희가 자기의 집을 태워도 그냥 내버려둘 것이다. 너희가 바다에 빠져 자살하려고 생각하면서 관세음보살의 이러한 신통묘용을 시험하려고 하면, 관세음보살께서도 너희의 이러한 쓸데없는 일을 돕지 않을 것이다.

밝게 드러난다[明顯]는 것은 사람마다 아는 것이다. 예를 들면 이웃집이 불에 모두 탔는데도 너희의 집은 공공연히 불에 타지 않으면, 이것이 어찌 드러난 것이 아닌가? 사람마다 모두 안다. '아, 저 사람은 관세음보살을 염하더니 감응이 있구나! 그가 불교를 믿는 것은 참으로 묘하구나!'

라고 생각한다. 이러한 감응이 있는 것을 바로 드러난 감응이라고 한다.

그리고 감응에는 비밀한 것이 있다. 예를 들면 너희에게 장차 어떤 재난이 닥쳐올 때 보이지 않는 가운데 관음보살이 감응하여 너희가 이러한 위험을 만나지 않도록 하는 것이다. 이것을 비밀한 감응이라고 한다. 사람마다 그러한 감응을 모르고 자기도 모른다. 너희가 마땅히 받아야 할 재난이 무형 중에 없어진 것이다. 혹은 그가 바다에 빠져 죽거나 불에 타 죽을 것인데, 그가 관세음보살을 믿기 때문에 모르는 사이에 관세음보살이 그의 이러한 재난을 해제하여 주시는 것이다. 이러한 것도 비밀한 감응이다.

심지어 너희가 비행기를 타고 가다 본래는 그 비행기가 조난을 당해야 할 것이지만, 관세음보살의 도움으로 조난을 당하지 않은 것이다. 지금은 교통이 편리하지만 많은 사람들이 교통사고로 죽는다. 어떤 때는 비행기가 사고를 일으키거나, 기차가 기차와 충돌하여 많은 사람이 죽고, 어떤 때는 자동차나 버스가 서로 충돌하거나 추락하여 많은 사람이 비명에 죽는다. 이러한 상황 하에서 너희가 「관세음보살보문품」을 읽거나 대비주(大悲呪)를 읽거나 하면, 관세음보살이 보이지 않은 가운데 흉함을 길함으로 변화시키고, 곤란한 일을 만나면 길상함으로 변화시키는 것이다. 사람마다 길상함을 좋아하는데, 길상하고 여의하게 하여 너희의 소원을 만족시킨다.

이러한 현밀의 인연으로 인하여 「관세음보살보문품」을 설하는 것이다.

내가 감응의 일을 한 가지 더 이야기해 주려 한다. 바로 중국 동북지방에서 발생한 일이다. 어떤 돈 많은 농부가 있었다. 가을에 그는 수레에 곡식을 가득 싣고 시장에 팔러 갔다가, 다 팔고 난 후 돈을 가지고 돌아오고 있었다. 그런데 전방 3리 정도 되는 곳에서 도적떼가 지나가는 사람들을 겁탈하고 있었다. 돈을 많이 가진 그는 이때 어떻게 해야 하는가? 도망을 가야 하는가? 도적들이 보고 있으니 도망갈 수도 없다. 도망가지 않으면 반드시 돈을 다 빼앗길 것이다.

그래서 농부는 대비주(大悲呪)를 염하기 시작했고, 수레를 모는 마부는 계속 앞으로 달려갔다. 수레가 도적들이 있는 곳에 가까이 갔을 때 갑자기 도적 속에서 어떤 사람이 그의 수레로 오더니 마부에게 말하였다. "당신은 말채찍을 나에게 주시오. 내가 당신을 대신해서 말을 몰리다." 그러고 나서 채찍을 잡고 말을 몰면서 도적떼 옆을 지나갔는데, 도적들은 마치 그 농부의 마차가 보이지 않는 것 같았다. 도적떼가 보이지 않자 마차를 몰던 사람이 채찍을 원래의 마부에게 주면서 말하였다. "어서 가세요! 이제 큰일은 없을 겁니다." 농부는 본래 그 마부가 도적떼 속에서 나와 도와주었기 때문에 그도 도적일 것이라고 생각하고 물었다. "당신은 오늘 이렇게 크게 나를 구해주었는데, 그대의 성함은 무엇이고 어디에 사십니까? 장래 내가 당신 사는 곳에 가서 사례하리다!" 이 사람은 그에게 말하였다. "나의 이름은 아서원(阿逝孕)이라고 합니다."

너희는 대비주를 읽을 때 아서원(阿逝孕)이라는 구절이 있다는 것을 알지 않는가? 두 개의 긴 날개가 달린 호법신장을 아서원이라고 부른다. 농부는 생각하기를 '누구를 아서원이라고 하더라?' 당시 그는 아서원이 대비주의 한 구절이고 호법신장이라는 것은 생각나지 않았다. 아서원이라는 사람이 가고 나서 보이지 않자 비로소 그는 생각이 났다. "아, 그래! 아서원은 대비주 속의 한 호법신장이지?" 그래서 다시 아서원을 찾았으나 찾을 수 없었으며, 어디로 갔는지 알 수 없었다.

그러므로 대비주 속에는 불가사의한 경계가 있다. 만약 농부가 생각하기를 '대비주를 염송하면서 그것이 영험이 있는지 없는지 시험해 봐야지.' 그랬으면 아서원도 그를 구하러 오지 않았을 것이다. 그러나 그에게는 시험하려는 마음이 없고, 오로지 대비주를 염하면 흉함을 만나 길상함으로 변한다는 믿는 마음만 있었기 때문에, 과연 그의 뜻대로 되어 도적에게 돈을 빼앗기지 않았던 것이다.

너희가 만약 아서원을 만난다면 그의 손을 잡고 가지 못하게 하라. 앞의 농부와 같이 아서원을 만나고도 알아보지 못해 놓치지 말아야 한다.

③ 인법(人法)

세 번째는 인법(人法)의 인연이다. 무엇을 인법이라고 하는가? 인은 바로 관세음보살을 가리키고, 법은 보문시현(普門示現)하는 법을 가리킨다. 관세음보살은 칠난(七難)을 구제하고 삼독(三毒)을 풀어주며, 두 가지의 구함에 응한다. 따라서 그분은 불가사의한 사람이며, 또한 묘한 사람[妙人]이라고 말할 수 있다. 그는 또 말씀하시기를 "보문시현하고, 구함이 있으면 반드시 응하며, 통하지 않는 감응이 없다."는 법을 설하신다. 이것을 불가사의한 법이라고 한다. 불가사의하기 때문에 묘법이라고 부른다. 이미 "묘인(妙人), 묘법(妙法)"이므로 보문(普門)이라는 명칭과 명실상부하는 것이다. 이러한 인법의 인연으로 인하여 「관세음보살보문품」을 설하는 것이다.

④ 자비(慈悲)

네 번째는 자비(慈悲)의 인연이다. 무엇이 자(慈)인가? 자는 즐거움을 주는 것이다. 무엇이 비(悲)인가? 비는 괴로움을 뽑아주는 것이나. 관세음보살은 중생의 일곱 가지의 재난을 구제하고, 세 가지의 독을 풀어주며, 두 가지의 구함에 응한다. 일곱 가지 재난은 물의 난[水難], 불의 난[火難], 바람의 난[風難], 수갑에 채워지는 난[枷鎖難], 흑풍의 난[黑風難], 칼과 몽둥이의 난[刀杖難], 원수와 도적의 난[怨賊難]이다. 세 가지 독이란 탐(貪), 진(瞋), 치(癡)다. 두 가지 구함이란 남자(아들)를 구하고[求男], 여자(딸)를 구함[求女]이다.

중생에게는 모두 탐·진·치 삼독이 있다. 만약 어떤 탐심이 많은 사람이 항상 관세음보살을 염하고 공경하면 곧 탐욕을 떠나게 되며, 분노의 마음이 많은 사람이 항상 염하고 공경하면 곧 분노를 떠나게 되며, 어리석은 사람이 항상 염하고 공경하면 곧 어리석음에서 벗어나게 된다. 이러한 탐욕은 매우 많으며, 성냄도 또한 적지 않다. 그런데 어리석음은 많지 않기도 하고 적지 않기도 하다. 그것을 많다고 말하면 많은 것이 아니고, 적다고 말하면 적은 것도 아니다. 우리는 이런 어리석음을 해석하고자 한다.

무엇이 어리석음[癡]인가? 간단하게 말하면 바로 우치(愚癡)이다. 무엇이 우치인가? 바로 지혜가 없는 것이고, 이해하지 못하는 것이며, 이치를 보는 것이 참되지 못한[見理不眞] 것이다. 이치를 보는 것이 정확하지 못하여 그러하다는 것은 알지만 그러한 까닭을 모른다. 이것이 우치이다. 도리를 보는 것이 명료하지 못하다.

이러한 우치는 바로 중국의 왕양명(王陽明)이 말한 '지행합일(知行合一)'을 할 수 없는 것이다. 사람은 왜 실천하지 않는가? 바로 모르기 때문에 실천하지 않는 것이다. 그가 만약 안다면 행할 것이다. 왕양명은 말하였다. "그가 알면서 실행하지 않는 것은 아직 정말로 알지 못한 것이다. 그가 만약 정말로 안다면 반드시 실행할 것이다."

왕양명은 중국 명나라 때의 유명한 학자로, 그의 학설이 바로 '지행합일'이다. 사람은 왜 어리석은 일을 하는가? 아직 이해하지 못하기 때문이다. 그래서 내가 우치란 도리를 보는 것이 참되지 못한 것이라고 말한 것이다.

⑤ 복과 지혜[福慧]

다섯 번째의 인연은 복혜(福慧)이다. 관세음보살은 세상의 소리를 찾아 괴로움을 구제하며, 세간의 모든 소리를 분별하신다. 착한 소리, 악한 소리, 괴로운 소리, 즐거운 소리, 옳은 소리, 그른 소리 등을 분별하는데, 이것이 진정한 지혜가 있는 것이다. 관세음보살의 이러한 지혜는 어디에서 오는가? 이 또한 그의 보문(普門)의 보시이다. 중생에게 법으로 보시하기 때문에 복덕의 장엄이 있게 된 것이다. 복과 지혜의 인연으로 인하여 「관세음보살보문품」을 설하는 것이다.

⑥ 진신과 응신[眞應]

여섯 번째의 인연은 진응(眞應)이다. 관세음보살은 진신(眞身)의 묘한 힘으로 칠난을 구제하고 삼독을 풀어주며 두 가지 구함을 만족시킨다. 또한 32응화신(應化身)으로 중생을 교화하신다. 이러한 진신과 응신의 인연으로 인하여 「관세음보살보문품」을 설하는 것이다.

⑦ 권실(權實)

일곱 번째의 인연은 권실(權實)이다. 관세음보살이 법신(法身)의 힘으로 보이지 않는 가운데 중생을 이롭게 하는 것을 실(實)이라고 한다. 또 권교방편의 32응화신으로 중생을 교화하는 것을 권(權)이라고 한다. 이러한 권실의 인연으로 인하여 「관세음보살보문품」을 설하는 것이다.

⑧ 근본과 종적[本跡]

여덟 번째의 인연은 본적(本跡)이다. 본은 근본을 말하고, 적은 종적(蹤迹)을 말한다. 관세음보살은 법신으로 일체중생을 널리 제도하며, 그의 법신이 곧 본이다. 그는 또한 응화신으로 중생을 교화하는데, 이것은 적이다. 적은 마치 우리가 길을 걸어갈 때 발자국의 종적을 남기는 것과 같다. 관세음보살의 법신은 마치 하나의 달과 같으며, 그의 종적은 모든 물에 비친 달과 같다. 물속의 모든 달은 본래 하나의 달로부터 나타난 것이다. 이 물속의 달이 바로 적(跡)이고, 하늘의 달이 바로 본(本)이다. 이러한 본적의 인연으로 인하여 「관세음보살보문품」을 설한다.

관세음보살은 하나의 법신으로 일체중생의 마음에 두루 나타나 모든 중생이 허물을 고쳐 자신을 새롭게 바꾸게 하고, 삿됨을 돌려 선으로 향하게 하며, 괴로움을 벗어나 즐거움을 얻게 하고, 궁극에는 부처를 이루게 한다.

어떤 사람이 말하였다. "아, 그러면 내가 허물을 고쳐 스스로를 새롭게 바꾸지 못한 것은 관세음보살께서 나의 마음속에 나타나지 않았기 때문이군요. 그래서 나에게 무슨 잘못이 있어도 바꾸기를 원하지 않았군요." 예를 들어 담배를 피우는 사람이 생각하기를 '내가 담배를 끊지 못하는 건 아마도 관세음보살께서 나에게 가피를 주시지 않고, 나를 도와주시지 않았기 때문이야!' 술 마시기를 좋아하는 사람은 생각하기를 '나는 불법을 배우려고 생각하지만 애석하게도 술을 끊지 못하는데, 이것은 아마도 관세음보살의 잘못으로 나를 도와주시기 않았기 때문이야!' 그래서 관세음보살에 대하여 원망하는 마음을 내면서 말한다.

"관세음보살은 너무 불공평하다. 당신은 왜 다른 사람은 도와주고 나는 도와주시지 않습니까?" 그러나 이것은 어리석음 위에 다시 하나의 어리석음을 더하는 것으로서 두 배로 어리석은 것이다.

관세음보살이 왜 너희에게 가피를 주시지 않는가? 너희가 그분의 교화를 듣지 않기 때문이다. 너희는 관세음보살의 이름을 듣고 곧 허물을 고치고 너희의 두뇌를 냉정하게 해야 한다. 너희는 과거의 일은 이미 지나갔음을 알고, 장래의 일을 마땅히 잘해야 한다. 그러나 너희는 명백히 알면서도 고의로 범한다. 이를테면 계율에 대해 말한다면 너희가 만약 계를 받았으면 마땅히 지켜야 한다. 더욱이 너희가 계율의 경을 보았으면 더욱 지켜야 하는데, 잘못되었음을 알면서도 다시 범하는 것은 죄 위에 다시 죄를 더하는 것이다.

그러므로 관세음보살이 너희를 보우하지 않음을 책망하는 것은 잘못이다. 관세음보살은 언제나 너희를 보우하시려고 한다. 그러나 애석하게도 너희는 마음의 문을 언제나 닫고 있어 관세음보살이 들어갈 수 없게 한다. 관세음보살은 단지 탄식하며 이렇게 말한다. "이 중생은 정말로 가련한 자로구나! 정말로 가련한 사람이구나!" 따라서 너희는 관세음보살에게 허물을 돌려서는 안 될 것이다.

⑨ 연인(緣因)과 요인(了因)

아홉 번째의 인연은 연료(緣了)이다. 연은 연인(緣因)이고, 요는 요인(了因)이다. 요인이란 이러한 원인을 끊는 것이며, 또한 이러한 인과의 원인을 밝게 이해하는 것이라고 말할 수 있다. 우리는 지금 경법을 들으려고 모여 이렇게 일찍 일어나고 늦게 자며, 주야도 잊을 정도다. 가야 할 길도 멀다. 새벽 4시에 일어나 이곳에 와서 참선하고 좌선하며, 경의 가르침을 배운다. 심지어 시애틀의 워싱턴대학에서 박사와 석사 과정에 있는 사람도 와서 배우고, 학사 과정에 있는 사람도 와서 배운다. 불법의 중요성을 가히 알 수 있을 정도다. 이 사람들은 무엇 때문에 워싱턴주에서 멀리 샌프란시스코시까지 와서 불법을 배우는가? 이것 또한 이러한 원인을 끊기 위한 까닭이다. 경을 듣는 것은 원인의 종자를 끊는 것이다. 너희가 경을 듣는 이러한 인연을 가지는 것이 바로 연인(緣因)이다.

우리는 지난 몇 달간 밥 먹는 것도 무슨 맛인지 모르고, 차를 마셔도 무슨 맛인지 모르고, 잠을 자도 깨어났는지 안 깨어났는지 모를 정도로 일심으로 한뜻으로 『능엄경』을 배웠다. 아침 6시부터 저녁 9시까지, 4시간은 경전의 강의를 듣고, 그 밖의 시간은 좌선하고 자습하고 식사하는 시간으로서 하루가 부지불식간에 지나가버렸다. 모든 사람마다 비록 번뇌가 있지만, 또한 번뇌가 너무 중하게 인식되지는 않았을 것이라고 나는 믿는다. 그래서 그 시간들이 부지불식간에 지나간 것이다.

시간이 빨리 지나간 것은 중요하지 않다. 불법을 배우는 사람은 이 불법이 배울 만하다고 느낄 것이다. 그래서 어떤 사람은 워싱턴주의 시애틀에서 샌프란시스코시로 이사를 오기도 하였다. 자신이 가진 물건들도 다른 사람에게 주고, 어떤 사람은 비싼 가재도구도 원하지 않고 샌프란시스코시로 이사온 것이다. 지금 내가 알기로도 8, 9명 혹은 10여 명이 시애틀에서 이곳으로 이사를 왔다. 지금 통역을 하는 이 사람이 그 첫 번째다. 그는 본래 시애틀에서 학교에 다녔으며 조금만 더 다니면 되는데, 지금 샌프란시스코 버클리대학으로 전학을 와서 졸업할 시간이 늦어지게 되었다. 그는 불법을 중요하게 보았기 때문에 이렇게 한 것이다. 사람들이 천리 만리 먼 이곳에 온 것은 불법을 배우고 경전을 연구하러 왔다고 말할 수 있으며, 이것은 미국의 한 가지 현상이다.

장래 너희가 불법을 이해하면 미국의 동포들을 제도할 수 있을 것이다. 그러면 내가 하루 종일 많은 힘을 들여 경을 강의해도, 심지어 두 번 설명해도 사람들이 잘 이해하지 못하는 곤란함을 면할 수 있을 것이다. 무엇 때문인가? 나는 영어를 잘할 줄 모르기 때문에 중국어로 설명을 하는데, 중국어를 모르는 사람은 내 강의를 듣기가 어렵기 때문이다. 이것은 매우 곤란한 것이다. 그러나 이제 너희가 불법을 이해하여 영어로 설명하면 물 흐르듯이 유창하게 설명할 수 있을 것이다. 이것이 가장 좋은 방법이다.

⑩ 지덕(智德)과 단덕(斷德)

열 번째의 인연은 지덕과 단덕[智斷]이다. 관세음보살은 지덕(智德)으로 장엄하여 중생을 교화한다. 그에게는 지혜의 장엄이 있으며, 또한 단덕(斷德)의 장엄이 있다. 지혜는 지덕이며, 즉 지혜의 덕행이다. 단은 단덕으로서, 모든 종류의 무명을 끊어 제거한다. 단덕은 또한 복덕(福德)이라고 말할 수 있다. 왜냐하면 무명을 끊기 때문이다. 그러므로 그에게는 진정한 복덕의 장엄이 있는 것이다. 마치 부처님과 같이 복덕도 원만하고 지혜도 원만하다. 관세음보살은 비록 보살이지만, 그는 복덕장엄과 지혜장엄을 가지고 있다. 그래서 이것을 지단(智斷)이라고 하며, 또한 복혜(福慧)라고도 한다.

이상의 열 가지의 인연으로 인하여 「관세음보살보문품」을 설한다.

가. 관세음보살 명호의 위신력

1) 무진의보살의 질문

그때 무진의보살이 즉시 자리에서 일어나 오른쪽 어깨를 드러내고 부처님께 합장하면서 이렇게 말하였다. "세존이시여! 관세음보살은 어떤 인연으로 관세음보살이라고 이름합니까?

爾時無盡意菩薩• 卽從座起, 偏袒右肩, 合掌向佛, 而作是言。世尊。觀世音菩薩以何因緣, 名觀世音。

무진의보살(無盡意菩薩)• 어째서 무진의라고 하는가? 여기에는 많은 뜻이 있으며, 각각의 뜻이 모두 무진하고 무진하며, 다함이 없다. 종합하면 세 가지의 뜻이 있다.

① 세계가 무변하고 티끌이 어지럽다[世界無邊塵擾擾]

세계는 무량하고 무변하다. 우리는 우리의 눈이 보는 것, 귀로 듣는 것이 세계의 끝이라고 여겨서는 안 된다. 이 세계는 무량하고 무변하게 그렇게 많다. 이 세계가 있고 저 세계가 있으며, 무량한 세계가 있다. 이 국토가 있고 저 국토가 있으며, 무량한 국토가 끝이 없다.

어떤 것을 어지럽다[擾擾]고 하는가? 어지러운 것은 일정하지 않다는 뜻이며, 일정하지 않음은 움직인다는 뜻이다. 이 티끌 같은 세계는 먼지가 있어 청정하지 못하다. 이 세계에는 많은 먼지가 있다. 태양이 나와 창틈으로 빛이 비치면 많은 먼지가 이리저리 날아다니는 것과 같다. 세계의 이렇게 많은 먼지는 어디서 온 것인가? 먼지의 근원을 추구해 보면, 이것은 매우 중요한 것이다. 이 먼지는 각 중생의 마음속에서 온 것이다.

먼지가 어째서 중생의 마음속에서 올 수 있는가? 중생의 마음속에는 망상이 너무 많기 때문이다. 이 망상은 마치 먼지가 어지럽게 움직이는 모습과 같다. 우리가 느끼고 알아차리는 망상도 너무 많아서 셀 수가 없다. 느끼지 못하는 것은 얼마나 되는지 모른다. 내가 일찍이 여러분에게 말한 적이 있는데, 일념(一念) 가운데는 90개의 찰나가 있다. 찰나는 매우 짧은 시간이다. 이 하나의 찰나 가운데는 900개의 생멸이 있다. 따라서 이 세계는 무변한 티끌이 어지럽다.

이 세계는 어떻게 존재하는가? 바로 우리 중생이 "참됨을 의지하여 허망함을 일으키기" 때문이며, 일념의 망상이 변하여 산과 강, 대지, 건물과 집 등 일체의 세계가 이루어진다.

② 중생이 다함이 없고 업이 아득하다[衆生無盡業茫茫]

중생이란 갖가지의 인연이 화합하여 생긴다. 세계가 있기 때문에 중생이 나오는 것이며, 세계가 무변하니 다함이 없는 중생이 존재한다. 크게는 태생, 난생, 습생, 화생의 네 가지 중생이 있으나, 상세하게 말하자면 12종류의 중생이 있다.(앞에서 상세하게 설명하였기 때문에 생략한다.)

그러면 중생은 어느 곳으로부터 오는가? 중생은 불성(佛性)으로부터 온 것이다. 그래서 말하기를 "일체중생은 모두 불성을 가지고 있으며, 모두 부처가 될 수 있다."라고 한 것이다. 그러나 모두 불성을 가지고 있고 부처가 될 수 있지만, 중생이 곧 부처라는 말은 아니며, 수행하지 않고 부처가 된다는 말이 아니다. 중생은 불성으로부터 온 것이지만, 반드시 참선하고 법을 배워서 불법에 따라 수행을 해야 비로소 빈

본환원(返本還原)하여 부처를 이룰 수 있다. 중생이 곧 부처이므로 수행하지 않아도 된다는 것이야말로 삿된 지견이다.

③ 사랑의 강은 바닥이 없이 도도히 흐른다[愛河無底浪滔滔]

남녀는 모두 사랑을 말하는데, 인류뿐만 아니라 축생도 미혹하여 깨닫지 못하고 이 사랑에 머문다. 그리하여 갈수록 도리를 이해하지 못한다. 그래서 시시각각 음욕을 행하려고 생각한다. 만약 맑은 마음으로 욕망을 적게 할 수 있으면, 성불과는 멀지 않을 것이다.

이 사랑의 강은 바닥이 없어서 떨어질수록 더욱 깊어지며, 깊어질수록 더욱 아래로 떨어진다. 마치 물결이 도도히 흐르듯이. 바닷물에 파도가 있듯이, 우리 사람의 마음속에도 물결이 있다. 이 사랑은 끌어당겨도 끊어지지 않고, 잘라도 잘라지지 않으며, 아무리 날카로운 칼로 자르려고 해도 쉽게 잘라지지 않는다. 그러나 너희에게 만약 진정으로 지혜가 있으면, 이른바 지혜의 검으로 정(情)의 실을 끊듯이 이 문제를 해결할 수 있다. 지혜가 없는 사람은 이 사랑의 강물 속으로 빠져 들어간다. 깊이 들어갈수록 어느 곳으로 가는가? 깊어서 바닥이 보이지 않는다. 즉 근본적으로 바닥이 없으니, 떨어질수록 깊어지고 깊어질수록 더욱 떨어진다. 바닥이 없으므로 끝날 때가 없다.

무진의보살은 이 무변한 세계를 모두 극락세계로 변화시키려고 하며, 무진한 중생을 모두 교화하여 부처를 이루게 하며, 바닥이 없는 사랑의 강을 메우려고 한다. 이러한 세 가지의 뜻으로 인하여 이 보살을 무진의(無盡意)라고 한다.

보살은 깨달은 도리로써 일체중생을 깨닫게 한다. 보살은 어느 곳으로부터 오는가? 보살은 중생으로부터 온다. 보살은 원래 우리와 같은 중생이었다. 하지만 그는 중생 속에서 깨달은 자이며, 유정 가운데 깨달은 자이다.

그러면 무엇을 깨닫는가? 무명을 깨닫는다. 너희가 이 무명이 온 곳을 알므로 무명을 깨트리는 것이 깨달음이다. 무명을 깨트리지 못하면 깨닫지 못한 것이다. 무명을 깨트려야 비로소 법성이 드러나며, 무명이 없어져야 사랑의 강물이 마른다. 사랑의 강물이 말라야 지혜가 나타나며, 이것이 바로 깨달음이다. 보살은 유정을 깨닫게 하는 사람이며, 또한 유정 가운데의 깨달은 사람이다.

2) 관세음보살 명호의 위신력

가) 중생의 음성을 관하여 해탈시키다

부처님께서 무진의보살에게 말씀하셨다. "선남자여, 만약 무량한 백천만억의 중생들이 많은 고뇌를 받을 때 관세음보살을 듣고 일심으로 명호를 염송하면, 관세음보살은 즉시에 그 음성을 관하여 모두 고뇌에서 벗어나게 하느니라."

佛告無盡意菩薩。善男子, 若有無量百千萬億衆生, 受諸苦惱•, 聞是觀世音菩薩•, 一心稱名•, 觀世音菩薩卽時觀其音聲, 皆得解脫•。

수제고뇌(受諸苦惱)• 제(諸)는 많다는 뜻이기도 하고, 어조사에 해당하기도 한다. 즉 어떤 중생이 고통을 받는다면, 바로 그 중생을 기리킨다. 이 괴로움[苦]은 대략 네 가지로 설명할 수 있다.

첫째, 한 사람이 하나의 괴로움을 받는 것이다. 마치 벙어리가 가장 쓴 황련(黃連)을 먹은 것과 같이, 자기 혼자 이러한 괴로움을 받지만 남에게 알릴 수도 없는 것이다. 단지 자기만 그 고통을 아는 것이다.

둘째, 한 사람이 많은 괴로움을 받는 것이다. 예를 들면, 어떤 사람이 어느 곳으로 가든지 모두 괴로움이 있는 것이다. 자연의 재난이 있거나 사람의 화(禍)가 있거나, 도적을 만나지 않으면 화재를 만나는 등 세간의 모든 고통을 그 한 사람이 받는 것이다.

셋째, 많은 사람이 하나의 괴로움을 받는 것이다. 마치 지금 베트남에서 전쟁을 하는 것과 같이, 비행기가 날아가 폭탄을 터트리면 얼마나 많은 사람들이 죽는지 모른다. 그리고 전염병이 유행하여 많은 사람들이 감염되어 고통을 받는 것이다.

넷째, 많은 사람이 많은 괴로움을 받는 것이다. 마치 많은 벙어리가 황련(黃連)을 먹은 것과 같다. 다른 일들도 모두 이와 같다.

이 세계는 이렇게 고뇌가 많은 세계이다. 백천만억의 무량한 중생들이 많은 고뇌를 받고 있다. 중생이 많으므로 괴로움도 많다. 그럼 도대체 얼마나 많은 괴로움이 있는가? 근본적으로는 수량이 없지만, 종합하면 팔만사천 가지의 괴로움이 있다.

문시관세음보살(聞是觀世音菩薩)• 그럼 고통을 받을 때 어떻게 해야 하는가? 관세음보살을 잊지 않아야 한다. 우리가 고통을 받을 때는 마땅히 관세음보살을 듣고 염송해야 한다. 문(聞)이란 자기는 원래 알지 못하는 것을 듣는 것이다. 미국인 가운데 관세음보살을 들은 사람이 도대체 얼마나 되는가? 너희는 한 번 세어보라. 나는 믿건대, 전

미국에 관세음보살을 들을 수 있는 사람은 일백 명 이내가 될 것이다. 그러나 너희는 지금 그것을 들었으며, 또한 이해하였으며, 배웠다. 마치 너희가 『능엄경』을 배운 적이 있는 것과 같이, 이제 관세음보살의 이근원통(耳根圓通)을 알고, 32응신의 불가사의한 자재한 신통력을 안다. 이것이 관세음보살을 들은 것이다.

일심칭명(一心稱名)• 중요한 것은 바로 일심에 있다. 이 일심이 가장 중요하다. 너희는 두 개의 마음이거나 세 개의 마음이 되어서는 안 된다. 너희의 마음이 더욱 많아지는 것은 마치 공덕을 짓는 것처럼 많을수록 좋은 것이 아니다. 너희의 마음이 많아질수록 더 좋지 않다. 무엇 때문인가? 너희의 마음이 더욱 많아지면, 더욱 발산되기 때문이다. 흩어지면 전일(專一)하지 못하다. 전일하지 못하면 신령하지 못하고, 성과와 효과가 없다.

따라서 관세음보살을 들었으면 일심으로 칭명해야 한다. 우리가 공덕을 짓는 데도 일심이 필요하다. 회의(懷疑)하는 마음을 내서는 안 된다. 이렇게 말해서는 안 되는 것이다. "내가 이 일을 하는 것은 공덕이 있는가? 공덕이 있으면 스님께서 나에게 주지 않을 것이다. 이것이 정말인지 보자!" 이러한 의심하는 마음을 가져서는 안 되며, 진정한 믿음을 내야 한다. 너희가 불교를 위하여 일을 하면 무형 중에 그 공덕은 반드시 있게 된다. 그러니 너희는 그것을 볼 수 없다.

무엇 때문인가? 그것이 너무나 참되기 때문이다. 참된 것은 볼 수 있는 방법이 없다. 만약 너희가 볼 수 있어 다른 사람에게 빼앗기면 어떻게 할 것인가? 너희가 볼 수 있으면 다른 사람이 빼앗아갈 수 있지만, 보이지 않으면 빼앗아갈 방법이 없다. 너희가 공덕을 가지려면 너희의 공덕은행에 저축해야 도적이 빼앗아갈 수 없는 것이다. 이와 같이 공덕을 짓는 것도 일심을 요한다. 따라서 너희가 만약 두 마음으로 칭명하면 신령하지 못하고, 세 마음이면 더욱 소용이 없을 것이다.

개득해탈(皆得解脫)• 해탈이란 바로 모든 괴로움이 없어지고 문제가 해결되는 것이다. 그럼 무엇을 얻는가? 바로 즐거움을 얻는다. 따라서 해탈은 또한 진정한 자유를 얻는 것이다. 그때가 되면 구속되는 것이 없고, 걸림이 없으며, 진정한 자유를 얻는다.

나) 재난 구제와 소원 성취

(1) 화난(火難)의 구제

"만약 이 관세음보살의 명호를 수지하는 사람이 있으면, 설령 큰불에 들어가더라도 불이 그를 태울 수 없으니, 이것은 이 보살의 위신력 때문이다."

若有持是觀世音菩薩名者•，設入大火，火不能燒•，由是菩薩威神力故。

약유지시관세음보살명자(若有持是觀世音菩薩名者)• 여기서 자(者)는 바로 관세음보살을 염하는 사람이다. 약유(若有)란 지금은 아직 없지만 장래 있을 것이라는 뜻이다. 그래서 '가령 이러이러한 사람이 있으면'이라고 말하는 것이다. 어떠한 사람인가? 관세음보살의 명호를 지니는 사람을 말한다. 지(持)란 수지(受持)한다는 것이며, 즉 잊지 않는다는 뜻이다. 또한 마음 마음에서, 생각 생각에서 관세음보살의 명호를 집지(執持)하는 것이다. 그렇게 칭명하는 것이란 즉 '나무관세음보살…'이라고 염하는 것이다. 따라서 어떤 사람이든지 이러한 일곱 종류 재난의 고통을 해제하려고 하면, 먼저 항상 공경하게 관세음보살의 명호를 칭념해야 하는 것이다.

설입대화(設入大火) 화불능소(火不能燒)• 관세음보살을 칭념하는 사람이란 평소 염하는 것을 말하지, 큰불에 갇혔을 때에야 비로소 염하는 것을 말하지 않는다. 오늘 재난이 있으니 오늘 비로소 향을 태우고 관세음보살을 염하는 것이 아니다. 이른바 "한가할 때 향을 태우지 않다가, 급할 때 부처님의 발을 안는구나."라고 하는 것은 평소에는 불전에 한 주의 향도 올리지 않다가 급해지니 비로소 부처님의 발을 안고 살려달라고 비는 것을 말한다. 그러나 비록 너희가 부처님의 발을 안지만, 부처님은 너희를 쳐다보지 않는다. 무엇 때문인가? 평소 근본적으로 수행을 하지 않다가, 재난이 있을 때를 기다렸다가 비로소 부처님께 구하기 때문이다. 이것을 "지금 향을 태우고 지금 염불한다.[現燒香現念佛]"고 하는 것이다.

그러나 또 어떤 사람은 평소에도 향을 피우지 않고 염불도 하지 않는데, 그에게 재난이 있을 때 관세음보살께서 그를 구제해 주고 고통을 벗어나 즐거움을 얻게 하니, 이것은 또 무슨 도리인가? 너희는 알아야 한다. 우리 각각의 사람에게는 이선의 원인[前因]과 장래의 과보[後果]가 있다. 그는 전생에 아마도 용맹정진하여 필사적으로 노력하여 관세음보살을 염하였거나, 심지어 갖가지의 공덕을 지었을 것이다. 이러한 선근이 있기 때문에 금생에 비록 염하지 않았지만 관세음보살이 그를 구제하신 것이다. 즉 먼 원인[遠因]의 관계 때문이다. 따라서 관세음보살이 중생을 구제하는 것은 먼 원인과 가까운 원인이 있다. 먼 원인은 바로 전생에 그가 심은 원인이고, 가까운 원인은 금생에 심은 원인이다.

그러면 어떤 사람은 이렇게 말할 것이다. "나는 아마도 전생에 이미 원인을 심었을 것이다. 그래서 지금 관세음보살을 염할 필요가 없다. 장래 나에게 재난이 있을 때 관세음보살은 나를 구해주실 것이다." 그러나 나는 그것을 보장할 수 없다. 너희가 나에게 이러한 보험을 사려고 해도 나는 팔 수 없다. 너희가 만약 금생에 성심성의로 관세음보살을 염한다면, 너희는 반드시 감응을 얻을 것이다. 장래 너희에게 무슨 재난이 있으면 관세음보살은 반드시 너희를 구할 것이다. 그런데 너희에게는 숙명통도 없는데, 어떻게 너희가 전생에 반드시 염했을 것이라고 말하는가? 너희가 만약 정말로 숙명통을 가지고 있어 그렇게 생각하는 것은 가능하다. 만약 천안통, 천이통을 얻어도 가능하다. 따라서 너희가 만약 '지금 향을 피우고 지금 염불하는' 것이 아니라면 감응이 있을 것이다. 또한 가령 너희가 큰불을 만나도 불이 너희를 태울 수 없을 것이다.

◉ 중국에서 이전에 어떤 사람이 남해 보타산(普陀山)에 가서 관세음보살을 참배하려고 준비하였다. 그런데 공교로운 일이 발생했다. 그가 막 배를 타고 보타산으로 가려고 할 때, 그의 이웃집에서 화재가 발생하여 가족에게서 연락이 온 것이다. "큰일났어요! 당신 빨리 돌아오세요! 보타산에 가지 마세요. 이웃집에서 불이 났으니 어서 돌아와서 집을 돌봐주세요!" 그러자 그는 이렇게 말하였다. "나는 보타산에 가서 관세음보살을 참배하려고 이미 3년을 채식하였으며, 지금 이미 배를 탔어. 집에 불이 붙으면 내가 만약 배에서 내려 돌아가더라도 마찬가지로 불에 탈

것이야. 만약 불에 타지 않을 거라면 관세음보살께서 나를 보호해 주실 것이며, 내가 가지 않아도 마찬가지로 타지 않을 것이야. 나는 이러한 성심이 있으며, 설령 내 집이 불에 타더라도 나는 관세음보살을 참배하러 갈 것이야!" 이렇게 그는 집안의 화재 위험도 관여하지 않고 관세음보살을 참배하러 갔다.

그가 보타산에 도착하여 관세음보살에게 참배를 마친 후 돌아와 집을 둘러보니, 앞뒤의 모든 집들이 불에 탔는데 오직 그의 집만 타지 않았다. 이러한 까닭으로 사람들이 그에게 물었다. "그대의 집에 붙어 있는 집들은 모두 불에 탔는데, 어째서 당신의 집만 타지 않았습니까?" 그가 말하였다. "나는 이번에 가장 정성스런 마음으로 관세음보살을 참배하러 가면서, 집이 불에 타면 타는 거지라고 생각하면서 관여하지 않고 무엇이든 내려놓았기 때문입니다. 이것이 관세음보살의 보호입니다. 관세음보살의 힘으로 나의 집이 불에 타지 않은 것입니다."

⑵ 수난(水難)의 구제

"만약 큰물에 표류하게 될 때 그의 명호를 칭념하면, 즉시 얕은 곳에 이르게 된다."

若爲大水所漂, 稱其名號, 卽得淺處。

⑶ 나찰난(羅刹難)의 구제

"만약 백천만억의 중생이 금, 은, 유리, 자거, 마노, 산호, 호박, 진주 등의 보물을 구하기 위해 큰 바다에 들어갈 때 가령 흑풍이 그 배에 불어서 표류하다가 나찰귀의 나라에 떨어지더라도, 그 가운데 한 사람이라도 관세음보살의 명호를 칭념하면 이 모든 사람이 나찰의 난에서 벗어날 수 있으니, 이러한 인연으로 관세음이라고 이름하느니라."

若有百千萬億衆生, 爲求金·銀·琉璃·硨磲·瑪瑙·珊瑚·琥珀眞珠等寶•, 入於大海。假使黑風吹其船舫•, 飄墮羅刹鬼國, 其中若有乃至一人, 稱觀世音菩薩名者, 是諸人等, 皆得解脫羅刹之難。以是因緣, 名觀世音。

위구금(爲求金) 은(銀) 유리(琉璃) 자거(硨磲) 마노(瑪瑙) 산호(珊瑚) 호박(琥珀) 진주등보(眞珠等寶)• 세간의 사람들은 이것들을 보물이라고 생각한다. 사실 이것들은 몸 밖의 물건이다. 너희는 자성의 참된 보물을 이해하지 못하고 있다. 너희가 바깥의 이러한 보물을 탐하여 얻었어도 무슨 큰 쓸모가 없다. 너희 자성과는 조금의 관계도 없는데도 사람들은 모두 이런 것을 구하려고 한다.

가사흑풍취기선방(假使黑風吹其船舫)• 무엇이 흑풍인가? 어떤 사람은 말할 것이다. "나는 압니다. 검은 색의 바람입니다." 맞다. 바로 검은 색의 바람이다. 그러나 검은 색의 바람은 사람마다 모두 가지고 있다. 바로 얼굴이 일어날 때 검은 색을 발한다. 얼굴이 어째서 검은 색을 발하는가? 너희가 화를 내기 때문이다. 너희에게 성미가 있으면 검은 바람이 있는 것이고, 너희에게 성미가 없으면 너희의 흑풍은 없어진다. 무엇이 대해인가? 바로 우리 자성의 성품의 바다이다.

흑풍은 바로 우리의 무명(無明)이다. 무명은 또한 다른 이름을 가지고 있는데, 번뇌(煩惱)라고도 한다. 너희가 만약 번뇌를 내면 바로 흑풍이 생긴다. 만약 번뇌가 없으면 너희 자성의 큰 바다는 바람이 잦아들어 파도가 고요하다.

어떻게 하면 보물을 구할 수 있는가? 너희 자성 속으로 들어가서 자성의 보배를 발굴하는 것이다. 그러나 이때 마장을 만나게 될 것이다. 왜 마장이 있게 되는가? 자기의 덕행이 부족하기 때문이다. 도덕이 부족하고, 공덕이 부족하다. 공덕을 짓지 않았기 때문에 이러한 덕행이 원만하지 못한 것이다. 덕행이 원만하지 못하므로 흑풍이 있고 마장이 있다. 만약 덕이 크면 흑풍은 변화되어 상서로운 구름, 상서로운 기운을 이룰 것이다.

중국에 이런 훌륭한 말이 있다. "도가 높으면 용과 호랑이가 복종하고, 덕이 많으면 귀신이 공경한다.[道高龍虎伏 德重鬼神欽]" 너희가 닦는 도행이 높으면, 용이 너희를 보아도 얌전하게 똬리를 튼다. 용은 본래 성미가 매우 대단하여 강을 뒤엎고 바다를 엎어버리며 산을 옮긴다. 그가 만약 신통을 부리면 산과 바다도 옮길 수 있을 정도다. 그러나 너희에게 도가 있으면 용은 너희 앞에서 힘을 과시하지 않고 얌전하게 앉아 있다. 또한 너희에게 진정으로 화가 없으면 흉악한 호랑이도 너희를 보고는 마치 기르는 고양이같이 순종하며, 너희에게 꼬리를 흔들고 환영하며 너희를 물지 않는다. 너희가 이러한 도행이 있어야 비로소 이렇게 된다. 만약 도가 없으면 용도 가만히 있지 않고 호랑이도 누워 있지 않을 것이다.

그리고 덕행이 충분하고 원만하면 귀신도 너희를 보고 공경하며, 너희에게 머리를 숙여 절을 하고 존중할 것이다. 그러나 덕행이 부족하면 그럴 수 없을 것이다. 따라서 가장 중요한 것은 바로 덕행을 짓는 것이다.

◉ 무릇 인류는 도덕을 중시해야 한다. 사람이 금수와 같지 않은 것은 바로 도덕이 있기 때문이다. 만약 도덕을 중시하지 않으면 금수와 근본

적으로 차이가 없다. 이 도덕은 반드시 너희가 행해야 하며, 만약 실천하지 않으면 그는 근본적으로 도덕이 없는 것이다.

내가 동북지방의 고향에 있을 때 가장 친한 친구가 한 사람 있었다. 어째서 나와 가장 친한 친구라고 말하는가? 그는 나와 같은 도를 실천하는 사람이었기 때문이다. 나는 일찍이 모친을 위하여 시묘살이를 하였는데, 그도 모친을 위하여 시묘살이를 하였다. 그러나 그는 나와는 다르게 그 전에는 강도짓을 하였다. 그는 도처로 다니면서 여자를 겁탈하고 사람을 납치하여 재물을 강탈하였다. 한 번은 그가 여자를 겁탈할 때 부상을 입었는데 그 상처가 반년이 지나도 낫지 않았다. 그는 이때 마음에 깨달은 바가 있었다. '내가 나쁜 짓을 많이 해서 상처가 좋아지지 않는구나.' 그래서 그는 만약 이 상처가 좋아지면 그날부터 다시는 강도짓을 하지 않겠다고 발원하였다. 그가 이러한 원을 발하자 며칠 지나지 않아서 상처가 좋아졌다. 그래서 그는 바로 부모의 묘소에 가서 시묘살이를 하기로 하였다.

시묘살이를 하는 동안 기이한 일들이 많이 일어났는데, 지금은 그 중에서 그가 자기의 살을 잘라 하늘에 제사를 지낸 일을 말하려고 한다. 그가 시묘살이를 할 때 몇 개월 동안 비가 줄기차게 내린 적이 있었다. 그래서 그는 '아, 이렇게 비가 많이 오면 심은 곡식들이 모두 물에 잠겨버리겠구나!'라고 생각하고 하늘이 맑게 개기를 기도한 것이다.

기도하기 위해서는 약간의 성의를 나타내야 하는데, 그는 어떻게 나타내었는가? 그는 하늘을 향하여 맹세하였다. "만약 3일 이내에 비가 그치면, 저는 몸의 살을 베어 하늘과 부처님께 바치겠습니다." 그가 이렇게 발원하자 신기하게도 3일이 지나지 않아 비가 그쳤다. 그는 자신의 맹세를 이행하기 위하여 칼을 잡고 자기의 살을 베어냈다. 그렇게 많지 않은 살이었지만 그는 살을 베어내고 난 후 너무 아팠기 때문에 혼절하였으며, 조금 지나서야 다시 깨어났다.

마침 이때 쌍성현의 현장이 그곳을 지나다가 땅에 피가 가득 흐르는 것을 보고 생각하였다. '이 사람은 자기의 살을 베어 무엇을 하려는가?' 현장은 그가 미쳤다고 생각하였다. 그에게 물어보고 나서야 비로소 그가 대중을 위하여 기도한 것을 알게 되었다. '아, 그래 당신이 이렇게 한 것은 정말 훌륭하구나!' 그래서 그에 대한 인상이 특별히 좋아졌다. 그가 살을 베어냈을 때 어디에서 왔는지 모를 새 한 마리가 날아와 특별하게 지저귀었다. "뚜오쭈오더(多作德), 뚜오쭈오더, 쭈오더뚜오하오(作德多好)" 이 새가 지저귄 뜻은 '덕을 많이 지어라, 덕을 많이 지어라, 덕을 많이 지을수록 좋다'는 것이다.

나도 무엇 때문에 힘든 것을 두려워하지 않고 낮에 너희를 데리고 일을 하며 저녁에 또 너희에게 경을 강의하는가? 나도 더 많이 보시하려고 생각하기 때문이다. 즉 너희에게 약간의 법보시를 하려는 것이다. 이곳 미국은 법이 가장 부족한 곳이라고 할 수 있는데, 그래서 내가 아무리 힘들어도 여러분을 위하여 불법을 보시하는 것이다. 그리고 아무리 힘들어도 나는 이러한 일을 멈추지 않을 것이다.

이렇게 많은 사람들 가운데 내가 말하는 도리를 진정으로 이해하는 사람이 한두 사람이라도 있으면 나는 만족하며, 이미 지기(知己)가 생긴 것이니, 하물며 이렇게 많은 사람들이랴! 매일 이렇게 경을 들으려고 오는 사람들은 모두 나의 가장 친한 법우다. 사람마다 일을 하면 피곤하고 힘들지만, 내가 비록 아무리 피곤해도 나는 여전히 여러분을 위하여 불법을 강의할 것이다. 이미 나에게는 그러한 희망이 생겨난 것이다.

(4) 칼과 몽둥이 난[刀杖難]의 구제

"만약 또 어떤 사람이 남에게 살해를 당하려고 할 때 관세음보살의 명호를 칭념하면, 저 사람이 잡은 칼과 몽둥이가 조각조각 부서져서 어려움에서 벗어나게 될 것이다."

若復有人, 臨當被害, 稱觀世音菩薩名者, 彼所執刀杖, 尋段段壞, 而得解脫。

(5) 악귀난(惡鬼難)의 구제

"만약 삼천대천국토에 충만한 야차와 나찰이 와서 사람을 괴롭히려고 할 때 관세음보살의 명호를 칭념하는 소리를 들으면, 이러한 모든 악귀들은 오히려 악한 눈으로 그를 볼 수도 없을 것인데, 하물며 다시 그를 해칠 수 있으랴."

若三千大千國土, 滿中夜叉羅刹, 欲來惱人•, 聞其稱觀世音菩薩名者, 是諸惡鬼尙不能以惡眼視之, 況復加害。

만중야차나찰(滿中夜叉羅刹) 욕래뇌인(欲來惱人)• 야차에는 비행(飛行)야차, 지행(地行)야차, 공행(空行)야차가 있다. 야차는 달리는 것이 매우 빨라서 도처로 갈 수 있다. 그래서 속질귀(速疾鬼), 첩질귀(捷疾鬼)라고도 부른다. 그리고 나찰은 정기를 먹는 귀[噉精氣鬼]로서 전문적으로 사람의 정기를 먹는다.

이러한 야차와 나찰은 모두 도처에서 사람을 해치는 것이다. 너희가 보리심을 발하려고 하면 그들은 반드시 찾아와 너희를 귀찮게 하며, 갖가지의 방법으로 너희를 가로막아 수행하지 못하도록 하고, 심지어는 마음이 물러나게 한다. 본래 너희가 보리심을 발한 마음이 용맹하였다 해도, 그들이 와서 괴롭히면 이런 생각이 든다. '아, 수행해서 무엇 하는가? 불법을 배워 무엇 하는가? 불법을 배워도 무슨 좋은 점이 없네!' 그래서 너희에게 일종의 반신반의하는 마음이 나게 하는 것이다.

이러한 야차와 나찰이 너희의 마음속으로 뚫고 들어가면 너희는 생각한다. '나는 아무래도 가야겠어! 불법을 배우지 말자! 다른 곳에 가면 무엇이든 자유롭고 마음대로 할 수 있잖아. 춤을 추고 싶으면 춤을 추고, 음악을 듣고 싶으면 음악을 들을 수 있어. 불법을 배우면 이것도 할 수 없고 저것도 할 수 없으며, 많은 것을 포기해야 해. 연극도 보면 안 되고, 술도 마시면 안 되고, 담배도 피우면 안 돼. 이렇게 많은 일을 모두 할 수 없으니, 불법을 배울수록 더욱 힘들어져!'

이것은 누가 생각하는 것인가? 바로 야차와 나찰귀가 너희로 하여금 이렇게 생각하도록 하는 것이다. 너희가 출가하여 스님이 되려고 생각하면, 그들은 너희에게 이렇게 생각하게 한다. '아, 스님이 되는 것은 너무 힘들어! 하루 종일 일을 해야 하고, 그러고도 먹는 것도 좋지 않고 입는 것도 좋지 않으며, 해야 할 일은 더욱 많으니 말할 수 없이 힘들어! 스님이 되어도 무슨 소용이 있어?'

어떤 여인이 비구니가 되려고 생각하면, 이 야차와 나찰은 너희에게 이렇게 시킨다. '아무래도 결혼하는 것이 좋지! 결혼하면 남편이 하루 종일 너희를 모시고 원하는 것은 무엇이든 해 줄 것이야!' 이렇게 너희로 하여금 언제나 보리심을 내지 못하도록 한다. 이것이 바로 야차와 나찰의 재주이다. 전문적으로 사람의 도를 닦으려는 마음을 파괴한다.

너희가 관세음보살을 염하면 너희에게서 광명이 나온다. 너희에게서 광명이 나오면 그러한 귀신들은 너희를 보려고 해도 볼 수 없다. 너희의 광명 때문에 눈을 뜰 수 없는 것이다. 눈을 뜰 수 없으므로 너희를 볼 수 없으니, 어떻게 너희를 해칠 수 있겠는가? 너희를 해칠 수 있는 방법이 없는 것이다. 그러므로 너희는 시시각각 관세음보살을 염해야 한다.

(6) 수갑과 사슬난의 구제

"가령 다시 어떤 사람이 죄가 있거나 죄가 없거나, 손과 발과 목에 채우는 형구와 사슬로 그 몸을 결박하고 구속하여도 관세음보살의 명호를 칭념하면, 그것들이 모두 끊어지고 파괴되어 즉시 벗어나 자유를 얻게 될 것이다."

設復有人, 若有罪, 若無罪, 杻械枷鎖檢繫其身•, 稱觀世音菩薩名者, 皆悉斷壞, 卽得解脫•。

추계가쇄검계기신(杻械枷鎖檢繫其身)• 추계가쇄(杻械枷鎖)는 모두 죄인의 몸을 결박하는 형구(刑具)다. 추(杻)는 손에 채우는 수갑이고, 계(械)는 발에 채우는 도구이며, 가(枷)는 목에 채우는 칼이고, 쇄(鎖)는 쇠사슬 또는 자물쇠이다. 검계기신(檢繫其身)은 몸을 구속하고 결박하는 것이다.

개실단괴(皆悉斷壞) 즉득해탈(卽得解脫)• 이러한 형구들이 모두 저절로 끊어지고 부서져서 즉시 해탈을 얻고 자유를 얻는다는 것이다. 많은 사람들이 이러한 감응을 겪은 것을 나는 듣고 본 적이 있다. 이전에 내가 광동성 남화사에 있을 때 만난 한 스님은 일본군에 잡혀 감옥에 수감되었다. 손에는 수갑이, 발에도 쇠사슬이 채워졌는데, 그는 감옥에서 하루 종일 관세음보살의 명호를 염하였으며, 생각 생각이 끊어지지 않게 염하였다. 그러던 어느 날 저녁에 갑자기 그의 몸의 모든 형구가 저절로 떨어지고 파괴되었으며, 문도 저절로 열려서 감옥에서 나와 도망을 갈 수 있었다. 이것은 그분이 친히 나에게 들려준 것이다. 그리고 이러한 일들이 그밖에도 많이 있었다. 그래서 나는 이러한 일이 진실하고 거짓이 아니라는 것을 안다.

(7) 원적난(怨賊難)의 구제

"만약 삼천대천국토에 원한을 가진 적들이 충만한 가운데, 어떤 상인이 많은 상인들을 데리고 귀중한 보물을 가지고 위험한 길을 지나갈 때, 그 가운데 한 사람이 이와 같이 말한다.

'모든 선남자들이여! 두려워하지 마세요. 그대들은 마땅히 일심으로 관세음보살의 명호를 칭념하세요. 이 보살은 능히 중생에게 두려움 없음을 베풀므로 그대들이 명호를 칭념하면, 이러한 원한의 적으로부터 벗어나게 될 것입니다.'

모든 상인들은 이러한 말을 듣고 모두 함께 소리를 내어 '나무관세음보살'을 칭념하였으며, 그 명호를 칭념한 까닭으로 즉시 벗어나게 되느니라."

若三千大千國土, 滿中怨賊, 有一商主, 將諸商人, 齎持重寶, 經過險路, 其中一人作是唱言。諸善男子, 勿得恐怖。汝等應當一心稱觀世音菩薩名號, 是菩薩能以無畏施於衆生。汝等若稱名者, 於此怨賊當得解脫。衆商人聞, 俱發聲言, 南無觀世音菩薩。稱其名故, 卽得解脫。

"무진의 보살이여, 관세음보살마하살의 위덕과 신통의 힘은 이와 같이 높고 광대하다."

無盡意。觀世音菩薩摩訶薩, 威神之力, 巍巍如是。

(8) 삼독심(三毒心)의 소멸

"만약 음욕이 많은 중생이 관세음보살을 항상 염송하고 공경하면, 곧 음욕이 없어지게 된다. 만약 성냄이 많은 중생이 관세음보살을 항상 염송하고 공경하면, 곧 성냄이 없어지게 된다. 만약 어리석음이 많은 중생이 관세음보살을 항상 염송하고 공경하면, 곧 어리석음이 없어지게 된다."

若有衆生多於婬欲•，常念恭敬觀世音菩薩，便得離欲。若多瞋恚•，常念恭敬觀世音菩薩，便得離瞋•。若多愚癡•，常念恭敬觀世音菩薩，便得離癡。

다어음욕(多於婬欲)• 한편으로 불법을 배우면서 한편으로 음욕을 생하고, 배우는 불법이 많을수록 음욕심도 더욱 많아져서 하루 종일 음욕이 생각나 물이 흐르듯이 쉬지 않고 흐른다면, 너희의 생각은 어떤가? 이것은 매우 엉망이 아닌가? 이것은 정말 가장 나쁜 생각이고, 가장 나쁜 행위이며, 가장 나쁜 표현이다.

그러면 어떻게 해야 하는가? 너희는 걱정하고 근심할 필요가 없다. 너희는 항상 '나무관세음보살'을 염송하면 된다. 그러나 단지 염송만 하는 것은 부족하고, 또한 공경해야 한다. 바로 관세음보살에게 절을 하는 것이다. 절을 하는 것은 가장 공경한다는 표시다. 우리가 절을 하는 도리를 사람들은 잘 이해하지 못한다. 더욱이 외도를 믿는 사람은 우리가 나무토막의 조각이나 진흙으로 빚은 상에 절하는 것이라고 말하며, 그것에게 절하여 무엇 하는가라고 생각한다. 그러나 이것은 눈먼 사람의 거짓말이다. 그는 눈이 없기 때문에 부처님의 이러한 광명이 두루 비치는 경계를 보지 못하는 것이다. 우리가 불상에 절하는 것은 우리 마음속의 공경심을 표현하는 것이다. 따라서 너희가 만약 삼보를 공경하려고 생각하면, 반드시 매일 불상에 절해야 한다. 그리고 절을 할 때는 절대로 아만심을 내서는 안 된다.

그러므로 만약 항상 관세음보살을 염송하고 공경하면, 곧 너희는 음욕심에서 벗어나고 음욕심이 없어진다. 그러면 어떤 사람은 이렇게 말할 것이다. "그것은 안 좋군요. 나는 음욕을 좋아하는데 지금 그것이 없어지면 어떡합니까?" 너희가 만약 음욕심이 있는 것을 좋아하면 관세음보살을 염할 필요가 없다.

약다진에(若多瞋恚) 진에는 일종의 성미다. 성미는 즉 번뇌이고, 번뇌는 또한 무명이다. 진에는 마치 불과 같아서 공덕의 숲을 태울 수 있다. 천 일 동안 열심히 모아둔 땔감을 아주 작은 하나의 불로 다 태울 수 있는 것이다. 이것은 우리가 평소 힘써 한 좋은 일, 즉 도를 닦고 덕을 쌓기를 오랫동안 하였지만 한 번 무명의 화를 내어 그러한 갖가지의 공덕을 무형 중에 태워버리는 것을 형용한다. 어떤 사람이 무명의 화냄을 좋아하는가? 바로 성미부리는 것을 좋아하는 사람이다. 바로 아수라이다.

각 사람은 모두 네 가지의 세계[道]를 가지고 있다. 어떤 사람은 부처의 도를 가지고 있고, 어떤 사람은 신선의 도[仙道]를 가지고 있으며, 어떤 사람은 인간의 도를 가지고 있고, 어떤 사람은 축생의 도를 가지고 있으며, 어떤 사람은 아귀의 도를 가지고 있고, 어떤 사람은 아수라의 도를 가지고 있다. 불도를 가진 사람은 다수가 자비로우며, 귀도(鬼道)에 속하는 사람은 다수가 간사하다.

무엇을 간사하다고 하는가? 바로 손해를 보려고 하지 않으며 매우 교활하고 착실하지 못한 것이다. 착실하지 못한 사람은 언제나 귀신이 수작을 부리는 것과 같다. 수작을 부리는 것은 마치 고뇌의 뇌[惱]의 글자와 비슷한 뜻이다. 인도(人道)에서 온 사람은 각 사람과 모두 인연이 있다. 축생도에서 온 사람은 탐하는 마음이 많고, 무엇이든지 사양하지 않으며 많을수록 좋다고 생각한다. 아수라에서 온 사람은 화를 잘 낸다. 신선의 세계에서 온 사람은 청한(淸閑: 맑고 한가함)을 원한다.

진에가 많은 것은 아수라에 속한다. 걸핏하면 화를 내는 사람은 아수라의 성질이 그를 지배하고 있는 것이다. 그러면 바꿀 수 있는가? 바꿀 수 있다. 어떻게 하면 바꿀 수 있는가? 이 『법화경』이 상세하게 그러한 법문을 너희에게 알려주고 있다. 바로 항상 관세음보살을 염송하고 공경하는 것이다.

상념공경관세음보살(常念恭敬觀世音菩薩) 변득이진(便得離瞋)• 상념이란 시시각각 염하는 것이고, 끊어지는 때가 없이 염하는 것이다. 그럼 어떻게 관세음보살을 공경하는가? 절에 가면 무릇 부처님을 모신 곳이 있거나 혹은 관세음보살을 모신 곳이 있는데, 그곳에 가서 절을 하는 것이다. 오늘 절하면 내일은 절하지 않아도 된다는 것이 아니고, 무릇 불상이 보이는 곳이 있으면 언제나 바로 절하는 것이다. 이렇게 오래도록 절하면 너희의 성미가 없어질 것이며, 어떻게 없어졌는지는 너희도 모른다. 이것이 매우 기이한 것이다.

너희는 혹 믿지 않는 사람도 있겠지만, 내 자신의 경험으로 나는 안다. 나는 이전에 성미가 매우 불 같아 남을 때리거나 남을 욕하기도 하였다. 내가 십대였을 때 남과 싸우기를 좋아하여, 상대가 나이가 얼마나 되거나를 막론하고 모두 나의 지휘를 들어야 했다. 그러지 않으면 나는 그를 항복할 때까지 때렸다. 이것을 무엇이라고 하는가? 이것이 바로 아수라의 성질이다.

이후 나는 불법을 배우면서 성미를 부리는 것이 옳지 않다는 것을 알고 고쳤으며, 곧 항상 관세음보살을 염송하고 공경하였다. 그래서 나는 이제 제자의 성미를 받아도 성미를 내지 않는다. 어떤 때는 제자가 스승을 괴롭히고 먼저 성질을 부리지만, 스승이 된 나는 인욕행을 닦으면서 참는다. 그들이 천천히 이해하게 되면 잘못을 알게 될 것이다. 보라. 이전에는 내가 남들에게 성질을 부렸으나, 지금은 제자에게 괴롭힘을 당하고 있다. 이것도 일종의 과보이다. 누가 이전에 남에게 성질을 내도록 하였던가? 이제는 나쁜 제자들이 착한 사부를 괴롭힌다. 그러나 이 착한 사부는 화를 내지 않는다. 그 화가 어디로 도망갔는지 모른다.

약다우치(若多愚癡)• 이번에는 어리석음을 설명할 차례다. 첫 번째는 탐욕을, 두 번째는 분노를 설명하였는데, 이 어리석음까지 합하여 세 가지를 삼독이라고 부른다. 삼독은 우리의 불성을 잠들게 한다. 우리는 왜 깨닫지 못하고 하루 종일 취생몽사(醉生夢死)하는가? 이 또한 이러한 세 가지가 있기 때문이다.

그러면 무엇을 우치(愚癡)라고 하는가? 우치는 바로 자기는 어리석지 않다고 느끼는 것이다. 자기는 총명하고 지혜가 있는 사람이라고 생각하는데, 실제로 그에게 어디로부터 왔으며 장차 어디로 갈 것인지를 물어보면 그는 모른다. 자신이 어디서 왔는지도 모르고 어디로 갈 것인지도 모르면서, 자기는 총명한 사람이라고 말한다. 이러한 사람이 총명한가, 총명하지 않은가?

그런데도 그는 자기가 어리석은 사람이라는 것을 인정하지 않는다. 이른바 "명리(名利)의 작은 일은 사람마다 좋아하고, 생사의 큰일은 막는 사람이 없네."라고 하는 것이다. 이 세상에서 하루 종일 명리의 작은 일, 즉 명예를 구하고 이익을 구하는 일에 분주하며, 심지어 이를 위해 남을 죽이거나 불을 지르기도 한다.

이 세계에서 모든 나라의 사람을 모으면 얼마의 사람이 있을까? 바로 두 종류의 사람이 있다. 하나는 명예를 구하는 사람이고, 하나는 이익을 구하는 사람이다. 이러한 명예와 이익에 지배되어 전도되고 여전히 깨닫지 못하며, 태어나서 죽을 때까지 이렇게 몸부림친다. 어떤 사람은 높은 관리가 되기를 구하고, 어떤 사람은 재물을 구하고, 어떤 사람은 남녀를 구하고, 어떤 사람은 쾌락을 구한다. 그럼에도 이러한 것들은 얼마 누리지도 못하고 죽는다. 죽은 후에는 어디로 가는지도 모른다. 살아 있을 때는 언제나 자기는 평범하지 않다고 생각하고 자기가 대단하다고 여긴다. 그러나 사실은 어떠한가? 자기의 본래면목을 인식하지 못한다. 너희가 아무리 총명해도 이 모두 거짓이고, 모두가 거짓 총명이다.

만약 너희가 진정으로 지혜를 가진 사람이라면, 자기가 지혜롭다고 느끼지 않는다. 그럼 자기는 어리석은가? 또한 어리석다고도 느끼지 않는다. 비록 표면상으로는 평범한 일반인의 모습과 같지만, 자신이 품고 있는 사상과 관념은 모든 것이 환상과 같고 꿈과 같고 물거품과 같고 그림자와 같음을 이해한다. 그래서 꿈속의 부귀영화를 탐착하지 않을 것이고, 미인을 탐하거나, 남과 나를 다투거나, 시비를 논하고 제일을 다투거나, 명리를 다투지 않을 것이다. 이 모든 것은 무상한 것이다. 따라서 『금강경』에서는 "일체의 유위법은 꿈, 환상, 물거품, 그림자와 같으며, 이슬과 같고 번개와 같으므로, 응당 이와 같이 관해야 한다."

라고 하였다.

무엇을 유위법이라고 하는가? 바로 일체의 형상을 가진 것으로서 볼 수 있는 것이다. 바다의 물거품은 진실한 것인가, 거짓된 것인가? 진실한 것이라고 말하면 그것은 또 거품으로 변하고, 거짓이라고 말해도 그곳에는 물거품이 있다. 비록 물거품이 있지만 실재하지 않고 진실한 체성이 없다. 이 그림자도 허망한 것이다. 이슬은 태양이 비추면 없어진다. 번개도 있는 것이긴 하나 전광석화와 같이 빠르게 없어진다.

너희가 만약 볼 수 있는 것을 이와 같이 관상(觀想: 꿈, 환상, 물거품, 그림자, 이슬, 번개와 같다고 관함)할 수 있으면, 집착할 것이 무엇이 있겠는가? 집착할 것이 없으면 비로소 진정으로 이해하게 되고, 이것저것을 생각하지 않을 것이다. 그러면 일체의 진로(塵勞: 번뇌)와 망상을 모두 놓아버리게 될 것이다. 그때 너희는 성불하려고 생각하지 않아도 저절로 부처가 될 것이며, 지혜를 생각하지 않아도 자연히 지혜가 생길 것이다.

그러므로 지혜가 없을 때는 자기에게 지혜가 있다고 여겨서는 안 된다. 지혜를 가지게 될 때는 이것이 원래 자기의 것이고 바깥에서 얻은 것이 아니라는 것을 알게 되며, 그때가 되면 교만심을 내지 않을 것이다. '그대는 나를 봐, 이 사람들 속에서 내가 가장 총명해! 나는 생긴 것도 가장 아름다워. 나는 무리에서 가장 뛰어나고 남과는 다른 사람이야!' 너희가 이렇게 생각한다면, 이것은 정말로 상(相)에 집착하는 것이다.

무엇이 상인가? 바로 냄새나는 가죽주머니(즉 몸뚱이)이다. 너희가 하루 종일 자기 몸에게 좋은 옷을 입히고, 맛있는 것을 먹이고, 좋은 집에 머물게 하고, 갖가지로 누리게 하는 것은 모두 자기를 위하는 것이다. 그러나 그것이 떠나갈 때는 너희를 버릴 것이다. 어떤 사람은 오로지 이 몸뚱이를 위하여 담배를 피우고 술을 마시며 좋은 것을 먹으면서, 하루 종일 이 바닥이 없는 깊은 구덩이에 채워 넣으려고 한다. 그러나 채워도 채워도 가득 채울 수 없으며, 가득 채워도 또 새어버리니, 다시 채우기 위해 하루 종일 묵은 것을 없애고 새것으로 바꾼다. 자기를 위해 이렇게나 바쁜 것이다.

나는 왜 하루 한 끼만 먹는가? 먹는 일이 귀찮기 때문이다. 사람들은 맛있는 것을 먹는 것이 가장 누리는 일이라고 생각하지만, 나는 도리어 맛있는 것을 먹는 것이 가장 귀찮은 일이라고 여긴다. 어째서 그런가? 많이 먹으면 뱃속이 불편하다. 적게 먹으면 탐심이 또 나온다. '아, 이렇게 맛있는 것을 다시 더 먹어야지!' 만약 맛있는 것을 먹지 않으면 그러한 탐심이 나오지 않고, 배도 힘들지 않을 것이다. 맛있는 것을 먹으면 뱃속에서 다시 더 먹고 싶어 하며 적게 먹을까 걱정한다. 따라서 이 모든 것이 귀찮음이다.

이러한 귀찮은 일들이 왜 생기는가? 바로 우치하기 때문이다. 누림을 탐하고, 부귀를 구하고, 남녀를 구하고, 쾌락을 구하며, 이러한 갖가지가 모두 전도되지 않은 것이 없다. 그러나 너희가 이렇게 탐하고 저렇게 탐하여도 또한 어떠한가? 때가 되면 마찬가지로 죽어야 한다. 죽을 때 조금의 파악함도 없으니, 이것이 어찌 어리석음이 아닌가?

너희가 이렇게 어리석으면 어떻게 해야 하는가? 『법화경』의 방법에 따라 항상 관세음보살을 염송하고 공경하면, 너희의 어리석음은 도망을 가고 지혜가 온다. 우리 각자는 만약 자기가 우치하다는 것을 알면 비로소 자기를 인식하는 것이다. 이미 지혜가 있으면 자기가 우치하다는 것을 안다. 만약 지혜가 없는 사람은 근본적으로 자기가 우치하다는 것을 모른다. 그래서 달릴수록 더욱 멀어지고 더욱 어리석어지니, 그것은 두 배나 어리석은 것이다. 그럼 어떻게 해야 하는가? 항상 관세음보살을 염송하고 공경하는 것이다. 이 방법이 가장 묘하고 가장 신령한 것이며, 절대로 틀림없는 진짜이며 말할 수 없이 묘한 것이다.

우치와 지혜를 설명하였는데, 무엇이 우치이고 무엇이 지혜인가? 나는 너희가 믿지 못할 도리 한 가지를 말하려고 한다. 우치가 바로 지혜이고, 지혜가 바로 우치이다. 왜 이렇게 말하는가? 반야심경에서 이렇게 이르셨다."색(色)은 공(空)과 다르지 않고, 공은 색과 다르지 않으며, 색이 공이고, 공이 색이다." 참된 색[眞色]은 참된 공[眞空]으로부터 나오며, 참된 공은 참된 색으로부터 나오는 것이다.

따라서 우치와 지혜도 둘이면서 둘이 아니다. 우치와 지혜를 너희가 쓸 줄 알면 바로 지혜이고, 쓸 줄을 모르면 바로 우치이다. 그러므로 우치와 지혜를 너희가 쓸 줄 아는지 모르는지를 보아야 한다. 너희가 쓸 줄 알면 우치도 지혜로 변하고, 쓸 줄 모르면 지혜도 우치로 변한다. 바로 이러한 점에서 둘이면서 둘이 아닌 것이다. 이러한 도리는 너희가 진정한 지혜를 얻으면 곧 알게 된다. "아, 원래 이런 것이구나!" 그러면 다시는 전도되지 않을 것이다.

"무진의보살이여, 관세음보살은 이러한 큰 위신력을 가지고 있으며 많은 중생들을 이롭게 하므로, 중생은 마땅히 항상 마음으로 관세음보살을 염해야 하느니라."

無盡意。觀世音菩薩有如是等大威神力，多所饒益，是故衆生常應心念•。

시고중생상응심념(是故衆生常應心念)• 여기서 명확하게 가르치고 있는데, 관세음보살을 염하는 것은 입으로 염하는 것이 아니라 마음으로 염하는 것이다. 만약 너희가 마음속으로 염하면, 입으로 꼭 염해야 하는 것은 아니다. 마음속으로 어떻게 염하는가? 자나깨나 늘 생각하는 것이다.

(9) 아들과 딸을 구함

"만약 어떤 여인이 아들을 얻으려고 관세음보살에게 예배하고 공양하면, 곧 복덕과 지혜를 갖춘 아들을 낳을 것이다. 만약 딸을 얻으려고 하면 곧 단정한 모습을 가진 딸을 낳을 것이며, 그 딸은 숙세에 덕의 근본을 심어 많은 사람들의 사랑과 존경을 받을 것이다. 무진의보살이여, 관세음보살은 이러한 힘을 가지고 있다."

若有女人，設欲求男，禮拜供養觀世音菩薩，便生福德智慧之男。設欲求女，便生端正有相之女，宿植德本，衆人愛敬•。無盡意。觀世音菩薩有如是力。

숙식덕본(宿植德本) 중인애경(衆人愛敬)• 단정한 모습의 딸은 모든 사람이 좋아하고 공경한다. 그녀는 왜 단정한 모습을 갖추게 되었는가? 이 모두 전생에 꽃을 사서 부처님께 공양한 적이 있거나, 갖가지의 장엄한 물건을 불보살에게 공양하였기 때문에 모습이 원만한 것이다. 어떻게 덕의 근본을 심는가? 전생에 부처님께 공양하고 절하는 것이다. 그래서 사람마다 그녀를 보면 좋아하고 공경한다. 왜냐하면 그녀의 모습이 아름답기 때문이다.

나. 관세음보살 명호의 수지공덕

"만약 어떤 중생이 관세음보살을 공경하고 예배하면 그의 복은 헛되지 않을 것이다. 그러므로 중생들은 모두 마땅히 관세음보살의 명호를 수지해야 하느니라."

若有衆生，恭敬禮拜觀世音菩薩，福不唐捐。是故衆生，皆應受持觀世音菩薩名號。

개응수지관세음보살명호(皆應受持觀世音菩薩名號) 수지한다는 것은 또한 염송하는 것이며, 또한 항상 마음속으로 관세음보살의 명호를 칭념하는 것이다. 너희가 만약 마음속으로 항상 관세음보살을 지념(持念)할 수 있으면, 이러한 힘은 불가사의한 것이다.

"무진의보살이여, 만약 어떤 사람이 육십이억 항하사수의 보살 명호를 수지하고, 다시 목숨이 다하도록 음식, 의복, 와구, 의약을 공양한다면, 그대는 어떻게 생각하는가? 이 선남자와 선여인의 공덕은 많지 않겠는가?"

무진의보살이 말하였다. "매우 많습니다. 세존이시여!"

부처님께서 말씀하셨다.

"만약 다시 어떤 사람이 관세음보살의 명호를 수지하고 나아가 한때라도 예배하고 공양한다면, 이 두 사람의 복은 같고 다르지 않을 것이며, 그 복은 백천만억 겁 동안에도 다하지 않을 것이다. 무진의보살이여, 관세음보살의 명호를 수지하면 이와 같이 무량하고 무변한 복덕의 이로움을 얻게 되느니라."

無盡意。若有人受持六十二億恒河沙菩薩名字，復盡形供養飮食，衣服·臥具·醫藥，於汝意云何。是善男子，善女人，功德多不。無盡意言。甚多，世尊。佛言。若復有人，受持觀世音菩薩名號，乃至一時禮拜供養，是二人福，正等無異，於百千萬億劫不可窮盡。無盡意。受持觀世音菩薩名號，得如是無量無邊福德之利。

다. 관세음보살의 중생교화

1) 삼십이응신(應身)으로 설법

무진의보살이 부처님께 말하였다. "세존이시여! 관세음보살은 사바세계에서 어떻게 노닐고, 어떻게 중생을 위해 법을 설하며, 방편의 힘과 그 일은 어떠합니까?"
부처님께서 무진의보살에게 말씀하셨다.
"선남자여, 만약 어떤 국토의 중생이 응당 부처의 몸으로 제도될 수 있으면, 관세음보살은 즉시 부처의 몸을 나타내어 그를 위해 법을 설한다. 응당 벽지불의 몸으로 제도될 수 있는 중생이 있으면, 즉시 벽지불의 몸을 나타내어 그를 위해 법을 설한다. 응당 성문의 몸으로 제도될 수 있는 중생이 있으면, 즉시 성문의 몸을 나타내어 그를 위해 법을 설한다."
無盡意菩薩白佛言。世尊。觀世音菩薩云何遊此娑婆世界。云何而爲衆生說法。方便之力，其事云何。佛告無盡意菩薩。善男子。若有國土衆生, 應以佛身得度者, 觀世音菩薩卽現佛身, 而爲說法。應以辟支佛身得度者, 卽現辟支佛身, 而爲說法。應以聲聞身得度者, 卽現聲聞身, 而爲說法。

관세음보살즉현불신(觀世音菩薩卽現佛身) 이위설법(而爲說法) 관세음보살은 부처의 몸을 나타내어 그 중생에게 법을 설한다. 그러면 어떤 사람은 이렇게 물을 것이다. "관세음보살은 보살로서 부처가 되지 않았는데, 어째서 부처의 몸을 나타내어 법을 설하는가? 이것은 부처를 사칭하는 것이 아닌가?" 아니다. 왜냐하면 관세음보살은 과거 무량겁 이전에 이미 성불하였으며, 그 부처님의 명호는 정법명(正法明)여래이다. 성불하신 후 중생을 잊지 않았기 때문에 다시 이 세계에 오셔서, 부처의 몸을 감추고 보살의 몸을 나타내어 중생을 구호하신다.

즉현벽지불신(卽現辟支佛身) 벽지불은 연각(緣覺)이라고 번역한다. 부처님이 세상에 계실 때는 연각이라고 하고, 부처님이 계시지 않을 때는 독각(獨覺)이라고 한다. 그는 십이인연법을 닦아서 도를 깨닫는다. 부처님이 계시지 않을 때도 십이인연법을 닦으며, 아울러 계절의 변화를 관찰하면서 생주이멸(生住異滅)은 무상(無常)하다는 것을 깨닫고, 성주괴공(成住壞空)의 모습이 이러하다는 것을 깨닫는다.

관세음보살은 천안통, 천이통 등의 신통이 있기 때문에 중생의 인연을 볼 수 있다. 그리고 그에 따라 벽지불의 몸으로 제도할 수 있는 중생에게는 벽지불의 몸을 나타내어 법을 설한다. 무슨 법을 설하는가? 십이인연법을 설한다. 설하시기를 "그대의 무명은 어디서 오는지 모르는가? 바로 그대의 '일념도 깨닫지 못하는[一念不覺]' 그곳에서 오는 것이다. 일념도 깨닫지 못하기 때문에 그대의 여래장성에서 무명이 나온다. 최초의 이 무명이 생긴 연후에 행(行)이 나온다." 관세음보살이 그에게 법을 설하면 그는 매우 빨리 깨닫는다. 그래서 관세음보살은 그로 하여금 보리심을 발하게 하여 다시 작은 마음을 돌려 큰 마음으로 향하게 한다.

즉현성문신(卽現聲聞身)• 부처님의 사제법(四諦法: 苦集滅道)을 듣고 깨닫는 사람을 성문이라고 한다. 성문과 연각을 이승인(二乘人)이라고도 하며, 이승인은 또한 소승(小乘)이다. 소승과 대승이 있는데, 무엇이 작은 것이고 무엇이 큰 것인가? 근본적으로는 큰 것과 작은 것이 없으나, 단지 중생의 마음이 작고 큰 것이 있을 뿐이다. 본래의 심량(心量)은 허공을 다하고 법계에 두루한 것이다. 하지만 우리 범부는 자기가 본래 갖춘 여래장성을 사용할 능력이 없어 단지 일부분만 사용할 수 있는데, 어떤 사람은 큰 부분을 사용하고 어떤 사람은 전부 다 사용한다. 전부를 사용하는 사람이 부처이다. 이미 반본환원하였기 때문이다. 보살은 지혜가 크기 때문에 여래장성에서 본래 갖춘 집안의 보배를 많이 사용한다. 소승인은 아는 것이 적으므로 적게 사용한다.

"응당 범왕의 몸으로 제도될 수 있는 중생에게는 즉시 범왕의 몸을 나타내어 그를 위해 법을 설하고, 제석천의 몸으로 제도될 수 있는 중생에게는 즉시 제석천의 몸을 나타내어 그를 위해 법을 설하며, 자재천의 몸으로 제도될 수 있는 중생에게는 즉시 자재천의 몸을 나타내어 그를 위해 법을 설하고, 대자재천의 몸으로 제도될 수 있는 중생에게는 즉시 대자재천의 몸을 나타내어 그를 위해 법을 설하며, 천대장군의 몸으로 제도될 수 있는 중생에게는 즉시 천대장군의 몸을 나타내어 그를 위해 법을 설하고, 비사문의 몸으로 제도될 수 있는 중생에게는 즉시 비사문의 몸을 나타내어 그를 위해 법을 설한다."

應以梵王身得度者，卽現梵王身而爲說法。應以帝釋身得度者，卽現帝釋身而爲說法。應以自在天身得度者，卽現自在天身而爲說法。應以大自在天身得度者，卽現大自在天身而爲說法。應以天大將軍身得度者，卽現天大將軍身而爲說法。應以毘沙門身得度者，卽現毘沙門身而爲說法。

즉현제석신이위설법(卽現帝釋身而爲說法) 『아미타경』에서는 제석을 석제환인(釋提桓因)이라고 부른다. 석제환인은 단지 한 분만 있는 것이 아니다. 많은 석제환인이 있다. 따라서 이 제석도 매우 많다. 우리가 지금 아는 분은 바로 도리천의 제석이며, 사람들은 그를 천주(天主)라고 칭한다. 능엄주에는 "나무인드라야(南無因陀囉耶)"라는 구절이 있는데, 바로 제석을 가리키며 또한 우리 일반 중생이 가장 공경하는 천주이다.

이 천주는 능력이 매우 크고, 권력도 매우 크고 신통도 매우 크다. 그러나 그는 단지 천상에만 있으며, 천인의 수명은 장래 다할 때가 있다. 제석은 제천을 다스리며 천상의 모든 일을 관장한다. 그래서 그의 권력이 매우 큰 것이다. 관세음보살은 제석의 몸으로 제도할 수 있는 중생에게는 기연이 성숙되면 제석의 몸을 나타내어 법을 설한다.

무엇 때문인가? 동류의 중생에게는 쉽게 접근하여 권유하고 인도할 수 있기 때문이다. 마치 사람들도 같은 직업을 가진 사람끼리 친구가 되기 쉬운 것과 같다. 장사를 하는 사람은 그들끼리 어울리고, 공부를 하는 사람은 그러한 사람과 친구가 되며, 불법을 배우는 사람은 불법을 배우는 사람과 친구가 된다. 이른바 사람은 동류끼리 모이고, 사물은 무리로 나뉜다고 한다. 그래서 관세음보살은 동류의 중생으로 화현하여 그곳으로 가서 교화하는 것이다.

관세음보살은 반드시 신통으로 변화하여 너희에게 법을 설하는 것은 아니다. 어떤 때는 그도 분령(分靈)하여, 즉 그의 성품의 영 일부분을 나누어 이 세상에 와서 사람으로 태어나 불법을 배우고, 그런 연후에 중생을 교화한다. 이렇게 하는 것도 응당 무슨 몸으로 제도할 수 있는 중생인지를 살펴 우선 그러한 몸을 만든 연후에 그 중생을 교화하는 것이다. 어떤 사람이 관세음보살을 믿고 공양하다가 다시 관세음보살의 법문에 의거하여 수행한다면, 이것도 다시 한 분의 관세음보살로 변화하는 것이며, 관세음보살의 화신이 하나 더 많아진 것이다.

관세음보살은 어떻게 백천만억의 화신이 있게 되는가? 바로 너희가 그를 모방하고 본받아서 그를 배우는 것이다. 이것도 변화하여 그의 화신을 이루는 것이다. 법은 정해진 일정한 것이 없다. 그러니 집착해서는 안 되며, 반드시 그러할 것이라고 말해서는 안 된다.

따라서 백천만억의 화신이란, 일백 명의 사람이 너희를 따라 배우면 바로 그 일백 명의 사람이 너희의 화신으로 변하는 것이다. 일천 명의 사람이 너희를 따라 배우면 너희에게는 일천 명의 화신이 생긴 것이다. 그러므로 천백억 화신이 결코 어려운 것이 아니다. 단지 너희에게 굳건한 힘이 있어 불법을 제창하려고 한다면, 너희의 화신도 무량하고 무변한 것이다. 이것은 사상(事相)에 따라 설명한 것이다. 만약 이성(理性)에 근거하여 설명한다 해도 너희가 부처를 이루면 정말로 천백억 화신을 만들 수 있다.

즉현자재천신이위설법(卽現自在天身而爲說法)• 자재천이란 무엇인가? 자재천은 바로 천마외도의 한 종류이다. 그들은 자기밖에 없다고 뽐내며 아만심이 매우 높다. 그들은 불법승 삼보가 없다고 말하며 불법승을 비방한다. 왜 그러한가? 왜냐하면 그들은 너무 즐겁고 자유자재하기 때문이다. 관세음보살은 이러한 중생도 기연이 성숙하면 마찬가지로 그들을 위하여 불법을 설하여 그들이 불교 속으로 들어오게 한다.

즉현천대장군신이위설법(卽現天大將軍身而爲說法)• 천대장군에는 두 가지의 설명이 있다. 하나는 천상에서 대장군이 된 천신이다. 다른 하나는 천상의 천신이 천복이 다하여 인간으로 와서 대장군이 된 것이다. 그는 큰 세력을 갖고 있지만 불법을 이해하지 못하여 여전히 갖가지의 업을 짓고 갖가지의 과보를 받는다. 관세음보살은 그들의 인연을 보고 제도할 수 있으면, 대장군의 몸을 나타내어 그들에게 법을 설하며, 그들이 미혹을 돌이켜 깨달음으로 돌아오게 하며, 세간의 모든 즐거움을 놓아버리고 출세간의 무궁한 즐거움을 구하게 한다.

즉현비사문신이위설법(卽現毘沙門身而爲說法)• 비사문은 사대천왕 가운데의 북방천왕(北方天王)이다.

"응당 소왕의 몸으로 제도될 수 있는 중생에게는 즉시 소왕의 몸을 나타내어 그를 위해 법을 설하고, 장자의 몸으로 제도될 수 있는 중생에게는 즉시 장자의 몸을 나타내어 그를 위해 법을 설하며, 거사의 몸으로 제도될 수 있는 중생에게는 즉시 거사의 몸을 나타내어 그를 위해 법을 설하고, 관리의 몸으로 제도될 수 있는 중생에게는 즉시 관리의 몸을 나타내어 그를 위해 법을 설하며, 바라문의 몸으로 제도될 수 있는 중생에게는 즉시 바라문의 몸을 나타내어 그를 위해 법을 설한다."

應以小王身得度者, 卽現小王身而爲說法。應以長者身得度者, 卽現長者身而爲說法•。應以居士身得度者, 卽現居士身而爲說法•。應以宰官身得度者, 卽現宰官身而爲說法•。應以婆羅門身得度者, 卽現婆羅門身而爲說法•。

즉현장자신이위설법(卽現長者身而爲說法)• 장자는 어떠한 사람인가? 『능엄경』을 강의할 때도 언급하였는데, 그의 성씨도 귀하고 연세도 높고, 또한 도덕도 있고 명예도 있으며, 윗사람도 그를 좋아하고 아랫사람도 그를 좋아한다. 도덕이 있어도 장자가 될 수 있고, 지혜가 있어도 장자가 될 수 있다. 혹은 부귀한 사람으로서 갖가지의 덕행을 갖추고 있는 사람이다. 이른바 대부장자(大富長者)라고 하는 것은 『금강경』에 나오는 수달다 장자와 같은 사람이다. 이러한 장자는 마음씀이 평등하여 모든 사람을 차별 없이 대하고, 모든 사람을 돕기 좋아한다.

즉현거사신이위설법(卽現居士身而爲說法)• 거사란 집에 거주하는 재가자로서 불법을 믿고 오계를 수지하며, 십선(十善)을 봉행하는 사람이다.

지금 이곳에도 많은 거사들이 있는데, 앞으로 불교거사림을 결성하려고 한다. 불교의 거사림은 바로 모든 불교도이다. 재가인 모두 모여 함께 불법을 연구하고 불교를 옹호하는데, 어떻게 하면 불교를 크게 선양할 것인가 하는 것이 거사의 책임이다. 거사의 책임은 바로 삼보를 보호하고 유지함으로써 불교를 옹호하는 것이다. 불교를 제창할 방법을 생각하여 불교가 나날이 흥성하게 해야 한다. 이것이 우리 각자가 거사가 된 책임이다. 출가인의 책임은 바로 불법을 홍양하는 것이며, 재가인은 불법과 삼보를 옹호하는 것이다.

너희는 모두 기본을 갖춘 인재이므로, 나는 이 거사림이 하루하루 무성해져서 나날이 사람들이 많아지기를 바란다. 단지 이 건물에 있는 사람뿐만 아니라 외부의 모든 사람과 연합하여 함께 이루어야 한다. 그러면 모든 미국의 불교거사들이 함께 모일 수 있다. 우리가 와서 불법을 연구하는 이것이 거사의 책임이다.

즉현재관신이위설법(卽現宰官身而爲說法)• 재관은 재상 혹은 높은 관리가 되는 사람을 말한다.

즉현바라문신이위설법(卽現婆羅門身而爲說法)• 바라문은 인도에서 일종의 외도이며, 청정한 범행을 닦기 좋아한다.

"응당 비구, 비구니, 청신사, 청신녀의 몸으로 제도될 수 있는 중생에게는 즉시 비구, 비구니, 청신사, 청신녀의 몸을 나타내어 그를 위해 법을 설한다.
장자, 거사, 재관, 바라문 부녀의 몸으로 제도될 수 있는 중생에게는 즉시 그러한 몸을 나타내어 그를 위해 법을 설한다.
동남, 동녀의 몸으로 제도될 수 있는 중생에게는 즉시 동남, 동녀의 몸을 나타내어 그를 위해 법을 설한다.
천룡, 건달바, 아수라, 가루라, 긴나라, 마후라가, 사람과 사람이 아닌 중생 등의 몸으로 제도될 수 있는 중생에게는 즉시 모두 그러한 몸을 나타내어 그를 위해 법을 설한다.
금강역사의 몸으로 제도될 수 있는 중생에게는 즉시 금강역사의 몸을 나타내어 그를 위해 법을 설한다."

應以比丘, 比丘尼, 優婆塞, 優婆夷身得度者, 卽現比丘, 比丘尼, 優婆塞, 優婆夷身而爲說法。應以長者, 居士, 宰官, 婆羅門婦女身得度者, 卽現婦女身而爲說法。應以童男, 童女身得度者, 卽現童男, 童女身而爲說法•。應以天龍·夜叉·乾闥婆·阿修羅·迦樓羅·緊那羅·摩睺羅伽·人非人等身得度者•, 卽皆現之, 而爲說法。應以執金剛身得度者, 卽現執金剛身而爲說法•。

즉현동남(卽現童男) 동녀신이위설법(童女身而爲說法)• 동남, 동녀란 사람의 생리상으로 말하자면, 결혼을 하지 않고 신체가 파괴되지 않은 완정(完整)한 몸을 가진 사람을 말한다. 일단 남녀 이성 간에 서로 접촉하면 이 신체는 완정하지 않다. 남녀 간의 성행위를 경험하지 않은 몸이 완정한 신체다. 중국에서는 동자공(童子功)이라는 무술이 있는데, 이것을 단련하면 신체가 완정하게 된다. 이 무술을 연마하여 성취하면 칼도 그 몸을 벨 수 없고, 창도 그 몸에 들어가지 않는다. 동남, 동녀의 몸은 불교에서 가장 청정한 신체라고 한다. 이러한 몸으로 수도하고 참선, 좌선을 하면 매우 빨리 눈이 열린다.

응이천룡(應以天龍) 야차(夜叉) 건달바(乾闥婆) 아수라(阿修羅) 가루라(迦樓羅) 긴나라(緊那羅) 마후라가(摩睺羅伽) 인비인등신득도자(人非人等身得度者)• 용은 종류가 많다. 천상의 용, 바다의 용, 수장(守藏)의 용이 있다. 천상의 용은 천상에서 호법(護法)이 된 용이다. 바다의 용은 바닷속의 용궁에 거주하는 용이며, 용왕은 물고기, 거북, 게, 새우의 수령이 된다. 또한 비를 내리는 용이 있다. 수장의 용이란 어떤 것인가? 보배를 지키는 용이다. 어떤 사람이 값나가는 많은 보배를 땅속에 묻어두면 용의 탐심을 불러들여 용이 그곳으로 달려가서 보물을 지킨다. 이것이 장룡(藏龍)이다. 용은 옛날에는 많이 있었지만 지금은 사람들이 본 적이 없다면서 용이 없다고 생각하는데, 사실은 매우 많다.

건달바는 범어로서, 번역하면 향신(香神)이다. 향기를 음식으로 삼는다. 또한 악신(樂神)이라고도 번역하는데, 옥황상제를 위하여 음악을 연주하는 신이다. 그는 향 맡기를 좋아하고, 음악 연주하기를 좋아한다. 옥황상제는 그가 연주하는 음악을 좋아해서 그가 음악을 듣고 싶을 때는 단지 가람향(伽藍香)을 태우면 된다. 이 향은 우두전단 종류에 속하는 것으로, 이 향을 사르면 건달바가 향을 맡고 달려온다.

아수라는 화를 잘 내고 남과 싸우기를 좋아한다. 지금의 이 시대는 바로 아수라가 세상에 나온 시대이다. 그래서 이 세계는 언제나 투쟁을 하고 있다. 이것이 바로 투쟁이 견고하다[鬪爭堅固]는 것이며, 아수라의 권력이 가장 크기 때문이다. 성미가 있는 사람은 장래 아수라가 될 가능성이 있으며, 어쩌면 지금 바로 아수라일지도 모른다. 만약 너희가 성미를 없애고 인욕행을 닦으면 아수라와의 관계는 벗어나게 될 것이다.

가루라는 대붕(大鵬) 금시조(金翅鳥)이며, 부처님으로부터 용을 잡아먹지 않겠다는 불살생의 계를 받은 후 불교의 호법이 되었다. 절에서 스님들이 오전에 공양을 할 때 공양주를 외운 후 밥을 조금 남겨서 보내는데, 이것은 바로 대붕 금시조에게 먹으라고 주는 것이다.

불교의 음식에 관하여 설명하자면, 아침에는 천인(天人)들이 밥을 먹는 때이며, 정오에는 부처님께서 공양을 하시는 때이며, 정오를 지난 후에는 축생이 먹는 때이고, 저녁에는 귀신이 먹는 때이다. 본래 귀신은 먹을 것을 찾지 못하면, 사람들이 먹을 때 그 소리를 듣고 빼앗아 먹으려고 달려든다. 우리가 먹는 음식이 귀신의 입에 닿으면 불로 변한다. 그의 업이 너무 중하기 때문에 무엇을 먹을 수 없다. 귀신은 사람이 법술을 사용하여 음식을 불로 변화시켜 자기들에게 주지 않는다고 생각한다. 그래서 그들은 성내는 마음을 내어 사람을 때리거나 혹은 병이 들게 하거나, 사람과 투쟁한다. 그래서 출가인은 저녁에 음식을 먹으면 안 된다. 왜냐하면 이때는 귀신이 먹는 때이기 때문이다.

긴나라도 옥황상제에게 음악을 연주하는 악신(樂神)인데, 머리에 하나의 뿔이 나 있다. 그래서 그를 의신(疑神)이라고도 한다.

마후라가는 바로 큰 구렁이다. 뱀은 가늘지만 구렁이는 살이 쪄서 매우 굵으며, 매우 흉악하다. 이것을 토룡(土龍)이라고도 부른다. 마후라가는 부처님이 세상에 계실 때 삼보에 귀의하였기 때문에 불교에서 호법이 되었다.

◉ 육조 대사가 광동성 남화사에 계실 때 독룡이 한 마리 있었다. 이 독룡은 매우 심하게 독을 분출하고 안개를 토하였는데, 사람이 일단 그 독에 중독되면 병이 생기거나 심지어 죽기도 하였다. 당시 남화사의 선원 터는 원래 독룡이 살던 연못이었다. 그 연못은 대략 1무(畝: 200평) 정도의 면적이었으며, 누구도 얼마나 깊은지 몰랐다. 이 연못 속에는 한 마리의 독룡이 살고 있었는데, 남화사의 스님들을 해치고 자주 병이 나게 하였다.

한 번은 육조 대사가 이 독룡담으로 오자 독룡이 큰 몸을 드러내었는데, 연못이 가득 찰 정도였다. 육조 대사가 웃으면서 말하였다. "어이, 그대는 단지 큰 몸을 나타내는 재주만 있고 작은 몸으로는 나타낼 수 없으니, 아무래도 큰 재주는 없는가 보네!" 용은 그 말을 듣고 곧 큰 몸을 감추고 1척(尺) 정도의 작은 몸으로 변해서 물속에서 놀았다. 육조 대사가 말하였다. "그대는 약간의 재주가 있군, 크게도 변하고 작게도 변하니. 그러나 내 발우 속으로 뛰어들어올 수 없겠지." 용은 물속에서 놀다가 이 말을 듣고 물속에서 "푸덩"하는 소리를 내면서 육조 대사의 발우 속으로 뛰어들어왔다.

육조 대사가 말하였다. "그대가 이번에 들어올 수는 있었지만 나갈 수는 없을 거야!" 이에 용이 아무리 법술을 부리면서 발버둥 쳐도 발우 밖으로 나갈 수가 없었다. 육조 대사에게 크게 당한 것이다.

육조 대사가 용에게 말하였다. "그대는 발버둥 치지 말라. 그대는 왜 용의 몸이 되었는가? 왜 독룡이 되려고 하는가? 그대는 본래 전생에 수행을 하여 선근을 가진 사람이며, 또한 일찍이 불법을 들은 적이 있다. 하지만 그대의 분노심이 너무 강하고 성미가 너무 컸다. 그대는 불법을 연구하였지만 너무 빨리 이루려고 하면서 계율을 지키지 않았다. 그래서 지금 용의 몸으로 떨어진 것이다. 그대는 자기의 재주가 크다고 생각하지 말라. 그대는 지금 내 발우 속에 들어왔지만 나갈 수 없으니." 용은 이 말을 듣고 순종하면서 다시는 발우 밖으로 나가려 하지 않았다.

그래서 육조 대사는 다시 그에게 법을 설하였다. 그러자 그는 이해하고 용의 몸을 벗었다. 그 용의 시신은 일찍이 남화사에서 오랫동안 보관하고 있었으나, 이후 전쟁으로 인하여 잃어버리고 말았다. 육조 대사가 남화사에서 독룡을 항복시킨 이러한 인연이 있다.

중국 당나라 시기에 위징(魏徵)이라는 대신이 있었다. 그는 비록 인간 세상에서 승상을 하고 있었지만, 또한 천상으로 가서 천상의 관리를 할 수 있었다. 당시 작은 백룡(白龍)이 있었는데 한 번은 비를 잘못 내렸다. 옥황상제는 그에게 1.3촌(寸)의 비를 내리라고 하였는데, 그는 1.3척(尺)의 비를 내려 모든 농토가 물에 잠기고 많은 사람들이 물에 빠져 죽었다. 천상에서는 위징을 파견하여 그 백룡을 참수하게 하였다.

백룡은 이러한 소식을 알고 먼저 당태종의 꿈에 나타나 구원을 요청하였다. "내일 당신이 나를 구해 주셔야 되겠소. 그대도 용이고 나도 용이니, 그대가 나를 마땅히 구해야 되지 않겠소!"

당태종이 말하였다. "그대와 내가 기왕 용이면 우리는 형제군요. 그대에게 일이 생겼으니 응당 도와야지요. 내가 어떻게 하면 그대를 구할 수 있겠소?"

백룡이 말하였다. "내가 비를 잘못 내려 천상의 법을 범했으니 내일 참수될 것이오. 나를 참수할 사람은 바로 위징 승상이요. 내일 그대는 오직 그를 못 가게 잡아두어 아무런 일도 하지 못하게 하시오. 그러면 그는 나를 죽이지 못할 것입니다."

당태종이 말하였다. "그건 쉬운 일이요. 그는 승상으로서 나의 관리이기도 하니 내 부름을 들을 것이오. 그대는 근심하지 마시오."

다음 날 당태종은 위징을 불러 바둑을 두게 하였다. 자기와 바둑을 두면 자기를 떠나지 못할 것이니, 결국 그 용을 죽이지 못할 것이라는 생각이었다. 그래서 두 사람은 바둑을 두었다. 마침 정오가 되어 갈 무렵 위징은 바둑을 두다가 잠이 들어 버렸다. 당태종은 매우 기뻐하며 생각하였다. '그대가 이제 잠을 자니 백룡을 참수하러 갈 수 없을 것이야. 이제 걱정할 필요가 없겠어.'

그러나 누가 알았겠는가. 위징은 잠을 자지만, 그의 신식(神識: 영혼)은 몸을 빠져나와 천상으로 가서 보검을 가지고 백룡을 참수하였다. 그런 연후 그의 신식은 다시 몸으로 돌아와 다시 당태종과 바둑을 두었으며, 정오를 넘기게 되었다. 백룡이 전에 말하기를 정오를 넘기면 자기를 죽일 수 없다고 하였는데, 당태종은 매우 기뻐하며 마음으로 생각하였다. '하하, 내가 나의 형제를 구했으니, 이번에 나의 공덕이 아마도 매우 클 거야.'

밤이 되어 백룡은 다시 꿈에 나타나 당태종에게 목숨을 요구하였다. "당신은 형제인 나를 구해준다고 말했는데, 어찌하여 나를 구하지 않았소? 그대의 신하가 나를 죽였소. 그러니 이제 나는 그대에게 내 목숨을 배상하기를 원하오. 그대가 나를 죽인 것과 같기 때문이오." 당태종은 깨어나서 매우 놀랐다. 어찌해야 하는가?

다음 날 그가 군 사령관인 서무공(徐茂公)에게 이야기를 하자, 서무공이 말하였다. "괜찮습니다. 이곳에 두 사람이 있는데, 그를 진압할 수 있습니다. 바로 진경(秦瓊)과 위지경덕(尉遲敬德)입니다. 당신이 그 두 사람에게 침궁 입구를 지키게 하면 백룡은 들어오지 못할 것입니다." 진경은 황색의 얼굴이고 위지경덕은 검은색의 얼굴로서, 밤에 기름을 칠한 것처럼 빛을 발하였다. 그 두 사람이 문을 지키자 과연 백룡이 밤에 오지 않았다.

그러나 그들은 국가의 대장으로서 매일 그렇게 할 수는 없었다. 그럼 어떻게 해야 하는가? 그래서 그는 두 사람의 얼굴 그림을 문 위에 붙여서 당태종을 지키게 하였더니 백룡도 다시는 오지 못했다. 그래서 중국인들은 해가 바뀌는 설이 되면 진경과 위지경덕의 얼굴 그림을 문 위에 붙이는데, 이렇게 하면 요마귀괴가 감히 오지 못한다고 한다. 이것을 그들은 문신(門神)이라고 칭한다.

즉현집금강신이위설법(卽現執金剛身而爲說法)• 집금강신(執金剛神)은 불교의 호법이다. 금강신의 내력은 이렇다. 오랜 이전에 어떤 전륜성왕이 일천 명의 아들을 낳았다. 어떻게 한 부인에게서 일천 명의 아들이 나올 수 있는가? 그의 수명이 길기 때문에 일천 명의 아들도 많은 것이 아니다. 이 전륜성왕은 일천 명의 아들을 낳았지만 그의 야심은 아직 충족되지 않아, 다시 하나의 첩을 들였다. 두 번째 부인은 두 명의 아들을 낳았다. 일천 명의 아들은 모두 이렇게 발원했다. "우리는 장래 반드시 수행하여 부처를 이루겠습니다. 우리 일천 명의 형제들은 차례대로 부처를 이루겠으며, 전륜성왕은 되지 않겠습니다." 그리고 모두 추첨을 하였는데, 석가모니 부처님은 네 번째를 뽑았다. 그래서 그는 (지금의 현겁에서) 네 번째의 부처가 되었다. 지금 우리가 사는 이 겁을 현겁(現劫)이라고 부르는데, 이 현겁에서 일천 분의 부처가 차례로 세상에 나오실 것이다.

두 번째의 부인에게서 태어난 두 아들도 발원하였는데, 첫째가 발원하기를 "저는 일천 명의 형님들이 부처를 이룰 때 첫 번째로 가서 부처님께 청하여 중생에게 법을 설하도록 하겠으며, 부처님께 공양하고 삼보에 공양하기를 발원합니다."라고 했다. 그리고 둘째는 발원하기를 "저는 호법이 되기를 발원합니다. 형님들이 한 분씩 부처를 이룰 때마다 그의 앞에 가서 그분을 보호하겠습니다."라고 했다. 이 집금강신이 바로 부처님을 보호하겠다고 발원한 두 번째 부인의 둘째 아들이다. 그는 보배 방망이[寶杵]를 들고 불교를 보호하며, 부처님이 세상에 나오시면 그가 가서 불법을 보호한다. 첫 번째의 형은 바로 대범천왕으로서, 한 분이 성불하면 첫 번째로 가서 그 부처님께 법을 청하는 분이다.

2) 관세음보살에 대한 공양

"무진의보살이여, 이 관세음보살은 이와 같은 공덕을 성취하여 갖가지의 모습으로 많은 국토에 가서 중생을 제도하고 해탈하게 한다. 그러므로 그대들은 마땅히 일심으로 관세음보살을 공양해야 한다. 이 관세음보살마하살은 두렵고 위급한 어려움 가운데서 중생을 두렵지 않게 할 수 있으니, 이러한 까닭으로 이 사바세계에서는 모두 그를 두려움 없음을 베푸는 분이라고 칭하느니라."

무진의보살이 부처님께 말하였다. "세존이시여! 저는 지금 관세음보살에게 공양하려고 합니다." 즉시 목에 두르고 있던, 백천 냥 금의 가치가 있는 보배 구슬의 영락을 풀어서 관세음보살에게 주면서 이렇게 말하였다. "어진 분이시여, 이 법보시의 진기한 보배 영락을 받으십시오."

그때 관세음보살이 그것을 받지 않으려고 하자, 무진의보살은 다시 관세음보살에게 말하였다. "어진 분이시여, 저희를 불쌍히 여기셔서 이 영락을 받아 주십시오."

無盡意。是觀世音菩薩成就如是功德, 以種種形, 遊諸國土, 度脫衆生。是故汝等應當一心供養觀世音菩薩。是觀世音菩薩摩訶薩, 於怖畏急難之中, 能施無畏。是故此娑婆世界皆號之爲施無畏者。無盡意菩薩白佛言。世尊。我今當供養觀世音菩薩。卽解頸衆寶珠瓔珞, 價直百千兩金, 而以與之, 作是言。仁者。受此法施珍寶瓔珞•。時觀世音菩薩不肯受之•。無盡意復白觀世音菩薩言。仁者。愍我等故, 受此瓔珞。

수차법시진보영락(受此法施珍寶瓔珞)• 보시에는 재(財)보시,

법(法)보시, 무외(無畏)보시가 있다. 이 진기한 보배의 영락은 본래 재보시에 속하는데, 어찌하여 경문에서는 법보시라고 하는가? 무진의보살이 당시 관세음보살에게 공양할 때 그의 마음에는 결코 이 보배 구슬의 영락이 값비싼 물건이라고 여기지 않았기 때문이다. 그는 자기가 좋아하는 이러한 보배의 영락을 성심으로 공양하기를 원하였으며, 그것의 가치가 얼마인지는 생각하지 않았다.

그러나 경문에서는 왜 '가치가 백천 냥의 금'이라고 말하였는가? 이 구절은 경을 결집할 때 아난 존자가 첨가한 것이다. 당시 무진의 보살은 결코 가치가 얼마라고 말하지 않았다. 그는 마음으로 관세음보살에게 공양한 것이며, 피차간에 결코 재물의 관념을 가지지 않았다. 그래서 법보시에 속하는 것이다. 즉 비록 재보시지만, 법보시로 변한 것이다. 이것은 모두가 "마음으로 마음에 도장을 찍은[以心印心]" 것이며, 결코 그것을 값비싼 물건이라고 여기지 않은 것이다. 따라서 그는 관세음보살에게 이러한 법의 공양(보주의 영락)을 받으시기를 요구한 것이다.

시관세음보살불긍수지(時觀世音菩薩不肯受之)• 관세음보살은 왜 이 보배 영락을 받지 않으려고 하였는가? 왜냐하면 관세음보살은 석가모니 부처님의 법좌 하의 법화회상에서 『법화경』을 듣기 위하여 왔기 때문에, 부처님의 허락을 받지 않고 무진의보살의 법보시를 받는 것은 예의가 아니라고 생각하여 겸손을 표한 것이다. 결코 관세음보살은 이러한 탐심이 없다. 관세음보살의 마음에는 근본적으로 보시를 하는 자[能施]도 없고, 보시의 대상[所施]도 없으며, 또한 보시를 받을 수 있는 자[能受]도 없고, 받는 대상[所受]도 없다. 자기에게 공양을 하는 자와 하지 않는 자를 평등하게 본다. 보이지 않는 가운데 마땅히 무진의보살에게는 공덕이 있다. 그러나 관세음보살의 본래의 몸은 이러한 공양을 받지 않는다.

그때 부처님께서 관세음보살에게 말씀하셨다.

"그대는 응당 무진의보살과 사부대중, 천룡, 야차, 건달바, 아수라, 가루라, 긴나라, 마후라가, 사람과 사람 아닌 중생 등을 불쌍히 여겨 이 영락을 받으세요."

즉시 관세음보살은 모든 사부대중과 천룡팔부, 사람과 사람 아닌 중생 등을 불쌍히 여겨서 그 영락을 받았으며, 그것을 두 부분으로 나누어 한 부분은 석가모니불에게 바치고, 한 부분은 다보불탑에 바쳤다.

"무진의보살이여, 관세음보살은 이와 같은 자재한 신통력이 있어 사바세계에 다니면서 중생을 제도하느니라."

爾時佛告觀世音菩薩。當愍此無盡意菩薩及四衆, 天龍·夜叉·乾闥婆·阿修羅·迦樓羅·緊那羅·摩睺羅伽·人非人等故, 受是瓔珞。卽時觀世音菩薩愍諸四衆, 及於天龍人非人等, 受其瓔珞, 分作二分, 一分奉釋迦牟尼佛, 一分奉多寶佛塔。無盡意。觀世音菩薩有如是自在神力, 遊於娑婆世界。

◉ 『법화경』은 모두 7권이고, 6만여 구(句)가 있다. 이것은 불교에서 가장 중요한 성불의 경이다. 여러분 각자의 친척과 친구들에게 소개하여 이 경을 듣게 해야 할 것이다. 이것은 가장 얻기 어려운 기회이다. 누구든지 오게 하여 가능한 한 많은 사람들이 불법을 알게 해야 한다. 이것이 불교를 옹호하는 것이다. 경을 듣는 것은 가장 큰 공덕이다. 왜냐하면 경을 듣는 것은 바로 그로 하여금 불법을 배우게 하는 것이기 때문

이다. 불법을 배우면 장래 성불의 기회가 있게 된다. 만약 그가 부처를 이루면, 이 부처는 너희가 만든 것이다. 너희가 한 분의 부처를 만들면, 너희 자신은 부처를 이루지 못할 것을 걱정하지 않아도 된다.

라. 관세음보살에 대한 찬탄 게송

1) 관세음보살의 청정대원

그때 무진의보살은 게송으로 물었다.

미묘한 상호를 갖추신 세존께
저는 지금 거듭 여쭙습니다.
이 불자는 어떤 인연으로
관세음이라고 이름합니까?

爾時無盡意菩薩, 以偈問曰。

世尊妙相具　我今重問彼　佛子何因緣　名爲觀世音

◉ 구마라집 법사가 「관세음보살보문품」을 번역할 때는 이 게송 부분을 번역하지 않았다. 이것은 이후 다른 법사가 첨가한 것이다.

미묘한 상호를 구족하신 세존께서는
무진의 보살에게 게송으로 답하셨네.

그대는 많은 곳의 중생에 잘 응하는
관음보살의 행을 잘 들게나.
광대한 서원은 바다처럼 깊으며
많은 겁 거치면서 부사의한 행을 하고
천억의 수많은 부처님을 모시면서
크고 청정한 서원을 발하였네.

具足妙相尊• 偈答無盡意 汝聽觀音行 善應諸方所•
弘誓深如海 歷劫不思議• 侍多千億佛 發大淸淨願•

구족묘상존(具足妙相尊)• 부처님은 삼십이상, 팔십 가지의 수형호(隨形好)를 갖추셨다. 구족하다는 것은 부족함이 없다는 뜻이고, 또한 복과 지혜를 원만하게 갖춘 양족존이라고 해석할 수 있다. 이러한 미묘하고 불가사의한 상호를 갖추었다는 것을 말한다.

선응제방소(善應諸方所)• 관세음보살은 선교방편으로 중생을 제도하며, 또한 근기를 살펴 가르침을 주고, 사람에 따라 법을 설한다. 앞에서 설한 "어떤 몸으로 제도될 수 있는 중생이면, 그러한 몸으로 나타나서 제도한다."는 것이 바로 선응제방소(善應諸方所)의 뜻이다.

무슨 근성이든지를 막론하고 이러한 선교방편으로 제도하신다. 선(善)이란 바로 좋은 방법을 말하며, 이러한 좋은 방법은 일정하게 정해진 것은 없다. 따라서 『금강경』에서 말씀하시길 "이 법은 평등하여 높고 낮음이 없다."라고 하였다. 정해진 법이 없으므로 '선응제방소'라고 하는 것이다.

예를 들어 너희가 사람을 제도하려면 많은 세간법을 이해해야 한다. 너희가 법사가 되어 남을 교화하려면 많은 도리를 이해해야 한다. 장시하는 사람을 만나면 장사에 관하여 알아야 그와 이야기를 할 수 있으며, 학문을 하는 사람을 만나면 그 사람의 학문에 관해 이해하는 것이 있어야 서로 소통할 수 있다. 그래야 세간법을 불법으로 변화시킬 수 있다.

역겁부사의(歷劫不思議)• 그가 얼마나 많은 겁을 지나면서 이러한 불가사의한 행위를 하고, 이러한 공덕을 짓고, 이러한 불가사의한 원력을 발하였는지 모른다. 그래서 관세음보살의 모든 것은 불가사의한 것이다.

발대청정원(發大淸淨願)• 그는 일생마다 모두 청정한 원을 발하였으며, 대자대비한 원을 발하였다. 따라서 관세음보살의 이러한 경계는 사량할 수 없을 정도로 높고 깊다. 어떠한 것을 청정한 원이라고 하는가? 청정이란 자기를 위하는 사사로운 마음[自私心]이 없고, 대공무사(大公無私)한 마음이며, 중생을 위하여 발원하는 마음이다. 완전히 중생을 제도하는 것은 진정한 자비에서 나오며, 진정으로 중생을 자애(慈愛)하는 것이다.

2) 관세음보살을 염하는 힘

가) 각종 재난의 구제

나는 그대를 위하여 간략히 설하겠네.
관세음보살의 명호를 듣고 몸을 보면

마음으로 염하면서 헛되이 보내지 말게.
그는 능히 모든 유정의 고통 소멸하네.
我爲汝略說　聞名及見身•　心念不空過•　能滅諸有苦•

문명급견신(聞名及見身)• 사람들은 반드시 선근이 있어야 비로소 관세음보살의 명호를 들을 수 있다. 만약 선근이 없으면 관세음보살의 이름조차도 들을 수 없으며, 몸을 보는 것은 말할 필요도 없다. 몸을 본다[見身]는 것은 반드시 관세음보살의 육신을 본다는 것이 아니고, 그림으로 그린 관세음보살의 상이나 조각상, 또는 금·동·철·나무 등으로 조성한 형상을 보는 것이다. 이렇게 보는 것은 그분의 육신을 보는 것과 같다.

심념불공과(心念不空過)• 우리는 단지 마음속으로 언제나 생각하며, 생각 생각마다 관세음보살을 잊지 않아야 하며, 귀중한 시간을 망상으로 헛되이 보내지 않아야 한다.

능멸제유고(能滅諸有苦)• 제유(諸有)란 바로 욕계유, 색계유, 무색계유를 말하며, 또한 삼계 25유를 뜻한다. 이곳에서 가리키는 것은 삼계 25유를 말한다. 25유를 상세하게 설명하려면 많은 시간이 소요되므로 여기서는 생략한다.

가령 해치려는 마음을 일으켜
큰 불구덩이로 밀어 떨어뜨려도
저 관음보살을 염하는 힘으로

불구덩이가 연못으로 변하리.

假使興害意 推落大火坑• 念彼觀音力 火坑變成池•

가사흥해의(假使興害意) 추락대화갱(推落大火坑)• 흥해의(興害意)란 너희를 해치려는 마음을 일으킨다는 것이다. 어째서 그러한 마음을 일으키는가? 예를 들면 너희 동업자가 이익을 혼자 독차지하기 위하여 함께 등산을 가서 너희를 절벽 아래로 밀어 떨어뜨릴 수 있다. 이것은 재물을 도모하여 목숨을 해치는 경우이다. 해치는 방법은 여러 가지다. 높은 산에서 밀어 떨어뜨리거나, 불구덩이 속으로 밀어 넣는 것이다.

염피관음력(念彼觀音力) 화갱변성지(火坑變成池)• 이러한 위험한 상황이 발생할 경우 너희는 다른 방법을 사용하지 말고, 단지 일심으로 '나무관세음보살'이라고 염하면 불구덩이가 연못으로 변할 수 있다는 것이다. 무슨 주(呪)를 염할 필요도 없다. 오직 관세음보살을 염하니 이러한 큰 감응이 있고, 이렇게 큰 힘이 나오는 것이다. 이러한 감응의 힘은 불가사의한 것이다. 그러므로 우리는 언제 어디서나 관세음보살을 염해야 한다. 너희가 관세음보살을 염하면 장래 관세음보살의 보호를 받게 될 것이다. 이러한 경계는 너무나 많아서 다 말할 수가 없다.

혹은 거대한 바다에서 표류하면서
용과 물고기, 많은 귀신의 재난 만나면
저 관음보살을 염하는 힘으로
바다의 파도가 빠뜨릴 수 없으리.

或漂流巨海 龍魚諸鬼難• 念彼觀音力 波浪不能沒•

용어제귀난(龍魚諸鬼難)• 바닷속에는 독룡이 있으며, 또한 나찰귀신도 있다. 혹은 큰 물고기도 사람을 잡아먹을 수 있다. 이렇게 많은 괴물들이 바닷속에는 많으므로 바다에서 표류하는 것은 매우 위험한 일이다.

염피관음력(念彼觀音力) 파랑불능몰(波浪不能沒)• 너희가 이런 재난을 당했을 때 관세음보살을 염할 수 있으면, 어떤 파도도 너희를 물에 빠뜨려 죽이지 못한다. 알지 못하는 사이에 너희를 해안가로 보내거나, 혹은 저절로 얕은 곳으로 떠내려가게 하거나, 혹은 다른 배를 만나 구제되기도 한다. 그러나 너희가 만약 관세음보살을 염하지 않으면 매우 위험하다.

◉ 이 단락을 설명하니 한 가지 생각나는 일이 있다. 내가 홍콩에 살 때 나에게 나쁜 귀의제자가 하나 있었다. 어떻게 나빴는가? 그는 남을 해친 적이 있는 사람이었다. 그는 약국을 운영하였는데, 재산이 얼마나 되는지도 모를 정도로 부자였다. 그 돈은 어떻게 번 것인가? 바로 남을 해치고 번 돈이다.

그는 돈이 많은 어떤 사람과 합작을 해서 장사를 하였다. 외국에서 양약을 공부하고 홍콩으로 돌아와 약을 판매한 것이다. 그 당시는 일본이 항복한 후라서 중국 대륙의 도처에서 전염병이 유행하였다. 큰 전쟁 후에는 반드시 전염병이 발생한다. 그런데 합작을 하고 있던 사람과 배를 타고 외국서 양약을 구매하려고 가는데, 배가 바다 중간쯤 이르렀을 때 그가 동업자를 바다로 밀어 빠뜨린 것이다. 그의 동업자는 관세음보살을 염할 줄 몰라서 바다에 빠져 죽었다.

그래서 그는 모든 자산을 독점하게 되었으며, 돌아와서 많은 돈을 벌었다. 게다가 그는 가짜 약을 팔아서 더 큰 돈을 벌었다. 페니실린이라는 서양약을 모방하여 만든 약을 비롯해 갖가지의 가짜 약을 중국에 판매하였다. 그는 이렇게 해서 어마어마한 큰 부자가 된 것이다.

그후 그가 어떻게 되었을지, 여러분 생각은 어떠한가? 아마도 원한은 서로 갚는 관계인지 모르지만, 그는 암에 걸렸다. 당시 홍콩에는 여섯 명의 유명한 의사가 있었는데, 그들 모두 그가 백 일 이내에 반드시 죽을 것이며, 고칠 방법이 없다고 진단하였다. 그래서 그는 신문에 공개적으로 구명(救命) 광고를 내었다. 만약 자기의 병을 고쳐 목숨을 유지하게 하면 20만 달러를 주겠다고 광고한 것이다. 당시 20만 달러는 홍콩의 돈 가치로 말하자면 엄청난 돈이었다. 그러나 아무도 그의 목숨을 구제할 방법이 있다고 말하는 사람이 없었다.

그래서 그는 당시 내가 거주하는 서락원(西樂園)에 와서 어떻게 하면 고칠 수 있을지를 나에게 물었다. 나는 그에게 말하였다. "당신이 이러한 병에 걸렸으니, 마땅히 좋은 일을 많이 하고 삼보를 공양해야 합니다. 당신은 먼저 삼보에 귀의한 연후에 삼보를 공양해야 합니다. 그렇게 하면 아마도 당신의 병은 좋아질 것입니다." 그리하여 그는 음력 5월 18일 삼보에 귀의하였다. 귀의한 후 나는 그에게 삼보에 좋은 일을 하라고 하였다. 그 당시 중국 대륙으로부터 홍콩으로 전란을 피해서 온 많은 비구와 비구니들은 입을 옷이 없었으며, 또한 머물 장소도 없었다. 이러한 사람이 2, 3천 명 정도가 되었다. 나는 그에게 출가인 한 명당 한 필의 옷감과 아울러 20원 홍콩 돈을 공양하라고 하였다. 옷감 한 필이면 대략 두 벌의 스님 옷을 만들 수 있었다. 당시 그는 그렇게 하겠다고 승낙하였다.

홍콩에는 많은 스님들이 있었으며, 더욱이 많은 노스님이 있었기 때문에 그가 나에게 귀의하였다는 소식을 듣자 이 스님들은 각자 신통을 드러내려고 하였다. 무슨 신통을 드러내는가? 그의 친구와 친척에게 부탁하여 자기 절에 와서 공덕 짓기를 요구하는 것이다. 이렇게 많은 스님들이, 모두 이름 있고 명망 높은 노스님들이 자신의 권위를 이용하여 그를 찾아가서 자기 절에 공덕을 짓게 하려고 반연을 구하였다.

나는 일찍부터 그에게 대륙에서 온 출가인 한 사람마다 20원씩 공양하라고 하였지만, 그는 그 약속을 다 지키지는 않았다. 한 필의 옷감을 보시하였지만, 돈은 단지 5원만 지급하였다. 나는 이미 모든 스님들에게 20원씩 줄 것이라고 말을 해두었는데, 5원씩만 주니 어떻게 해야 하는가? 내가 돈을 빌렸다. 누가 돈이 많은지를 알아내서 비밀리에 돈을 빌리면서 누구에게도 알리지 말라고 하였다. 그리고 또 내 돈을 일인당 10원씩 추가하여 모두 15원을 만들고, 그가 준 돈 5원을 보태어 20원씩을 스님 한 사람마다 주면서 인연을 맺었다. 이때 어떤 스님도 그 중 10원은 내가 주는 것이라는 것인 줄을 몰랐다. 지금까지도 모른다.

내가 이렇게 하자 그는 후회가 되는지, 곧 다른 노스님에게 반연을 지으러 가버렸다. 그 돈은 본래 인연을 맺기 위하여 준비한 것이니 나도 그를 탓하지 않았다. 이 일은 그렇게 지나갔다.

그런데 그가 백 일이 지나도 죽지 않자, 일부 스님들이 말하였다. "아, 이것은 우리가 당신에게 참회의 절을 시켜서 병이 좋아진 것이야!", "이것은 우리가 당신에게 경을 독송해서 좋아진 거야!", "그래, 우리가 매일 당신을 도와 불전에서 병이 나으라고 기도한 덕분이야!" 각각의 노스님마다 모두 공이 있다고 말하였다. 이때 나는 조금의 공로도 없게 되었으나, 나는 그에게 어떠한 얘기도 하지 않았다.

6년이 지난 후에도 그는 죽지 않았다. 그때 나는 홍콩 대서산(大嶼山)에 자흥사(慈興寺)를 짓고 있었다. 이 자흥사는 지금 대략 스님 이백 명 정도가 살 수 있다. 그는 내가 절을 짓는다는 소식을 듣고 다시 나의 귀의제자가 되어, 기술자 한 사람을 보내면서 약간의 돈을 보내왔다. 돈을 가지고 와서 내가 절 짓는 것을 돕겠다는 것이었다. 나는 그 돈을 쳐다보지도 않고 문 바깥에 던져버렸다.

나는 그 기술자에게 말하였다. "그가 이 돈을 번 것이 정당하지 못하고 청정하지 못하여 나는 받을 수 없으니, 그대는 돈을 가지고 가서 그에게 돌려주세요." 이 기술자가 그에게 돈을 돌려주자 그는 깜짝 놀랐다. 그래서 그는 당시 그에게 반연을 맺은 노스님에게 부탁하여, 그 노스님이 나에게 좋은 말을 하면서 돈을 가지고 왔지만 나는 다시 거절하며 말하였다. "지금 공사가 완공되었으니 돈은 필요 없습니다. 그의 돈은 다른 공덕을 지을 수 있으며, 이렇게 많은 스님과 절이 있으니 어디든지 가서 원하는 대로 할 수 있습니다." 이 노스님은 내 면전에서도 퇴짜를 맞자 쑥스러운 듯 돌아갔다.

그러고는 다시 2년이 지나간 후, 새해 정월에 나는 모두에게 말하였다. "아무개는 올해 이미 나에게 귀의한 지 8년이 되었으며, 나는 본래 그가 발심하기를 기다렸다. 그는 20만 달러를 보내 절을 짓겠다고 말하였는데 지금까지도 행하지 않고 있으니, 나는 더 이상 그를 기다릴 수 없다. 이후 그에게 어떤 문제가 발생해도 나는 관여하지 않을 것이다. 그가 나를 찾아와 내 앞에서 꿇어앉아 죽어도 그의 일에는 관여하지 않겠다."

이렇게 말한 후 반년이 지나지 않아, 그의 암은 재발하였다. 이후 그가 죽으려고 할 때 내가 있는 곳으로 가족을 보내 다시 나에게 살려주기를 구하였다. 왜냐하면 그가 다른 절에 가서 참회의식을 하고 무슨 불사를 하였지만 모두 신통하지 않고 감응이 없었기 때문이다. 하지만 나는 관여하지 않았다. 나는 말하였다. "나는 정월에 발표한 적이 있습니다. 아무개에게 무슨 일이 발생해도 나는 관여하지 않겠다고." 며칠 지나지 않아 그는 암으로 죽었다.

그가 죽은 후 그와 반연을 맺은 노스님에게도 암이 발생하였으며, 대략 일 년 반이 지난 후 죽었다. 그 사람이 죽은 귀신이 되어 이 노스님을 잡아간 것이다. 아마도 그는 말하기를 "당신은 나에게 참회의 절을 하게 하였지만, 나는 결국 암으로 죽었습니다."라고 했을 것이다. 암으로 죽은 노스님은 그때 나기가 60세 정도였다. 또 이 노스님을 도와 반연을 맺게 그를 끌어들인 어떤 거사도 암에 걸려 죽었다. 그래서 이 세 사람은 "삼위일체(三位一體)"라고 말할 수 있다. 살아서 함께 하다가 죽어서도 얼마 떨어지지 않고 모두 같은 병으로 죽은 것이다.

왜 그는 이렇게 죽은 것인가? 왜냐하면 그가 동업자를 바다에 밀어 떨어뜨려 죽게 하였기 때문이다. 그 동업자는 죽어서 반드시 원한의 귀신이 되었으므로 그에게 암을 생기게 한 것이다. 그리고 그가 삼보에 귀의한 뒤 만약 그가 진정으로 신심이 있었으면 죽지 않았을 것이다. 그의 신심이 견고하지 못하여, 비록 일백 일 안에 죽지 않고 8년을 살았지만 그래도 결국 죽게 되었다. 지금 그의 가정은 여전히 재산이 많지만 소용이 없다. 그는 죽을 때 아무것도 가지고 갈 수 없었으니 말이다.

혹은 수미산 봉우리에서
남에게 떠밀려 떨어져도
저 관음보살을 염하는 힘으로
해가 허공에 머물듯이 무사하리.

或在須彌峰 爲人所推墮 念彼觀音力 如日虛空住

◉ 수미산의 봉우리에서 남이 밀어 떨어뜨릴 때 관세음보살을 염하면, 마치 태양이 허공에 머문 것같이 너희에게 손상을 주지 못할 것이다. 또한 사람들이 아첨하면서 너희를 최고로 치켜세우다가 더 이상 너희에게 칭찬의 말조차 건네지 않는 것도 마치 너희를 수미산 봉우리에서 떠미는 것과 같은 것이다. 이때 너희가 관세음보살을 염하면, 마치 태양이 허공 가운데서 만 리나 밝게 비추는 것과 같이 조금의 번뇌도 없다. 너희가 많은 사람의 추대를 받다가 사람들이 다시 너희를 끌어내려도 너희는 마음이 태연하며 선정력이 있게 되는 것이다. 이것은 이른바 "비방과 칭찬에도 그 마음이 움직이지 않네."와 같이 부동심을 유지하는 것이다.

혹은 나쁜 사람에게 쫓겨
금강산의 계곡에 떨어지더라도
저 관음보살을 염하는 힘으로
털끝 하나도 손상되지 않으리.
或被惡人逐 墮落金剛山 念彼觀音力 不能損一毛

◉ 악인은 함부로 도리를 무시하는 사람으로서 전문적으로 사람을 살해하고 방화하는 일을 저지른다. 너희가 만약 관세음보살을 염하지 않으면 금강산 계곡에 떨어져 뼈도 못 찾을 것이다. 그러나 너희가 관세음보살을 염하면 마치 금강산이 견고하듯이 털 하나도 다치지 않을 것이다. 그러므로 이러한 위험을 만날 때 관세음보살 염하는 것을 잊지

않으면 반드시 큰 감응을 얻을 것이다. 관세음보살은 반드시 와서 너희를 구호하여 재난을 길상함으로 변하게 할 것이다.

혹은 원한을 가진 적에게 둘러싸여
각각 칼을 잡고 위해를 가할 때
저 관음보살을 염하는 힘으로
그들 모두 즉시 자비심 일으키리.
或值怨賊繞　各執刀加害　念彼觀音力　咸卽起慈心

◉ 원적(怨賊)이란 우리와 일종의 원한을 가지고 있기 때문에 금생에 만나면 원한의 적으로 변한다. 즉 전생에 남의 물건을 훔쳤거나, 남을 죽였거나, 혹은 남을 잘 대하지 못했으면, 금생에 함께 만나 원수로 변하는 것이다. 이른바 "사람을 죽인 자는 목숨으로 상환하고, 채무를 진 자는 금전으로 갚아야 하네."라고 하였듯이, 너희가 남의 목숨을 죽였으면 남도 너희의 목숨을 죽이려고 하며, 남의 돈을 축냈으면 남의 돈을 갚아야 한다. 우리가 만나는 모든 것은 이전의 원인과 이후의 결과의 관계이다. 기왕 인과의 관계가 있으므로 우리가 만약 원적을 만나면, 마땅히 하늘을 원망하지 않고 남을 원망하지 않아야 한다.

내가 이전에 광동성 남화사에 있을 때 이러한 일을 만난 적이 있다. 음력 9월 19일 관세음보살 출가일 하루 전날, 토적들이 남화사에 와서 강탈을 하였다. 토적들이 문을 두드렸을 때 내가 문을 열어주지 않자 그들은 잠시 후 문을 부수고 들어왔다. 이때 사방에서 총을 들고 나를 겨누었다. 언제 목숨이 날아갈지 모를 시경이었다. 그러나 나는 결코 공포심을 느끼지 않았으며, 그들과 자연스럽게 대화하였다.

내가 그들에게 물었다. "당신이 나를 쏘아서 무엇 하겠는가?" 그가 말했다. "당신이 문을 열어주지 않았잖아!" 내가 말했다. "가령 당신이 나이고 내가 당신이라면, 당신도 나에게 문을 열어 주지 않을 것이다. 무엇 때문인가? 당신은 나의 물건을 가지러 왔지, 나에게 선물을 주려고 온 것이 아니잖나." 내가 이렇게 말하자, 그가 말했다. "수표(돈)를 가져와!"

내가 말했다. "내가 입은 옷을 봐라. 돈을 가진 사람 같은가?" 그 당시 내가 입었던 납의는 매우 낡았다. 그가 보고 말하였다. "그럼 누가 돈을 가지고 있어?" 내가 말했다. "누구? 이 강원에서는 내가 법사이고, 다른 사람들은 모두 학생이다. 법사인 나도 돈이 없는데, 학생인 그들이 어떻게 돈이 있겠는가? 모두 돈이 없다. 믿지 못하겠으면, 내 방에 가서 찾아봐라. 돈 되는 것이 있으면 가져가라. 무슨 보배가 있으면 마음대로 가져가!"

당시 내 방에는 두 개의 보배가 있었는데, 살아 있는 보배였다. 바로 어린 사미 한 명과 단항산 중화불교회의 법사였다. 그들 두 사람은 토적들이 와서 문을 두드릴 때 놀라서 걸을 수도 없을 정도였으며, 기어가다시피 하여 나에게 와서 물었다. "스님, 어떻게 해요? 우리는 놀라 죽을 지경이에요." 내가 말하였다. "괜찮아, 그대들은 내 방에 가서 침대 밑에 들어가 있어." 그런데 이제 내가 토적들에게 내 방에 가서 찾아보라고 하니, 살아 있는 두 보배는 놀라 벌벌 떨었다.

그러나 결국에는 토적들도 내 방에 들어가지 않았다. 마침 이때 어떤 법사가 마치 오래된 친구와 이야기하는 것처럼 당당하고 차분하게 대화하는 나를 보고 방에서 나왔다. 그가 나오자 토적들은 나에게는 관여하지 않고 총을 그에게로 향했다. 그는 놀라 어린아이같이 울기 시작하였다. 나는 당시 무척 괴로웠다. 그래서 말하였다. "그도 돈이 없어. 돈은 나와 이야기해!" 그렇게 말해도 이 토적들은 이상하게도 사방으로 그에게 총을 겨누고 에워싸면서 돈을 요구하였다. 그가 말하였다. "내 방에 가서 가져가!" 그는 토적들을 데리고 방으로 갔으며, 대략 이백 원의 돈이 있었다. 그것은 그가 몇 년 동안 모은 것으로 결국 토적들이 다 가져갔다.

그 다음날 그가 학생 스님들에게 말하였다. 남화사에 이백여 명의 스님들이 있는데 나 한 사람만이 놀라지 않고 토적들과 이야기하였다고 말이다. 사실은 나 한 사람이 아니라 남화사에 네 분의 스님이 두려워하지 않았다.

첫 번째는 누구인가? 육조 대사로서 그곳에 앉아 여여부동하였으며, 노승이 선정에 든 모습이었다. 그분은 토적들이 와도 나는 당신들을 관여하지 않는다는 태도였다. 두 번째는 감산(憨山) 대사이며, 또한 노승이 선정에 든 모습이었다. 세 번째는 단전(丹田) 대사인데, 육조 대사와 감산 대사보다는 정력(定力)이 부족하였다. 그분은 일어나서 토적들을 관망하였는데 육신은 허리가 굽은 모습이라서 내가 그의 정력이 부족하다고 말한 것이다. 네 번째가 비로소 나라고 할 수 있다.(편역자 주: 육조 혜능 대사, 감산 대사, 단전 대사의 진신이 지금도 남화사에 모셔져 있다.)

그러므로 원적을 만났을 때 두려워하면 안 된다. 결과적으로 그 토적들은 나를 대하여 때리거나 총을 쏘지 않았는데, 무엇 때문인가? 이것은 아마도 내가 관세음보살을 염한 까닭이며, 따라서 그들도 처음에는 마음이 흉악했지만 이후에는 모두 자비심을 일으킨 것이다. 그들은 내가 입은 옷이 매우 남루한 것을 보고, '이 스님은 정말로 가련하구나!' 라고 자비심을 낸 것이다.

혹은 왕법의 난으로 괴로움을 당해
형이 집행되어 목숨 다하려고 할 때
저 관음보살을 염하는 힘으로
칼이 연달아 조각조각 부서지리.
或遭王難苦　臨刑欲壽終　念彼觀音力　刀尋段段壞

◉ 왕법은 무정하여 남의 인정을 봐주지 않는다. 왕법을 범하면 이전에는 참수하였다. 즉 칼로 머리를 자른 것이다. 그러나 어떤 사람은 왕법을 범하지 않았어도 남의 무고(誣告)로 인하여 죽게 되는 경우도 있다. 그래서 한 국가의 법은 사람에게 좋은 점도 있고 나쁜 점도 있다. 정의감이 없는 변호사는 어떤 사람이 분명하게 죄를 범했는데도 그에게 죄가 없다고 변호할 수 있으며, 분명하게 법을 범한 죄가 없는데도 그에게 죄가 있다고 증명한다. 이러한 세간에서 진리를 찾으려면 어디로 가서 찾아야 하는가? 근본적으로 진리를 찾을 수 없으며, 단지 권력만 있을 뿐 정당한 도리는 없다. 진리를 찾으려면 불교에 와서 찾아야 한다. 따라서 죄가 있거나 없거나, 왕난의 괴로움을 당하여 사형 집행으로 목숨이 다하려고 할 때 '나무관세음보살'을 염할 수 있으면, 목을 자르려는 칼이 저절로 한 조각 한 조각 부서진다.

혹은 감옥에 갇혀 칼 차고 사슬 묶이고
손과 발이 수갑과 족쇄에 묶여 있을 때
저 관음보살을 염하는 힘으로 인하여
개운하게 벗어나 자유를 얻게 되리.
或囚禁枷鎖　手足被杻械　念彼觀音力　釋然得解脫

◉ 수(囚) 자를 보면 사람을 네모난 방에 가둔 형상이다. 이 네모난 방이 바로 감옥이다. 나가고 싶어도 나갈 수 없다. 가쇄(枷鎖)의 가(枷)는 목에 채우는 칼로 두 개의 나무판을 합치면 중간에 구멍이 있으며, 이것을 목에 채운 연후에 자물쇠로 잠근다. 그리고 손에는 수갑을 채우고 발에는 족쇄를 채우면 도망갈 방법이 없다.

이전에 이야기한 적이 있는데, 무릇 가정이 있는 사람은 빨리 깨달아야 한다. 이 세 개의 족쇄에 묶이지 말아야 한다. 어떤 것이 세 개의 족쇄인가? 부모는 바로 목에 차는 칼이며, 아이는 수갑이다. 너희는 아이가 있으면 의기양양하는데 이것은 손에 수갑을 채워 그것을 놓지 못하는 것이다. 부인은 바로 족쇄로서, 역시 자유롭지 못하게 한다.

손과 발에 형구를 채우면 자유롭지 못하다. 너희가 이때 관세음보살을 염하면 저절로 해탈, 즉 자유를 얻는다.

이전에 중국에서 어떤 스님이 야인(野人)에게 잡혀갔다. 이 야인은 성정이 매우 야만스러워 사람을 잡아가면 죽여서 그 살을 먹는다. 이 스님은 야인에게 잡혀가 그 집에 갇혔는데, 야인이 스님의 고기를 먹으려고 준비하는 것을 알고도 놀라지 않고 일심으로 관세음보살을 염하였다. 한참 동안 염하다 보니 한 마리의 호랑이가 나타났다. 이 호랑이는 곧장 자기를 가두었던 집을 부수어버렸다. 그래서 스님은 도망갈 수 있었다. 위험을 만나도 위험을 개의치 않자 또한 위험도 없어졌다. 그래서 관세음보살을 염하는 신령한 감응은 말하려고 해도 다 말할 수 없다.

저주와 모든 독약으로
몸이 상해를 입게 될 때

저 관음보살을 염하는 힘으로

도리어 본인에게 해가 돌아가리.

呪詛諸毒藥 所欲害身者• 念彼觀音力 還著於本人•

주저제독약(呪詛諸毒藥) **소욕해신자**(所欲害身者)• 주저(呪詛)는 증오하는 대상에게 재앙이나 불행이 일어나라고 염하는 것이다. 『능엄경』에 나나니벌 이야기가 나온다. 명령(螟蛉: 푸른 나방)의 자식에게 "나와 같아라, 나와 같아라…" 하고 염송했다. 나나니벌이 이렇게 염송하자 명령의 애벌레는 나나니벌로 변했다.

주에는 많은 종류가 있다. 주는 사람을 죽일 수도 있고 사람을 도울 수도 있다. 지금 이곳에서 말하는 것은 사람을 해치는 주를 가리킨다. 너희가 만약 저주하는 주로 인하여 자기의 신체에 상해를 입게 될 상황이라도 관세음보살을 염하면, 너희를 해칠 수 없을 뿐 아니라 도리어 남에게 상해를 가하려는 사람 자신이 해를 입게 된다.

◉ 이전에 중국의 어느 지방에 산괘(算卦: 주역으로 점을 치는 행위)하는 사람이 있었다. 이 사람의 점은 매우 영험하였다. 왜 그런가? 그를 도와주는 요괴와 마귀가 있었기 때문이다. 요괴와 마귀는 두 가지의 이름을 부르지만 사실은 하나의 종류다. 이 마귀는 매년 한 명의 동남(童男)과 동녀(童女)를 제물로 요구했기 때문에, 점치는 사람은 매년 한 명의 동남과 동녀를 잡아와 그 마귀에게 제사를 지냈다.

그해에 또 제사를 지내려고 하였는데, 그해에 잡혀온 동녀는 집에서 관세음보살 염하는 것을 배워 알고 있었다. 그녀는 갇힌 방에서 마귀가 오기를 기다리고 있을 때 관세음보살을 염하였다. 마귀가 와서 창

문으로 그녀를 살펴볼 때 눈에서 두 가닥의 빛이 소녀의 몸에 방사되었다. 그러나 소녀가 관세음보살을 염하니 그녀의 입에서도 빛이 나왔다. 그녀의 입에서 빛이 나오는 것은 중요하지 않지만, 소녀는 큰 물건이 집 위로부터 떨어지는 것을 느꼈다. 소녀는 요괴가 자기를 잡아먹는 것으로 생각하여 너무나 놀라 고함을 질렀다. 그때 공교롭게도 밖에서 순찰하던 사람이 마침 그곳을 지나가면서 소녀의 고함소리를 듣게 되었다. 그래서 문을 부수고 들어가 보았더니, 방에는 한 마리의 큰 구렁이가 이미 죽어 있었다.

그 뒤 점치는 사람은 경찰에 잡혀가서 심문을 받았다. 경찰이 그에게 물었다. "당신은 왜 소녀를 이곳으로 납치하여 왔는가?" 그가 비로소 대답하였다. "나의 육효(六爻)를 도와주는 신선이 한 분 있는데, 이 신선은 매년 한 명의 남자아이와 여자아이를 먹으려고 합니다. 몇 년 동안 나는 이렇게 이 신선에게 공양을 하였습니다. 그래서 이 신선이 나를 도와 점치는 것이 매우 신령하여 나는 많은 돈을 벌었습니다." 결국 그는 경찰에 의해 감옥에 갇혀 법의 심판을 받게 되었다. 이 점치는 사람의 점이 그렇게 신령하였지만, 자기가 장래 국법을 범하여 재판을 받을 것이라는 것은 점치지 못하였다. 이 예가 바로 저주의 독이 몸에 상해를 가하려고 할 때 관세음보살을 염하면 그 독이 본인에게 돌아간다는 것이다. 남을 해치는 것은 결국 자기를 해치고, 법의 심판을 받게 된다.

환착어본인(還著於本人)• 일찍이 소동파(蘇東坡)는 이 구절을 바꾸려고 하였다. 그는 불교가 자비를 중시한다고 여겨, 저주의 독이 자기에게로 돌아와 자기를 해치는 것은 자비롭지 못하다고 생각하였다. 그래서 그는 이 경문을 고쳤는데, 어떻게 고쳤는가? 비로 "양가가 모두 일이 없네.[兩家俱莫事]", 즉 저주의 주를 염송한 사람에게도 아무 일이 없고, 저주를 당한 사람도 해를 받지 않는다는 뜻이다.

사실 이것은 잘못된 것이다. 무엇 때문인가? 불교가 비록 살생을 하지 말고 방생을 하라고 말하지만, 횡포하고 사나운 사람을 제거하고 선량한 사람을 편안하게 하는 것이 중요하다. 악인을 제거하는 것이 바로 선한 생각이다. 이런 악인은 반드시 제거해야 한다. 만약 악인을 제거하지 않으면, 그는 다시 선한 사람을 해칠 것이다. 비록 주로 저주하고 독약으로 사람을 해치려 했는데도 그 악인에게 아무 일이 없으면, 그는 결국 다시 남을 해치려고 생각할 것이다.

따라서 "양가가 모두 일이 없네."라는 설법은 잘못된 것이다. 악인이 그 과보를 받게 하는 것은 옳은 것이다.

혹은 악한 나찰과
독룡과 모든 귀신 등을 만났을 때
저 관음보살을 염하는 힘으로
그때 그들 모두 감히 해치지 못하리.
或遇惡羅刹 毒龍諸鬼等• 念彼觀音力 時悉不敢害

혹우악나찰(或遇惡羅刹) 독룡제귀등(毒龍諸鬼等)• 혹은 황량한 산과 들판, 고개 등 사람이 머물지 않는 곳을 지날 때 악한 나찰을 만나기도 한다. 이러한 나찰귀는 매우 흉악하여 전문적으로 사람을 잡아먹는다. 혹은 독룡과 일체의 귀신을 만나기도 한다. 용에는 사람을 해치는 용이 있는데, 혹은 호수, 강, 하천 한 곳을 점령하고 살면서 그곳을 지나는 사람을 독으로 죽게 만든다. 큰 독룡은 심지어 한 호흡으로 공기를 빨아들이면 사람을 그의 뱃속까지 빨아들일 수 있을 정도로 대단하다.

귀(鬼)에는 많은 종류가 있다. 다재귀(多財鬼), 소재귀(少財鬼), 무재귀(無財鬼) 등 종류가 매우 많다. 다재귀는 중국의 토지신 또는 성황의 신과 같으며, 그들은 비록 귀신이지만 귀신을 다스리고 귀신의 우두머리가 된다. 소재귀는 가난한 귀신으로서 돈이 매우 적다. 무재귀는 아예 돈이 없다. 그러면 귀신도 돈을 쓰는가? 귀신은 비록 돈을 사용하지 않지만, 나쁜 습관으로 인하여 다재귀는 사람이나 귀신을 관리할 때 돈을 횡령을 한다. 소재귀와 무재귀도 마치 사람처럼 하루 종일 돈을 많이 찾으려고 한다. 근본적으로 돈이 필요 없음에도 그들은 이러한 집착하는 성질과 미혹으로 인하여 돈을 좋아하는 것이다. 귀신이 돈을 사용할 때는 종이돈을 사용한다. 그래서 중국에서는 사람이 귀신에게 종이돈을 태워 주어서 귀신의 기분을 맞춰준다.

너희가 만약 나찰귀, 독룡, 혹은 모든 다재귀, 소재귀, 무재귀 등 이러한 귀신을 만날 때 관세음보살을 염할 수 있으면, 이들 귀신과 독룡과 나찰 등은 모두 너희를 보지 못한다. 무엇 때문인가? 너희가 관세음보살을 염하여 입에서 광명이 나오기 때문에 너희를 보지 못하는 것이다. 따라서 그들은 너희를 상해할 수 없다.

만약 악한 짐승이 둘러싸고
날카로운 이빨과 발톱 드러내어 두려울 때
저 관음보살을 염하는 힘으로
악한 짐승은 재빨리 멀리 도망가리.

若惡獸圍遶• 利牙爪可怖 念彼觀音力 疾走無邊方

약악수위요(若惡獸圍遶)• 악수, 즉 악한 짐승이란 바로 늑대, 뱀, 호랑이, 표범 등 전문적으로 사람을 잡아먹는 야생의 짐승이다. 미국의 산속에는 호랑이가 없지만 중국의 산에는 호랑이가 많으며, 인도에도 많은 호랑이가 있다. 호랑이는 무엇이든지 잡아먹는데, 이것이 바로 악수이다. 내가 어렸을 때 산속에서 5, 6일을 걸어가 사람이 보이지 않은 곳에서 악수를 만났었다. 그러나 무엇 때문인지는 모르지만 나를 잡아먹지 않았다.

이러한 때 너희가 관세음보살의 명호를 염하면, 그들 악수는 너희를 보아도 감히 상해를 입히지 않을 뿐 아니라 도리어 재빨리 도망간다. 왜냐하면 관세음보살에게는 이러한 신령한 감응이 있기 때문에, 그들이 너희를 보면 두려움을 느끼게 하여 멀리 도망가게 한다.

독사와 살무사, 전갈이
불타는 연기처럼 독기를 낼 때
저 관음보살을 염하는 힘으로
염송하는 소리 듣고 스스로 돌아가리.
蚖蛇及蝮蠍• 氣毒煙火然 念彼觀音力 尋聲自迴去

원사급복갈(蚖蛇及蝮蠍)• 원사(蚖蛇)는 일종의 독사이다. 이러한 독사는 대부분 검은 색이다. 복(蝮)은 중국에서는 사람들이 처마뱀[簷蛇]이라고 부른다. 집의 처마 위를 기어가기 때문이다. 이러한 뱀은 태국에 가장 많은데, 그들은 네 다리로 집 위를 왔다갔다하면서 사람을 두려워하지 않는다. 내가 이전에 어느 노부인이 하루에 열 끼의 식사를 하며, 뱃속에 세 명의 아이가 있다고 말하지 않던가? 그 가운데 두 명이 이러한 복사(蝮蛇)이며, 이것도 큰 독을 가지고 있다.

갈(蠍)은 전갈이다. 전갈이 사람을 물면 죽을 수도 있다. 이들 모두 독기를 가지고 있다.

너희가 관세음보살을 염하면 그들은 너희가 염송하는 소리를 듣고 숨으며, 그들이 머무는 곳으로 돌아간다.

구름 속의 천둥 울리고 번개 치며
우박이 내리고 큰비 쏟아질 때
저 관음보살을 염하는 힘으로
때에 맞춰 멈추고 흩어지리.
雲雷鼓掣電　降雹澍大雨　念彼觀音力　應時得消散

나) 세간의 고통 구제

중생이 괴로운 재앙을 당하여
무량한 괴로움이 몸을 핍박할 때
관음보살의 미묘한 지혜의 힘으로
세간의 괴로움을 구제할 수 있네.
衆生被困厄　無量苦逼身　觀音妙智力　能救世間苦

◉ 중생의 세계에서 가장 귀찮은 것이 무엇인가? 바로 사람이다. 옷을 입어야 하고, 밥을 먹어야 하며, 일을 해야 하는 등 셀 수 없을 정도의 귀찮은 일들이 있다. 그러나 가장 지혜가 있는 것도 사람이다. 축생은 비록 이렇게 많은 귀찮음이 없을지라도, 그들은 가장 어리석고 지혜가

부족해서 사람에게 부림을 당하고 지배당한다.

중국에서 "사람은 만물의 영장[人爲萬物之靈]"이라고 말하듯이, 사람은 만물 가운데 가장 총명하다. 그러나 가장 총명한 사람이 어떤 때에는 가장 어리석은 일을 짓는다. 어떤 말인가 하면, 바로 자기 스스로 자기에게 귀찮은 일을 찾아주고, 자기가 자기와 싸우는 것이다. 이른바 "천하에는 본래 아무 일이 없는데, 어리석은 사람은 스스로 그것을 걱정하네."라고 말하는 것이다. 천하에는 아무런 일이 없는데, 어리석은 사람이 자기 스스로 귀찮은 일을 찾아서 한다는 것이다. 그래서 곤액(困厄)을 당하는 것이다. 피곤액(被困厄)도 자기가 찾은 귀찮음이다.

자기가 자기에게 귀찮은 일을 찾아주니, 따라서 곤란하고 어려운 재앙을 당하여 무량한 고통이 몸을 핍박하는 것이다. 먹을 밥이 없어도 괴롭고, 입을 옷이 없어도 괴롭고, 살 집이 없어도 괴롭다. 셀 수 없을 정도의 갖가지 고통이 있다. 종일 의식주행(衣食住行)을 위하여 하루 종일 바쁘다. 그러한 의식주행을 찾기 위하여 힘든 일을 해야 하고, 심지어 남의 것을 훔치거나 빼앗기도 한다. 무엇 때문에 남의 것을 빼앗는가? 바로 자기의 생명을 유지하려고 생각하기 때문이다. 왜 이렇게 해야 하는가? 이 또한 고통이 몸을 압박하기 때문이다.

관세음보살은 이러한 미묘하고 불가사의한 지혜의 힘이 있어 세간의 모든 고통을 구제할 수 있다. 따라서 우리 사람은 무엇인가 뜻대로 되지 않는 일이 있으면, 걱정하지 말고 관세음보살을 염하라. 그러면 일체의 문제가 서서히 해결될 것이다. 관세음보살의 지혜는 미묘하고 불가사의하여 너희가 단지 성심(誠心)을 가지고 염하면 너희를 도울 것이다.

다) 삼십이응신의 보문시현(普門示現)

신통의 힘을 구족하고
널리 지혜와 방편을 닦아서
시방의 모든 국토에
몸을 나타내지 않는 곳이 없네.

具足神通力 廣修智方便˙ 十方諸國土 無刹不現身

구족신통력(具足神通力) 광수지방편(廣修智方便)˙ 구족이란 바로 원만하게 갖추는 것이고, 또한 충분하게 갖추는 것이다. 그리고 신통에는 여섯 종류가 있다. 천안통, 천이통, 타심통, 숙명통, 신족통, 누진통이다. 관세음보살은 하나의 법문만 닦은 것이 아니라 갖가지의 법문을 닦았다.

어떤 사람은 천안통(天眼通)을 어떻게 얻을 수 있는지를 알려고 한다. 많은 방법이 있다. 전심으로 능엄주를 염하거나, 대비주와 대비주의 42수안(手眼)을 수행하면 천안통을 얻을 수 있다. 혹은 잠을 자지 않고 불법을 배워도 얻을 수 있지만, 이 방법은 매우 위험한 것이다. 나는 너희가 이 방법에 따라 배우는 것은 바라지 않는다. 왜냐하면 아나율 존자는 7일간을 잠자지 않고 배우다가 눈이 멀게 되었기 때문이다. 하지만 부처님께서 그에게 금강조명삼매를 가르친 결과 그는 천안통을 얻게 되었으며, 천안제일이 되었다.

갖가지의 모든 악도인
지옥, 아귀, 축생의 고통과

생로병사의 괴로움이
점점 모두 소멸되게 하네.
種種諸惡趣 地獄鬼畜生˚ 生老病死苦˚ 以漸悉令滅˚

종종제악취(種種諸惡趣) 지옥귀축생(地獄鬼畜生)˚ 제악취란 모든 선하지 않은 곳이다. 악취에는 많은 종류가 있지만, 종합하면 네 곳의 악취가 있다. 즉 아수라, 축생, 아귀, 지옥이다.

무엇을 지옥이라고 하며, 지옥은 어떻게 조성된 것인가? 지옥은 우리 각자의 업장이 나타난 것이다. 너희가 무슨 악업을 지으면 그러한 지옥이 있게 된다. 지옥에도 많은 종류가 있다. 『지장경(地藏經)』에서는 큰 지옥 열여덟 개가 있고, 그 다음으로는 오백 개의 작은 지옥이 있으며, 다시 무량무변한 지옥이 있다고 하였다.

지옥은 마치 우리 인간세계의 감옥처럼 견고한 건물을 지어놓고 죄를 지은 사람을 가두는 것인가? 아니다. 지옥은 우리 각자가 지은 악업으로 나타나는 것이다. 너희가 살인의 악업을 지었으면, 살인의 지옥이 나타나고 방화(放火)의 악업을 지었으면 방화의 지옥이 나타난다. 따라서 이것은 일정한 것이 아니다. 너희의 이러한 업이 그치면 지옥도 공해지고 없어진다. 그러나 업이 그치지 않으면 지옥은 시종 존재하는 것이다.

◉ 내가 중국 동북지역에 있을 때 유수현(榆樹縣)이라는 지방에 돼지손을 가진 유(劉) 씨라는 사람이 있었다. 그는 자기의 전(前) 3생을 기억하였다. 최초에 그는 매우 부유한 집에 태어났다. 그의 아버지는 약 40여 세에 비로소 이 아들을 낳았으며, 그는 약 13세 때 결혼하여 그보다 한두 살 많은 부인을 맞이하였다. 그의 부친은 비록 이미 50여 세가 되었

지만 음욕심을 아직 끊지 못하여 다시 작은부인을 맞이하였다. 이 작은 부인은 아들의 부인, 즉 며느리와 나이가 비슷하였다.

그는 결혼한 지 2년이 안 되어 아들을 낳았다. 그리고 자기의 아들도 13세가 되었을 때 결혼을 시켰으며, 며느리도 아들보다 나이가 많았다. 그런데 그의 부친이 죽자 모친도 죽어, 부친의 작은부인만 남게 되었다. 그는 부친의 작은부인이 외모가 아름다웠기에 자기의 부인으로 삼았다. 이때 그의 아들도 죽었는데, 그는 자기의 며느리도 외모가 아름다워 또 자기의 부인으로 삼게 되었다. 그때가 대략 그의 나이 27, 28세 정도였을 때다.

그는 사십 몇 세가 되었을 때에야 비로소 잘못을 깨닫게 되었다. '아, 나는 이번 생에 지은 죄업이 너무 많구나! 나의 후모(後母: 아버지의 첩)도 내 부인으로 삼고, 나의 며느리도 부인으로 삼았으니, 죄업을 지은 것이 작지 않구나.' 그래서 그는 불교를 믿고 배우게 되었으며, 『금강반야바라밀경』을 독송하기 시작하였다.

독송하기를 십여 년 후, 그는 50여 세가 되었을 때 죽었다. 죽어 염라대왕이 있는 곳으로 가자, 염라대왕이 그를 심문하였다. "그대는 왜 이렇게 악업을 많이 지었는가? 지금 그대를 화탕지옥에 넣어 삶아야 되겠구나." 그래서 두 명의 귀신이 그를 기름솥에 넣으려 하였다.

이때 옆에 있던 판관이 말하였다. "안 됩니다."

염라대왕이 물었다. "왜 안 된다는 것인가?"

판관이 말하였다. "그는 『금강경』을 독송한 적이 있기 때문에 그의 뱃속에는 아직 『금강경』이 존재하고 있습니다. 지금 마땅히 그를 다시 태어나게 하여 이 『금강경』을 없앤 연후에야 기름솥에 삶을 수 있습니다."

그리하여 그는 다시 사람으로 태어났는데, 이번에는 그의 부모가 간식을 파는 매우 가난한 집에 태어나게 되었다. 그는 어릴 때부터 먹는 것을 좋아하여 배가 매우 커졌는데, 다섯 살이 되자 배가 큰 병에 걸려 죽었다. 그의 부모는 보고 말하기를 "아이고, 이 아이 배가 이렇게 큰데, 이 속에 무엇이 들어 있는지 모르겠네. 한 번 배를 갈라보자." 그래서 배를 가르니, 뱃속에서 금강석처럼 단단한 물건이 나왔다.

이때 옆에 있던 귀신이 말하였다. "이제 그를 기름솥에 넣어 삶을 수 있겠구나." 그래서 그를 염라대왕에게 데리고 가서 말하였다. "먼저 그를 돼지로 태어나게 한 연후에 기름솥에 삶는 게 좋겠습니다." 그리하여 그는 또 돼지로 태어나 통통하게 키워진 연후에 잡아먹혀 죽었다.

드디어 염라대왕은 그를 기름솥에 넣어 삶으려고 하자, 그가 말하였다. "당신은 나를 삶을 필요가 없습니다. 나를 인간세상으로 가서 사람으로 태어나게 하면, 나에게 돼지손 하나를 남겨 증명으로 삼게 해서 세상 사람들이 죄업을 짓지 않게 하십시오!"

염라대왕이 말하였다. "그렇게 하는 것도 좋겠구나!" 그래서 그를 사람으로 태어나게 하였으며, 성씨가 유(劉)인 사람으로 된 것이다. 사람들은 그가 돼지손을 가졌기 때문에 그를 "돼지손 유 선생"이라고 불렀다.

나는 실제로 이 사람을 만난 적이 있으며, 그와 많은 대화를 나누었다. 그래서 나는 그가 자기의 전생에 관하여 명료하게 기억한다는 것을 알게 되었다. 이것이 바로 악취(惡趣)로부터 조성된 인연이다. 사람이 이러한 지옥을 조성하며, 이 지옥은 매우 위험한 것이다.

또 하얼빈에 한 법사가 있었는데, 그는 한 번 병에 걸려 자기가 죽었다고 느꼈다. 죽은 뒤 영혼이 길을 걸어가다가 절과 멀지 않은 곳에서 무엇인가로 다시 태어나게 된 것이다. 무엇으로 태어나게 되었는가? 돼지로 태어난 것이다. 그는 자기의 몸이 돼지가 된 것을 보고, 젖을 먹지 않고 굶어서 죽었다. 굶어죽은 후 그의 영혼은 다시 법사의 몸으로 돌아왔다.

이 법사는 살아난 후 말하였다. "나는 돼지로 태어났었다."

옆에 있던 사람이 물었다. "당신은 어느 곳에 가서 돼지로 태어났는가?"

그가 말하였다. "나는 이제 내 병이 좋아진 것을 느껴. 당신들을 데리고 어느 곳으로 가보자. 그곳에는 일곱 마리의 돼지새끼가 태어났으며, 나는 그중의 하나다. 나는 고의로 젖을 먹지 않고 굶어죽었다."

다른 스님들이 그를 데리고 가서 보니, 과연 어느 집에 일곱 마리의 돼지새끼가 있는데 그중 한 마리는 죽었다. 이것은 이 법사가 친히 겪은 경험이며, 나도 그를 만난 적이 있다.

이것으로 보면 사람으로 태어나는 것은 쉽지 않으며, 우리 사람의 몸은 얻기 어려운 것이다. 그래서 "사람의 몸은 얻기 어렵고, 불법은 듣기 어렵네."라고 하는 것이다. 너희가 계산을 한 번 해 보아라. 이렇게 많은 미국인 가운데 얼마의 사람이 매일 저녁 경을 들을 수 있는지? 이 얼마나 어려운 일인가! 매우 적고 매우 적다. 불법을 듣기도 이렇게 어려운데, 선지식 만나기는 더욱 어렵다고 한다. 너희가 진정으로 불법을 이해한 선지식을 만나려고 생각해도 쉽지 않은 것이다. 스승이 된 사람도 그가 도리를 이해하지 못하고 어지럽게 법을 말하면, 그도 악도에 떨어진다.

귀(鬼)는 바로 아귀를 가리키며, 또한 그의 업력으로 이러한 아귀의 과보를 받게 된다. 이 아귀는 배가 북처럼 큰데 목구멍은 바늘구멍같이 작다. 우리가 먹는 음식은 아귀의 입에 닿으면 곧 불로 변한다. 왜 불로 변하는가? 바로 그의 업장이 너무 무겁기 때문이다. 천상의 사람이 물을 보면 유리로 보이고, 인간이 물을 보면 바로 물로 보이며, 물고기가 물을 보면 그의 궁전이나 집으로 생각하며, 귀신이 물을 보면 불로 변한다. 각각 서로 다른 이러한 경계는 모두 악업으로 느끼는 것이다. 따라서 각자에게 보이는 것도 같지 않다.

축생은 돼지뿐 아니라 소, 말, 닭, 개 등등 매우 많다. 이 모두는 사람이 그러한 동물로 된 것이다. 사람이 살아생전에 부모에게 불효하고 스승이나 어른을 공경하지 않으면, 장래 축생과 가까운 관계가 생길 수 있다. 그리고 고기를 먹기 좋아하는 사람도 축생과 가까운 관계가 되니, 장래 매우 위험한 것이다.

생로병사고(生老病死苦)• 우리 사람은 누구나 태어남이 있으며, 어떠한 사람도 죽음을 피할 수 없다. 사람마다 장래 모두 죽을 것이다. 그러나 어떤 사람은 선종(善終: 편안하게 죽음)하는데, 어떤 사람은 선종하지 못하며, 죽는 법이 갖가지로 같지 않다. 어떤 사람은 병으로 죽고, 어떤 사람은 굶어죽고, 어떤 사람은 힘들어 죽는다. 즉 일을 너무 많이 하여 휴식하지 못하여 과로가 쌓여 죽는 것이다. 혹은 사람과 싸우다가 죽거나, 전쟁에서 죽거나, 교통사고로 죽거나, 각종 사고로 죽기도 한다. 어떤 사람은 일부러 독약을 먹고 자살하거나, 어떤 사람은 죽고 싶지 않아도 죽는다. 또 어떤 사람은 죽고 싶어도 죽지 않는다. 보라. 죽는 데에도 갖가지 차이가 있으니, 장래 받는 과보도 같지 않다.

어떻게 같지 않은가? 예를 들면 교통사고로 죽거나 물에 빠져 죽거나, 불에 타 죽는 경우와 같이 의외의 사고로 죽는 것은 횡사(橫死)한 귀신에 속하는데, 염라대왕은 이것에는 관여하지 않으며 귀신도 관여하지 않는다. 그러면 이것은 자유란 말인가? 비록 자유라고 말하지만, 도리어 이 자유로운 귀신은 결코 자유로운 중생이 아니다. 사람도 자유로우면 어떤 때는 규칙을 지키지 않는데, 하물며 귀신이랴! 귀신이 자유로우면 또한 규칙을 잘 지키지 않을 것이다.

또 횡사한 귀신은 대신 죽을 귀신을 잡으려고 할 것이다. 예를 들면 도로에서 교통사고로 죽은 곳에는 3년 내에 다시 교통사고가 발생할 수 있다. 무엇 때문인가? 횡사한 귀신이 언제나 그곳에서 기다리면서 반드시 교통사고로 죽을 다른 사람을 잡으려고 하기 때문이다. 그래야 그는 다른 생에 태어날 수 있다. 만약 그가 대신 죽을 귀신을 잡지 못하면 영원히 그곳에서 다른 생에 태어날 수 없다.

만약 독약을 먹고 자살한 사람은 지옥에 떨어진 후 그러한 형벌을 받는 것도 매우 괴로운 것이다. 무슨 형벌인가? 불에 달군 쇠즙을 먹게 하여 그의 내장이 모두 타서 죽게 한다. 그러나 지옥에는 이상한 바람이 있는데, 이 바람이 한 번 불면 그는 다시 살아난다. 살아나면 다시 그러한 쇠즙을 마셔야 하며, 그런 연후에 다시 죽었다가 살았다가 하기를 반복한다. 지옥에서는 하루 종일 이러한 형벌을 받으니 매우 괴롭다.

이점실영멸(以漸悉令滅)• 말하자면 죽음은 매우 많으며, 받게 되는 괴로움도 말로 다할 수 없다. 그러나 너희가 만약 관세음보살을 염할 수 있으면, 점점 생로병사의 이러한 고통을 없게 한다. 생로병사의 고통 외에도 사랑하는 사람과 헤어지는 고통, 원수와 만나는 고통, 구하여도 얻지 못하는 고통, 오음이 치성하는 고통이 있다. 이것을 팔고(八苦)라고 한다.

이러한 고통은 어디로부터 오는가? 너희의 자성(自性)에서 불러오는 것이다. 너희의 자성에 정(定)이 없기 때문에 무엇을 보면 좋거나 혹은 좋지 않다고 느낀다. 너희가 좋다고 느끼는 것도 괴로움이 있고, 좋지 않다고 느끼는 것도 괴로움이 있다. 그러므로 좋다고 느껴서도 안 되고, 좋지 않다고 느껴서도 안 된다. 이것이 중도에 부합한다. 중도는 괴로움이 없다.

너희가 이곳에 머물면서 이웃과 사이가 좋지 않아 다른 곳으로 이사를 가도, 여전히 사이가 좋지 않을 것이다. 이것은 남이 너희와 잘 지내지 않는 것이 아니라, 너희가 남과 잘 지내지 못하는 것이다. 왜냐하면 너희는 어떠한 사람과도 인연이 없다고 느끼므로 다른 사람도 너희에게 인연이 없다고 생각하는 것이다. 따라서 좋아하는 것도 괴로움이고, 좋아하지 않는 것도 괴로움이므로, 중도에 부합되도록 해야 한다. 무슨 일이든지 너무 과하지 않아야 하며, 너무 과하면 바로 미치지 못하는 것이다.

라) 관(觀)의 감응

진관과 청정관과
광대한 지혜관과
비관과 자관 갖추신 관음보살을
항상 공경하기를 언제나 원하네.
眞觀淸淨觀• 廣大智慧觀 悲觀及慈觀• 常願常瞻仰•

진관청정관(眞觀淸淨觀)• 진관은 바로 진공관(眞空觀)이다. 무엇을 진공이라고 하는가? 바로 무아(無我), 무인(無人), 무중생(無衆生), 무수자(無壽者)를 말한다. 이것이 바로 진공관이다. 비록 아상이 없고 인상이 없고 중생상이 없고 수자상이 없을지라도, 아상·인상·중생상·수자상을 떠나지 않는 것이다. 이른바 무상(無相)이라는 것은 결코 아상·인상·중생상·수자상을 떠나야 비로소 상이 없는 것이 아니라, 이 아상·인상·중생상·수자상 위에서 아상·인상·중생상·수자상이 없는 것이다. 이것을 "상에서 상을 벗어난[在相離相]" 것이라고 한다.

이것은 또한 "눈으로 형색을 보지만 안으로 그것이 없고, 귀로 온갖 일을 듣지만 마음은 알지 못하네.[眼觀形色內無有 耳聽塵事心不知]"라는 것과 같은 뜻이다. 눈으로 형색을 보면 분명히 형이 있고 색이 있는데, 왜 안으로는 없다고 하는가? 바로 집착하지 않기 때문이다. 진공관은 마치 대원경지(大圓鏡智)와 같은 것이다. 큰 거울은 비록 사물이 있으면 거울 안에 나타나고 모습이 있으면 응하지만 흔적을 남기지 않는다. 관세음보살의 진공관도 이러한 것이다.

청정관에서 청정이란 오염(汚染)의 상대적인 말이다. 무엇이 오염인가? 집착함이 있는 것이 오염이며, 애착함이 있는 것도 오염이고, 탐착함이 있는 것도 오염이다. 이 청정관 속에는 일체의 탐진치가 없다. 만약 탐진치가 있으면 청정하지 못한 것이다.

예를 들어 보시를 가지고 말하자면, 흔히 사람들은 보시를 하면서 이렇게 생각한다. '그는 나의 친척이고 친구이거나 혹은 이웃이라서 나는 그에게 보시하여 도우려고 한다.' 너희와 가깝고 관계가 있는 사람에게 우선 보시한 연후에, 관계가 먼 사람에게 보시하는 것이다. 이것은 분별심이 있고, 상에 집착하는 마음이 있는 것이다. 이렇게 하는 것은 청정하지 못한 관이다. 관세음보살의 법보시는 남과 나를 구분하지 않고, 친하고 소원한 것과 멀고 가까운 것을 구분하지 않고, 단지 보시를 위하여 보시한다.

청정관은 바로 청정한 관의 힘[觀力]을 뜻하며, 또한 일체의 보시에서 보시의 상에 집착하지 않는다. 관세음보살의 보시는 상에 취착하지 않고 일체의 상을 떠난다. 그러므로 청정한 것이다. 만약 상에 집착하면 청정하지 못한 것이다.

비관급자관(悲觀及慈觀)• 어떤 사람은 경의 뜻을 오해하여 말한다. "관세음보살도 항상 울고 즐겁지 않으며, 비관을 가진다." 이것은 잘못 이해한 것이다. 비관(悲觀)의 비(悲)는 결코 비상(悲傷: 슬퍼하다)의 뜻이 아니라, 불쌍히 여긴다[憐憫]는 뜻이다. 일체의 중생에 대하여 진정으로 연민의 마음을 내는 것이다. 어떤 연민의 마음인가? 그는 항상 이렇게 생각한다. '이 사람은 정말로 매우 괴롭구나, 정말로 가련해. 나는 갖가지 방법으로 그를 교화해야겠다. 그는 아직 이해하지 못하고 있으며 여전히 전도되어 있으니, 정말로 가련하구나!' 그는 이렇게 중생을 가엾게 생각한다. 이것을 비관(悲觀)이라고 한다.

자관(慈觀)은 어떠한 것인가? 자관은 즐거움을 주는 것이다. 비관이 괴로움을 없애주는 것이라면, 자관은 중생에게 즐거움이 생기게 하는 것이다. 이 즐거움은 잠시의 즐거움이 아니라 영원한 즐거움이다. 진정한 즐거움이며, 세간의 즐거움이 아니다. 어떤 즐거움인가? 일체의 법을 주어서 중생이 진정으로 불법을 이해하게 하여, 다시는 전도되고 고통스러운 일을 하지 않게 하는 것이다.

무엇이 전도된 일인가? 예를 들어 술을 취하도록 마시면 길을 걸어가다가 이리저리 부닥치게 된다. 그는 자기가 마치 신선이 된 것처럼 여기면서 아무 문제가 없다고 생각하지만, 사실은 자기의 지각이 마비되어 심지어 아무것도 알지 못하고 동서남북도 분별하지 못하는 것이다. 이것이 전도가 아니고 무엇인가? 총명한 사람도 이러한 것에 지배되면 살인, 방화 등 무슨 짓이든지 할 수 있다.

그러면 담배를 피우는 것은 전도된 것이 아닌가? 그것은 더욱 전도된 짓이다. 무엇 때문인가? 본래 너희의 뱃속은 깨끗한데, 담배를 피움으로 인해 그 속에 담배 기름이 생긴다. 이것은 가장 깨끗하지 못한 것이다. 담배 연기가 뱃속으로 들어가면 검은 것이 생기지만, 자신은 그것을 보지 못하기 때문에 느끼지 못한다. 이것이 어찌 전도된 것이 아닌가?

그리고 아편을 흡입하는 사람은 당장은 매우 힘이 나는 것처럼 느끼지만, 시간이 지나고 나면 온몸이 불편하다. 이것이 전도된 짓이 아닌가? 전도된 일은 매우 많다. 따라서 나는 그러한 사람은 하루 빨리 그것을 끊기를 바란다. 담배 피우는 사람은 담배를 끊고, 술 마시는 사람도 빨리 술을 끊어야 한다. 게으른 사람은 더 부지런히 배우고 노력해서 게으르지 않아야 하고, 부지런한 사람은 더 많이 착한 일을 해야 한다. 이 선(善)은 너희가 만약 짓지 않으면 생기지 않는다. 너희가 선을 행해야 비로소 생기는 것이다.

그러면 덕(德)은 어디에서 오는가? 바로 선으로부터 오는 것이다. 너희가 힘써 선한 일을 지으면 저절로 덕이 생기게 되며, 저절로 전도되지 않게 된다. 너희가 돈을 유용한 곳에 쓰면 전도되지 않지만, 돈을 무용한 곳에 쓰면 그것은 바로 전도됨이다. 따라서 전도는 많은 종류가 있다.

관세음보살은 이러한 전도된 행위를 밝게 드러내어 너희로 하여금 전도되지 않게 하며, 너희가 진정한 즐거움과 영원한 즐거움을 얻게 한다. 이것을 자(慈)라고 한다. 비(悲) 역시 잠시의 고통을 없애주는 것이 아니라 세세생생 무량겁 이래의 고통을 뽑아준다. 그러나 너희는 믿는 마음을 내야 한다. 너희에게 믿는 마음이 있어야 관세음보살은 비로소 자비심을 가지게 된다. 너희가 만약 믿는 마음이 없으면, 관세음보살의 비관과 자관은 너희에게는 마치 얼음과 불처럼 서로 합해지지 않는다. 관세음보살은 매우 큰 자비심으로 너희를 대하는데, 너희가 차가우면 합해질 수 없다. 차가운 것은 바로 믿는 마음이 없는 것이다. 너희가 만약 믿는 마음이 있으면, 관세음보살의 비관·자관과 서로 합쳐져서 고통에서 벗어나게 된다. 이것이 바로 즐거움이다.

무엇이 진정한 괴로움인가? 번뇌가 진정한 괴로움이다. 번뇌가 없으면 바로 즐거움이다. 따라서 관세음보살은 너희의 번뇌를 제거하여 너희로 하여금 진정한 즐거움을 얻게 한다. 이것을 비관과 자관이라고 한다.

상원상첨앙(常願常瞻仰)• 항상 첨앙한다[常瞻仰]는 것은 관세음보살의 자비의 덕상을 우러러본다는 것이다. 우러러보면 볼수록 공경하는 마음이 생기고 환희가 생긴다. 관세음보살에게 오체투지로 절하는 것은 일심으로 공경하는 것이다. 대비참(大悲懺)으로 절하는 것은 바로 관세음보살을 공경하는 일종의 표현이다. 미국인들은 절하기를 원하지 않는다고 말하는데, 절조차 하지 않으면서 어찌 불교를 믿는 사람이라고 말할 수 있겠는가?

너희는 무슨 부처를 믿는가? "나는 나 자신의 부처를 믿습니다." 너희 자신의 부처? 너희가 만약 너희 자신의 부처를 믿는다면, 너희 자신은 있을 수 없을 것이다. 왜냐하면 너희는 너희 자신의 부처를 찾지 못했기 때문에 바깥의 부처님도 인식하지 못하는 것이다. 만약 자기의 부처를 믿는다면, 절하지 않을 수 없을 것이다. 절을 하는 것은 가장 공경하고 정성스러움을 표현한다는 뜻이다. 이것을 오체투지라고 하는데, 일종의 예의다. 너희는 예의도 없으면서 어떻게 불교를 믿는 사람이라고 말할 수 있겠는가?

이전에 어떤 의사가 있었는데, 그는 도처로 다니면서 불법을 강의하였으며, 어떤 사람들은 그를 부처로 볼 만큼 믿었다. 그러나 그는 사람들이 부처님께 절하지 못하게 하였다. 사람들이 불상에 절을 하면 그는 마치 나무토막처럼 그곳에 서서 보기만 할 뿐이었다. 절하지 않고 서 있는 모습이 마치 목석과 같았지만 그는 느끼지 못하였다. 무엇 때문인가? 아상(我相)이 공하지 않았기 때문이다. 부처님께 절하지 않는 사람은 첫 번째가 바로 아만(我慢)으로서, 나[我]가 부처보다도 커서 부처님께 절할 필요가 무엇인가라고 생각한다. 그는 아만심이 너무 높기 때문에 불상을 보고도 예배하려고 하지 않는 것이다. 그러니 어떻게 불법을 배울 수 있겠는가? 불법을 배우고 불교를 믿는 것은커녕 불교에 대하여 듣는 것조차도 옳게 듣지 못했다고 말할 수 있다. 그는 도처로 가서 불법을 강의하니, 이것은 정말로 남을 해치는 것이다.

번뇌의 때가 없는 청정한 광명의
지혜의 해는 모든 어둠 깨트리고
불과 물과 바람의 삼재 제압하며
두루 일체의 세간을 밝게 비추네.
無垢淸淨光˚ 慧日破諸闇˚ 能伏災風火˚ 普明照世間˚

◉ 이 네 구절의 게송은 정말로 말할 수 없이 묘하다. 어째서 그러한가? 『관음영험기(觀音靈驗記)』에서 이르기를 이 네 구절의 게송은 눈의 병을 치료할 수 있다. 사람의 눈에 병이 있을 때, 항상 이 구절을 염송하면 눈의 병이 좋아진다. 그러나 눈의 병이 비록 좋아지더라도 너희는 스스로 지혜가 생겨야 비로소 완전히 눈병을 고칠 수 있다. 만약 지혜가 없으면 잠시 좋아지는 것일 뿐이며, 장래 다시 병이 재발할 수 있을 것이다.

그러면 도대체 어째서 눈의 병을 고칠 수 있다는 것인가? 이것은 일종의 불가사의한 경계이며, 관세음보살 위신력의 가피이다. 어쨌든 너희가 경문을 믿으면 그것을 무엇으로 삼든지 간에 모두 매우 영험하고 효력이 있다. 그러나 너희가 만약 믿지 않으면 아무런 영험이나 효험이 없다. 따라서 불법은 바다와 같아서 오직 믿음으로 들어갈 수 있다.

무구청정광(無垢淸淨光)• 구(垢)는 바로 번뇌의 때를 말하고, 또한 청정하지 못하고 매우 오염된 것이다. 너희에게 이러한 청정하지 못한 번뇌의 때가 없으면, 자연히 청정한 광명이 생긴다. 청정한 광명은 바로 번뇌의 때에 대하여 상대적으로 말한 것이다. 만약 번뇌의 때가 있으면 청정한 광명은 나타나지 않는다. 번뇌의 때가 없는 것은 바로 망상이 없는 것이다. 너희가 만약 망상을 일으키면 한 층의 번뇌 때가 생기고, 두 개의 망상을 일으키면 두 층의 번뇌 때가 생긴다. 망상이 많을수록 번뇌의 때도 많이 쌓인다.

참선하는 사람은 명심견성(明心見性)을 말하는데, 마음을 밝히면 번뇌의 때가 없어지며, 견성하여도 청정한 광명을 볼 수 있다. "자기의 본래 마음을 밝혀서 자기의 본래 성품을 본다.[明自本心 見自本性]"는 것이다. 본래의 마음이란 바로 밝은 마음이며, 상주하는 진심(眞心)이다.

『능엄경』에서 이르기를 "상주하는 진심은 성품이 청정하고 밝은 체이다.[常住眞心 性淨明體]"라고 하였다. 상주하는 진심이 바로 밝은 마음이고, 성정명체도 바로 청정한 본체이며 또한 여래장성(如來藏性)이다. 그래서 명심견성은 또한 자기가 본래 갖춘 여래장성을 깨닫는 것이다. 이것을 무구청정광(無垢淸淨光)이라고 한다.

혜일파제암(慧日破諸闇)• 지혜의 해[慧日]란 지혜는 마치 태양과 같이 일체의 어둠을 비춰 깨트린다는 뜻이다. 어둠에도 많은 종류가 있다. 여기서 말하는 어둠은 이런 것이다. 예를 들면 너희에게 믿음이 없는 것이 어둠이고, 지혜가 없는 것이 어둠이며, 원력이 없는 것도 어둠이고, 실행하려는 마음이 없는 것도 어둠이다. 또한 계율을 배우거나 지키지 않는 것도 어둠이고, 선정력을 닦지 않는 것도 어둠이며, 지혜의 힘을 닦지 않는 것도 어둠이다. 너희가 계·정·혜에 의거하지 않고 수행하는 것 모두 어둠의 길로 가는 것이다. 너희가 계·정·혜에 의거하여 수행하는 것은 광명의 길이다. 따라서 지혜는 마치 태양과 같이 모든 어둠을 비춰 깨트린다.

너희가 불법을 들으려고 하는 것은 바로 광명이다. 마음으로 생각하기를 '나는 며칠 동안 들어도 무슨 재미가 없어. 이 스님은 법좌에 앉아서 말씀하시는 것이 모두 이런 것이네. 모두 사람들에게 탐·진·치를 제거하고 계정혜를 닦게 하는 것인데, 나는 싫증이 나도록 여러 번 들었어.' 너희가 듣기를 싫어하는 것은 바로 어둠이 나타나는 것이다.

너희가 듣기를 싫어하지 않으면 이렇게 말한다. "이 스님이 법문하시는 것은 들을수록 재미가 있고, 들을수록 듣고 싶네. 심지어 내가 경의 강의를 다 들은 후에도 스님의 법문하시는 음성과 웃는 모습이 여전히 나의 귓가와 눈가에 맴도네. 나는 하루 종일 이 스님의 음성을 듣고 싶구나." 이것은 바로 광명이다.

◉ 이제 또 생각나는 일이 하나 있다. 내가 홍콩에 있을 때 어떤 여자 거사가 나를 보러 왔다. 그녀는 언제나 그곳에서 법문을 들었는데, 이렇게 말했다. "아, 이 도륜 법사는 마(魔)야! 그런데 나는 어째서 항상 그를 보지?" 그녀는 항상 법문을 듣고는 마라고 말하였다. 그러나 그녀가 만약 마를 보았다면, 그녀는 또 부처라고 생각했을 것이다. 이렇게 그녀는 항상 나를 보고 마를 보았다고 말하며, 욕을 하거나 때리려고 하였다. 그런데 1개월이 되지 않아 그녀는 암에 걸려 죽고 말았다. 본래 나는 그녀를 구하려고 생각했으나, 그녀는 도리어 내가 구제하는 것을 거절하였다. 이렇듯 세상의 많은 사람은 진짜를 가짜라고 인식한다. 가짜의 사람에게 가서는 또 진짜라고 말한다. 왕왕 이렇게 얼굴을 마주하고도 기회를 얻지 못하고 지나친다.

지혜의 태양이 모든 어둠을 깨트린다[慧日破諸闇]는 것은 관세음보살의 지혜가 마치 태양과 같이 일체의 어둠을 깨트린다는 것이다. 무슨 어둠을 깨트리는가? 관세음보살은 진공관(眞空觀)을 닦아 견사(見思)의 어둠을 깨트리고 반야덕(般若德)을 증득한다. 견은 견혹(見惑)으로서, 경계를 만나 탐애를 일으키는 것이다. 사는 사혹(思惑)으로서, 이치에 미혹하여 분별을 일으키는 것이다. 또한 관세음보살은 청정관을 닦아 진사(塵沙)의 어둠을 깨트리고 해탈덕(解脫德)을 증득한다. 또 관세음보살은 지혜관을 닦아 무명(無明)의 어둠을 깨트리고 법신덕(法身德)을 증득한다.

반야덕·해탈덕·법신덕을 삼덕제장(三德諦藏)이라고 하며, 진공관·청정관·지혜관을 삼관(三觀)이라고 한다. 혜가 바로 관이며, 관이 바로 혜다. 관세음보살은 이 삼관을 닦아서 삼덕을 증득하고, 견사혹·진사혹·무명혹의 세 가지 어둠을 끊어 제거한다.

능복재풍화(能伏災風火) 복(伏)은 항복시키고 제복(制伏)시킨다는 뜻이다. 무엇을 제복시키는가? 수재·화재·풍재의 삼재(三災)를 모두 제복시킨다. 이른바 "화재는 초선천(初禪天)을 불태우고, 수재는 이선천(二禪天)을 물에 잠기게 하며, 풍재는 삼선천(三禪天)을 날려버린다."고 한다.

◉ 겁의 말기에 이르러 수재, 화재, 풍재의 삼재가 발생한다. 첫 번째의 재난은 화재이다. 왜 불이 초선천을 태우는가? 이 화재는 어째서 생기는가? 바로 초선천 천인에게 번뇌의 불이 있기 때문이다. 그들 자성 가운데의 불이 세간의 불을 일으키는 것이다. 이때 허공 중에는 일곱 개의 태양이 나타난다. 하나의 태양도 사람은 견딜 수 없는데, 하물며 일곱 개의 태양이 나타나 산하대지가 모두 불에 타고 재로 변해 시원한 곳이 하나도 없다. 그래서 사람을 모두 태워 죽이며, 바다도 말라 육지로 변한다. 천지간에는 이러한 기묘한 일이 발생한다.

화재가 지나간 후 이 세계는 몇 사람이 살아남아서 사람의 수가 점차 많아진다. 이 세계에 사람이 너무 많아지면 다시 복잡해지고, 따라서 업을 짓는 사람도 많아진다. 그리하여 두 번째의 수재가 온다.

수재는 이선천까지 물에 잠기게 하는데, 이때 이선천의 천인들은 이 물을 견디지 못한다. 왜 물이 이선천까지 잠기게 하는가? 이선천의 천인에게 번뇌의 물이 있기 때문이다. 그래서 그들 자성의 물이 바깥의 물을 불러오게 된다. 이 물은 어디로부터 오는지 모른다. 별에서 오는 건지, 달에서 오는 건지, 은하에서 오는 것인지 모른다. 온 세계가 호호탕탕 물천지가 되어 모든 것을 물에 잠기게 하여 육지가 존재하지 않게 된다.

수재가 지나가고 다시 매우 긴 시간이 지나간 후, 다시 이 세계에는 사람이 많아진다. 다시 사람이 가득 차는 환난이 생기며, 이때 풍재가 발생한다. 이 바람은 인간의 집과 건물, 산하대지, 초목 등 모든 것을 바람에 날려버린다. 삼선천의 천인도 이러한 재난에서 벗어날 수 없다. 그들의 자성 속에 번뇌의 바람이 있기 때문이다. 그래서 그들 자성의 바람이 외부의 바람을 불러오고 세간의 태풍과 접촉하게 된다. 그들은 이러한 바람을 견딜 수 없다.

보명조세간(普明照世間)• 관세음보살은 대지혜를 구족하여 이러한 광명이 우리가 머무는 범성동거(凡聖同居)의 세간을 비추고, 또한 이승인(二乘人)이 머무는 방편유여(方便有餘)의 세간을 비추며, 보살이 머무는 실보장엄(實報莊嚴)의 세간을 비춘다. 부처가 머무는 상적광(常寂光)의 세간은 또한 상적광정토라고 칭한다. 보살이 머무는 세간은 실보장엄토이며, 이승인이 머무는 경계는 방편유여토이다. 이승인의 세간에서는 번뇌를 아직 다 끊지 못하고 다소 남아 있기 때문에 방편유여토라고 한다. 우리가 머무는 세간에는 범부도 있고 성인도 있으며 또한 부처도 있다. 그래서 범성동거토라고 칭한다. 관세음보살은 대지혜로써 일체의 세간, 즉 이 네 가지 세간을 비추므로 보명조세간(普明照世間)이라고 하는 것이다.

비(悲)의 법체인 계는 천둥처럼 울리고
자(慈)의 뜻 묘함은 큰 구름과 같이

감로의 법비를 흠뻑 내려

번뇌의 불꽃을 소멸하여 없애네.

悲體戒雷震 慈意妙大雲 澍甘露法雨 滅除煩惱焰

비체계뢰진(悲體戒雷震) 관세음보살은 자비로 법체를 삼는다. 그의 자비의 법체는 어디에서 나오는가? 지계(持戒)에서 나온다. 관세음보살은 최초에 도를 닦을 때 오로지 계율을 닦아 이러한 광대한 자비, 무연대자(無緣大慈)의 법체를 생기게 하였다. 이러한 법체는 마치 천둥과 같이 귀가 먹은 사람도 그 소리를 듣게 하고, 어리석은 사람도 듣게 하였다. 일체중생은 천둥과 같은 큰소리에 놀라 깨어난다. 그래서 비체계뢰진(悲體戒雷震)이라고 한 것이다. 이것은 관세음보살의 신업(身業)이 불가사의함을 찬탄한 것이다.

자의묘대운(慈意妙大雲) 관세음보살은 자비의 눈으로 중생을 본다. 이 품 후반부에 이르기를 "자비의 눈으로 중생을 보고, 복의 무더기가 바다처럼 무량하네.[慈眼視衆生 福聚海無量]"라고 하였다. 관세음보살이 닦은 복덕은 마치 바다처럼 무량무변하다. 그의 자비의 뜻은 중생에게 평등하게 즐거움을 준다. 이러한 불가사의한 경계는 마치 허공 가운데의 큰 구름과 같다.

주감로법우(澍甘露法雨) 주(澍)란 비를 내린다는 뜻이다. 무엇을 감로라고 하는가? 감로는 단 이슬로서 천상의 장생불로의 약 이름이다. 천인의 수명이 그렇게 긴 것은 이 약을 먹기 때문이다. 천상의 이 약은 자연적이고, 천상에 본래부터 있는 것이다. 단련해서 나온 것이 아니다. 이러한 불로약을 먹으면 늙지 않는다. 관세음보살의 묘한 큰 구름은 이러한 감로의 법비를 내리고 장생불로의 약을 내려, 일체의 사람들이 생로병사의 고통에서 벗어나게 한다.

멸제번뇌염(滅除煩惱焰)• 관세음보살은 세상 사람들의 번뇌 불꽃을 소멸한다. 번뇌는 마치 불꽃과 같은 것이다. 세상 사람은 모두 번뇌가 있다. 왜 성불하지 못하는가? 번뇌가 있기 때문이다. 왜 깨닫지 못하는가? 번뇌가 있기 때문이다. 왜 해탈을 얻지 못하고, 진정한 자유를 얻지 못하는가? 또한 번뇌가 있기 때문이다.

번뇌는 또한 집착이며, 집착은 번뇌의 다른 이름이다. 너희가 집착하는 것이 있으면 많은 번뇌를 생기게 하여 해탈을 얻지 못한다. 집착은 또 어디로부터 나오는가? 바로 사사로운 마음[自私]에서 나온다. 너희가 집착하는 것은 바로 사사로운 마음과 이기적인 마음을 가지고 있기 때문이다. 너희에게 만약 이러한 마음이 없고 대공무사(大公無私: 크게 대중을 위하고 자기만을 위하는 마음이 없는 것)하면 집착할 것이 무엇이 있겠는가?

집착이 없으면 번뇌도 없고, 번뇌가 없으면 곧 해탈이다. 너희가 해탈을 얻으면 또한 바로 깨달음이며 성불이다. 따라서 번뇌가 가장 나쁜 것이다. 그러나 사람마다 이 나쁜 물건을 버리지 못하고, 언제나 번뇌와 떨어지려고 하지 않는다.

어떤 사람은 말한다. "나는 항상 즐거우니, 이것이 바로 번뇌가 없는 것이 아닌가?" 너희가 만약 진정한 즐거움을 얻었다면 당연히 번뇌가 없다. 그러나 만약 진정한 즐거움을 얻지 못하고 억지로 즐거움을 이룬 것이라면, 이것은 진정한 즐거움이 아니다. 왜냐하면 번뇌는 여전히 너희 마음속에 잠복해 있기 때문이다. 그리고 어느 날 그것은 폭발

할 것이다. 마치 큰 돌로 풀 위를 누르고 있는 것과 같이, 풀은 비록 잠시 자랄 수 없지만 장래 그 돌을 치우면 다시 자라날 것이다. 그래서 너희에게 진정한 즐거움이 있으면 번뇌가 없을 것이지만 진정한 즐거움이 없으면 번뇌는 여전히 그곳에 존재하고 있는 것이다.

마) 두려움과 원한의 구제

다툼과 소송으로 관청에서 판결하거나
공포와 두려움의 군대 진영에 있을 때
저 관음보살을 염하는 힘으로
온갖 원한이 모두 물러가고 흩어지리.
諍訟經官處• 怖畏軍陣中 念彼觀音力 衆怨悉退散•

쟁송경관처(諍訟經官處)• 쟁(諍)은 투쟁하는 것이다. 말법 시대는 투쟁이 견고한 시대이다. 부처님이 세상에 계실 때는 정법 시대로서, 선정이 견고하여 사람마다 선정 닦기를 좋아한다. 정법 시대의 기간은 일천 년이며, 정법 시대가 지나면 바로 상법(像法) 시대이다. 상법 시대에는 사원과 탑을 짓고 불상 조성하기를 좋아한다. 상법 시대도 다시 일천 년이 지나면 말법 시대에 이른다. 불법이 끝에, 최후에 이르렀다는 것이다. 말법 시대는 일만 년 동안이다. 이 시기는 투쟁이 견고한 시대로서 지금 설명하는 쟁송(爭訟)을 말한다. 국가와 국가가 투쟁하고, 집과 집이 투쟁하고, 사람과 사람이 투쟁하며, 축생과 축생이 투쟁하고, 귀신과 귀신이 투쟁하며, 도처에서 모두 투쟁한다. 왜 투쟁하는가? 말법 시대이기 때문이다.

그러나 말법 시대 속에도 정법과 상법 시대가 있으며, 상법 시대에도 정법 시대가 있다. 말법 시대라도 바쁜 가운데 시간을 내어 좌선하고 참선하며 심지어 잠도 자지 않고 경을 듣는 것은 정법 시대이다. 이것을 말법 시대 속의 정법 시대라고 한다. 하지만 말법 시대에서는 이러한 것은 일부분으로서 매우 적고 매우 적다.

지금의 시대는 투쟁이 견고한 말법 시대이다. 우리는 지금 말법 시대 속에서 불법을 세상에 상주하게 하려고 노력하며, 정법의 사업을 수행하고 있다. 우리는 매일 능엄주(楞嚴呪)를 독송하는데, 이것은 모든 세계에 대하여 도움을 주는 것이다. 만약 이 세계에 능엄주를 독송하는 사람이 한 사람도 없으면, 이 세계는 곧 멸망할 것이다. 그때가 되면 요사스런 마귀와 귀신, 모든 이매망량(魑魅魍魎: 도깨비의 종류)들이 이 세계에 출현할 것이다. 지금은 왜 그들이 출현하지 않는가? 바로 이 세계에 아직 능엄주를 독송하거나 대비주(大悲呪)의 42수안(手眼)을 닦는 사람이 있기 때문이다.

송(訟)은 송사를 하는 것이며, 법원에 가서 소송을 하는 것이다. 소송을 하려면 변호사를 초빙해야 하는데, 많은 변호사들이 도리가 있는 것을 도리가 없게 변론하고, 도리가 없는 것을 도리가 있게 변론한다. 이것을 옳고 그름이 전도되었다고 한다.

몇 개월 전에 신문에 보도된 적이 있는데, 어떤 여인이 자신의 남편을 죽였다. 그러나 그녀는 매우 돈이 많아 변호사에게 만약 소송에 이겨서 자기의 죄를 무죄로 만들어 주면 많은 돈을 주겠다고 약속하였다. 변호사는 그녀가 남편을 죽인 사람이라는 것을 분명히 알았지만, 법정에서는 사리에 맞지 않는 억지 논리를 내세워 그녀가 죄를 받지 않게 하였다고 한다.

너희는 어떻게 생각하는가? 오직 돈만 있으면 사람을 죽이고도 죄가 없다고 하니, 이것이 어찌 세상에 진리가 없는 것이 아닌가? 쟁송은 이러하다. 그러니 이 세계가 암흑의 세계가 아닌가? 지금 이 세계는 여전히 돈에 지배되어 사람의 양심을 매몰시키고, 양심을 없게 한다.

포외군진중(怖畏軍陣中) 염피관음력(念彼觀音力) 중원실퇴산(衆怨悉退散)• 공포스럽고 두려운 곳은 어디인가? 군대의 진영이다. 그러나 이곳이 비록 두렵지만, 단지 나무관세음보살을 염하면 이러한 원한들이 모두 물러나고 흩어진다. 퇴산한다는 것은 소멸된다, 없어진다는 뜻이다. 무슨 원한인가? 바로 소송을 하고 군대에서 전쟁을 하는 것이다. 소송을 하는 것과 전쟁하는 군대 간에는 무슨 관계가 있는가? 이 모두 세세생생 맺은 원한이 너무 많다. 따라서 서로 모여 원한을 끝내려고 하며, 서로 그 과보로 보상하려는 것이다.

그러나 너희가 관세음보살을 염하면 이러한 과보가 감경된다. 중한 것은 가볍게 변하고, 가벼운 것은 없어진다. 어째서 없어지는가? 너희가 관세음보살을 염하기 때문이다. 만약 너희가 관세음보살을 염하지 않으면 이러한 문제는 심각해진다. 그래서 관세음보살은 불가사의한 경계를 가지고 있는 것이다.

◉ 제2차 세계대전 시기에 상해에 비범경(費帆景)이라는 거사가 있었는데, 그는 평소 관세음보살을 일심으로 염하였다. 중일전쟁 때 상하이에는 자주 일본 비행기의 폭격이 있었다. 그는 이곳이 매우 위험하며 반드시 전쟁이 있을 것이라고 느끼고 다른 곳으로 이사를 했다. 그가 막 이사를 가자 과연 그곳이 일본 비행기의 폭격으로 파괴되었다. 그가 이

사한 지 4, 5일이 지난 후 생각해 보니 그곳도 그다지 안전하지 않다고 느껴서 다시 조계지(租界地), 즉 외국인이 사는 곳으로 이사를 갔다. 그리고 다시 약간의 시간이 지난 후 이곳도 안전하지 않다고 걱정하여 다시 이사를 가려고 생각하였다.

그러나 조계지 밖에는 전기철조망 울타리가 설치되어 있었기 때문에 떠날 방법이 없었다. 그가 진퇴양난에 처해 결정을 할 수 없을 때 어떤 아이를 만났는데, 아이 말하기를 "빨리 떠나세요. 뒤에는 일본군이 와요."라고 하였다. 그런데 그가 전기철조망 울타리를 보니 두 척(尺)의 구멍이 있는 것을 발견했다. 그 구멍은 오직 한 사람이 들어갈 수 있을 정도였는데, 아이가 다시 말하기를 "빨리 가시오!"라고 하였다. 그래서 그는 그곳을 통하여 빠져나왔다. 그리고 그의 집에 있던 모친과 부인, 작은 아이도 모두 그곳으로 빠져나왔다.

조계지에는 서방의 군대가 주둔하며 지키고 있었는데, 그들은 어떻게 아무에게도 들키지 않고 빠져나올 수 있었는가? 그들은 다시 그 아이를 찾아봤지만 보이지 않았다. 그리고 다시 전기철조망을 보니 두 척의 구멍도 없어 그들은 더욱 기이하게 생각하였다. 아무튼 그들은 소주(蘇州)로 이사를 가서 그러한 전란을 피할 수 있었다.

이 일을 통하여 증명할 수 있다. 관세음보살의 이러한 경계는 높고 깊어 측량할 수 없는 것이며, 사람은 쉽게 알 수 없는 것이다. 관세음보살은 그의 명호를 염하는 사람 모두를 보호한다. 그러므로 우리 각자는 마땅히 정말로 믿는 마음을 내어 관세음보살을 염해야 할 것이다.

많은 원한[衆怨]이란, 방금 말한 것과 같이 국가 간에 투쟁하고, 집안끼리 투쟁하고, 사람 간에 투쟁하고, 귀신 간에 투쟁하고, 축생끼리 투쟁하는 것이다. 이 세계는 많은 업으로 감응되고 모두의 업력으로 불러들여 지금의 이러한 국면을 조성한다. 지금 이 세계에는 많은 국가가 있는데, 너희는 이 국가의 국민들이 모두 사람이라고 생각해서는 안 된다. 어떤 곳은 쥐들이 무리를 이루어 사람으로 태어나 하나의 국가를 이룬다. 또 개구리가 많아지면 그들이 인간으로 태어나 하나의 국가를 이룬다.

너희도 기억할지 모르겠지만, 올해 봄에 태국에서 수만 마리의 개구리가 자살을 하였다고 한다. 왜 그렇게 많은 개구리가 자살을 했는가? 이 또한 그 나라에 개구리가 너무 많아져서 그들이 죽어 인간으로 태어나려는 것이다. 하나의 국가마다 동일한 종류가 많다. 그들은 전생에 대다수가 축생이었으며, 금생에 함께 그 나라의 국민이 된 것이다.

내가 올해 봄에 경전을 강의할 때 이러한 도리를 말한 적이 있다. 그러자 어떤 사람이 물었다. "미국인의 대다수는 무엇이 태어난 것이며, 무슨 종류의 축생이 국가를 이룬 것입니까?"

그때 나는 답하였다. "미국은 단지 사람이나 축생만이 아니라, 무엇이든 다 있다. 왜냐하면 미국은 각국에서 이민 온 사람들이기 때문이다." 이것은 거짓말이 아니다.

너희에게 만약 불안(佛眼), 혜안, 천안이 열리면, 이 세계의 사람을 모두 알 수 있다. 반드시 모두 사람은 아니며, 무엇이든 다 있다. 어째서 그러한 것을 볼 수 있는가? 그러한 불안, 혜안, 천안이 열리면 사람의 전생이 무엇이었는지, 전전생은 무엇이었는지 모두 알 수 있다. 너희는 그들의 뒤쪽 그림자도 볼 수 있는데, 전생의 그림자가 아직도 그를 따라다니기 때문이다. 만약 전생에 사람이었으면 그 그림자의 형상은 사람이며, 만약 축생이었으면 축생의 그림자가 있다. 만약 요괴였으면 요괴의 형상이 나타난다. 단지 불안, 혜안, 천안을 열면 모두 분명하게 인식할 수 있다.

어떻게 이러한 문제를 알 수 있는가? 너희가 조급하지 말고 착실하게 수행하고 정진하면, 너희가 알고 싶은 것은 무엇이든지 알 수 있다. 이러한 도리는 매우 미묘하여 일반인은 이러한 일을 증명할 수 없기 때문에 많은 사람들이 믿지 못한다. 하지만 너희가 만약 이러한 일을 실증하고 싶으면, 진실하게 정진하여 신통을 얻게 되면 모두 알 수 있다. "아, 이전에 어떤 스님께서 말씀하신 그러한 도리가 진실하고 거짓이 아니구나. 어째서 이렇게 묘한 일을 그는 모두 알 수 있었는가?" 너희는 그때 알게 된다.

바) 관세음보살 명호의 수지와 예배공양

미묘한 음성인 세상을 관하는 음과
청정한 음성은 바다의 파도소리 같아
저 모든 세간의 소리를 뛰어넘으니
그러므로 항상 관세음보살 염해야 하리.
妙音觀世音　梵音海潮音　勝彼世間音　是故須常念

염하는 생각마다 의심을 내지 말라.
청정한 성스러운 관세음보살은
고통과 번뇌와 죽음과 액난의 시기에
능히 의지하고 보호하는 분이 되네.
念念勿生疑　觀世音淨聖　於苦惱死厄　能爲作依怙

일체의 공덕을 구족하여
자비의 눈으로 중생을 보며
복덕의 무더기가 바다처럼 무량하니
그러므로 응당 머리 숙여 예배해야 하네.
具一切功德　慈眼視衆生　福聚海無量　是故應頂禮

◉ 이제 게송 부분의 설명을 마쳤다. 지금 너희는 『법화경』의 전부를 들을 수 있는 기회가 있다. 전부를 들을 수 있는 사람은 보통 사람이 아니다. 그래서 이런 기회는 만나기 어려운 것이다. 미국은 말할 것도 없이 중국에서도 『법화경』의 전부를 들을 기회가 별로 없다. 홍콩이나 대만에서도 이런 기회를 가진다는 것은 또한 어려운 일이다.

이제 우리는 미국에서 생활이 이렇게 안정되어 『법화경』을 들을 수 있게 되었는데, 무형 중에 너희가 이곳에서 경을 들으면 바로 이 세계를 돕는 것이다. 우리가 이곳에서 경을 들으면, 온 세계의 도처에서 강경(講經)법회의 이러한 길상하고 상서로운 기운을 받을 것이다. 무릇 경을 강의하는 법회가 있으면 천룡팔부가 모두 와서 그 도량을 옹호하며, 우리가 와서 경을 들어도 그 도량을 옹호한다.

우리가 이러한 기회를 가질 수 있는 것은 모두 대선근(大善根)을 가졌기 때문이다. 만약 선근이 없으면 이곳에 오려고 해도 올 수가 없다. 경을 들으려고 생각하면, 이런 마장 혹은 저런 마장이 생긴다. 그래서 너희가 경을 들을 수 없게 하는 것이다. 우리가 지금 경을 듣고 법을 듣는 이러한 공덕보다 더 큰 것은 없다. 경을 들으려고 오는 사람마다 모두 공덕이 있을 것이다.

마.「관세음보살보문품」을 듣는 공덕

그때 지지보살은 즉시 자리에서 일어나 앞으로 가서 부처님께 말하였다. "세존이시여! 만약 어떤 중생이 관세음보살품의 자재한 업과 널리 중생을 위하여 몸을 나타내는 신통력의 일을 들으면, 마땅히 이 사람의 공덕은 적지 않음을 알아야 할 것입니다."
부처님께서 이 보문품을 설하실 때 대중 가운데 팔만사천의 중생은 모두 비교할 수 없는 무상정등정각의 마음을 발하였다.
爾時持地菩薩卽從座起, 前白佛言。世尊。若有衆生, 聞是觀世音菩薩品自在之業, 普門示現神通力者, 當知是人功德不少。佛說是普門品時, 衆中八萬四千衆生•, 皆發無等等阿耨多羅三藐三菩提心•。

중중팔만사천중생(衆中八萬四千衆生)• 팔만사천의 중생은 바로 우리의 팔만사천의 번뇌를 뜻한다. 하나의 번뇌는 바로 한 명의 중생이다. 게다가 우리 각자의 몸속에는 팔만사천의 미생물이 살고 있다. 미생물은 바로 균이고 벌레이다. 우리의 몸속에 이러한 벌레들이 많이 살고 있는 것이다. 우리 사람은 큰 벌레이고, 몸속에는 작은 벌레들이 있는데, 핏속, 살의 속, 오장의 속에는 얼마나 많은 벌레들이 있는지 모른다. 사람은 어떻게 생존하는가? 이러한 벌레들이 있기 때문이다. 큰 벌레인 우리는 작은 벌레를 기르고, 작은 벌레도 큰 벌레를 돕는다.

너희는 사람이 무엇이라고 생각하는가? 우리 몸속에 있는 하나의 미생물이 바로 하나의 중생이다. 그러면 얼마나 많은 미생물(중생)이 있는가? 셀 수 없을 정도로 많다. 종합하여 말하자면, 팔만사천이 있다. 사실 단지 팔만사천이 아니라 얼마인지 모른다. 이것은 우리 각 사람의 자성(自性) 속에 팔만사천의 중생을 구족하고 있다는 뜻이다. 만약 밖으로 이야기한다면, 이 세계의 중생이 어찌 팔만사천에 그치겠는가?

이 법회 가운데의 팔만사천 중생은 또한 각자 마음속의 생각[念]이다. 팔만사천의 생각은 생각 생각이 생멸하고, 생각 생각이 멈추지 않는다. 생각이 일어나는 것은 바로 하나의 중생이 생기는 것이고, 생각이 멸하는 것은 하나의 중생이 죽는 것이다. 그러면 생하고 멸하는 팔만사천의 중생은 모두 자성을 떠날 수 없다. 따라서 이것을 팔만사천의 중생이라고 한다.

개발무등등아뇩다라삼먁삼보리심(皆發無等等阿耨多羅三藐三菩提心)• 팔만사천의 중생들이 무엇을 하였는가? 모두 동시에 이런 마음을 발하였다. 무등등, 즉 같을 수 없는 마음. 이것은 또한 비교할 수 없는 마음이다. 바로 아뇩다라삼먁삼보리의 마음이다. 이것을 번역하면 무상정등정각(無上正等正覺)이다. 바로 부처의 깨달음이다. 팔만사천의 중생은 모두 부처를 이루려는 마음을 발하였으며, 그런 연후에 비로소 부처의 과위를 얻을 수 있다.

지금 「관세음보살보문품」을 강의하는데, 이 불교강당에는 20여 명의 사람이 와서 경을 듣는다. 이 사람들 각자 한 사람마다 팔만사천의 중생이 있으니, 지금 이곳에 얼마나 많은 중생이 있는지 계산해 보라. 하지만 이 모두 무상정등정각의 마음을 발하였는지는 알 수 없다. 그러나 비록 전부 이러한 마음을 발하지는 않았을지라도, 대다수는 장래 성불하려는 마음을 발했을 것이라고 나는 믿는다. 이 법화회상에서 『법화경』을 들은 사람은 장래 모두 부처를 이룰 몫이 있다. 우리가 지금 이

「관세음보살보문품」을 들을 수 있는 것은 모두 과거 얼마나 많은 겁 동안 무량무변의 선근을 심었기 때문인지 모른다. 지금 비로소 이러한 인연이 있어 모두가 모여 불법을 연구하는 것이다. 이것은 묘하고 불가사의한 경계이다.

◉ 무상정등정각의 최고 과위는 어떻게 성취하는가? 가장 높은 곳으로부터 성취하는가? 아니다. 가장 낮은 곳에서부터 이루는 것이다. 너희가 도를 닦을 때 절대로 자만의 마음, 아만의 마음을 가져서는 안 된다. 왜냐하면 가장 낮은 곳으로부터 가장 최고의 과위를 이룰 수 있기 때문이다.

중국의 노자(老子)가 말한 적이 있다. "최상의 선은 물과 같다. 물은 만물을 이롭게 하지만 다투지 않고, 많은 사람이 가장 싫어하는 곳에 머문다.[上善若水 水善利萬物而不爭 處衆人之所惡]" 태생, 난생, 습생, 화생, 식물, 동물 등 모든 만물은 자기를 배양하기 위하여 물을 필요로 한다. 그러나 물은 결코 만물을 돕는다는 생각이 없다. 다투지 않는다는 것은 공을 다투지 않는다는 뜻이다. 물은 사사로운 마음이나 이기적인 마음이 없다. 그래서 노자는 물을 최고의 선으로 비유하였다. 그러므로 물의 이러한 모습, 즉 공을 다투지 않고, 명예를 다투지 않고, 이익을 다투지 않는 마음을 마땅히 배워야 할 것이다.

물이 머무는 곳은 높은 곳이 아니라 가장 낮은 곳이다. 낮은 곳은 아무도 머물기를 원하지 않는 곳이다. 수도인은 왜 아름다운 집에 머물지 않고 산의 동굴 같은 곳에 머무는가? 이것도 물의 모습을 배우는 것이다. 물은 많은 사람이 싫어하는 곳에 머물기 때문에 도(道)와 부합된다.

너희가 무상정등정각을 이루려고 하는 것도 이러한 모습, 즉 가장 낮은 곳으로부터 위로 올라가야 한다. 위에서 내려오는 것이 아니다.

또한 한 생에 무상정등정각을 얻는 것도 아니다. 너희는 부처를 이루려고 생각하는가? 먼저 이 중생을 잘 만들어야 한다. 즉 무슨 일을 하든지 선한 방면으로 행해야 하며, 악한 방면으로 행해서는 안 된다.

"선을 택하여 따르고, 선하지 않은 것은 고친다.[擇善而從 不善而改]" 라고 하였다. 선한 길은 가서 행해야 하고, 선하지 않은 길은 바꾸어야 한다. 허물을 고쳐 스스로를 새롭게 해야 한다. 옳은 길이면 나아가고, 그른 길이면 물러난다.[是道則進 非道則退] 도에 부합하면 앞으로 나아가고, 도와 부합하지 않으면 뒤로 물러나야 비로소 무상정등정각을 얻을 수 있다.

◉ 「관세음보살보문품」의 대략적이 뜻을 다 설명하였다. 「관세음보살보문품」의 묘한 뜻은 무궁무진하여 짧은 시간에 완전히 다 이해할 수 없다. 장래 기회가 있으면 다시 더 깊이 설명할 것이다. 더욱이 『법화경』은 말할 수 없이 묘하며, 그것의 묘용(妙用)은 무궁무진한 것이다.

지금 「관세음보살보문품」을 다 듣고 관세음보살의 신통묘용에 대하여 대략적으로 알았을 것이다. 이후 모두는 발심하여 함께 관세음보살을 염하고, 대비참(大悲懺)으로 절하며, 관세음보살의 불가사의한 시현(示顯)을 구해야 할 것이다. 우리 각자에게 만약 기도할 일이 있으면, 자기의 마음속으로 묵묵히 관세음보살에게 기도하면 소원을 모두 이룰 것이라고 믿는다. 『법화경』은 부처를 이루는 경이며, 우리 각자는 『법화경』을 들어 장래 성불의 몫이 있으므로 이러한 기회도 만나기 어려운 것이다.

二十六

다라니품
(陀羅尼品)

법사를 보호하는 다라니

다라니는 범어로, 번역하면 총지(總持)라고 한다. 즉 일체의 법을 거느리고, 무량한 뜻을 지닌다.[總一切法 持無量義] 또한 몸과 입과 뜻의 세 가지 업을 청정하게 총괄(단속)하여, 안·이·비·설·신·의 육근의 자재한 묘용(妙用)을 지닌다고 말할 수 있다. 그리고 총괄하는 마음과 유지하는 몸[總心持身]이라고 말할 수 있는데, 즉 총(總)은 바로 마음이고 지(持)는 바로 몸이다. 이 마음을 총괄하여 법화삼매를 얻을 수 있으며, 이 몸을 유지하여 법화의 일선(一旋)다라니를 얻을 수 있다.

어떻게 하면 몸과 입과 뜻의 세 가지 업을 청정하게 총괄할 수 있는가? 바로 이 몸을 총괄하여 살생, 도둑, 음란을 범하지 않고, 이 입을 총괄하여 꾸미는 말, 거짓말, 나쁜 말, 이간질을 범하지 않으며, 이 뜻을 총괄하여 탐욕, 분노, 어리석음을 범하지 않는 것이다. 너희의 신·구·의(身口意) 삼업이 청정하면, 너희의 육근의 문도 청정해질 것이다. 육근의 문이 청정하면 육근을 호용하는 자재함을 얻을 것이다. 총지의 이러한 도리는 매우 많으나, 대략적인 뜻은 이러하다.

다라니는 주(呪)라는 뜻이다. 주란 선을 생하고 악을 멸한다는 뜻이며, 보호한다는 뜻이 그 속에 있다. 너희의 모든 일이 길상하고 여의하도록 보호하는 것이다.

오늘 이곳에 온 중국의 여신도가 해준 이야기다. 그녀의 아들이 차를 타고 가다가 교통사고가 났는데, 그녀는 마침 집에서 약사참(藥師懺)을 하고 있었다. 그런데 차는 크게 부서졌으나 사람은 상해를 입지 않았다. 생각해 보라. 그렇게 단단한 차가 다 부서졌는데, 사람은 부닥쳐도 손상을 입지 않은 것은 무슨 도리인가? 바로 다라니가 있었기 때문이다. 약왕보살의 원력은 너희가 만약 약사참법으로 절을 하면 아홉 가지의 횡화(橫禍)를 소멸할 수 있다고 말한다. 아홉 가지의 횡화란 갖가지 의외의 사고를 말한다.

그리고 또 어떤 여신도가 해준 이야기다. 그녀의 모친이 몇 년 전 시골에 갔다가 돌아오는 길에 큰 비를 만났는데, 모친의 차 뒤에 큰 화물차가 따라왔다. 이 화물차는 앞의 승용차가 너무 천천히 가니까 빨리 가기를 재촉하였다. 그래서 모친은 속도를 높이다가 잘못하여 앞에 가는 차를 크게 들이받았는데, 승용차는 이백 미터나 멀리 날아가 버렸다. 그녀의 모친은 차 속에서 즉시 허공으로 날아갔는데, 날아가면서 아래를 보니 반드시 죽을 것만 같았다고 한다. 그런 순식간이 지나 다시 차 속으로 돌아왔으며, 어찌된 일인지 큰 부상을 입지 않고 단지 작은 부상만 입었다. 생각해 보라. 만약 다라니가 없었다면 어떻게 이러한 감응이 있을 수 있는가? 이것이 바로 길상하고 여의하게 보호하는 힘이 있다는 것이다. 이것이 다라니의 대략적인 뜻이다.

지금 이 품은 약왕보살, 용시보살, 비사문천왕, 지국천왕 등이 발원하며 설한 주의 신력으로 『법화경』을 수지·독송·해설·서사하는 법사를 보호할 것을 서술한다. 따라서 누가 만약 『법화경』을 수지할 수 있으면 이러한 보살들의 주가 이 사람을 보호할 것이며, 어떤 사람이라도 이 법사를 해치는 것을 허락하지 않을 것이다.

가. 『법화경』을 수지하는 공덕

그때 약왕보살은 즉시 자리에서 일어나 오른쪽 어깨를 드러내고 부처님을 향하여 합장하며 말하였다. "세존이시여! 만약 선남자와 선여인이 법화경을 수지하는 자로서 유창하게 독송하거나 경전을 서사하면, 얼마의 복을 얻게 됩니까?"

부처님께서 약왕보살에게 말씀하셨다.

"만약 선남자와 선여인이 팔백만억 나유타 항하사수의 제불을 공양한다면, 그대의 생각은 어떠한가? 그가 얻게 되는 복이 많지 않겠는가?"

"매우 많을 것입니다. 세존이시여!"

부처님께서 말씀하셨다.

"만약 선남자와 선여인이 이 경에서 사구게 하나라도 수지하고 독송하며 그 뜻을 이해하고 가르침대로 수행하면, 이 공덕이 제불에게 공양한 것보다 더 많으니라."

爾時藥王菩薩卽從座起, 偏袒右肩, 合掌向佛, 而白佛言。世尊。若善男子, 善女人, 有能受持法華經者, 若讀誦通利•, 若書寫經卷•, 得幾所福。佛告藥王。若有善男子, 善女人, 供養八百萬億那由他恒河沙等諸佛, 於汝意云何。其所得福, 寧爲多不。甚多, 世尊。佛言。若善男子, 善女人, 能於是經, 乃至受持一四句偈, 讀誦解義, 如說修行, 功德甚多。

약독송통리(若讀誦通利)• 통(通)이란 이해한다는 뜻이고, 이(利)는 독송하는 것이 매우 유창하다는 뜻이다. 한 자, 한 구절이라도 틀리지 않게 읽는 것이다.

약서사경권(若書寫經卷)• 너희는 경전을 배워 이해하며, 또한 영어로 번역할 수 있다. 너희가 영어로 명료하게 잘 사경하면, 이 모두 공덕이 무량하다. 대충대충 쓰면 안 되고, 한 획 한 글자라도 틀리게 쓰면 안 된다. 틀리게 썼다가 지우고 다시 쓰거나, 혹은 그 위에 종이를 붙여서 다시 써도 안 된다. 이것은 서사(書寫)하는 것이 아니다. 서사는 결가부좌로 앉아서 반드시 공경하게 한 획이라도 대충 쓰지 않는 것이다.

이렇게 사경하면 비로소 공덕이 있게 된다. 같은 사경이지만 어떤 것은 공덕이 없고, 어떤 것은 공덕이 있는가? 바로 공경하게 사경하기 때문이다. 공경하게 사경하는 것과 대충 쓰는 것은 공덕이 같지 않다.

나. 신주(神呪)의 법사 보호

1) 약왕보살의 신주

그때 약왕보살이 부처님께 말하였다. "세존이시여! 저는 지금 설법하는 자에게 다라니를 설하여 그를 수호하겠습니다."

그러고 나서 즉시 주를 설하였다.

"안이 만이 마네 마마네 지례 차리제 사미 사리다위 전제 목제 목다리 사리 아위사리 상리 사리 차예 아차예 아기니 전제 사리 다라니 아로가 바사바자비차니 네비체 아변시라미리체 아단치파례수지 구구례 모구례 아라례 바라례 수가차 삼마삼리 불타비길리질제 달마바리차제 승가열구사네 바사바사수지 만치라 만치라차야다 우루치 우루치교사략 악차라 악차야다야 아바로 아마야나다야."

"세존이시여! 이 다라니 신주는 육십이억 항하사수의 제불이 설하신 것으로서 만약 이 법사를 침해하고 훼방하는 자가 있으면, 그는 바로 육십이억 항하사수의 제불을 침해하고 훼방하는 것입니다."

이때 석가모니 부처님께서 약왕보살을 찬탄하여 말씀하셨다.

"훌륭하고 훌륭하구나. 약왕보살이여! 그대는 이 법사를 불쌍히 여기고 옹호하기 위한 까닭으로 이 다라니를 설하였으며, 장래 많은 중생을 이롭게 할 것이다."

爾時藥王菩薩白佛言。世尊。我今當與說法者陀羅尼呪, 以守護之。卽說呪曰。

安爾(一)曼爾(二)摩禰(三)摩摩禰(四)旨隸(五)遮梨第(六)賒咩(七)賒履多瑋(八)羶帝(九)目帝(十)目多履(十一)娑履(十二)阿瑋娑履(十三)桑履(十四)娑履(十五)叉裔(十六)阿叉裔(十七)阿耆膩(十八)羶帝(十九)賒履(二十)陀羅尼(二十一)阿盧伽婆娑簸蔗毘叉膩(二十二)禰毘剃(二十三)阿便哆邏禰履剃(二十四)阿亶哆波隸輸地(二十五)歐究隸(二十六)牟究隸(二十七)阿羅隸(二十八)波羅隸(二十九)首迦差(三十)阿三磨三履(三十一)佛陀毘吉利袠帝(三十二)達磨波利差帝(三十三)僧伽涅瞿沙禰(三十四)婆舍婆舍輸地(三十五)曼哆邏(三十六)曼哆邏叉夜多(三十七)郵樓哆(三十八)郵樓哆憍舍略(三十九)惡叉邏(四十)惡叉冶多冶(四十一)阿婆盧(四十二)阿摩若那多夜(四十三)

世尊。是陀羅尼神呪, 六十二億恒河沙等諸佛所說, 若有侵毁此法師者, 則爲侵毁是諸佛已。時釋迦牟尼佛讚藥王菩薩言。善哉, 善哉。藥王。汝愍念擁護此法師故, 說是陀羅尼, 於諸衆生, 多所饒益。

◉ 주는 제불의 비밀한 말이다. 제불이 설하신 비밀한 도리는 해석할 수 없다. 지금은 단지 그것을 읽는 것이다. 만약 해석하려고 하면 많은

시간을 들여야 비로소 명확하게 해석할 수 있다. 이 다라니를 배우고 싶으면, 먼저 글자를 알고 숙련되게 읽어야 할 것이다. 장래 기회가 되면 설명할 수 있다. 하지만 설명하기가 쉽지 않으며, 주의 묘용은 만능(萬能)으로서 설명해도 대략적인 뜻을 말할 수 있을 따름이다.

약왕보살은 이 주를 설하여 『법화경』을 수지, 독송, 해설, 서사하는 법사를 수호한다. 어느 누구든 경을 수지한다면 그를 보호할 것이다.

2) 용시보살의 신주

그때 용시보살이 부처님께 말하였다. "세존이시여! 저도 법화경을 독송하고 수지하는 자를 옹호하기 위해 다라니를 설하겠습니다. 만약 이 법사가 이 다라니를 얻으면 야차, 나찰, 부단나, 길자, 구반다, 아귀 등이 이 법사의 단점을 찾으려고 해도 기회를 얻지 못할 것입니다." 그러고는 즉시 부처님 앞에서 주를 설하였다.

"좌례 마하좌례 욱지 목지 아례 아라바제 열례제 열례다바제 이치니 위치니 지치니 열례지니 열리지바저."

"세존이시여! 이 다라니 신주는 항하사수의 제불께서 설하신 것이고, 또한 제불께서 모두 함께 기뻐하셨습니다. 만약 이 법사를 침해하고 훼방하는 자가 있으면, 이것은 바로 이 항하사수의 제불을 침해하고 훼방하는 것입니다."

爾時勇施菩薩白佛言。世尊。我亦爲擁護讀誦受持法華經者, 說陀羅尼。若此法師得是陀羅尼, 若夜叉, 若羅刹, 若富單那, 若吉遮, 若鳩槃茶, 若餓鬼等, 伺求其短, 無能得便。卽於佛前, 而說呪曰。

痤隷(一)摩訶痤隷(二)郁枳(三)目枳(四)阿隷(五)阿羅婆第(六)涅隷第(七)涅隷多婆第(八)伊緻柅(九)韋緻柅(十)旨緻柅(十一)涅隷墀柅(十二)涅犂墀婆底(十三)

世尊。是陀羅尼神呪, 恒河沙等諸佛所說, 亦皆隨喜, 若有侵毁此法師者, 則爲侵毁是諸佛已。

약야차(若夜叉) 약나찰(若羅刹) 약부단나(若富單那) 약길자(若吉遮) 약구반다(若鳩槃茶) 약아귀등(若餓鬼等)• 사람의 마음속에는 일곱 방울의 단물이 있는데, 마치 감로수와 같은 것이다. 이 일곱 방울의 단물 가운데 나찰귀가 만약 한 방울을 마시면, 너희는 곧 3일 동안 머리가 아프다. 이 단물은 무엇을 하는가? 이 단물은 가장 참된 보양품으로서 너희에게 만약 일곱 방울의 단물이 있으면, 정신이 맑고 잠을 자지 않아도 괜찮으며 힘들지 않다. 이 귀신이 만약 너희의 단물을 세 방울 마시면, 너희는 곧 인사불성이 되어 혼절한다. 이렇게 대략 일주일이 지나야 비로소 회복이 된다. 만약 일곱 방울 모두 나찰귀에게 먹히면 바로 죽지 않을 수 없다. 이는 조금도 거짓이 아니다. 그러나 너희가 만약 『법화경』을 독송하면 그는 한 방울도 마시지 못한다. 그래서 이렇게 너희를 보호하면 나찰귀는 너희를 귀찮게 할 방법이 없다.

부단나(富單那)는 냄새가 고약한 아귀다. 그의 냄새는 아주 고약해서 사람이 그의 냄새를 맡으면 병이 생긴다.

길자(吉遮)도 일종의 귀신의 이름이다. 번역하면 소작(所作)이다. 무슨 일이 이루어지는가? 그는 바로 기시귀(起屍鬼)로서 외도들이 전문적으로 이러한 법을 닦는다. 즉 사람이 죽으면 그는 주(呪)를 사용하여 죽은 사람의 시체를 다시 일으켜 세워 걸어가게 한다. 하지만 먹을 필요가 없다. 하루 멀리 걸어가게 하는데, 이것을 운시(運屍)라고 한다. 즉 사람이 죽어 집으로 보낼 수 없을 때 이런 방법을 사용하며, 중국에는 이러한 사업을 하는 사람이 있다. 이렇게 길을 걸어가게 하는 것은 길자귀의 힘을 빌리는 것이다.

구반다(鳩槃茶)는 생긴 모습이 동과(冬瓜)와 비슷하다고 해서 동과귀라고 한다. 물을 담는 항아리와 비슷하게 생겨서 또한 옹형귀(甕形鬼)라고도 한다. 이 귀신은 또한 염매귀(魘魅鬼)라고도 하는데, 밤에 잠을 잘 때 그는 깊이 잠든 사람을 불러 완전히 양기가 없어지고 음기로 변하면 그는 바로 너희의 몸에 뛰어올라 간다. 그러면 너희는 자기 몸을 무엇이 누르고 있는 것을 모르고, 이때 소리를 내려고 해도 낼 수 없으며 움직이려고 해도 움직일 수 없다. 두 눈을 뜨고서도 방법이 없다. 그렇게 시간이 오래 지나면 결국 가위눌려 죽게 된다. 그러나 만약 시간이 오래 지나지 않아 너희의 양기가 다시 상승하면 서 너희에게 광명이 생겨 그는 놀라 도망간다.

왜냐하면 너희는 완전히 나쁜 짓만 하지는 않아 아직 약간의 양기가 남아 있기 때문에 약간의 광명이 방출되는 것이다. 만약 너희가 그 귀신과 마찬가지로 나쁜 짓을 많이 저지르면, 모두 음기에 속하게 되어 그는 너희를 가위눌러 죽이며, 그렇지 않으면 잡아가 권속으로 삼는다. 그의 권속이 되어 무엇을 하는가? 바로 그 귀신이 시키는 일을 해주어야 한다. 만약 그의 말을 듣지 않으면 때리거나 아프게 한다. 그가 너희에게 그 귀신의 주를 읽으면 너희는 머리가 아프거나 움직일 수 없게 된다. 그래서 그는 너희를 항복시킨다.

3) 비사문천왕의 신주

그때 세상을 보호하는 비사문천왕이 부처님께 말하였다. "세존이시여! 저도 중생을 불쌍히 여기고 이 법사를 옹호하기 위한 까닭으로 이 다라니를 설하겠습니다."

그러고 즉시 주를 설하였다.

"아리 나리 누나리 아나로 나리 구나리."

"세존이시여! 이 신주로써 법사를 옹호하고, 저도 스스로 이 경을 수지하는 자를 옹호하여 주위 백 유순 이내에서는 모든 괴로움과 재난이 없도록 하겠습니다."

爾時毘沙門天王護世者白佛言。世尊。我亦爲愍念衆生, 擁護此法師故, 說是陀羅尼。卽說呪曰。

阿梨(一)那梨(二)㝹那梨(三)阿那盧(四)那履(五)拘那履(六)

世尊。以是神呪擁護法師, 我亦自當擁護持是經者, 令百由旬內, 無諸衰患。

4) 지국천왕의 신주

그때 지국천왕이 이 법회 가운데서 천만억 나유타의 건달바 대중들에게 공경하게 둘러싸여 함께 부처님 계신 곳으로 와서 합장하고 말하였다. "세존이시여! 저도 다라니 신주로써 법화경 수지하는 자를 옹호하겠습니다."

그러고는 즉시 주를 설하였다.

"아가네 가네 구리 건다리 전다리 마등기 상구리 부루사니 알저."

"세존이시여! 이 다라니 신주는 사십이억 제불이 설하신 주이며, 만약 이 법사를 침해하고 훼방하는 자가 있으면, 바로 이 제불을 침해하고 훼방하는 것과 같습니다."

爾時持國天王在此會中，與千萬億那由他乾闥婆衆，恭敬圍繞，前詣佛所，合掌白佛言。世尊。我亦以陀羅尼神呪，擁護持法華經者。卽說呪曰。

阿伽禰(一)伽禰(二)瞿利(三)乾陀利(四)旃陀利(五)摩蹬耆(六)常求利(七)浮樓莎柅(八)頞底(九)

世尊。是陀羅尼神呪，四十二億諸佛所說，若有侵毀此法師者，則爲侵毀是諸佛已。

◉ 만약 『법화경』을 수지, 독송, 해설, 서사하는 법사를 침해하거나 훼방하는 자가 있으면, 이것은 42억 제불을 훼방하는 죄와 같은 것이다.

어떤 사람은 글자를 모르는데 어떻게 『법화경』을 수지하는가? 그러면 전심으로 '나무묘법연화경'을 염송하는 것이다. 경의 이름만 읽어도 경 전체를 읽는 것과 같다. 왜냐하면 그는 글자를 모르기 때문이다. 또 다른 방법도 있다. 너희는 사람을 청하여 경을 수지하고 독송하며 해설하고 서사하는 것을 돕게 할 수 있다.

중국에서는 만약 어떤 법사가 경을 강의하면 많은 사람들이 와서 공양을 한다. 이는 너희에게 나를 공양하라는 것이 아니므로 오해하지 말아야 할 것이다. 이후 만약 다른 법사가 경을 강의한다면, 너희는 마땅히 공양해야 한다. 나는 지금 시작하는 것이므로 사람들에게 돈을 가지고 와서 공양하라고 말해서는 안 되며 오직 사람들에게 경을 들으러

오게 하여 그것이 큰 공덕이라는 것을 느끼게 해야 한다. 그들이 생각하기를 '우리의 이 스님이 경을 강의하시는데, 반드시 가서 도량을 옹호하고 경을 들어야겠다.' 이것이 스님을 옹호하는 것이다. 너희가 만약 경을 듣는 공덕이 사람을 청하여 경을 강의하게 하는 공덕과 같다는 것을 알면, 남들보다 뒤처지지 않으려고 서로 다투어 오려고 할 것이다.

너희가 만약 경을 듣지 않고 단지 수행만 하면, 그것은 맹목적인 수련이 되어 시종 요령을 얻지 못한다. 그러면 진사겁의 오랜 시간을 수행해도 성취하는 것이 없을 것이다. 마치 너희가 모래를 쪄서 밥을 지으면 시종 밥이 될 수 없는 것과 같이, 끝내 이루지 못할 것이다.

수행인이 교리를 배우지 않고 이리저리 닦는 것은 멍청하게 수행하는 것이며, 이것은 모래로 밥을 지으려는 것과 같은 이치다. 그러므로 너희는 이러한 점을 특별히 주의해야 할 것이다. 부처님도 사람이 경을 강의하는 것을 찬탄하시고, 사람들이 『법화경』을 수지, 독송, 해설, 서사하는 것을 찬탄하신다.

5) 나찰녀의 신주

그때 나찰녀들이 있었는데, 첫째는 남바, 둘째는 비람바, 셋째는 곡치, 넷째는 화치, 다섯째는 흑치, 여섯째는 다발, 일곱째는 무염족, 여덟째는 지영락, 아홉째는 고제, 열째는 탈일체중생정기라고 이름하였다. 이 열 명의 나찰녀는 귀자모(鬼子母)와 그의 아들 및 권속들과 함께 부처님 계신 곳에 이르러 함께 소리 내어 부처님께 말하였다. "세존이시여! 저희도 법화경을 독송하고 수지하는 자를 옹호하여 그의 괴로움과 재난을 제거하려고 하며, 만약 법사의 단점을 찾으려는 자가 있으면, 기회를 얻지 못하도록 하겠습니다.”

그러고는 부처님 앞에서 즉시 주를 설하였다.

“이제리 이제민 이제리 아제리 이제리 니리 니리 니리 니리 니리 루혜 루혜 루혜 루혜 다혜 다혜 다혜 도혜 누혜.”

爾時有羅刹女等•, 一名藍婆, 二名毘藍婆, 三名曲齒, 四名華齒, 五名黑齒, 六名多髮, 七名無厭足, 八名持瓔珞, 九名皐帝。十名奪一切衆生精氣。是十羅刹女, 與鬼子母幷其子及眷屬•, 俱詣佛所, 同聲白佛言。世尊。我等亦欲擁護讀誦受持法華經者, 除其衰患。若有伺求法師短者, 令不得便。卽於佛前, 而說呪曰。

伊提履(一)伊提泯(二)伊提履(三)阿提履(四)伊提履(五)泥履(六)泥履(七)泥履(八)泥履(九)泥履(十)樓醯(十一)樓醯(十二)樓醯(十三)樓醯(十四)多醯(十五)多醯(十六)多醯(十七)兜醯(十八)㝹醯(十九)

이시유나찰녀등(爾時有羅刹女等)• 나찰녀는 전문적으로 산 사람의 정기를 먹기 좋아하여, 담정기귀(啗精氣鬼)라고 부른다. 이러한 귀신은 매우 대단한데, 어떤 사람이 만약 이 귀신을 만나면 백 일이 지나지 않아 죽을 수 있다. 무엇 때문인가? 그가 매일 너희의 정기를 먹어 고갈시킬 것이니, 어찌 죽지 않겠는가? 마치 촛불을 켜는데 기름이 없으면 불이 꺼지는 것과 같다. 그래서 이 귀신은 가장 대단하고 사람마다 두려워한다.

이 나찰귀는 대다수가 여자이다. 그들은 결코 추하지 않으며 생긴 것이 아름답다. 그래서 일반의 범부중생이 그녀를 만나면 미혹된다. 한 번 미혹되면 너희의 정기가 그녀에게 먹힌다. 조심해야 돼!

여귀자모병기자급권속(與鬼子母幷其子及眷屬)• 귀자모는 전문적으로 어린아이를 잡아먹는 귀신이다. 어떤 여인에게 어린아이가 있으면 이 귀자모가 따라가다가 기회를 찾아 그 어린아이를 잡아먹는 것이다. 어떤 기회인가? 이 여인이 화를 낼 때라든가, 혹은 이 여인이 병이 들었을 때, 혹은 이 여인이 너무 많이 먹을 때라든가, 혹은 이 여인이 잠을 너무 많이 잘 때, 혹은 이 여인의 심리가 변태일 때다. 심리가 변태라는 것은 평소와 같지 않을 때를 말한다. 혹은 이 여인이 술을 마실 때, 혹은 이 여인이 규칙을 지키지 않을 때 귀자모는 그녀의 어린아이를 잡아먹는다. 아직 출생하지 않은 아이도 먹으며, 이미 출생한 아이는 더욱 먹으려고 한다. 그러나 귀자모는 부처님의 교화로 귀의한 후 어린아이를 잡아먹지 않게 되었으며, 불교의 호법으로 변하였다.

"차라리 저의 머리 위에 앉을지언정, 법사를 괴롭게 할 수 없습니다. 혹은 야차, 나찰, 아귀, 부단나, 길자, 비다라, 건타, 오마늑가, 아발마라, 야차길자, 인길차의 귀신이든지를 막론하고, 열병의 귀신이 사람에게 1일 동안 열을 나게 하거나, 2일, 3일, 4일, 또는 7일 동안 열을 나게 하거나, 혹은 항상 열을 나게 하거나, 그러한 귀신이 남자의 모습, 여자의 모습, 어린 남자아이의 모습, 어린 여자아이의 모습이거나, 또는 꿈속에서도 이러한 모든 귀신들이 법화경을 수지하는 법사를 괴롭히지 못하게 할 것입니다."
그러고는 즉시 부처님 앞에서 게송을 설하였다.

만약 저의 주를 따르지 않고
법사를 괴롭히거나 어지럽히면
마치 아리수의 가지와 같이

머리가 일곱 조각으로 깨질 것이며
마치 부모를 죽인 죄와 같이
또한 나쁘게 기름을 짜는 죄와 같이
사람에게 저울을 속이는 죄와 같이
제바달다가 오역죄를 지은 것같이
이 법사를 침범하는 자는
마땅히 이와 같은 죄를 얻으리.

모든 나찰녀가 이 게송을 설한 후 부처님께 말하였다. "세존이시여! 저희도 몸소 스스로 이 경을 수지하고 독송하며 수행하는 자를 옹호하여 안온한 즐거움을 얻게 하고, 모든 괴로움과 재난을 떠나게 하며, 일체의 독약을 소멸하겠습니다."

寧上我頭上, 莫惱於法師。若夜叉, 若羅刹, 若餓鬼, 若富單那, 若吉遮, 若毘陀羅, 若犍馱, 若烏摩勒伽, 若阿跋摩羅, 若夜叉吉遮, 若人吉遮, 若熱病•, 若一日, 若二日, 若三日, 若四日, 乃至七日, 若常熱病, 若男形, 若女形, 若童男形, 若童女形, 乃至夢中, 亦復莫惱。卽於佛前, 而說偈言。

若不順我呪　惱亂說法者　頭破作七分　如阿梨樹枝
如殺父母罪　亦如壓油殃　斗秤欺誑人　調達破僧罪
犯此法師者　當獲如是殃

諸羅刹女說此偈已, 白佛言。世尊。我等亦當身自擁護受持, 讀誦, 修行是經者, 令得安隱, 離諸衰患, 消衆毒藥。

약비타라(若毘陀羅) 약건타(若犍馱) 약오마륵가(若烏摩勒伽) 약아발마라(若阿跋摩羅) 약야차길자(若夜叉吉遮) 약인길

자(若人吉遮) 약열병(若熱病)• 비타라는 붉은색의 귀신, 건타는 황색의 귀신, 오마늑가는 검은색의 귀신, 아발마라는 청색의 귀신을 뜻한다. 이 청색의 귀신은 풀의 색깔과 같아서 풀 위에 가면 이 청색귀를 조심해야 한다. 야차길자는 야차의 기시귀(起屍鬼)이고, 인길자는 사람의 기시귀이다. 그리고 열병을 일으키는 귀신이 있다.

부처님께서 모든 나찰녀에게 말씀하셨다.
"착하고 착하도다! 그대들이 단지 법화경의 이름만을 수지하는 자를 옹호해도 복이 한량없을 것인데, 하물며 법화경을 완전히 수지하고, 꽃과 향, 영락, 가루향, 바르는 향, 태우는 향, 당번, 보개, 기악으로 공양하거나, 갖가지의 등, 연유(煉乳)등, 유등, 모든 향유(香油)등, 칭의화(稱意花)의 기름등, 황색꽃의 기름등, 여름꽃의 기름등, 청련화의 기름등을 켜서 공양하는, 이러한 백천 가지로 공양하는 자를 옹호하는 것이겠는가. 고제여! 그대들과 권속들은 응당 이와 같은 법사를 옹호해야 한다."
佛告諸羅刹女。善哉, 善哉。汝等但能擁護受持法華名者, 福不可量, 何況擁護具足受持供養經卷, 華香, 瓔珞, 末香, 塗香, 燒香, 旛蓋, 伎樂, 然種種燈, 酥燈, 油燈, 諸香油燈, 蘇摩那華油燈, 薝蔔華油燈, 婆師迦華油燈, 優鉢羅華油燈•, 如是等百千種供養者。皐帝。汝等及眷屬, 應當擁護如是法師。

소마나화유등(蘇摩那華油燈) 첨복화유등(薝蔔華油燈) 바사가화유등(婆師迦華油燈) 우발라화유등(優鉢羅華油燈)• 소마나화는 바로 수만나(須曼那)화이며, 칭의화(稱意花)라고도 한다. 첨복화는 황색의 꽃이다. 바사가화는 여름에 피는 꽃이다. 우발라화는 청련

화라고 번역하며, 또 영서화(靈瑞華)라고도 번역한다.

다. 다라니품을 들은 이익

이 다라니품을 설하실 때 육만 팔천 명의 사람이 무생법인을 얻었다.

說是陀羅尼品時, 六萬八千人, 得無生法忍。

二十七

묘장엄왕본사품
(妙莊嚴王本事品)

묘장엄왕의 중생교화 인연

묘장엄왕은 국왕이었다. 이분은 사교(邪教)를 믿고 바라문교를 믿었으며, 진정한 지혜가 없었다. 그러나 매우 선근이 있는 분이었다. 어떤 선근이 있는가? 아주 오랜 과거에 네 명의 비구가 함께 수행을 발원하였다. 그러나 이들은 도리어 함께 수행을 할 수가 없었다. 왜냐하면 네 명이 모두 밥을 먹어야 하고 머물 곳이 있어야 해서 공양할 호법이 필요하였기 때문이다.

그 가운데 한 분의 비구가 세 비구를 보호하고 공양하기로 발원하고 말하였다. "우리 네 사람이 만약 모두 도를 닦는다면 생활하기가 어려우니 도를 닦을 수 없다. 지금 내가 발원하여 그대들에게 공양할 호법이 될 것이며, 그대들 세 사람이 과를 증득한 후에 나는 다시 수행하겠다. 나는 세상에 나가 일을 해서 돈을 벌어 그대들을 공양할 것이다." 이렇게 해서 세 사람은 도를 닦고, 그는 돈을 벌려고 일하러 갔다. 그리고 그 돈으로 세 사람을 공양하여 수도하게 하였다.

세 비구는 수도하여 과연 과를 증득하였다. 과를 증득한 도반이 인연을 관찰해 보니, 이 호법이 삼보를 보호하여 큰 공덕이 있어 장래 국왕이 될 것을 알았다. 이 국왕은 숙세에 이러한 선근이 있고, 또한 자비심과 착한 마음이 있었으나, 그는 바른 가르침을 믿지 않고 삿된 교를 믿었다.

과를 증득한 세 도반은 곧 생각하였다. '그는 이러한 사견(邪見)을 뽑지 않으니, 어떻게 해야 할까?' 그래서 세 비구는 동시에 발원하기를, 한 분은 이 국왕의 부인이 되기를 발원하고, 두 분은 그의 아들이 되기를 발원하였다. 무엇 때문인가?

그들은 생각하였다. '사람이 영향을 받을 수 있고 쉽게 제도할 수 있는 것은 그의 아내와 자식이 되는 것이 가장 좋다. 왜냐하면 남자는 대부분 부인의 말을 잘 듣고, 아들도 부친의 마음에 영향을 줄 수 있기 때문이다. 오랫동안 가까이 지내면 반드시 그를 제도할 수 있을 것이다.' 그래서 세 도반 중 한 분은 그의 아내가 되고, 두 분은 그의 아들이 되었다. 종국에는 사견을 가진 남편 또는 부친을 제도하여 삼보를 믿게 하였으며, 또한 함께 과를 증득하였다. 이 품의 내용은 이러한 이야기다.

가. 묘장엄왕의 숙세 인연

1) 묘장엄왕의 두 아들

그때 부처님께서 모든 대중들에게 말씀하셨다.

"과거 무량무변하고 불가사의한 아승기겁을 지나서 매우 오래 전에 부처님이 계셨는데, 명호를 운뢰음수왕화지여래, 응공, 정등정각이라고 하였다. 국토의 이름은 광명장엄이고, 겁의 이름은 희견이라고 하였다. 저 부처님 법 가운데 묘장엄이라는 왕이 있었는데, 그 왕의 부인은 정덕이라고 하였으며, 두 아들이 있어 첫째는 정장이고 둘째는 정안이라고 이름하였다. 이 두 아들은 큰 신통력과 복덕과 지혜가 있었는데, 오랫동안 보살이 행할 도를 닦았기 때문이다. 이른바 보시바라밀, 지계바라밀, 인욕바라밀, 정진바라밀, 선정바라밀, 반야바라밀, 방편바라밀과 자비희사의 사무량심을 닦았으며, 나아가 37품조도법을 닦아 모두 명확히 이해하고 통달하였다. 또한 보살정삼매, 일성수삼매, 정광삼매,

정색삼매, 정조명삼매, 장장엄삼매, 대위덕장삼매를 얻었으며, 이러한 삼매에 모두 통달하였다."

爾時佛告諸大衆。乃往古世，過無量無邊不可思議阿僧祇劫，有佛名雲雷音宿王華智，多陀阿伽度阿羅訶三藐三佛陀。國名光明莊嚴，劫名喜見。彼佛法中，有王名妙莊嚴，其王夫人，名曰淨德。有二子，一名淨藏，二名淨眼。是二子有大神力，福德智慧，久修菩薩所行之道，所謂檀波羅蜜，尸羅波羅蜜，羼提波羅蜜，毘離耶波羅蜜，禪波羅蜜，般若波羅蜜，方便波羅蜜，慈悲喜捨，乃至三十七品助道法，皆悉明了通達。又得菩薩淨三昧，日星宿三昧，淨光三昧，淨色三昧，淨照明三昧，長莊嚴三昧，大威德藏三昧，於此三昧亦悉通達。

소위단바라밀(所謂檀波羅蜜) 단(檀)이란 번역하면 보시라고 한다. 보시에는 재보시, 법보시, 무외(無畏)보시가 있다. 재보시도 바로 법보시이며, 법보시도 바로 무외보시이며, 무외보시도 재보시다. 어째서 이렇게 말하는가? 너희에게 재물이 있으면 도를 수양할 수 있고 수행할 수 있다. 만약 돈이 없으면, 수행하기가 쉽지 않다. 만약 호법이 와서 도와주지 않으면, 먹을 밥이 없고 심지어 굶어 죽는다. 굶어죽으면 어떻게 수행을 할 수 있겠는가? 그래서 묘장엄왕과 같이 네 사람 가운데 한 사람이 돈을 벌어 다른 세 사람을 공양하였기 때문에 그들이 계속 수행할 수 있었던 것이다.

삼보를 공양하는 것은 재보시다. 재보시가 있기 때문에 수행을 할 수 있으니, 이것은 또한 법보시다. 공양하는 호법이 있기 때문에 굶어 죽을 두려움이 없게 된다. 그러니 이것이 어찌 무외보시가 아니겠는가? 따라서 나누면 세 종류이지만, 합하면 한 종류이다.

시라바라밀(尸羅波羅蜜)• 시라는 계(戒)라고 번역한다. 계는 성불의 어머니다. 성불하는 데는 계를 지녀야 하며, 계를 범하면 안 된다. 계를 범하는 것은 마치 배를 타고 큰 바다로 나갔을 때 배 밑에 구멍이 나 물이 새는 것과 같으니, 이 배는 바닷속으로 침몰하지 않겠는가? 따라서 계를 범하는 것은 마치 배가 바닷속으로 침몰하는 것과 같다. 너희가 계를 받았으면 반드시 지켜야 한다. 너희가 계를 지키지 않으면 물이 샌다. 그러면 무루(無漏)를 이룰 수 없다. 새면 어떻게 해야 하는가? 공덕을 많이 지어서 보충해야 한다. 혹은 돈을 내거나 힘을 쓰거나 하여, 삼보에 공덕을 지어 속죄해야 한다. 공을 세워 속죄하면 죄가 없게 된다.

찬제바라밀(羼提波羅蜜)• 찬제란 인욕을 뜻한다. 인욕하지 않으면 바라밀이 되지 못한다. 너희는 인욕을 해야 바라밀이 된다. 이 바라밀은 맛이 정말 단가? 달지 않으며, 매우 쓰고 쓰다. 그러나 쓴 것이 다 되면 즐겁고 달게 된다. 너희는 쓴맛을 맛보지 않으면 단맛을 맛볼 수 없다. 따라서 인욕바라밀은 참을 수 없는 것을 참는 것이다. 화가 나려고 할 때 너희는 인욕바라밀을 생각하여 화를 내서는 안 된다. 화를 내는 것은 마치 자기 몸에 많은 수류탄을 지니고 있는 것과 같이 언제 터질지 모른다.

비리야바라밀(毘離耶波羅蜜)• 비리야란 정진으로 번역한다. 몸도 정진하고 마음도 정진하여 게으르지 않아야 한다. 매일 경을 듣고, 시시각각 불법을 연구하고, 바른 믿음을 발하여 삼보를 바르게 민어야 한다. 너희가 불법을 배워 사용해야 할 때 잘 사용하지 못하고 모두 잊어버리면, 즉 보시도 잊고 지계도 잊고 인욕도 잊어버리면, 이것은 더욱 정진이라고 할 수 없다. 너희가 정진하지 않으면 선정이 없으며, 선정이 없으면 지혜가 생하지 않는다. 그래서 이것은 모두 서로 연대관계가 있다.

방편바라밀(方便波羅蜜)• 근기를 살펴서 가르침을 주는 것을 방편이라고 한다. 법을 설하는 것은 정해진 일정함이 없다. 어떤 사람을 만나면 그 사람에 맞는 법을 설해야 한다.

내지삼십칠품조도법(乃至三十七品助道法)• 37조도품은 바로 사념처, 사정근, 사여의족, 오근, 오력, 칠보리분, 팔정도를 말하며, 총 37품이 된다. 이것은 소승에서는 정도법(正道法)이 되고, 대승에서는 조도법이라고 칭한다. 유일한 불승(佛乘)의 원교(圓教)에서는 정도도 아니고 조도도 아니며, 그러나 정도이기도 하고 조도이기도 하다. 왜냐하면 불승은 원교로서 원융무애하기 때문이다. 원(圓)이란 바로 원만함이며, 이른바 "깨달음을 원만히 하여 얻은 바 없음으로 돌아간다.[圓滿菩提歸無所得]"라고 하는 것이다. 원융무애함이란 어떻게 말해도 도리가 있는 것이다.

우득보살정삼매(又得菩薩淨三昧) 일성수삼매(日星宿三昧) 정광삼매(淨光三昧) 정색삼매(淨色三昧) 정조명삼매(淨照明三昧) 장장엄삼매(長莊嚴三昧) 대위덕장삼매(大威德藏三昧)• 보살정삼매란 보살이 마땅히 얻어야 하는 삼매를 말한다. 정삼매는 바로 세 가지의 때(탐·진·치)가 원만히 청정한 삼매이며, 또한 견혹·사혹·진사혹이 없는 것이라고 말할 수 있다.

일성수(日星宿)삼매에서 일은 실상의 지혜[實智]를 비유하고, 성은 방편의 지혜를 비유한다. 즉 방편과 진실이 둘이 아닌 삼매를 뜻한다.

정광삼매란 본성이 청정하여 무량한 광명이 나타나는 것을 말한다.

정색삼매란 본성이 청정하여 일체의 색신이 나타나는 것을 말한다.

정조명삼매란 자성의 광명이 무량한 삼천대천세계를 두루 비추며, 광명의 자성이 제법을 비추어 깨달아 나오는 삼매를 뜻한다.

장장엄삼매란 부처의 장엄으로 자신을 장엄하는 것을 뜻한다.

대위덕삼매란 십력(十力)의 위덕을 말한다.

2) 두 아들의 아버지 교화

"그때 저 부처님께서는 묘장엄왕을 인도하고, 아울러 중생을 불쌍히 여기시는 까닭으로 이 법화경을 설하셨다. 이때 정장과 정안 두 아들은 그의 모친이 계신 곳으로 가서 합장하고 말하였다.

'어머니께서는 운뢰음수왕화지불의 도량에 가시기 바랍니다. 저희도 마땅히 어머니를 모시고 그곳에 가서 저 부처님을 친근하고 공양하며 예배하려고 합니다. 무슨 까닭인가? 저 부처님께서는 모든 천인과 인간의 대중 가운데서 법화경을 설하시니, 마땅히 가서 들어야 하기 때문입니다.'

모친이 아들들에게 말하였다. '너희 부친은 외도를 믿고 바라문교에 깊이 집착하고 있으니, 너희는 마땅히 아버지에게 가서 말씀드리고, 함께 부처님 도량에 가도록 하자.'

정장과 정안은 합장하고 모친에게 말하였다. '저희는 법왕자로서 이 사견의 집에 태어났습니다.'
모친이 아들들에게 말하였다. '너희는 마땅히 너희 아버지를 염려하여 신통변화를 나타내어라. 만약 그것을 보게 되면 너희 아버지의 마음이 반드시 청정해져서 아마도 우리의 말을 듣고 부처님의 도량에 가려고 할 것이다.'"
爾時, 彼佛欲引導妙莊嚴王, 及愍念衆生故, 說是法華經。時淨藏淨眼二子, 到其母所, 合十指爪掌白言。願母往詣雲雷音宿王華智佛所, 我等亦當侍從親近供養禮拜, 所以者何。此佛於一切天人衆中, 說法華經, 宜應聽受。母告子言。汝父信受外道, 深著婆羅門法, 汝等應往白父, 與共俱去。淨藏, 淨眼合十指爪掌白母。我等是法王子, 而生此邪見家。母告子言。汝等當憂念汝父, 爲現神變, 若得見者, 心必淸淨, 或聽我等, 往至佛所。

"그리하여 두 아들은 그의 아버지를 생각하는 까닭으로, 허공으로 일곱 그루 다라수 높이로 솟아올라 갖가지 신통변화를 나타내었다. 허공에서 걷고 머물고 앉고 누우며, 몸 위로 물을 내고 몸 아래로 불을 내었으며, 몸 아래로 물을 내고 몸 위로 불을 내기도 하였다. 혹은 허공에 가득한 큰 몸을 나타내고 다시 작은 몸으로 변하였으며, 작은 몸을 다시 큰 몸으로 나타내었다. 허공에서 없어졌다가 갑자기 땅에 나타나기도 하고, 땅속에 들어가기를 마치 물속에 들어가듯이 하였으며, 물위를 걷는 것을 마치 땅위를 걷는 것처럼 하는, 이와 같은 갖가지 신통변화를 나타내서 그의 부왕의 마음을 청정하게 하여 불법을 믿고 이해하도록 하였다."
於是二子念其父故, 踊在虛空, 高七多羅樹, 現種種神變。於虛空中, 行住坐臥, 身上出水, 身下出火, 身下出水, 身上出火。或現大身滿虛空中, 而復現小, 小復現大。於空中滅, 忽然在地, 入地如水, 履水如地。現如是等種種神變, 令其父王心淨信解。

3) 묘장엄왕의 불법 신해(信解)

가) 두 아들의 신통변화를 보고 불법을 믿다

이때 부왕은 두 아들의 신통력이 이와 같음을 보고 마음으로 크게 기뻐하며 이전에 보지 못한 것을 얻어서 합장하고 아들에게 말하였다. "너희의 스승은 누구이며, 그대들은 누구의 제자인가?"
두 아들이 말하였다. "대왕이시여! 저 운뢰음수왕화지불은 지금 칠보의 보리수 아래 법좌에 앉아서 모든 세간의 천인과 인간의 대중 가운데서 법화경을 널리 설하고 계십니다. 그분이 저희의 스승이시며, 저희는 제자입니다."
부친이 아들에게 말하였다. "나는 지금 너희의 스승을 만나 뵙고 싶으니, 함께 가도록 하자."
그래서 두 아들은 허공에서 아래로 내려와 그의 어머니 계신 곳에 이르러 합장하고 말하였다. "부왕께서는 이제 이미 믿고 이해하셔서 무상정등정각의 마음을 감당하여 발할 수 있게 되었습니다. 저희는 부친을 위해 이미 큰 불사를 지었으니, 어머니께서는 저희가 저 부처님 도량에서 출가하여 도를 닦을 수 있도록 허락하여 주시기 바랍니다."
이때 두 아들은 그러한 뜻을 거듭 밝히려고 게송으로 모친에게 말하였다.

원하오니, 어머니는 저희들을 놓아
출가하여 사문이 되게 허락하소서.
제불은 매우 만나기 어려우니
저희는 부처님 따라 배우겠습니다.
마치 우담바라 꽃과 같이
부처님 만나는 것은 더욱 어려우며
모든 어려움 벗어나는 것도 어려우니
저희가 출가하는 것을 허락하소서.

時父見子神力如是, 心大歡喜, 得未曾有, 合掌向子言。汝等師爲是誰, 誰之弟子。二子白言。大王。彼雲雷音宿王華智佛, 今在七寶菩提樹下, 法座上坐, 於一切世間天人衆中, 廣說法華經, 是我等師, 我是弟子。父語子言。我今亦欲見汝等師, 可共俱往。於是二子從空中下, 到其母所, 合掌白母。父王今已信解, 堪任發阿耨多羅三藐三菩提心。我等爲父已作佛事, 願母見聽, 於彼佛所, 出家修道。爾時二子欲重宣其意, 以偈白母。

願母放我等　出家作沙門　諸佛甚難値　我等隨佛學
如優曇鉢華　値佛復難是　脫諸難亦難　願聽我出家

나) 두 아들의 출가

모친은 즉시 말하였다. "너희의 출가를 허락한다. 무엇 때문인가? 부처님은 만나기 어렵기 때문이다."
그래서 두 아들은 부모에게 말하였다. "정말 좋습니다. 부모님! 지금 우리와 함께 운뢰음수왕화지불이 계신 곳으로 가서 부처님을 친근하고 공양하시기 바랍니다. 무엇 때문인가 하면, 마치 우담바라 꽃이 피는 것과 같으며, 또 눈이 하나뿐인 거북이가 바다에 떠다니는 나무의 구멍을 만나는 것처럼 부처님은 만나기 어렵기 때문입니다. 저희는 숙세의 심은 복이 깊고 두터워서 금생에 불법을 만나게 되었습니다. 그래서 부모님은 저희가 출가하도록 허락하셨습니다. 무엇 때문인가 하면, 모든 부처님은 만나기 어렵고 그 시기도 만나기 어렵기 때문입니다."

母卽告言。聽汝出家, 所以者何。佛難値故。於是二子白父母言。善哉父母。願時往詣雲雷音宿王華智佛所, 親近供養, 所以者何。佛難得値, 如優曇鉢羅華, 又如一眼之龜値浮木孔, 而我等宿福深厚, 生値佛法, 是故父母當聽我等, 令得出家。所以者何。諸佛難値, 時亦難遇。

다) 두 아들과 어머니의 수행 성취

그때 묘장엄왕의 팔만사천 명의 후궁들은 모두 이 법화경을 수지할 수 있었고, 정안보살은 법화삼매에 이미 통달하였으며, 정장보살은 이미 무량한 백천만억 겁 동안 일체중생을 모든 악도에서 떠나게 하려는 까닭으로 이제악취(離諸惡趣)삼매를 통달하였으며, 그 왕의 부인은 제불집(諸佛集)삼매를 얻어 제불의 비밀한 법장을 알 수 있었다. 두 아들은 이와 같은 방편력으로 그의 부친을 잘 교화하여 불법을 믿고 이해하며 좋아하게 하였다.

彼時妙莊嚴王後宮八萬四千人, 皆悉堪任受持是法華經。淨眼菩薩於法華三昧久已通達˙。淨藏菩薩已於無量百千萬億劫, 通達離諸惡趣三昧˙, 欲令一切衆生離諸惡趣故。其王夫人得諸佛集三昧˙, 能知諸佛祕密之藏。二子如是以方便力, 善化其父, 令心信解, 好樂佛法。

정안보살어법화삼매구이통달(淨眼菩薩於法華三昧久已通達)• 법화삼매란 권실불이(權實不二: 방편과 실상이 둘이 아닌) 법문이다.

통달이제악취삼매(通達離諸惡趣三昧)• 이제악취삼매란 일체의 색신을 나타내어 일체중생으로 하여금 지옥, 아귀, 축생의 삼악도를 떠나게 할 수 있는 삼매를 뜻한다.

기왕부인득제불집삼매(其王夫人得諸佛集三昧)• 제불집삼매에 들어가면 제불이 현전하여 삼매 중에서 그녀에게 법을 설하며, 그래서 부인은 제불의 비밀리에 전하지 않은 묘법을 모두 이해할 수 있다.

4) 왕의 부처님 공양

그리하여 묘장엄왕은 여러 신하와 권속들과 함께, 그리고 정덕부인은 후궁, 궁녀, 권속들과 함께, 그리고 왕의 두 아들은 사만이천 명의 사람들과 함께 일시에 모두 부처님 계신 곳에 이르렀다. 도착한 후 부처님 발에 엎드려 예배하고 부처님을 세 바퀴 돈 다음 한쪽에 머물렀다.
그때 저 부처님께서는 왕을 위해 법을 설하고 가르치며 교화하여 왕을 이롭게 하고 기쁘게 하였으니, 왕은 크게 즐거워하였다. 그때 묘장엄왕과 부인은 목에 걸고 있던 백천 냥의 가치가 있는 진주 영락을 풀어 부처님 위에 뿌리니, 허공 중에서 네 기둥의 보대로 변화하였고, 보대 가운데에 백천만의 천상옷이 깔린 큰 보배상이 있었으며, 그 위에 부처님께서 결가부좌로 앉으셔서 큰 광명을 놓으셨다.

그때 묘장엄왕은 이렇게 생각하였다. '부처님의 몸은 희유하고 단엄하며 매우 특별하여 제일의 미묘한 색신을 성취하셨구나.'

於是妙莊嚴王與群臣眷屬俱, 淨德夫人與後宮婇女眷屬俱, 其王二子與四萬二千人俱, 一時共詣佛所。到已頭面禮足, 繞佛三匝, 卻住一面。爾時彼佛爲王說法, 示敎利喜, 王大歡悅。爾時妙莊嚴王及其夫人, 解頸眞珠瓔珞, 價直百千, 以散佛上, 於虛空中, 化成四柱寶臺•, 臺中有大寶床, 敷百千萬天衣, 其上有佛, 結跏趺坐, 放大光明。爾時妙莊嚴王作是念。佛身希有, 端嚴殊特, 成就第一微妙之色。

화성사주보대(化成四柱寶臺)• 네 기둥의 보대로 변하였는데, 왜 네 기둥인가? 이것은 사홍서원(四弘誓願)이 있기 때문이다. 즉 중생무변서원도(衆生無邊誓願度), 번뇌무진서원단(煩惱無盡誓願斷), 법문무량서원학(法門無量誓願學), 불도무상서원성(佛道無上誓願成)을 말한다. 이 사홍서원으로 말미암아 네 기둥의 보대로 변한 것이다.

5) 왕이 수기를 받다

그때 운뢰음수왕화지불께서 사부대중에게 말씀하셨다. "그대들은 내 앞에서 합장하고 서 있는 이 묘장엄왕을 보는가? 이 왕은 나의 불법 가운데서 비구가 되어 부지런히 정진하고 수습(修習)하여 부처님을 도와 불법을 홍양하고, 장래에 부처가 될 것이다. 그 부처의 명호는 사라수왕이고, 국토의 이름은 대광이며, 겁의 이름은 대고왕이라고 할 것이다. 그 사라수왕불에게는 무량한 보살과 무량한 성문대중이 있을 것이며, 그 국토는 평평하고 바르며, 얻게 되는 공덕은 이와 같을 것이다."
時雲雷音宿王華智佛, 告四衆言。汝等見是妙莊嚴王, 於我前合掌立不。此王於我法中作比丘, 精勤修習助佛道法, 當得作佛, 號娑羅樹王, 國名大光, 劫名大高王。其娑羅樹王佛, 有無量菩薩衆及無量聲聞, 其國平正, 功德如是。

6) 왕의 출가와 수행 성취

그 왕은 즉시 나라를 동생에게 넘겨주고 부인과 두 아들, 아울러 모든 권속들과 함께 불법 가운데서 출가하여 도를 닦았다. 왕은 출가한 후 팔만사천 년 동안 항상 부지런히 정진하고 묘법연화경의 가르침을 따라 수행하였으며, 그런 연후에 일체정공덕장엄삼매를 얻고, 즉시 일곱 다라수 나무 높이로 허공에 올라가 부처님께 말하였다.
"세존이시여! 저의 이 두 아들은 이미 불사를 지어 신통변화로써 저의 삿된 마음을 돌려 불법 가운데 편안히 머물게 하고, 세존을 뵙도록 하였습니다. 이 두 아들은 저의 선지식이며, 그들은 숙세의 선근을 일으키고, 저를 이롭게 하기 위하여 저의 집에 태어났던 것입니다."
其王卽時以國付弟, 與夫人二子, 並諸眷屬, 於佛法中, 出家修道。王出家已, 於八萬四千歲, 常勤精進, 修行妙法華經, 過是已後, 得一切淨功德莊嚴三昧。卽昇虛空, 高七多羅樹, 而白佛言。世尊。此我二子, 已作佛事, 以神通變化, 轉我邪心, 令得安住於佛法中, 得見世尊。此二子者, 是我善知識, 爲欲發起宿世善根, 饒益我故, 來生我家。

그때 운뢰음수왕화지불께서 묘장엄왕에게 말씀하셨다. "그렇고, 그렇다. 그대의 말과 같다. 선남자 선여인은 선근을 심은 까닭으로 세세생생 선지식을 만날 수 있으며, 그 선지식은 불사를 지어 중생을 가르치고 교화하고 이롭고 기쁘게 하여 무상정등정각에 들어가게 한다.
대왕이여, 응당 알아야 한다. 선지식은 큰 인연으로서 중생을 교화하고 인도하여 부처님을 뵙게 하고, 무상정등정각의 마음을 발하게 한다. 대왕이여, 그대는 이 두 아들을 보는가? 이 두 아들은 이미 일찍이 육십오백천만억 나유타 항하사수의 제불을 공양하며 친근하고 공경하였으며, 제불의 도량에서 법화경을 수지하였고, 사견의 중생을 불쌍히 여겨 정견에 머물게 하였다."

爾時雲雷音宿王華智佛, 告妙莊嚴王言。如是, 如是。如汝所言。若善男子, 善女人, 種善根故, 世世得善知識, 其善知識能作佛事, 示教利喜, 令入阿耨多羅三藐三菩提。大王當知。善知識者, 是大因緣, 所以化導, 令得見佛, 發阿耨多羅三藐三菩提心。大王。汝見此二子不。此二子已曾供養六十五百千萬億那由他恒河沙諸佛, 親近恭敬, 於諸佛所, 受持法華經, 愍念邪見衆生, 令住正見。

7) 왕의 부처님 찬탄과 서원

묘장엄왕은 즉시 허공에서 내려와 부처님께 말하였다. "세존이시여! 여래는 매우 희유하십니다. 공덕과 지혜를 갖추신 까닭으로 정수리의 육계에서 광명이 밝게 비치고, 눈은 길고 넓으며 감청색이고, 미간의 백호상은 보름달처럼 희며, 치아는 희고 가지런하고 소밀하며 항상 빛이 나고, 입술은 빈바의 열매와 같이 붉습니다."

그때 묘장엄왕이 부처님의 이와 같이 무량한 백천만억의 공덕을 찬탄한 후 여래의 앞에서 일심으로 합장하고 다시 부처님께 말하였다. "세존이시여! 정말로 이전에는 없었던 일입니다. 여래의 법은 불가사의하고 미묘한 공덕을 원만하게 갖추고 성취하셔서, 중생을 교화하고 행할 바를 가르쳐 그들을 안온하고 즐겁게 하십니다. 저는 오늘부터 다시는 마음이 가는 대로 함부로 행동하지 않고, 사견 · 교만 · 분노와 모든 악한 마음을 내지 않겠습니다." 이러한 말을 한 후 부처님께 절하고 물러났다.

妙莊嚴王卽從虛空中下, 而白佛言。世尊。如來甚希有, 以功德智慧故, 頂上肉髻光明顯照, 其眼長廣而紺青色, 眉間毫相, 白如珂月。齒白齊密, 常有光明, 脣色赤好, 如頻婆果。爾時妙莊嚴王讚歎佛如是等無量百千萬億功德已, 於如來前, 一心合掌, 復白佛言。世尊。未曾有也。如來之法, 具足成就不可思議微妙功德, 教戒所行, 安隱快善。我從今日, 不復自隨心行, 不生邪見, 憍慢, 瞋恚, 諸惡之心。說是語已, 禮佛而出。

나. 묘장엄왕 가족의 인연

석가모니 부처님께서 대중에게 말씀하셨다. "그대들의 생각은 어떠한가? 묘장엄왕이 어찌 다른 사람이겠는가? 그는 지금의 화덕보살이며, 그의 정덕부인은 지금 부처님 앞에 있는 광조장엄상보살이며, 그는 묘장엄왕과 모든 권속을 불쌍히 여긴 까닭으로 그곳에 태어났다.

그의 두 아들은 지금의 약왕보살과 약상보살이다. 이 약왕보살과 약상보살은 이와 같이 많은 큰 공덕을 성취하여 이미 무량한 백천만억 제불의 도량에서 많은 덕의 근본을 심고, 불가사의한 많은 선의 공덕을 성취하였다. 만약 이 두 보살의 이름을 아는 사람이 있으면, 일체 세간의 천인과 인간은 마땅히 그 사람에게 예배해야 할 것이다."

佛告大衆。於意云何。妙莊嚴王豈異人乎。今華德菩薩是。其淨德夫人, 今佛前光照莊嚴相菩薩是, 哀愍妙莊嚴王, 及諸眷屬故, 於彼中生。其二子者, 今藥王菩薩, 藥上菩薩是。是藥王, 藥上菩薩, 成就如此諸大功德, 已於無量百千萬億諸佛所, 植衆德本, 成就不可思議諸善功德。若有人識是二菩薩名字者, 一切世間諸天人民, 亦應禮拜。

다. 「묘장엄왕본사품」을 들은 이익

부처님께서 묘장엄왕본사품을 설하실 때 팔만사천의 사람들이 번뇌를 멀리 떠나고, 제법의 가운데서 법안의 청정함을 얻었다.

佛說是妙莊嚴王本事品時, 八萬四千人遠塵離垢, 於諸法中, 得法眼淨。

二十八

보현보살권발품
(普賢菩薩勸發品)

보현보살의 『법화경』 수행 권유

보현은 범문으로 삼만타바드라(Samantabhadra)이다. 삼만타는 보(普)이고 바드라는 현(賢)이다. 또 변길(遍吉)이라고도 번역한다. 보현보살의 과위는 이미 부처에 근접하였다. 단지 부처와 약간의 차이가 있을 뿐이다. 마치 음력 14일 밤의 달과 같이, 보름달과는 조금의 차이가 있을 따름이다.

모든 보살 가운데 보현보살은 지위가 가장 높은 보살 중 하나이다. 대비관세음보살, 대원지장보살, 대지문수사리보살, 대행보현보살이 4대 보살로서 석가모니 부처님의 불법을 옹호한다. 법화회상에서 보현보살은 가장 마지막으로 나와 법회의 대중들에게 말하면서 보리심 발할 것을 권하고, 『법화경』을 수지, 독송, 해설, 서사할 것을 권한다.

보현보살은 대행(大行)으로서 수행하는 행문이 가장 크며, 아울러 10대 원왕을 발하였기 때문에 그의 신분과 지위로써 일체중생에게 보리심을 발하고 『법화경』을 옹호할 것을 권하시므로, 일체의 대중들은 모두 보현보살의 말씀을 믿고 보리심을 발할 것이다. 따라서 이 품을 「보현보살권발품」이라고 칭한다.

가. 보현보살의 『법화경』 수행 권유

1) 보현보살의 『법화경』 수지

그때 보현보살은 자재한 신통력으로써 위덕과 명성이 있었고, 무량무변한 셀 수 없을 정도의 수많은 대보살과 더불어 동방으로부터 오는데,

지나오는 모든 국토는 널리 모두 진동하고 하늘에서 보배 연꽃이 내렸으며, 무량한 백천만억의 갖가지 기악이 연주되었다. 또한 무수한 천인, 용, 야차, 건달바, 아수라, 가루라, 긴나라, 마후라가, 사람과 사람 아닌 중생 등과 함께 대중들이 보현보살을 둘러싸고 각각 위덕과 신통의 힘을 나타내었다. 사바세계의 기사굴산에 이르러 오체투지로 석가모니불에게 예배하고 오른쪽으로 일곱 번을 돌았다.

爾時普賢菩薩以自在神通力, 威德名聞•, 與大菩薩無量無邊不可稱數, 從東方來•, 所經諸國, 普皆震動, 雨寶蓮華, 作無量百千萬億種種伎樂。又與無數諸天龍·夜叉·乾闥婆·阿修羅·迦樓羅·緊那羅·摩睺羅伽·人非人等, 大衆圍繞, 各現威德神通之力。到娑婆世界, 耆闍崛山中, 頭面禮釋迦牟尼佛, 右繞七匝•。

이시보현보살이자재신통력(爾時普賢菩薩以自在神通力) 위덕명문(威德名聞)• 자재함은 이(理)에 속하고, 신통은 행(行)에 속한다. 수행을 해야 비로소 신통을 얻을 수 있으며, 만약 수행하지 않으면 신통을 얻을 수 없다. 위덕은 사람[人]에 속하고, 명성은 가르침[教]에 속한다. 교는 중생을 교화하는 것이다. 이것이 이치, 수행, 교화이며, 다시 사람이 더해졌다. 7일 염불정진[佛七] 후 회향할 때 염송하는 "일심정례서방안락토(一心頂禮西方安樂土) 교행리삼경(教行理三經) 급의정선양(及依正宣揚) 변법계존법(遍法界尊法)"의 교행리가 바로 이것이다.

여대보살무량무변불가칭수(與大菩薩無量無邊不可稱數) 종동방래(從東方來)• 『화엄경』에서 설하시기를 보현보살은 "진리에 의지하여 국토가 아닌 곳에 머문다.[依眞而住非國土]"라고 하였는데, 지금 어째서 또 동방의 국토에서 온다고 말하는가? 이 국토도 바로 진리이며, 진리도 또한 국토이다. 국토를 진리와 다르다고 여기면 안 된다. 불법을 배움에 있어서 반드시 원융하게 관통하여 이해해야 할 것이다.

우요칠잡(右繞七匝)• 일곱 번을 돈 것은 칠보리분(七菩提分)을 나타낸다.

그리고 부처님께 말하였다. "세존이시여! 저는 보위덕상왕불의 국토에서 멀리 이 사바세계에서 『법화경』을 설하시는 것을 듣고, 무량무변한 백천만억의 수많은 보살들과 함께 경을 듣고 수지하려고 왔으니, 세존께서는 저희를 위하여 법화경을 설해 주시기 바랍니다. 만약 선남자 선여인이 여래께서 열반에 드신 후 어떻게 하면 이 법화경을 얻을 수 있겠습니까?"
白佛言。世尊。我於寶威德上王佛國, 遙聞此娑婆世界說法華經, 與無量無邊百千萬億諸菩薩衆, 共來聽受, 唯願世尊當爲說之。若善男子, 善女人, 於如來滅後, 云何能得是法華經。

2) 『법화경』을 얻을 수 있는 네 가지 법

부처님께서 보현보살에게 말씀하셨다. "만약 선남자 선여인이 네 가지 법을 성취하면, 여래가 열반에 든 후 마땅히 이 법화경을 얻을 수 있을 것이다. 첫째, 제불의 호념을 얻는다. 둘째, 많은 덕의 근본을 심는다. 셋째, 정정취에 들어간다. 넷째, 일체중생을 구하려는 마음을 발한다.

선남자 선여인이 이러한 네 가지의 법을 성취한다면, 여래가 열반에 든 후 반드시 이 경을 얻을 것이다."

佛告普賢菩薩。若善男子，善女人，成就四法•，於如來滅後，當得是法華經。一者，爲諸佛護念。二者，植衆德本。三者，入正定聚。四者，發救一切衆生之心。善男子，善女人，如是成就四法，於如來滅後，必得是經。

성취사법(成就四法)• 이 네 가지의 법은 순서대로 열반의 네 가지 덕[涅槃四德]인 상(常)·락(樂)·아(我)·정(淨)을 나타낸다. 이 네 가지 법은 또한 '네 가지 안락행[四安樂行: 身, 口, 意, 誓願]', 즉 앞의 「안락행품」의 네 가지 안락행이라고 말할 수 있다.

또한 제불호념(諸佛護念)과 입정정취(入正定聚)는 "여래의 옷을 입는[着如來衣]" 것이고, 식중덕본(植衆德本)은 "여래의 자리에 앉는[坐如來座]" 것이며, 발구일체중생지심(發救一切衆生之心)은 "여래의 방에 들어가는[入如來室]" 것이라고 말할 수 있다.

그리고 제불호념은 바로 부처의 지견을 여는[開] 것이며, 식중덕본은 부처의 지견을 보이는[示] 것이고, 입정정취는 부처의 지견에 들어가는[入] 것이며, 일체중생을 제도하는 것은 부처의 지견을 깨닫는[悟] 것이다.

3) 『법화경』 수지자에 대한 보호 발원

그때 보현보살이 부처님께 말하였다. "세존이시여! 후오백세 오탁의 악세에서 이 경전을 수지하는 사람이 있으면, 저는 마땅히 그를 수호하여 걱정과 재난을 없애고 안온함을 얻게 할 것이며, 모든 마귀들이 그의 단점을 찾아 괴롭게 하려고 해도 그 기회를 찾지 못하도록 하겠습니다. 마와 마의 자식, 마녀, 마의 백성, 마귀가 몸에 붙은 자이거나, 야차, 나찰, 구반다, 비사사, 길차, 부단나, 위타라 등 사람을 괴롭히는 모든 마귀들이 그 기회를 얻지 못하도록 하겠습니다."

爾時普賢菩薩白佛言。世尊, 於後五百歲濁惡世中•, 其有受持是經典者, 我當守護, 除其衰患, 令得安隱, 使無伺求, 得其便者。若魔, 若魔子, 若魔女, 若魔民, 若爲魔所著者•, 若夜叉, 若羅刹, 若鳩槃茶, 若毘舍闍,若吉遮, 若富單那, 若韋陀羅等•, 諸惱人者, 皆不得便。

어후오백세탁악세중(於後五百歲濁惡世中)• 불법은 후오백세 때 오탁악세가 된다. 오탁이란 겁탁(刦濁), 견탁(見濁), 번뇌탁(煩惱濁), 중생탁(衆生濁), 명탁(命濁)을 말한다.

부처님 열반 후 첫 번째 오백 년은 해탈이 견고한 시기로서, 사람마다 수행할 줄을 알아 해탈을 얻을 수 있다. 두 번째 오백 년은 선정이 견고한 시기로서, 사람마다 선정을 닦는다. 세 번째 오백 년은 사원을 조성하는 것이 견고한 시기로서, 사람마다 절을 짓고 탑을 세운다. 네 번째 오백 년은 다문(多聞)이 견고한 시기로서, 사람마다 앞다투어 많이 들으려고 하며, 경을 많이 알수록 좋다고 생각한다. 그러나 이해만 하고 수행을 중시하지는 않는다. 다섯 번째 오백 년은 지금의 시기로서, 투쟁이 견고한 시기이다. 단지 투쟁하는 것만 알고 수행할 줄을 모른다.

약위마소착자(若爲魔所著者)• 마귀가 몸에 붙은 사람을 말한다. 만약 마귀가 그의 몸에 붙으면, 그는 힘써 마의 일을 하려고 한다.

소귀신, 뱀귀신 등 삿된 귀신, 방문외도, 천마 등이 사람의 몸에 붙어서 마음을 흐리게 미혹시켜 아무것도 모르게 하니, 그는 마귀가 시키는 대로 하게 된다. 마귀에는 많은 종류가 있으며, 신통을 가지고 있다. 이것을 위마소착(爲魔所著)이라고 한다.

위타라(韋陀羅)• 이것은 일종의 염도귀(魘禱鬼)다. 어떤 외도는 이 귀신을 이용하여 어떤 사람을 병들게 하거나 무서운 경계가 보이게 한다. 그런 연후 그가 가서 그 사람을 속여 말을 듣게 한다. 삿된 술사는 이런 귀신을 이용하여 힘써 정당하지 못한 삿된 법을 저지른다.

"이 사람이 만약 걸어가면서 혹은 서서 이 경을 독송하면, 저는 그때 상아가 여섯 개인 흰 코끼리왕을 타고 대보살들과 함께 그곳에 이르러 스스로 몸을 나타내어 제불을 공양하고 그를 수호하여 그의 마음을 안위할 것이니, 이것은 또한 법화경을 공양하기 위한 까닭입니다.
이 사람이 만약 앉아서 이 경을 사유한다면, 그때 저는 다시 흰 코끼리왕을 타고 그 사람의 앞에 나타날 것이며, 그 사람이 만약 법화경에서 한 구절 혹은 한 게송을 잊어버린 것이 있으면, 저는 마땅히 그를 가르쳐 함께 독송하면서 다시 생각이 나게 하여 통달하고 유창하게 할 것입니다. 그때 법화경을 수지하고 독송하는 자는 저의 몸을 보고 매우 기뻐할 것이며, 다시 더욱 정진할 것입니다. 저의 몸을 본 까닭으로 즉시 삼매와 다라니를 얻을 것이며, 이 다라니의 이름은 선(旋)다라니, 백천만억의 선다라니, 법음방편다라니라고 하며, 이러한 많은 다라니를 얻을 것입니다."

是人若行若立, 讀誦此經, 我爾時乘六牙白象王•, 與大菩薩衆, 俱詣其所，而自現身，供養守護，安慰其心，亦爲供養法華經故。是人若坐，思惟此經，爾時我復乘白象王，現其人前，其人若於法華經，有所忘失一句一偈，我當敎之，與共讀誦，還令通利。爾時受持讀誦法華經者，得見我身，甚大歡喜，轉復精進，以見我故，卽得三昧及陀羅尼，名爲旋陀羅尼，百千萬億旋陀羅尼，法音方便陀羅尼，得如是等陀羅尼。

아이시승육아백상왕(我爾時乘六牙白象王)• 여섯 상아는 육바라밀을 비유하며, 백상왕은 대승법(大乘法)을 비유한다.

4)『법화경』수행 정진과 다라니

"세존이시여, 만약 미래의 후오백세 오탁악세 가운데서 비구, 비구니, 청신사, 청신녀가 법화경을 이해하려는 자, 수지하는 자, 독송하는 자, 서사하는 자가 이 법화경을 닦고 익히려면, 21일 동안 마땅히 일심으로 정진해야 할 것입니다. 21일 동안 다 수습한 후 저는 여섯 상아의 흰 코끼리왕을 타고 무량한 보살들이 둘러싸고 와서, 일체중생이 보기 좋아하는 몸으로 그 사람의 앞에 나타나 그에게 법을 설하여 보이고 가르쳐서 그를 이롭고 기쁘게 할 것이며, 또한 다시 그에게 다라니 신주를 주겠습니다.

이 다라니를 얻은 까닭으로 그를 파괴할 수 있는 비인(非人)은 없을 것이며, 또한 여인에게 미혹되거나 어지럽게 되지 않을 것이며, 저의 몸도 스스로 이 사람을 항상 보호할 것입니다. 세존께서는 제가 이 다라니 신주를 설하도록 허락해 주시기 바랍니다."

世尊。若後世後五百歲濁惡世中, 比丘·比丘尼·優婆塞·優婆夷, 求索者, 受持者, 讀誦者, 書寫者, 欲修習是法華經, 於三七日中, 應一心精進•, 滿三七日已, 我當乘六牙白象, 與無量菩薩而自圍繞, 以一切衆生所喜見身, 現其人前, 而爲說法, 示教利喜。亦復與其陀羅尼呪, 得是陀羅尼故, 無有非人能破壞者•, 亦不爲女人之所惑亂, 我身亦自常護是人。唯願世尊。聽我說此陀羅尼呪。

어삼칠일중(於三七日中) 응일심정진(應一心精進)• 왜 21일인가? 왜냐하면 우리 사람의 성품, 마음, 신체는 7일 만에 하나의 작은 변화가 생기기 때문이다. 2주 14일이 지나면 중간의 변화가 생기고, 3주 21일이 지나면 큰 변화가 생긴다. 어떻게 변하는가? 이전에 본래 어두운 것이 지금은 광명으로 변하였다. 1주가 지나면 작은 광명으로 변할 수 있으며, 2주가 지나면 중등의 광명으로 변하고, 3주가 지나면 큰 광명으로 변한다. 너희가 만약 3주간 『법화경』을 지성으로 간절하게 지송하면 큰 감응을 얻을 수 있다.

◉ 이전에 이러한 법사가 있었다. 그는 발심하여 『법화경』을 사경하였다. 무엇으로 사경하였는가 하면 자기의 피로 사경했다. 그 스님이 『법화경』을 모두 다 사경한 후 연못에 가서 붓을 씻는데 연못 안에 많은 연꽃이 생겼다. 본래 그 연못에는 아직 얼음이 녹지 않고 있었는데, 얼음도 연꽃 모양으로 변하였다. 이러한 불가사의한 경계가 있었다.

그리고 낭연(朗然) 법사는 매일 『법화경』을 염송하였다. 그의 모친에게 회향하기 위하여 염송한 것이다. 그의 절에 한 마리의 소가 있었는데 어느 날 갑자기 죽었다. 그날 밤 이 소가 그의 꿈에 나타나 말하였다. "나는 너의 모친이다. 세상에 살 때 삿된 지견으로 삼보를 믿지 않았기 때문에 죽은 후 떨어져 소가 되었다. 지금 네가 나를 위하여 『법화경』을 경건하게 염송하여 나는 이익을 얻게 되었다. 그래서 나의 이 소의 업보도 끝나서 장래 나는 다시 이웃에 사람으로 태어날 것이다. 지금 내가 너의 『법화경』의 염송으로 이점을 얻었다고 알리는 것이다."

이러한 갖가지의 사례는 매우 많다. 만약 병이 있는 사람이 『법화경』을 염송하면, 병도 좋아질 것이다. 염송할 수 없으면 어떻게 하는가? 너희는 배우면 된다. 따라서 『법화경』의 이러한 묘한 점은 불가사의한 것이다. 그러므로 21일간 너희가 만약 성심으로 『법화경』을 염송하면, 『법화경』뿐만 아니라 다른 경전, 혹은 다라니, 주를 염송해도 된다. 그러므로 우리가 선칠을 하는[打禪七] 것은 7을 때리기 위함이다. 타칠(打七)은 제7식을 때려죽이는 것이다. 제7식을 죽이면 제8식이 살아나므로 타칠을 하려는 것이다.

무유비인능파괴자(無有非人能破壞者)• 다라니 신주를 얻은 까닭으로 일체의 마왕, 사람 아닌 중생[非人], 즉 삿된 귀신들이 『법화경』을 수지하는 사람을 파괴할 수 없다.

그러고는 즉시 부처님 앞에서 주를 설하였다.
"아단지 단다파지 단다바제 단다구사례 단다수다례 수다례 수다라파저 불타파전네 살바다라니아바다니 살바바사아바다니 수아바다니 승가파리차니 승가열가타니 아승기 승가바가지 제례아타승가두락아나제파나제 살바승가삼마지가난지 살바달마수파리찰제 살바살타루타

교사략아누가지 신아비길리지제."
卽於佛前 而說呪曰。

阿檀地(一)檀陀婆地(二)檀陀婆帝(三)檀陀鳩舍隷(四)檀陀修陀隷(五)修陀隷(六)修陀羅婆底(七)佛馱波羶禰(八)薩婆陀羅尼阿婆多尼(九)薩婆婆沙阿婆多尼(十)修阿婆多尼(十一)僧伽婆履叉尼(十二)僧伽涅伽陀尼(十三)阿僧祇(十四)僧伽波伽地(十五)帝隷阿惰僧伽兜略阿羅帝婆羅帝(十六)薩婆僧伽三摩地伽蘭地(十七)薩婆達磨修波利刹帝(十八)薩婆薩埵樓馱憍舍略阿㝹伽地(十九)辛阿毘吉利地帝(二十)

"세존이시여! 만약 어떤 보살이 이 다라니를 듣게 된다면, 이것은 보현보살의 신통의 힘으로 성취한 것이라고 알아야 합니다. 그리고 만약 법화경이 염부제에서 유통되어 수지하는 자가 있다면, 이것은 모두 보현보살의 위신력으로 성취된 것이라고 생각해야 합니다."
世尊。若有菩薩得聞是陀羅尼者, 當知普賢神通之力。若法華經行閻浮提, 有受持者, 應作此念, 皆是普賢威神之力。

5) 법화행자의 수승한 공덕

"만약 이 경을 수지하고 독송하며 바르게 억념하고, 경의 도리를 이해하고 설한 가르침대로 수행한다면, 이 사람은 보현보살의 행을 수행하는 사람으로서 무량무변한 제불의 처소에서 선근을 깊이 심었으며, 제불께서 손으로 그에게 마정(摩頂)을 해 주실 것을 알아야 압니다."

若有受持讀誦, 正憶念, 解其義趣, 如說修行。當知是人行普賢行, 於無量無邊諸佛所, 深種善根, 爲諸如來手摩其頭。

"만약 단지 서사만 해도 이 사람은 목숨을 마치고 응당 도리천에 태어날 것이며, 이때 팔만사천의 천녀가 갖가지의 기악을 연주하며 그를 맞이할 것이며, 그 사람은 즉시 칠보의 관을 쓰고 채녀 가운데서 오락을 즐기며 기뻐할 것입니다. 하물며 수지하고 독송하며 바르게 억념하고 가르침에 따라 수행하는 사람이겠습니까?
만약 어떤 사람이 수지하고 독송하며 남을 위해 그 뜻을 해설한다면, 이 사람은 목숨을 마치면 천 분의 부처님께서 손으로 마정(摩頂)을 해주시면서 그를 두렵지 않게 해 주시고, 악도에 떨어지지 않고 즉시 미륵보살이 머무시는 도솔천의 내원에 갈 것입니다. 미륵보살은 삼십이상을 갖추고 대보살들에게 둘러싸여 있으며, 백천만억의 천녀 권속들이 함께 있는 가운데 태어날 것이니, 이러한 공덕과 이익이 있습니다. 그러므로 지혜로운 자는 응당 일심으로 스스로 사경하거나 남을 시켜 사경하며, 수지하고 독송하며 바르게 억념하고 가르침에 따라 수행해야 할 것입니다."
若但書寫, 是人命終當生忉利天上, 是時八萬四千天女, 作衆伎樂而來迎之, 其人卽著七寶冠於婇女中, 娛樂快樂。何況受持讀誦, 正憶念, 解其義趣, 如說修行。若有人受持讀誦, 解其義趣, 是人命終, 爲千佛授手, 令不恐怖, 不墮惡趣, 卽往兜率天上彌勒菩薩所。彌勒菩薩有三十二相, 大菩薩衆所共圍繞, 有百千萬億天女眷屬而於中生, 有如是等功德利益。是故智者應當一心自書, 若使人書, 受持讀誦, 正憶念, 如說修行。

나. 보현보살의 호법(護法) 서원

1) 보현보살의 서원

"세존이시여, 저는 이제 신통력으로 이 경을 수호할 것이며, 여래께서 열반에 드신 후 염부제 안에서 널리 유포하여 단절되지 않도록 하겠습니다."
世尊。我今以神通力故, 守護是經, 於如來滅後, 閻浮提內, 廣令流布, 使不斷絶。

2) 『법화경』의 보호

그때 석가모니 부처님께서 찬탄하셨다.
"훌륭하고 훌륭하구나. 보현보살이여! 그대는 이 경을 수호하고 도와서 많은 중생들을 안락하고 이롭게 하는구나. 그대는 이미 불가사의한 공덕과 깊은 대자비를 성취하였으며, 아득한 오래 전부터 무상정등정각의 마음을 일으켰다. 그리고 이러한 신통의 서원을 세워 이 경을 수호하려고 하니, 나는 마땅히 신통력으로 보현보살의 이름을 수지하는 사람을 수호할 것이다."
爾時, 釋迦牟尼佛讚言。善哉, 善哉。普賢。汝能護助是經, 令多所衆生安樂利益。汝已成就不可思議功德, 深大慈悲, 從久遠來, 發阿耨多羅三藐三菩提意。而能作是神通之願, 守護是經, 我當以神通力, 守護能受持普賢菩薩名者。

3) 법화행자의 보호

"보현보살이여, 만약 이 법화경을 수지 독송하고 바르게 억념하며, 가르침에 따라 수행하고 서사하는 사람이 있으면, 이 사람은 석가모니 부처님이 친히 입으로 설하시는 것을 보고 이 경전을 듣는 것과 같다고 알아야 한다. 이 사람은 석가모니 부처님을 공양하는 것이라고 알아야 하며, 이 사람은 부처님께서 매우 훌륭하다고 찬탄하시는 것이라고 알아야 하고, 이 사람은 석가모니 부처님께서 손으로 마정을 해 주시는 것이라고 알아야 하며, 이 사람은 석가모니 부처님께서 옷으로 덮어주시는 것이라고 알아야 한다."

普賢。若有受持讀誦, 正憶念, 修習書寫是法華經者, 當知是人則見釋迦牟尼佛, 如從佛口, 聞此經典。當知是人, 供養釋迦牟尼佛。當知是人, 佛讚善哉。當知是人, 爲釋迦牟尼佛手摩其頭。當知是人, 爲釋迦牟尼佛衣之所覆。

4) 법화행자의 수승한 인과

"이러한 사람은 다시는 세간의 즐거움에 탐착하지 않고, 외도의 경서와 글을 좋아하지 않으며, 또한 다시는 외도의 사람 혹은 도살하는 사람이거나, 돼지·양·닭·개 등을 기르거나, 사냥을 하거나, 여색을 파는 등 모든 악인을 친근하는 것을 좋아하지 않을 것이다.

이 사람은 마음이 바르고 곧으며, 경전의 도리를 바르게 억념하고, 복덕의 힘을 가지고 있다. 이 사람은 탐·진·치 삼독으로 괴롭지 않고, 또한 질투, 아만, 사만(邪慢), 증상만으로 인하여 괴롭지 않으며, 또한 욕심이 적고 만족을 알아 보현의 행을 닦을 수 있다."

如是之人, 不復貪著世樂, 不好外道經書手筆, 亦復不喜親近其人及諸惡者, 若屠兒, 若畜猪羊雞狗, 若獵師, 若衒賣女色。是人心意質直, 有正憶念, 有福德力, 是人不爲三毒所惱。亦復不爲嫉妒, 我慢, 邪慢, 增上慢所惱, 是人少欲知足, 能修普賢之行。

"보현보살이여, 만약 여래가 열반에 든 후 후오백세에 어떤 사람이 법화경을 수지하고 독송하는 사람을 보면, 마땅히 이렇게 생각해야 한다. '이 사람은 머지않은 장래에 보리도량에 이를 것이며, 모든 마의 무리를 깨트리고 무상정등정각을 증득하여, 법륜을 굴리고 법의 북을 치며 법의 나팔을 불고 법의 비를 내릴 것이며, 천인과 인간의 대중 가운데서 사자의 법좌 위에 앉을 것이다.'

보현보살이여, 만약 미래세에 이 경전을 수지하고 독송하는 사람이 있으면, 이 사람은 다시는 의복, 침구, 음식 등 생명을 돕는 모든 물건을 탐착하지 않을 것이고, 이 사람이 구하는 원은 헛되지 않을 것이며, 또한 현세에서 그 복의 과보를 얻을 것이다."

普賢。若如來滅後, 後五百歲, 若有人見受持讀誦法華經者, 應作是念。此人不久當詣道場, 破諸魔衆, 得阿耨多羅三藐三菩提, 轉法輪, 擊法鼓, 吹法螺, 雨法雨, 當坐天人大衆中師子法座上。普賢。若於後世, 受持讀誦是經典者, 是人不復貪著衣服, 臥具, 飮食資生之物•, 所願不虛•, 亦於現世得其福報。

자생지물(資生之物)• 자생지물이란 생명을 돕는 물건을 뜻한다.

소원불허(所願不虛)• 이 사람이 구하는 원은 헛되지 않을 것이다. 그가 무엇을 바라거나 원하는 것은 얻을 것이다. 왜 얻을 수 있는가? 그는 탐착하지 않기 때문이다. 탐착하면 원하는 것이 있어도 성취되지 못하고 헛된 것으로 변할 것이다.

5) 법화행자를 비방한 죄의 과보

"만약 어떤 사람이 법화경을 수지하고 독송하는 사람을 경시하고 비방하여 '너는 미친 사람이야! 이러한 일을 하는 것은 아무런 소용이 없으며, 끝내 아무것도 얻지 못할 것이야!'라고 말하면, 이러한 죄의 과보로 세세생생 눈이 없을 것이다.
만약 그를 공양하고 찬탄하는 사람이 있으면, 금생에 좋은 과보가 나타나게 될 것이다. 만약 다시 어떤 사람이 이 경을 수지하는 사람을 보고 그의 허물을 들춘다면, 그가 말한 허물이 사실이든 사실이 아니든, 이 사람은 현세에서 백라병(악성 피부병)을 얻을 것이다.
만약 비웃는 자가 있다면, 세세생생 치아가 성글거나 부족하며, 입술이 추하고 코가 납작하며, 손발이 뒤틀리고 굽으며, 눈은 삼각형이거나 사시(斜視)이며, 신체에서 악취가 나고 악창에 피고름이 흐르며, 배에 물이 차고 부종이 생기며, 호흡이 가쁘고 짧아지며, 모든 악성의 중병이 생길 것이다.
이러한 까닭으로 보현보살이여, 만약 이 경전을 수지하는 사람을 보면, 마땅히 일어나 멀리서부터 영접해야 하고, 부처님을 공경하듯이 대해야 하느니라."

若人有輕毀之言。汝狂人耳，空作是行，終無所獲。如是罪報，當世世無眼。若有供養讚歎之者，當於今世得現果報。若復見受持是經者，出其過惡，若實，若不實，此人現世得白癩病•。若有輕笑之者，當世世牙齒疏缺，醜脣，平鼻，手脚繚戾，眼目角睞•，身體臭穢，惡瘡膿血，水腹短氣，諸惡重病。是故普賢，若見受持是經典者，當起遠迎，當如敬佛。

약실(若實) 약부실(若不實) 차인현세득백라병(此人現世得白癩病)• 어떤 사람이 『법화경』을 수지 독송하는 사람을 보고 죄과(罪過)를 말하였는데, 그가 말한 허물이 사실이든 사실이 아니든, 비방한 사람은 현생에서 바로 나쁜 과보를 받는다는 뜻이다. 『법화경』을 수지하는 사람에게 허물이 없는데 허물이 있다고 말하거나, 혹은 이 사람이 이전에 죄악을 지은 적이 있다고 말하는 것이다. 『법화경』을 수지 독송하는 사람에게 그러한 허물이 있든 없든, 비방한 사람은 현세에 문둥병을 얻게 된다는 것이다.

백라병(白癩病)은 일종의 피부병으로서 흰색의 피부가 한 층씩 벗겨진다. 이곳이 좋아지면 다른 곳에서 또 발작하여 피부에 언제나 이러한 것이 있게 된다. 이것을 백선(白癬), 백나(白癩)라고 부른다. 너희가 만약 이러한 환자를 보면, 물어볼 것도 없이 그는 전생이나 금생에 힘써 헛소문을 말하였거나, 『법화경』을 수지 독송하는 사람을 비방한 죄업이 있다는 것을 알 수 있다.

안목각래(眼目角睞)• 눈이 각(角)이 지는 것은 어떠한 것인가? 눈은 보통 길게 생겼는데, 그의 눈은 삼각형으로 생겼다. 중국인이든 외국인이든 눈이 만약 삼각형이면, 그와는 친구가 되지 말아야 한다

그와 친구가 되면 반드시 손해를 보게 된다. 그런 사람은 친구는 말할 것도 없고 그의 부친이라도 속이려 하며, 심지어 부인에게도 진실한 말을 하지 않는다. 래(睞)는 어떠한 것인가? 본래 눈은 곧은 것인데, 그의 눈은 한쪽으로 몰려 옆으로 사람을 보게 된다. 즉 사시(斜視)를 말한다.

다. 『법화경』과 「보현보살권발품」을 들은 이익

이 보현보살권발품을 설하실 때 항하사수의 무량무변한 보살들이 백천만억의 선다라니를 얻었으며, 삼천대천세계의 미진수와 같이 많은 보살들이 보현의 도를 구족하였다.
부처님께서 이 경을 설하실 때 보현보살 등의 모든 보살들과 사리불 등 모든 성문과 모든 천룡팔부, 사람과 사람 아닌 중생 등 법회에 모인 모든 대중들은 크게 기뻐하며 부처님의 말씀을 수지하고, 예배한 후 물러갔다.
說是普賢勸發品時, 恒河沙等無量無邊菩薩, 得百千萬億旋陀羅尼•, 三千大千世界微塵等諸菩薩具普賢道。佛說是經時, 普賢等諸菩薩, 舍利弗等諸聲聞, 及諸天龍人非人等, 一切大會, 皆大歡喜, 受持佛語, 作禮而去。

득백천만억선다라니(得百千萬億旋陀羅尼)• 선다라니는 바로 선총지(旋總持)로서, 하나의 도리로부터 많은 도리를 이해하고, 많은 도리로부터 다시 하나의 도리로 돌아간다는 뜻이다. 즉 하나가 무량이며, 무량이 하나라는[一爲無量 無量爲一] 것이다. 너희가 하나의 뜻을 이해하면 곧 무량의 뜻을 이해하고, 무량의 뜻을 이해하면 다시 하나의 뜻으로 귀납된다. 이것을 선다라니라고 한다.

이 『법화경』을 25개월의 시간 동안 설명하여 오늘(1970년 11월 10일) 비로소 원만히 마치게 되었다. 서방의 국가에서 처음으로 이렇게 긴 법회를 가져 이렇게 긴 경전을 강의하였다. 여러분은 이 경전을 배운 후 각처로 돌아가 중생을 교화하여 모든 중생이 『법화경』의 불가사의한 묘한 점을 얻도록 하기 바란다.

너희가 이러한 묘한 점을 얻은 후 다시 다른 사람들도 이러한 묘한 점을 얻게 하는 것이, 바로 돌아가며 교화하는[輾轉敎化] 것이고, 불법을 홍양하는 것이며, 큰 법륜을 굴리는 것이고, 큰 법고를 치는 것이며, 큰 법의 나팔을 부는 것이고, 큰 법비를 내리는 것이다. 이곳에 참석한 우리 각자는 마땅히 이러한 일을 짊어져서 일체중생으로 하여금 법의 즐거움이 충만하도록 해야 할 것이다.

이어서 『대방광불화엄경』을 강의할 것이다. 이른바 "『화엄경』을 읽지 않으면 부처님의 참된 부귀함을 모른다."고 한다. 부처님의 부귀함은 바로 화엄경 속에 있다. 이 경은 무궁무진한 도리를 가지고 있으니, 모두는 『화엄경』 강의를 들을 기회를 놓치지 말아야 할 것이다. 다시 기억하길 바란다. 기회를 놓치면 안 되며, 기회를 놓치면 다시 찾을 수 없다. 왜냐하면 그것은 너무나 복잡하고, 그것의 도리는 너무나 넓고 넓어서 찾기가 쉽지 않기 때문이다.

妙法蓮華經卷第七

성불로 가는 길

첨단기술의 발달은 우리를 둘러싼 환경을 급격히 변화시키고 있다. 편리하고 호화스럽다. 이런 이익을 한껏 누리기 위해 모두 목숨을 바쳐 열심히 일하고 있다. 하지만 이런 첨단기술 속에 우리는 심신(心身)의 기(氣)를 빼앗기고, 또 신체를 단련하지 못해 점점 허약해져간다. 물질문명의 발달로 인하여 신체의 활동은 적어지고 몸의 에너지는 갈수록 소모되기 때문이다. 예를 들어 스마트폰으로 인하여 눈의 공능이 점점 약해지고, 귀의 공능도 문제가 많이 발생한다. 길을 걸어가면서도 스마트폰을 보거나 듣고, 지하철이나 차를 타고 갈 때도 스마트폰을 손에서 놓지 못하고 있다. 갈수록 육근(六根)은 혹사되고 있으며, 우리의 마음은 번뇌, 망상으로 들끓고 있다. 그래서 우리의 정기신(精氣神)이 소모되어 신체와 정신에서 장애를 발생시킨다. 중국의 어떤 석학은 앞으로 인류에게는 정신적인 장애가 많이 나타날 것이라고 경고하였다.

많은 사람들이 불법(佛法)을 배우지만 불법의 진정한 의미를 이해하지 못하고, 방황하는 사람이 적지 않은 것 같다. 우리는 왜 불법을 배우는지에 대하여 깊이 생각해 봐야 한다. 사람의 쾌락은 모두 육근으로부터 일어나며, 사람이 복을 누림은 모두 육근을 만족시키려는 것이다. 눈으로는 좋은 모습을 보려하고, 귀로는 즐거운 소리를 들으려 하고, 코로는 좋은 향기를, 혀로는 맛있는 음식을, 몸은 좀 더 편안하고 부드러운 것을 추구하고 있으며, 뜻으로는 다섯 가지의 근을 마음껏 누리려는 망상을 부리고 있다. 그래서 『능엄경(楞嚴經)』에서 이르기를 "육도에 윤회하게 하는 것은 육근이며, 부처를 이루게 하는 것도 육근이다."라고 하였다. 결국 수행은 육근을 청정하게 하여 부처님의 지견[佛知見]을 증득하는 것이라고 말할 수 있을 것이다. 사람은 왜 욕망이 많은가? 육근이 청정하지 않고 오염되어 있기 때문이다. 육근이 청정하지 못하면 자연히 욕망에 쉽게 오염된다.

그러면 어떻게 하면 육근을 청정하게 할 수 있는가? 이 경의 가르침에 따르면 『법화경』을 수지, 독송, 사경하는 것이다. 「법사공덕품」에서 이르기를 "선남자, 선여인이 이 법화경을 수지하고 독송하며, 해설하고 서사하면, 이 사람은 마땅히 팔백의 눈의 공덕, 천이백의 귀의 공덕, 팔백의 코의 공덕, 천이백의 혀의 공덕, 팔백의 몸의 공덕, 천이백의 뜻의 공덕을 얻게 되며, 이러한 공덕으로 육근을 장엄하여 모두 청정하게 될 것이다."라고 하였다.

육근이 오염될수록 청정하지 못한 것을 좋아하게 되며, 세간의 가장 오염된 것을 누리려고 한다. 예를 들면 고기 먹고, 술 마시고, 시끄럽고 번잡함을 즐기는 것은 바로 탁한 기를 흡수하는 것이다. 불법을 배운 후에는 수행을 통하여 청정한 기운을 함양해야 하며, 세속의 오염된 기운을 제거해야 한다. 몸이 청정하면 마음이 청정해질 수 있으며, 마음이 청정하면 법의 기쁨이 충만해진다.

『법화경』은 현교(顯教)의 경전이지만 밀법(密法) 가운데의 밀법이라고 할 수 있다. 수행의 비밀이 모두 이 경전 속에 있지만 비유로 되어 있어 이해하기 어렵다. 『법화경』에서 말하는 경계는 일반적으로 깨달아 통달하기 어렵다. 그래서 경전에는 "불가사의"라는 말이 많이 나온다. 우리의 식심(識心)으로는 이해하기 어렵기 때문이다.

『법화경』을 수지하면 몸과 마음이 변화되는데, 이것은 『법화경』을 수지하고 독송하며 서사하고 해설하면 육근청정의 공덕을 얻기 때문이다. 「약왕보살본사품」에서 언급하듯이 『법화경』을 수지하면 색신(色身)을 변화시킨다. 예를 들어 몸에서 향기가 나오는 것과 같다. 그리고 「보현보살권발품」에서도 『법화경』을 독송하면 사람들에게 세간의 즐거움을 탐착하지 않게 되고, 삼독의 괴롭힘을 받지 않으며, 질투와 아만의 괴롭힘을 받지 않고, 욕심이 적고 만족할 줄 알아서 보현행을 닦을 수 있다고 하였다. 육근이 청정해진 연후에는 갖가지의 공덕이 나온다. 오안육통(五眼六通)이 계발될 뿐 아니라 법계의 상황을 이 육신으로 알 수 있게 된다. 그러므로 우리는 자기의 근기를 잘 알아서 착실하게 『법화경』을 독송, 사경하면 무량한 공덕을 얻을 수 있다는 것을 알아야 할 것이다.

그러나 육조 대사께서 이르시기를 "마음이 미혹하면 법화경에 굴림을 당하고, 마음이 깨달으면 법화경을 굴리네. 경을 오래 독송해도 이해하지 못하면 경의 뜻과는 원수를 이루네."라고 하였다. 이와 같이 경을 아무리 많이 독송해도 그 뜻을 이해하지 못하면 경의 뜻과는 원수를 이루어 실질적인 법의 혜택을 얻기 어렵다. 그러므로 먼저 선화 상인의 해설을 통하여 경문의 뜻을 이해하는 것이 무엇보다 중요하다.
본 경은 모두 28품으로 구성되어 있는데, 중국 근대 태허(太虛)대사의 설명에 의하면 세 부분으로 나눌 수 있다. 첫째는 서분(序分)으로서 「서품(序品)」이며, 둘째는 정종분으로서 제2「방편품」부터 제20「상불경보살품」까지며, 셋째는 유통분으로서 제21「여래신력품」부터 제22「촉루품」까지다.

정종분은 사람에 따라 나누는 게 서로 다른데, 당나라 현장 법사의 제자인 규기(窺基) 대사는 정종분을 경(境), 행(行), 과(果)의 세 가지 문으로 나누기도 하였다. 「방편품」부터 「권지품」까지 모두 12품은 일승(一乘)의 경계를 나타내며, 「안락행품」과 「종지용출품」의 두 품은 일승의 행을 나타내고, 「여래수량품」부터 「상불경보살품」까지 다섯 품은 일승의 과(果)를 나타낸다고 하였다.

수나라 천태 지자(智者) 대사는 적(迹)과 본(本)의 두 문으로 나누었다. 그분이 저술한 『법화현의』와 『법화문구』에서는 서분은 「서품」이며, 「방편품」부터 「분별공덕품」 전반부까지를 정종분으로 구분하고, 「분별공덕품」 후반부부터 「보현보살권발품」까지를 유통분으로 나누었으며, 전반 14품은 적문(迹門), 후반 14품은 본문(本門)으로 나누기도 하였다.

이 경은 일반적인 서분, 정종분, 유통분으로 분류하는 것보다는 많은 선지식들의 다양한 분류를 통하여 이 경을 더욱 이해하기 쉽게 하였다. 특히 명나라 감산(憨山) 대사는 불지견의 개시오입(開示悟入)과 신해행증(信解行證)으로 분류하였다. 「방편품」부터 「법사품」까지의 9품은 불지견을 여는[開] 품이고, 「견보탑품」은 불지견을 보이는[示] 품이며, 「제바달다품」부터 「촉루품」까지의 11품은 불지견을 깨닫는[悟] 품이며, 「약왕보살본사품」부터 「보현보살권발품」까지의 6품은 불지견에 들어가는[入] 품이라고 하였다. 그리고 「서품」부터 제22품까지를 믿고 이해하는[信解] 품이며, 제23품부터 마지막까지를 수행하여 증득하는[行證] 품이라고 하였다.

이전에 『법화경』을 잘 이해하지 못했을 때에는 「약왕보살본사품」 이하의 품들이 왜 『법화경』에 포함되었는지 궁금했는데, 이번에 번역하면서 연구해보니 그 의미를 이해하게 되었다. 불학은 믿고 이해하는 것으로 시작하여 수행하여 증득함으로써 완성되는 것이다. 수행하여 증득해야 진정으로 중생을 위하여 보살행을 할 수 있으며, 나아가 궁극에는 부처를 이룰 수 있을 것이다. 그래서 이 『법화경』을 성불의 길을 밝힌 경이라고 말한다.

이 경은 대승의 궁극의 요의경(了義經)으로서 가장 믿기 어렵고 이해하기 어려운 경이라고 할 수 있다. 실상의 경계를 언설로 설하기 어렵기 때문에 비유로 설한 부분이 많은 것이다. 이 『법화경』 속에는 중요한 일곱 개의 비유(화택의 비유, 가난한 아들의 비유, 약초의 비유, 변화의 성 비유, 옷 속 구슬의 비유, 머리 구슬의 비유, 의사 아들의 비유)가 나오는데 문자의 뜻은 이해하기 쉽지만, 그 속에 담긴 도리를 통달하기는 그렇게 간단하지 않다. 그리고 땅에서 솟아나온 칠보탑과 다보여래, 8세 용녀의 성불, 땅속에서 솟아나온 보살, 사바세계의 세 번의 정토 변화, 약왕보살의 소신공양 등이 뜻하는 함의를 이해하기는 범부의 심식으로는 이해하기 어려운 것이다. 그래서 우리와 같은 범부는 오직 믿음으로 들어갈 뿐이다. 『법화경』을 연구하기 전에 먼저 『능엄경』을 연구하여 이해하면, 『법화경』을 이해하기가 훨씬 쉬울 것이나. 감산 대시는 "법화경을 읽지 않으면, 중생에 대한 여래의 자비심을 이해하지 못하고, 능엄경을 읽지 않으면 마음을 닦는데 미혹과 깨달음의 관건을 알지 못한다."라고 하였다.

중생의 마음은 무시이래로부터 무명번뇌에 덮여 있기 때문에 여래장의 참된 마음이 나타나지 못하였다. 보탑이란 중생 누구나 다 갖추고 있는 여래장심(如來藏心)을 비유하고 있는데, 일승의 진실한 경계를 설하여 무명으로 덮여 있는 가운데서 드러난 여래장성을 나타낸 것으로서 이것이 바로 보탑이 땅에서 솟아나온 진실한 뜻이라고 할 수 있을 것이다. 보탑은 본다는 것은 여래장성(如來藏性)에서 우리의 본래면목을 본다는 것을 뜻하며, 즉 우리의 마음 땅[心地]에서 본래 갖춘 여래장성이 드러난 것이다. 이와 같이 『법화경』은 불법의 가장 궁극적인 도리를 함축하고 있으며 우리에게 부처의 지견[佛知見]을 가르치고 있다.

그래서 「방편품」에서 부처님은 일대사인연(一大事因緣)을 위하여 세간에 출현하신다고 하였다. 즉 중생들에게 불지견(佛知見)을 열고[開] 보이며[示] 불지견을 깨달아[悟] 증득하게[入] 하는 것이다. 중생이 본래 갖춘 진심(眞心)이 바로 불지견이다. 그러나 이 마음은 단지 무명에 가려져 있기 때문에 모든 부처님이 세상에 출현하여 특별히 중생을 위하여 그것을 열어 가리키는 것이며, 중생으로 하여금 오염된 망념을 떠나 청정함을 얻어 스스로 깨달아 들어가게 하신 것이다. 그러므로 이승(二乘)이나 삼승(三乘)은 없고 오직 일승(一乘)의 묘법을 드러낼 뿐이다.

일승이란 곧 일체 중생의 본심(本心)이며, 우리가 일상생활에서 현전하여 지각하는 자성(自性)이다. 이 자성은 일체 범부와 성인의 큰 근본이며, 이 마음 밖에 별도의 설할 법이 하나도 없는 것이다. 수행인은 진심으로 마음을 쓰는 것을 귀하게 여기며, 스스로 번뇌습기와 업식종자를 청정하게 하여 점차 업식을 타파하는데 따라 불지견이 드러나고 부처의 경계에 가까워질 것이다. 그러므로 단지 자심(自心)이 바로 일승이라고 알아야 하며, 제법은 단지 가명(假名)만 있음을 깨달으면 진실한 공부에 들어가는 것이라고 말할 수 있을 것이다.

먼저 삼승(三乘)으로 설하신 것은 중생이 갖가지 욕망에 깊이 집착된 것을 알기 때문에 부득이하게 그 본성을 따라 인도하였으며, 팔만사천의 법을 설하여 팔만사천의 마음을 다스린 것이다. 만약 팔만사천의 마음이 없으면 팔만사천의 법이 무슨 소용이 있겠는가? 부처님께서 법을 설하신 것은 모두 일체중생이 일불승(一佛乘)의 일체종지를 얻게 하기 위한 까닭이다. 부처님께서 49년간 법을 설하신 것은 갖가지 인연으로 작은 마음을 버리고 큰마음을 일으키게 하였지만, 그러지 못하고 법화회상에 이르러 일불승의 묘법을 설하셨다. 자기의 마음이 부처라는 것을 믿지 못하니 석가세존께서는 여러 방편으로 조복하여 법화회상에 이르러 비로소 제자들이 믿게 되었다. 이 마음이 성불의 참된 인(因)이며, 이것으로부터 나아가 성불의 행(行)을 닦아 나갈 수 있다. 부처님께서 설하신 일언일구는 궁극에 법계 진공(眞空)으로 돌아가지 않음이 없다. 그러나 중생의 마음과 욕구가 다르므로 그것을 따르면서 때를 기다리신 것이다. 그래서 바로 일체종지의 법을 설하시지 않은 것이다.

묘법은 보살이 수행하여 불도를 구하는 근본이다.「법사품」에서 승속을 막론하고 보살도를 행하려고 하면서 이 경을 보고, 듣고, 읽고, 외우고, 쓰고, 지니고, 공양하지 않으면 이 사람은 아직 보살도를 잘 행하지 못하는 사람이라고 하였다.『법화경』은 제불의 혜명(慧命)으로서 보살이 수행하면서 이 경을 듣지 못하고, 이해하지 못하고, 수습(修習)할 수 없는 사람은 깨날음과는 아직 멀다고 한다. 그래서 보살이 수행하는 데 있어서 반드시 이 경에 의지해야 하는 것은 일체의 보리(菩提)가 모두 이 경에 속하기 때문이며, 이 경은 방편문을 열어서 진실상을 보이는 까닭이다.

우리나라에는 독송용으로『법화경』의 원문을 번역한 책은 너무나 많으나 『법화경』을 깊이 있게 해설한 책은 별로 없었다. 2011년 가을 『선화 상인의 능엄경 강설』이 출간된 후 선화 상인의 『법화경』 강설을 번역해야겠다는 마음이 강하게 일어났다. 물론 이 책도 『법화경』을 깊이 있게 해설했다기보다는 선화상인께서 깊은 도리를 알기 쉽게 해설한 것이다. 그래서 이 책의 원전은 『묘법연화경 천석(淺釋)』이라고 하였다. 너무 깊은 도리를 설명하면 일반인은 이해하기 어려우므로 묘법의 깊은 도리를 알기 쉽게 해설하였다.

2013년 여름부터 2, 3년간은 선원에 머물면서 참선에 치중하다 보니 『법화경』의 번역은 계속 미뤄졌다. 그 후 중간 중간에 분량이 작은, 선지식의 작은 법문집을 번역하면서 지냈지만, 틈틈이 『법화경』의 번역은 계속 되었다. 2016년 8월 미국 만불성성의 초청을 받아 '경전 번역 세미나'에 참석하고 돌아온 후로부터 본격적으로 발심하여 『법화경』의 번역에 몰두하기 시작하여 오늘에서야 비로소 출간에 이르게 되었다.

2018년은 선화상인 탄신 100주년을 맞이하는 해로서 올해 안에 이 책을 출간하려고 불광출판사 관계자와 함께 많이 노력한 결과 다행히도 이 해가 가기 전에 책이 나오게 되어 매우 기쁘다. 또한 불광출판사와 책임편집을 맡아주신 이상근 주간님의 노고에 깊이 감사드린다. 이 책을 통하여 한국의 독자들이 『법화경』에 대한 이해가 더욱 깊어져서 모두 묘법을 깨달으며, 다함께 보리심(菩提心)을 발하고 보살도를 행하여 성불하기를 기원 드린다.

2018년 10월 웰가 우거(寓居)에서

각산 정원규

◉ 강설 선화 상인(宣化 上人, 1918~1995)

법명은 안자(安慈), 자는 도륜(度輪)이다. 중국 위앙종(潙仰宗)의 제9대 조사이며, 사호(賜號)는 선화(宣化)이다. 29세 되던 1947년 보타산에서 구족계를 받았다. 1949년 홍콩으로 건너가 선종, 교종, 율종, 밀종, 정토종의 다섯 종파를 고루 선양하며 문호파벌을 타파하였고, 서낙원사, 불교강당, 자흥선사 등을 건립하였다. 허운 선사(虛雲 禪師)가 1956년 운거산에서 석가모니 부처님께서 전승하신 법의 제46대, 중국 위앙종의 제9대 사법인(賜法人)으로 임명하고 '선화(宣化)'라는 호를 내렸다. 1962년 미국으로 건너가서 샌프란시스코에 불교학당을 설립하여 불법을 전했다. 1973년 국제역경원을 설립하여 역경의 인재를 배양하였고, 1974년 캘리포니아주 유키아에 만불성성(萬佛聖城)을 건립한 후 미국 등 세계 각지에 27개의 도량을 건립하였다.

◉ 편역 각산(覺山) 정원규(鄭源奎)

경남 진주에서 출생하여 경북대 중어중문학과를 졸업하였다. 경남도청에 근무하던 기간 중 중국 연수와 파견 근무를 하면서 접한 중국의 불서와 중국 고승의 법문에 감명을 받아 국내에 소개하고 있다. 불교에 입문한 이후 경전 연구, 염불, 능엄주 지송, 참선 등의 수행을 통해 마음을 밝혀 견성하기 위해 정진하고 있다. 옮긴 책으로 『오대산 노스님의 인과 이야기』, 『염불, 모든 것을 이루는 힘』, 『선화 상인 능엄신주 법문』, 『선화 상인 능엄경 강설』(상, 하), 『허공을 타파하여 마음을 밝히다』, 『내 이름을 부르는 이 누구나 건너리』, 『부처님 말씀 그대로 행하니』, 『생사의 근본에서 주인이 되라』, 『불설대승무량수장엄청정평등각경』 등이 있다.

선화 상인
법화경 강설 下

2018년 11월 19일 초판 1쇄 발행

번역 구마라집
강설 선화 상인
편역 각산 정원규

발행인 박상근(至弘) • 편집인 류지호 • 상무 이영철
책임편집 이상근 • 편집 김선경, 양동민, 주성원, 김재호, 김소영
디자인 쿠담디자인 • 제작 김명환 • 마케팅 허성국, 김대현, 최창호, 양민호 • 관리 윤정안
펴낸 곳 불광출판사 (03150) 서울시 종로구 우정국로 45-13, 3층
대표전화 02) 420-3200 편집부 02) 420-3300 팩시밀리 02) 420-3400
출판등록 제300-2009-130호(1979. 10. 10.)

ISBN 978-89-7479-480-4(04220) 값 35,000원
978-89-7479-478-1(04220) 값 70,000원 (세트)

이 도서의 국립중앙도서관 출판예정도서목록(CIP)은
서지정보유통지원시스템 홈페이지(http://seoji.nl.go.kr)와
국가자료공동목록시스템(http://www.nl.go.kr/kolisnet)에서 이용하실 수 있습니다.
(CIP제어번호: CIP2018033456)

잘못된 책은 구입하신 서점에서 바꾸어 드립니다.
독자의 의견을 기다립니다. www.bulkwang.co.kr
불광출판사는 (주)불광미디어의 단행본 브랜드입니다.

이 도서는 세트로만 판매합니다.